ACTA UNIVERSITATIS UPSALIENSIS
Historia Religionum
10

Jarl Henning Ulrichsen

DIE GRUNDSCHRIFT DER TESTAMENTE DER ZWÖLF PATRIARCHEN

Eine Untersuchung zu Umfang, Inhalt und Eigenart der ursprünglichen Schrift

Uppsala 1991

Printed with support from
The Swedish Research Council for the Humanities and Social Sciences.

Abstract

Ulrichsen, J.H., 1991. Die Grundschrift der Testamente der Zwölf Patriarchen. Eine Untersuchung zu Umfang, Inhalt und Eigenart der ursprünglichen Schrift. (The Original Text of the Testaments of the Twelve Patriarchs. An Examination of its Extent, Contents and Character.) Acta Universitatis Upsaliensis. *Historia Religionum* 10. 368 pp. Uppsala. ISBN 91-554-2833-9.

The treatise argues that The Testaments of the Twelve Patriarchs were originally an entirely ethical-didactic document, whereas the prophetic-apocalyptic and the Christian passages, on the other hand, are secondary additions.

Part I presents the current state of research, the approach, the method and the use of textual criticism. The work is based primarily on a method of literary criticism, but also pays attention to other methods.

Part II gives a survey of the general framework of the testaments and of the testament genre, together with an in-depth analysis of all the twelve testaments in question. Relevant source material from parallel traditions is also discussed.

Part III consists of a study of six themes which play a central part in the critical analysis of the texts.

Part IV sums up the results of the preceding discussion and examines the subject matter, the mental horizon and the ideology of the original document. The author argues in favor of a Semitic original text of Palestinian provenance and a date of composition around 200 BC.

Jarl Henning Ulrichsen, Department of Theology, Uppsala University, Box 1604, S-751 46 Uppsala, Sweden.

Distributor:
Almqvist & Wiksell International
Box 638, S-101 28 Sweden

ISBN 91-554-2833-9
ISSN 0439-2132

Printed in Sweden
Gotab, Stockholm 1991

Meinem Freund und Lehrer
Herrn Professor Ragnar Leivestad
in Dankbarkeit gewidmet

INHALTSVERZEICHNIS

TEIL III. THEMATISCHE UNTERSUCHUNGEN

TEIL IV. AUSWERTUNG DER ANALYSEN

VORWORT

Im Jahre 1982 erschien meine Dissertation zu den Testamenten der Zwölf Patriarchen (mit demselben Titel wie die vorliegende Arbeit) in norwegischer Sprache.

Die hier vorgelegte Monographie ist keine Übersetzung im strengen Sinn, sondern eher eine bearbeitete, auf den letzten Stand gebrachte, teilweise gekürzte und hoffentlich verbesserte Version. Die Kritik meiner damaligen Opponenten, der Herren Professoren Ragnar Leivestad und Anders Hultgård, habe ich, insofern sie mir berechtigt schien, eingearbeitet.

Allen denen, die mir beim Gedeihen dieser Arbeit hilfreich zur Seite gestanden haben, möchte ich meinen aufrichtigen Dank aussprechen. Mein besonderer Dank richtet sich an die Herren Professoren Ragnar Leivestad und Jan Bergman. Herr Professor Ragnar Leivestad hat mich in die Problematik eingeführt und durch viele wertvolle Hinweise und persönliches Interesse meine Arbeit gefördert. Herr Professor Jan Bergman hat als Herausgeber der Serie 'Acta Universitatis Upsaliensis – Historia Religionum' durch die freundliche Aufnahme meiner Arbeit in die Serie die Grundlage für eine Publizierung geschaffen. Darüber hinaus hat er durch das kritische Lesen meines Manuskripts wertvolle Hilfe geleistet.

Die Drucklegung wurde durch die großzügige Unterstützung des Schwedischen Forschungsrates für Geistes- und Gesellschaftswissenschaften ermöglicht, wofür ich an dieser Stelle meinen tiefen Dank aussprechen möchte.

Uppsala, Juli 1990   J.H. Ulrichsen

TEIL I

EINFÜHRUNG, PROBLEMATIK, METHODIK

1. Die Testamente der Zwölf Patriarchen: Zur Forschungsgeschichte seit 1969

Das Interesse für die Pseudepigraphen (und Apokryphen) hat in den letzten zwanzig Jahren eine Blütezeit erfahren. In seiner 1969 veröffentlichten 'Bibliographie zur jüdisch-hellenistischen und intertestamentarischen Literatur 1900–1965' hat Delling die wichtigsten Beiträge dieser Periode gesammelt. In der zweiten Auflage (1975) hat er Arbeiten aus den Jahren 1966–1970 hinzugefügt. Dellings Bibliographie hat eine neue Ära eingeleitet, denn in wenigen Jahren sind neue Bibliographien und Einleitungen[1], Textausgaben[2], Kommentarserien[3] und zahlreiche Monographien[4] und Aufsätze[5] erschienen. Harrington hat eine gute Übersicht über die intensive Aktivität während der siebziger Jahre gegeben[6] und die achtziger Jahre scheinen ebenso fruchtbar zu sein.

Die vorliegende Arbeit ist einer Untersuchung der Testamente der Zwölf Patriarchen gewidmet. Diese Schrift gehört unbedingt zu den bedeutendsten der alttestamentlichen Pseudepigraphen, und es ist kein Zufall, daß sie besondere Aufmerksamkeit erlebt hat. Das oben erwähnte Aufblühen der Forschung läßt sich an ihr besonders gut beobachten. Im Zeitraum 1908–1968 erschienen nur wenige, wenn auch wichtige, Monographien zu den TP, nämlich Charles' Textausgabe 'The Greek Versions of the Testaments of the Twelve Patriarchs' und sein Kommentar 'The Testaments of the Twelve Patriarchs' (beide 1908), Eppels 'Le Piétisme juif dans les Testaments des Douze Patriarches' (1930), M. de Jonges 'The Testaments of the Twelve Patriarchs' (1953) und seine Textausgabe 'Testamenta XII Patriarcharum' (1964), sowie Aschermanns 'Die paränetischen Formen der „Testamente der Zwölf Patriarchen" und ihr Nachwirken in der frühchristlichen Mahnung' (1955). Die Arbeiten von Charles und M. de Jonge haben großen Einfluß ausgeübt. Zu erwähnen sind auch die zwei Aufsätze Philonenkos über die christlichen Interpolationen in den TP

---

[1] Denis *Introduction*; Rost *Einleitung*; Charlesworth *SCS 7*; Nickelsburg *Jewish Literature*; Stone *Jewish Writings*.

[2] Vgl. Charlesworth *SCS* 7,26ff.

[3] Ibid.

[4] Umfassende Bibliographien finden sich in den in Anm. 1 verzeichneten Werken. Vgl. zu den TP unseren Text und unsere Bibliographie.

[5] Vgl. Anm. 4.

[6] *CBQ* 42 (1980) 147ff.

(1958 und 1959)[7], die später (1960) als eine Monographie erschienen: 'Les interpolations chrétiennes des Testaments des douze Patriarches et les manuscrits de Qoumrân'. Zu diesen Monographien kommen natürlich noch eine große Anzahl von Aufsätzen sowie kürzere oder längere Abschnitte in Lexika, Sammelwerken, Literaturgeschichten usw. hinzu[8]. Umfangreich ist die Literatur aus dieser Periode jedenfalls nicht.

Im Vergleich mit dieser begrenzten, wenn auch nicht direkt kargen, Forschungsaktivität vermittelt eine Übersicht über die letzten zwanzig Jahre unmittelbar den Eindruck, daß den TP ein erheblicher Teil des neuerweckten Interesses für die intertestamentarische Literatur zuteil geworden ist.

a. Textkritische Ausgaben

1978 erschien die neue textkritische Ausgabe des griechischen Textes, 'The Testaments of the Twelve Patriarchs. A Critical Edition of the Greek Text' (ed. M. de Jonge et al.), die das gesamte uns zur Zeit bekannte griechische Textmaterial berücksichtigt. Sie stellt den Forschern ein unschätzbares Werkzeug zur Verfügung, das ihnen erlaubt, einen so zuverlässigen Text, wie es der Forschung heute möglich ist, zu rekonstruieren. Freilich darf man der textkritischen Position der „niederländischen Schule" nur bedingt zustimmen[9], doch ist die Bedeutung der Textedition unbestreitbar.

Eine textkritische Ausgabe der armenischen Version liegt noch nicht vor, wird aber von Stone vorbereitet. Er hat bereits zwei der Testamente *in extenso* veröffentlicht, nämlich 'The Testament of Levi' (1969) und 'The Armenian Version of the Testament of Joseph' (1975), und hat darüber hinaus die Herausgeber der neuen griechischen Textausgabe mit einer Übersetzung und Textvarianten zu TIs und TSeb Kap. 6−10 versehen[10]. Da der armenische Text in Charles' Textausgabe offenbar überholt ist, ist eine neue Edition des armenischen Textes erforderlich, und man darf hoffen, daß sie bald erscheinen wird.

b. Kommentare

Während der letzten Jahre sind mehrere Kommentare (kommentierte Übersetzungen) erschienen. Unter diesen steht der Kommentar von Hollander und M. de Jonge, 'The Testaments of the Twelve Patriarchs: A Commentary' (1985), in einer Sonderstellung, weil er alle Einleitungsfragen ausführlich behandelt und den Text sowohl textkritisch als auch inhalt-

---

[7] In *RHPhR* 38 (1958) 310−343 und ibid. 39 (1959) 14−38.

[8] Man vergleiche z.B. die Bibliographie in Slingerland *A Critical History of Research*, bes. 118ff.

[9] Vgl. I,6.

[10] S. *Editio Maior* 193; 198ff; 201f.

lich eingehend kommentiert. Dabei bietet er eine Fülle von sachlichen Parallelen, die auch demjenigen, der den Ansichten seiner Verfasser kritisch gegenübersteht, nützlich sein können.

In der dänischen Serie 'De gammeltestamentlige pseudepigrafer' (1953–1976), die 8 Bände umfaßt, ist Otzen für die TP (GamPseud 7, 677–789; 1974) verantwortlich. Da es sich hier um ein Sammelwerk handelt, ist der Umfang der Kommentare begrenzt – die textkritischen sind allerdings recht ausführlich –, weil sie sonst alle Rahmen sprengen würden.

Dasselbe gilt in noch höherem Grad für die Kommentare von Becker in 'Jüdische Schriften aus hellenistisch-römischer Zeit' (JSHRZ III, 1, 15–163; 1974) und Kee in 'The Old Testament Pseudepigrapha' (OTP I, 775–828; 1983). Bei Becker überwiegen die textkritischen Kommentare, während die sachlichen in den Hintergrund treten. Bei Kee spielen die sachlichen Erläuterungen die Hauptrolle, obwohl er sich auf einige zentrale Themata beschränken muß. Die Übersetzung von M. de Jonge in 'The Apocryphal Old Testament' (AOT 515–600; 1984) bietet fast nur textkritische Bemerkungen und ist somit von begrenztem Wert. (M. de Jonges Auffassungen sind natürlich aus seiner umfangreichen Produktion wohlbekannt.) Die von Philonenko besorgte Übersetzung und Kommentierung von den TP in 'La Bible. Écrits intertestamentaires' (BEI 811–944; 1987) ist leider von seiner recht unglücklichen These von der essenischen Herkunft der TP geprägt[11], enthält aber viele interessante Einzelbeobachtungen.

Es gibt auch andere Kommentare, die uns nicht zugänglich gewesen sind[12].

c. Monographien verschiedener Art

In seiner Dissertation 'Das Testament des Levi. Untersuchungen zu seiner Entstehung und Überlieferungsgeschichte' (1969) konzentriert Haupt sein Interesse auf TL und dessen Verhältnis zu den aramäischen Levi-Fragmenten und versucht zu zeigen, daß ein aramäisches Levi-Testament, das den vorliegenden Fragmenten recht ähnlich sein sollte, dem griechischen TL zugrunde liege. Wir kommen in TL mehrmals auf seine Arbeit zurück, signalisieren aber schon hier, daß wir seiner These nicht zustimmen.

In der ebenfalls 1969 erschienenen Abhandlung 'The Importance of the Teaching on God, Evil and Eschatology for the Dating of the Testaments of the Twelve Patriarchs' hat sich Macky das Ziel gesetzt, die TP zeitlich einzuordnen. Dabei bedient er sich einer etwas eigenartigen Methode: er

---

[11] Vgl. I,2 mit Anm. 1.
[12] S. Charlesworth *SCS* 7,26ff.

17

vergleicht die Theologie der TP mit der Theologie anderer, datierbarer jüdischer und christlicher Schriften[13] und folgert daraus, daß unser Text ungefähr 25 v. Chr. abgefaßt worden sei, da sich die meisten Parallelen in 1.Hen, Jub und den Qumranschriften fänden.

Beckers 'Untersuchungen zur Entstehungsgeschichte der Testamente der zwölf Patriarchen' (1970) ist die umfassendste Arbeit zu den TP in neuerer Zeit. Becker stellt alle denkbaren Probleme zur Debatte. Der erste Teil bietet textkritische Erwägungen, der zweite Untersuchungen zu den semitischen Parallelstücken zu TL, TN und TJud. Im dritten Teil, der den Hauptkorpus ausmacht, liefert Becker eine kurzgefaßte Forschungsgeschichte, Gattungsuntersuchungen und umfangreiche Analysen aller zwölf Testamente. Im vierten Teil folgt eine Auswertung der vorangehenden Analysen, wobei eine geschichtliche Einordnung der Schrift versucht wird. In Beckers Untersuchungen spielen literarkritische Analysen eine Hauptrolle, obwohl es sich aus der obigen Übersicht ergibt, daß text-, quellen- und formkritische Erwägungen gebührend beachtet sind.

Hultgård hat sich schon in seiner Dissertation 'Croyances messianiques des Test. XII Patr., critique textuelle et commentaire des passages messianiques' (1971) für die Eschatologie der TP interessiert, obzwar mit der Beschränkung, daß er darin nur den Messiasglauben behandelt. In seinem zweibändigen Opus 'L'eschatologie des Testaments des Douze Patriarches', I–II (1977 und 1982) hat er seine Interessensphäre erheblich erweitert. In Band I werden alle eschatologischen Texte interpretiert. Noch wichtiger ist u.E. Band II. Darin legt Hultgård in Kap. 1 eine neue Theorie zur Textkritik vor, untersucht in Kap. 2 die Testamentgattung und erbietet in Kap. 3 eine Lösung des Kompositionsproblems, wobei er auch die theologischen Hauptmotive der TP, das Problem der ursprünglichen Sprache und die geschichtliche Einordnung behandelt.

1973 hat v. Nordheim seine maschinenschriftliche Dissertation 'Die Lehre der Alten. Das Testament als Literaturgattung in Israel und im Alten Vorderen Orient' vorgelegt. Die gedruckte Version ist in zwei Bänden erschienen: 'Die Lehre der Alten', I–II (1980 und 1985). Der erste Band trägt den Untertitel 'Das Testament als Literaturgattung im Judentum der hellenistisch-römischen Zeit', der zweite lautet 'Das Testament als Literaturgattung im Alten Testament und im Alten Vorderen Orient'. v. Nordheims Abhandlung ist ein wesentlicher Beitrag zur Erforschung der Testamentgattung, und da er dem Thema eine umfangreiche Monographie gewidmet hat, konnte er viele Probleme eingehender als z.B. Becker[14] und

---

[13] D.h.: Das Alte und das Neue Testament, Jub, 1.Hen und andere Pseudepigraphen, rabbinische Texte, Philo, Qumranschriften und altkirchliche Schriften.
[14] *Untersuchungen* 157; 158ff; 378.

Hultgård[15] behandeln. Seine Analysen der Einzeltexte und einige seiner Folgerungen muten allerdings weniger überzeugend an[16].

Große Monographien bieten oft eine Forschungsgeschichte[17]. Es existiert aber nur eine einzige Arbeit, die die Forschungsgeschichte zum selbständigen Thema erhoben hat, nämlich Slingerlands 'The Testaments of the Twelve Patriarchs: A Critical History of Research' (1977). Seine Darstellung, die mit dem Mittelalter beginnt und dem Jahr 1973 endet, ist im großen und ganzen zuverlässig, obwohl Einzelheiten diskutierbar sind und man einige Beiträge vermißt[18]. Einer neuen Forschungsübersicht bedarf es jedenfalls nicht. Arbeiten, die nach 1973 erschienen sind, werden, neben der kurzen Besprechung in diesem Abschnitt, in der nachfolgenden Untersuchung mehrmals berücksichtigt. Die Periode seither ist so kurz, daß sie noch keine selbständige Forschungsübersicht erfordert und läßt sich in der Nachschau über einen längeren Zeitraum hinweg auch besser beurteilen.

Hollander, der nicht nur an der Vorbereitung der neuen griechischen Textedition teilgenommen, sondern auch, zusammen mit M. de Jonge, den oben erwähnten Kommentar zu den TP geschrieben hat, hat sich vor allem für die Ethik der TP interessiert[19]. Das Resultat seiner Studien liegt in der Dissertation 'Joseph as an Ethical Model in the Testaments of the Twelve Patriarchs' (1981) vor. Obwohl er sich auf die Texte beschränkt, die von Joseph handeln[20], gibt seine Untersuchung einen guten Überblick über die Ethik der *vorliegenden* TP, da Joseph die zentrale Gestalt der Schrift ist.

In seiner Monographie 'Ein indirektes Zeugnis der Makkabäerkämpfe: Testament Juda 3–7 und Parallelen' (1983) hat Schmitt die alte These, daß sich in den Kap. 3–7 des TJud in irgendeiner Weise die Kämpfe der Makkabäer- oder Hasmonäerzeit spiegeln, aufgenommen. Wir werden in TJud sehen, daß sich diese These nicht bewährt.

d. Einige Sammelwerke

Drei Sammelvolumen, die Aufsätze verschiedener Autoren zusammenstellen, verdienen besondere Erwähnung:

1969 hat Eltester drei umfangreiche Artikel von Burchard, Jervell und Thomas herausgegeben. Sie wurden 'Studien zu den Testamenten der

---

[15] *L'eschatologie* II,53ff.

[16] Vgl. bes. II,2.

[17] So z.B. Becker *Untersuchungen* 129ff, und auch 7ff (zur Textkritik).

[18] Z.B. folgende Aufsätze: Philonenko *RHPhR* 50 (1970) 61f; M. de Jonge *SEÅ* 36 (1971) 77ff; Hultgård *StHR* (=*Suppl to Numen*) 21 (1972) 192ff; und relevante Abschnitte in: Boström *Proverbiastudien*, bes. 53ff; Nickelsburg *Resurrection* passim; Stemberger *Leib der Auferstehung*, bes. 63ff; Amstutz ΑΠΛΟΤΗΣ, bes. 64ff.

[19] Vgl. schon seinen umfangreichen Aufsatz in *SCS* 5,47ff; s. Punkt d. Text unten.

[20] Andere Texte werden in Hollander/M. de Jonge *Comm* behandelt; vgl. Hollander *Ethical Model* Preface.

Zwölf Patriarchen' genannt und erschienen als BZNW 36. Die Aufsätze beschäftigen sich jeweils mit der armenischen Überlieferung, der Absicht der christlichen Interpolationen, und den Entstehungsverhältnissen und der ursprünglichen Intention der Schrift.

In der Serie SVTP (Band 3; 1975) hat M. de Jonge siebzehn Aufsätze von insgesamt fünf Verfassern, H.J. de Jonge, Hollander, Korteweg, Gaylord und M. de Jonge selbst, unter dem Sammeltitel 'Studies on the Testaments of the Twelve Patriarchs' editiert. Die Artikel sind in erster Linie textkritischer Art. Darüber hinaus enthält der Band Erklärungen von Einzeltexten sowie zwei Forschungsberichte, wovon der eine die Periode von Roger Bacon (12. Jh. n. Chr.) bis Richard Simon (17. Jh. n. Chr.), der also Slingerlands Forschungsgeschichte ergänzt, und der andere einige neuere Veröffentlichungen behandelt[21].

Das dritte Werk, SCS 5, mit dem Titel 'Studies on the Testament of Joseph' (1975; ed. Nickelsburg), mutet in bezug auf Format und Aussehen weniger anspruchsvoll an, enthält aber einige Beiträge, die wir für bedeutend halten, nämlich Pervos 'The Testament of Joseph and Greek Romance', Hollanders 'The Ethical Character of the Patriarch Joseph. A Study in the Ethics of the Testaments of the Twelve Patriarchs', eine Vorarbeit zur oben erwähnten Doktordissertation, und Martins 'Syntactical Evidence of a Semitic Vorlage of the Testament of Joseph'. SCS 5 weist im übrigen Beiträge von Harrelson, Kolenkow, M. de Jonge/Korteweg, Harrington, Smith Jr., Geller und Purvis auf; vgl. dazu die Bibliographie.

e. Aufsätze und Einleitungen/Literaturgeschichten

Abschließend verweisen wir auf die Artikel von Baarda, Caquot, Charlesworth, Greenfield/Stone, Grelot, Hollander, Hultgård, M. de Jonge, Kee, Kolenkow, Nickelsburg, O'Neill, Philonenko, Rengstorf, Robinson, Slingerland, Stone, Turdeanu sowie relevante Abschnitte in Einleitungen/ Literaturgeschichten[22]; Näheres dazu in der Bibliographie.

---

[21] M. de Jonge behandelt op. cit. 183ff: Becker *Untersuchungen*; Jervell und Thomas *BZNW* 36 (1969; ed. Eltester); Haupt *Levi*; Hultgård *Croyances*; und en passant noch einige Autoren.

[22] S. Anm. 1 oben.

2. Eine rätselhafte Schrift

Die intensive Forschungsaktivität zeugt davon, daß die Schrift der TP große Anziehungskraft ausübt. Es gibt kaum einen anderen Text unter den Pseudepigraphen, der Gegenstand eines so regen Interesses gewesen ist. Deshalb drängt sich die Frage auf, ob es überhaupt noch eines weiteren Beitrages bedarf. Sind nicht schon alle Probleme gelöst? Läßt sich etwas Neues hinzufügen? Gäbe es in bezug auf zentrale Problemstellungen irgendeinen Konsensus, wären neue Untersuchungen vielleicht ein Luxus. Die faktische Lage ist aber eine ganz andere: es gibt nur wenige Themata, die nicht umstritten sind. Fast jeder Forscher vertritt seine eigene Gesamtauffassung, zumindest wenn er eingehend und selbständig mit den Problemen gearbeitet hat. Der Konsensus betreffend mehrerer Einzelheiten ist gering. Diesen auffälligen Mangel an Einigkeit wird man in der nachfolgenden Untersuchung immer wieder beobachten können. Als Illustration seien hier einige typische Beispiele angeführt.

a. Sind die TP eine jüdische oder christliche Schrift?

Daß die vorliegenden TP christlich sind, ist nicht zu leugnen[1]. Das Problem ist nur, inwiefern ein jüdisches Original zugrunde liegt, oder ob es sich bei der Schrift vielmehr um eine originalchristliche Komposition handelt. Im vergangenen Jahrhundert war die allgemeine Auffassung, daß die TP christlich seien[2]. Damals hat man nur versucht, den christlichen Hintergrund näher zu bestimmen. Schnapps 'Testamente' (1884) hat einen radikalen Umschwung mit sich geführt. Laut ihm galten die TP als eine jüdische, von christlichen Händen bearbeitete Schrift. Diese Ansicht wurde vorherrschend, bis M. de Jonge zwei Generationen später[3] den christlichen Ursprung verteidigte und viele Anhänger gewann. Er meinte – und meint immer noch –, der christliche Verfasser, oder besser Redaktor, habe sich

---

[1] Die These Philonenkos *Interpolations* passim und neuerdings *BEI* LXXVf; LXXXI; 814ff, daß die christologischen Aussagen sich auf den Lehrer der Gerechtigkeit in Qumran bezögen, fordert keine Kommentare. Seine Exegese ist gezwungen und höchst unwahrscheinlich. Vgl. zur Kritik: M. de Jonge *NT* 4 (1960) 182ff; Larsson *SEÅ* 25 (1960) 109ff; Slingerland *A Critical History of Research* 60ff.

[2] Vgl. Slingerland *A Critical History of Research* 8ff.

[3] *Testaments* (1953).

jüdischer Traditionen bedient, das Werk aber selbst komponiert. Heutzutage entscheidet sich anscheinend die Mehrzahl der Forscher für eine jüdische Provenienz, wenn auch eine bedeutende Minorität am christlichen Ursprung festhält[4].

b. Wie alt ist die Schrift?

Die Datierungsvorschläge spannen über fünf Jahrhunderte (3. Jh. v. Chr. bis 3. Jh. n. Chr.)! Vgl. IV,6. Die unterschiedlichen Positionen hängen primär davon ab, ob man die Schrift für jüdisch oder für christlich hält, aber auch unter den Forschern, die einen jüdischen Ursprung annehmen, lassen sich nachchristliche Datierungen nachweisen[5].

c. Wo wurden die TP abgefaßt?

Wenn man die Schrift als jüdisch rechnet, liegt die Annahme einer palästinischen Provenienz nahe. Viele denken freilich an die Diaspora und schlagen Ägypten oder Syrien vor. Die Diaspora ist wohl auch die natürlichste Alternative, wenn man die Schrift für christlich hält. Vgl. IV,7.

d. Waren die TP ursprünglich in einer semitischen (hebräisch oder aramäisch) oder der griechischen Sprache abgefaßt?

Wenn man sich für ein christliches Original entscheidet, kommt nur Griechisch in Frage. Setzt man dagegen einen jüdischen Verfasser voraus, sind sowohl Semitisch als auch Griechisch aktuelle Alternativen. Charles hat eingehend für eine hebräische Ursprache argumentiert[6], Hultgård neigt zu Aramäisch[7]. Becker hält Griechisch für das einzig mögliche[8]. Die griechischsprachliche Hypothese scheint heute die Oberhand zu haben. Vgl. IV,4.

e. Aus welchen Kreisen stammen die TP?

Unter der Voraussetzung, daß die Schrift jüdisch ist, hat man an einen pharisäischen, sadduzäischen, essenischen, hasidäischen und levitischen Hintergrund gedacht. Vgl. IV,3.

---

[4] Vgl. z.B. die Liste in Becker *Untersuchungen* 146f.
[5] So z.B.: Schnapp in Kautzsch *APAT* II,460 (1. oder 2. Jh. n. Chr.); Torrey *The Apocryphal Literature* 131 (oder kurz vor unserer Ära).
[6] *Text* XXIIIff et passim; *Comm* XLIIff et passim.
[7] *L'eschatologie* II,74ff; 164ff.
[8] *Untersuchungen* passim.

22

f. Welcher Text verdient den Vorzug?

Über den Wert der verschiedenen Textzeugen herrscht keine Einigkeit. Wir kommen auf diese Frage in I,6 zurück.

g. Wieviel des jetzigen Textes ist ursprünglich und wieviel läßt sich auf spätere Bearbeiter zurückführen?

M. de Jonge rechnet sozusagen den ganzen vorliegenden Text für ursprünglich, während Becker ungefähr 75% disqualifiziert! Andere Forscher, wie z.B. Schnapp, Charles und Bousset, klammern nur gewisse Typen von Stoff aus. Vgl. I,3.

Das letzte Beispiel der Streitfragen bildet einen geeigneten Schluß, weil die Frage nach der Einheitlichkeit des Textes das Kernproblem ist. Man muß sich zuerst über den Umfang des Originals einigen, ehe man die anderen Probleme lösen kann. Daß man mit unterschiedlichen Ausgangspunkten verschiedene Lösungen erreicht, ist kein Wunder und sollte niemanden überraschen.

Mit diesen Zeilen dürfte die einleitende Frage genügend beantwortet sein. Neue Beiträge sind nicht nur berechtigt, sondern dringend erforderlich. Nur dadurch wird es gelingen, die Probleme der Schrift letztlich zu klären.

Anschließend präsentieren wir einige typische Lösungsvorschläge zur Erklärung der Eigenart der TP.

3. Einige Modelle zur Erklärung der Testamente der Zwölf Patriarchen

Es gibt zahlreiche Beiträge zur Erklärung der Eigenart unserer problematischen Schrift. Es ist nicht möglich, eine Übersicht über sämtliche diese Vorschläge zu geben. Statt dessen präsentieren wir eine qualitative Auswahl, die hoffentlich einen guten Querschnitt bietet. Unsere Auswahl umfaßt Schnapp, Charles (und Bousset), M. de Jonge und Becker[1]. Daß wir uns gerade für sie entschieden haben, bedarf keiner näheren Begründung. Ihre Bedeutung für die Erforschung der TP liegt offen zutage.

a. Schnapp hat sein Modell in 'Testamente' (1884) vorgelegt. Im Gegensatz zu seinen Zeitgenossen betont er, daß die TP eine jüdische Schrift seien. Das christliche Gepräge sei nur ein Firnis, der auf einer christlichen Schlußredaktion beruhe. Die christlichen Interpolationen ließen sich leicht aus dem Text lösen. Die Schrift bestehe somit aus zwei Hauptschichten, einer jüdischen und einer christlichen. Die jüdische Schicht sei aber ihrerseits auch nicht einheitlich, denn die ursprüngliche Schrift umfasse nur die historisch-biographischen und die paränetischen Abschnitte, während die prophetischen und apokalyptischen Stücke sekundär seien. Schematisch ließen sich drei Stadien abgrenzen:

1. eine ethisch-didaktische Grundschrift
2. jüdische Interpolationen prophetischer und apokalyptischer Art (mehrere Hände)
3. christliche Bearbeitungen (mehrere Hände)

---

[1] Unter den übrigen Beiträgen verdient vor allem Hultgård Erwähnung. Er hat sich besonders für die Eschatologie der TP interessiert, stellt aber in *L'eschatologie* II auch das Kompositionsproblem zur Debatte. Er operiert mit einer jüdischen Grundschrift und einer christlichen Schlußredaktion (die übrigens mehrstufig sei; vgl. ibid. II,228ff). Die jüdische Grundschrift habe mehrere Reeditionen erfahren; vgl. ibid. II,227f: eine Redaktion habe im Zusammenhang mit der Übersetzung der Schrift ins Griechische stattgefunden und bedeute eine Anpassung des Textes an jüdisch-hellenistische Verhältnisse; vgl. dazu ibid. II,207ff; 167ff. Eine andere Redaktion habe die Gestalt des „Priester-Heilands" (prêtre-sauveur) in mehrere eschatologische Texte eingeführt; vgl. dazu ibid. I,268ff. Eine Redaktion lasse sich vielleicht auch in einigen Texten nachweisen, wo von der Askese, dem Verhalten gegen Frauen sowie der Anthropologie die Rede ist. Der stoische Einfluß, von der einige Vorstellungen der TP zeugten, beruhe möglicherweise auf einer Reedition.
Da Hultgårds Auffassung von den Redaktionen − mit Ausnahme von der Vorstellung eines „Priester-Heilands" − ganz vage ist, ist sie als Modell weniger geeignet.

Schnapp disqualifiziert ganz bestimmte Typen von Stoff und weist dabei große Konsequenz auf. Jeder Abschnitt, der nicht zu seiner angenommenen Grundschrift paßt, wird als sekundär gestempelt. Alles in allem hält er etwa 25% für sekundär.

b. Charles' Auffassung von der Eigenart der TP gipfelt in seiner zweibändigen Untersuchung 'Text' und 'Commentary' (beide 1908).

Er stimmt Schnapps These, die TP seien eine jüdische Schrift, zu, lehnt aber Schnapps Rekonstruktion der Grundschrift ab. Sein Schlüssel zum Verständnis des Textes ist ideologischer Art. Er meint, daß die Grundschrift prohasmonäisch sei. Alle Aussagen, die er als antihasmonäisch betrachtet, werden als spätere Interpolationen ausgeklammert[2]. Da Charles neben den angenommen antihasmonäischen (und den christlichen[3]) Abschnitten noch einige andere Stücke disqualifiziert[4], umfaßt seine Grundschrift ungefähr 11/12 des vorliegenden Textes.

(Bousset baut auf dieselben Kriterien wie Charles[5]. Ihre Analysen fallen deshalb im großen und ganzen zusammen, auch wenn sich Unterschiede nachweisen lassen[6].)

c. M. de Jonges Dissertation 'Testaments' (1953) repräsentiert eine Reaktion gegen die literarkritische Methode. Er lehnt die Interpolationstheorie seiner Vorgänger ab, verteidigt die Einheit der Schrift und meint, sie stamme von einem christlichen Verfasser/Redaktor, der verschiedenes jüdisches Material verarbeitet habe. Diese Quellen[7] hätten aber niemals ein jüdisches Original ausgemacht. Eine jüdische Grundschrift lasse sich nicht dadurch rekonstruieren, daß man offenbar christliche Aussagen entferne und den Restbestand für jüdisch halte, da das vorliegende Werk eine integre Einheit darstelle. In der Tat sei der Unterschied zwischen jüdisch und christlich eine unhaltbare Fiktion. M. de Jonge rechnet sozusagen die ganze vorliegende Schrift für ursprünglich.

---

[2] Vgl. die Liste in *Text* XLVI(f); *Comm* LVII(ff).

[3] Vgl. *Text* XLVIIIff; *Comm* LXIff.

[4] Vgl. *Text* XLVIIf; *Comm* LIXff.

[5] S. *ZNW* 1 (1900) 187ff.

[6] Vgl. z.B.: II,6 Anm. 35; II,13 Anm. 51; II,14 Anm. 115.

[7] Neben den drei Hauptquellen, „Original Levi", vgl. *Testaments* 38ff, „Original Naphtali", vgl. ibid. 52ff und eine haggadische Schrift, die von Abraham und seinen Nachkommen erzähle, vgl. ibid. 60ff, habe der Autor (Redaktor) Zugang zu anderen schriftlichen und mündlichen jüdischen Traditionen gehabt, vgl. ibid. 117f, und außerdem stoischem Material, ibid. 59f; 117 und hellenistischen Novellen, ibid. 101ff; 117.

In späteren Arbeiten hat er seine Anschauungen nur geringfügig modifiziert und ist seiner Position hauptsächlich treu geblieben[8].

d. Becker kehrt in seinen 'Untersuchungen' (1970) zur literarkritischen Methode zurück. Er meint, im Einklang mit Schnapp und Charles (und Bousset), daß es sich bei den TP um eine von Christen leicht überarbeitete jüdische Schrift handle. Zum Hauptziel seiner Untersuchung setzt er sich die Wiederherstellung des jüdischen Originals. Die Resultate seiner Analysen lassen sich ganz schematisch als ein Gegenpol zu den Ergebnissen Schnapps charakterisieren, denn im Gegensatz zu Schnapp stellt er nicht primär die Echtheit der Prophetie in Frage, sondern die Ursprünglichkeit der Paränese. Becker hält den gesamten Komplex von Tugend- und Lasterparänese für sekundär. Die Mahnungen, die von Schnapp als der eine Hauptteil der TP bezeichnet werden, werden von Becker mit wenigen Ausnahmen als Zufügungen ausgeklammert. Laut Becker besteht die ursprüngliche Paränese fast ausschließlich aus dem (doppelten) Liebesgebot. Seine Grundschrift umfaßt außerdem *einige* der sogenannten SER(= Sünde-Exil-Rückkehr)-Stücke[9] und *einige* der sogenannten Levi-Juda-Stücke[10]. Sie enthält dagegen keine dualistischen Aussagen oder Auferstehungsaussagen und bietet keine messianische Heilserwartung[11]. Becker hält ungefähr 1/4 des vorliegenden Textes für ursprünglich, während die übrigen 3/4 als das Resultat eines allmählichen Wachstumsprozesses betrachtet werden.

Diese Übersicht ist natürlich sehr skizzenhaft und schematisch. Dadurch tritt aber die Eigenart der vier gewählten Modelle deutlicher hervor und erlaubt, daß man sich schnell eine Vorstellung von vier der wahrscheinlichsten Einfallswinkel zur Erklärung der TP bildet.

---

[8] Vgl. z.B.: *StEv* (*TU* 73) 1959, 546ff; *NT* 4 (1960) 182ff; *NT* 5 (1962) 311ff. In neueren Arbeiten, wie z.B. *NTS* 26 (1979/80) 508ff und Hollander/M. de Jonge *Comm* 83ff, spürt man eine weniger rigoröse Auffassung.

[9] Vgl. IV,5B. (Literaturangaben zu den SER-Stücken finden sich in TG Anm. 29.)

[10] Vgl. IV,5C. (Literaturangaben zu den Levi-Juda-Stücken finden sich in TR Anm. 26.)

[11] Vgl. die Zusammenfassung in *Untersuchungen* 325f.

4. Der Ausgangspunkt der vorliegenden Arbeit

Unsere Auffassung von der Entstehungsgeschichte der TP fällt im Prinzip mit Schnapps Theorie zusammen. Von den in I,3 skizzierten Modellen verdient u.E. sein Vorschlag den Vorzug, weil er sich am einfachsten mit dem Textmaterial vereinbaren läßt und viel weniger Probleme als die alternativen Modelle aufwirft. Diese Folgerung ist nach einer mehrjährigen Arbeit mit den Texten erreicht und erst allmählich reif geworden. Das Durchlesen der TP hat unmittelbar den Eindruck erweckt, daß das Buch sehr komplex ist und in mehrere Teile zerfällt. Nach gründlicher Orientierung innerhalb der Sekundärliteratur wurde Schnapps Modell als *Arbeitshypothese* gewählt. Die nachfolgenden Studien haben bestätigt, daß diese Wahl glücklich war.

In der vorliegenden Arbeit tritt also die Disqualifikation der prophetischen und apokalyptischen Texte als die Hauptthese hervor.

Es soll betont werden, daß diese These nicht nach Gutdünken gewählt ist, und daß sie sich erst langsam stärker gewachsen hat. Alle Modelle – nicht nur dasjenige Schnapps – sind Gegenstand seriöser Überlegungen gewesen, und die Alternativen sind nur deshalb abgelehnt worden, weil sie sich als unfruchtbar erwiesen haben. In der nachfolgenden Untersuchung wird man immer wieder die Gründe ihres Scheiterns beobachten können. Hier seien nur einige Hauptpunkte erwähnt.

a. Das ideologische Erklärungsmodell von Charles (und Bousset) ist an und für sich ein möglicher Einfallswinkel. Es ist immer günstig, wenn man die Absicht vermuteter Interpolationen erklären kann. Das Fatale ist aber, daß sich die TP bei näherer Betrachtung *nicht* als eine Propagandaschrift für die Hasmonäer offenbaren. Charles wird zu Konjekturen und zweifelhafter Exegese gezwungen, um seine These zu beweisen[1]. Die Abschnitte, die er für sekundär hält, lassen sich überdies nicht als antihasmonäisch klassifizieren[2]. Damit fallen die Voraussetzungen seines Modelles fort[3].

---

[1] Vgl. unsere Kommentare zu TR 6:11f; TL 8:14f; Kap. 18; TJud Kap. 3–7 und allgemein IV,5C.

[2] Das augenfälligste Beispiel bilden TSeb 9:5ff; vgl. II,6 Anm. 30.

[3] Dasselbe gilt auch für den in I,3 Anm. 1 angeführten ideologischen Einfallswinkel Hultgårds. Die These, daß eine Redaktion die Gestalt des „Priester-Heilands" eingeführt habe,

b. Becker hat gezeigt, daß M. de Jonges Grundthesen mit erheblichen Schwierigkeiten belastet sind[4]. Die Hauptschwäche seiner Position ist nicht schwer zu entdecken. Sie besteht darin, daß sichere christliche Aussagen nur bei Zukunftsankündigungen begegnen, und daß sie leicht aus ihrem Kontext entfernt werden können. Der Restbestand macht einen durchaus jüdischen Eindruck, während die christlichen Aussagen oft störend wirken. So drängt sich die Folgerung auf, daß die TP, im Gegensatz zu Schriften wie Didache, Barnabas und Pastor Hermae, nur oberflächlich christianisiert worden sind[5]. Die Annahme eines christlichen Redaktors überzeugt nicht. Wegen des disparaten Stoffes legt sich vielmehr die Vermutung nahe, daß die Schrift nicht redigiert, sondern interpoliert worden ist.

c. Mit der These, die gesammelte Tugend- und Lasterparänese sei sekundär, hat Becker eine große Beweislast auf sich genommen, da sein Modell anscheinend gegen die Anlage des Buches streitet. Es soll aber bemerkt werden, daß Becker nicht alle Paränese ausklammert, und daß es trotz allem denkbar wäre, daß sich die ursprünglichen Mahnungen auf einige wenige Aussagen begrenzen. Eine prinzipielle Widerlegung von Beckers Modell läßt sich nur auf Grund konkreter Analysen durchführen. Die Einzelbeweise bringen die Analysen in II,3−14. Allgemein gilt aber, daß die Texte atomisiert werden, und daß seine Exegese weniger überzeugend anmutet. Sein Angriff auf die Einheitlichkeit der Paränese weist aber einen positiven Aspekt auf. Becker hat nämlich gesehen, daß nicht nur die Weissagungen, sondern auch die Mahnungen kritisch untersucht werden müssen. Man darf nicht *a priori* voraussetzen, daß die Paränese einheitlich ist, oder, wenn sie sich eventuell als weniger einheitlich erweist, behaupten, daß Mangel an Konsistenz sozusagen zum Wesen der Paränese gehöre.

Daß wir der Hauptthese Schnapps zustimmen, bedeutet nicht, daß wir seine Auffassung unreflektiert übernommen haben. Es handelt sich um ein gemeinsames Modell, und wenn man von der Hauptthese absieht, sind die Übereinstimmungen recht gering. Die Disqualifikation der prophetisch-apokalyptischen Texte ist jedenfalls gemein. Diese gemeinsame Basis ha-

---

Forts.

scheitert daran, daß die zentralen Texte, TL Kap. 18 und TJud Kap. 24, gar nicht von einem „Priester-Heiland" handeln, sondern christlich sind.

[4] Vgl. *Untersuchungen* 145f.

[5] Dieses Schicksal haben sie mit vielen anderen Pseudepigraphen gemein; vgl. z.B. AscJes, ParJerm, SibOr, TestAbr, TestIsaak, TestJak, TestSal, ApokAbr, ApokEl, VitAdEv usw. Man darf vermuten, daß die meisten Pseudepigraphen in christlichen Kreisen bewahrt und tradiert wurden, weil sie sich christlich interpretieren und anwenden ließen. Christliche Interpolationen waren dabei oft zweckmäßig. Wären die TP die einzige vermeintlich jüdische Schrift mit christlichen Interpolationen gewesen, so hätte man M. de Jonges Ansicht verstehen können. Der Umfang der Interpolationsliteratur macht sie aber höchst unwahrscheinlich.

ben wir teils mit denselben Argumenten wie Schnapp erreicht, teils haben wir neue Indizien hinzugefügt. Die Argumente, die sich nach kritischer Sichtung als haltbar erweisen, werden beibehalten. Schnapps Position wird kritisiert, wo Kritik berechtigt ist, und mit neuen Argumenten unterbaut, wo Ergänzungen möglich und erforderlich sind.

Der gemeinsame Ausgangspunkt hat mit sich geführt, daß wir öfters dieselben Abschnitte disqualifizieren. Es gibt aber viele Ausnahmen: Schnapp hat u.a. einige sekundäre Perikopen übersehen; vgl. z.B. TR 2:3ff; TAs 5:1–3; 6:4ff und den Langtext in TSeb. Umgekehrt klammert er ganz unnötig TL 9:1–3a aus. In TJos hält er die erste der zwei Lebensdarstellungen für ursprünglich, während wir uns für die zweite entschließen. Nähere Einzelheiten finden sich in II,3−14.

I,5 bringt weitere methodische Überlegungen.

5. Ziel und Methoden

Die Hauptproblemstellung dieser Untersuchung ist literarkritischer Art. Die TP sind u.E. eine komplexe Größe, deren ursprünglicher Umfang und Inhalt nur mittels literarkritischer Analysen erkannt werden können. Das ideale Ziel wäre, das Autograph des Verfassers wiederherzustellen. Dieses Ziel ist natürlich nicht erreichbar. Auch wenn es gelänge, alle offenbar sekundären Stücke zu beseitigen, darf man nicht ohne weiteres voraussetzen, daß man dadurch die ursprüngliche Schrift rekonstruiert hat. Wenn unsere These von umfassenden Bearbeitungen richtig ist, muß man damit rechnen, daß die Interpolationen Teile der ursprünglichen Schrift zerstört haben können. Die 'Grundschrift' bleibt also eine Abstraktion. Diese Abstraktion ist jedoch fruchtbar, wenn man sich den eventuellen Fortfall ursprünglicher Perikopen vor Augen hält. Praktisch besteht unsere Aufgabe somit darin, alle Abschnitte, die sich als sekundär erweisen, zu beseitigen. Man darf vermuten, daß sich der Restbestand nicht allzusehr von der ursprünglichen Schrift unterscheidet, und daß die Grundschrift ethisch-didaktisch war, während der prophetische und apokalyptische Stoff sekundär ist.

Wenn in der Fortsetzung von der Grundschrift die Rede ist, ist konkret an (die Rahmen und) die biographisch-erzählenden und die paränetischen Abschnitte gedacht. Mit einem Sammelbegriff werden sie oft „die ethisch-didaktischen Teile" o.ä. genannt. Die sekundären Perikopen umfassen in erster Linie prophetische und apokalyptische Stücke, vgl. IV,5B.C.D., obwohl es auch andere Arten von Einschüben gibt, vgl. IV,5E. Aus praktischen Gründen werden die sekundären Perikopen oft als „die prophetisch-apokalyptischen Abschnitte" o.ä. bezeichnet, weil diese Stücke so umfangreich und augenfällig sind.

Oft wird von *dem* Interpolator geredet. Wir werden später sehen, daß es mehrere Bearbeiter gegeben hat; vgl. IV,5. Gemeint ist also nur der Interpolator dieser oder jener Perikope.

Wir betonen, daß Schnapps These nur als Modell gedient hat. Die Texte selbst haben aber bestätigt, daß diese Arbeitshypothese günstig ist, und daß sie sich durchführen läßt, ohne die Texte in ein Schema zu zwingen. Kein Text ist disqualifiziert worden, nur weil er zur Gruppe der prophetisch-apokalyptischen Abschnitte gehört, sondern weil er formal und inhaltlich den Verdacht erweckt, ein Fremdelement zu sein. Die Zahl und die Bedeutung der Argumente wechseln zwar von Fall zu Fall, aber kein Stück wird ohne Argumente als sekundär gestempelt.

Daß Voraussetzung und Ergebnis Hand in Hand gehen, ist nicht zu leugnen. Eine Schrift wie die vorliegende läßt sich aber kaum ohne irgendeine Voraussetzung untersuchen. Schnapps These ist aus den Texten selbst hervorgegangen, denn der zusammengesetzte Charakter der Schrift hat ihn davon überzeugt, daß sie nicht einheitlich ist.

Der vorliegenden Arbeit liegt ein dreistufiger Arbeitsprozeß zugrunde: Arbeitshypothese – Teste – Verifizierung/Falsifizierung. Während des vorbereitenden Stadiums der Untersuchung wurden die in I,3 skizzierten Modelle kritisch geprüft. Schnapps Auffassung hat gesiegt, während sich die anderen Erklärungsmodelle als verdächtig erzeigt haben. Die konkreten Argumente, die zu unserer Wahl geführt haben, finden sich in II,2–14.

Methodisch ist folgendes zu bemerken:

Die Untersuchung baut auf die gewöhnlichen und allgemein anerkannten Methoden: Literarkritik, Traditionskritik, Formkritik, Redaktionskritik und Textkritik. Die Textkritik wird in einem separaten Abschnitt behandelt; vgl. I,6. Da die Literarkritik eine wesentliche Rolle spielt, fordert sie einige Kommentare. Wir operieren mit zwei Typen von literarkritischen Argumenten, den formalen und den inhaltlichen.

a. Formale Argumente:

Die sekundären Abschnitte verraten sich in mehrerer Hinsicht. Sie unterbrechen im allgemeinen den Zusammenhang. Der Text vor und nach dem Einschub kann beinahe immer als eine zusammenhängende Einheit gelesen werden. Die Interpolationen haben anscheinend nur selten den ursprünglichen Meinungszusammenhang zerstört oder unklar gemacht.

Thematisch knüpfen die Interpolationen nur selten an die Grundschrift an. Jedes Testament weist im allgemeinen ein klar abgegrenztes Thema auf. In den Zufügungen aber verlautet nur ausnahmsweise etwas von diesem Thema.

Der Inhalt der sekundären Abschnitte hat mit wenigen Ausnahmen keine Verankerung in der Grundschrift. Die Zufügungen bilden im Gegenteil geschlossene und selbständige Stücke, die für sich gelesen werden können und sich leicht aus dem Kontext lösen lassen.

Die Testamentfiktion wird in den Interpolationen oft vernachlässigt. Die Einschübe richten sich nicht an die Nachkommen der einzelnen Stammväter, sondern an das ganze Volk. Die Testamentsituation fordert eine Anrede mit „ihr". Statt dessen finden wir oft „sie".

Viele der Interpolationen werden mit einem Verweis auf eine fremde Quelle, z.B. die Schriften Henoch o.ä., eingeführt; vgl. dazu II,2.

Ab und zu läßt sich ein Stichwortanschluß nachweisen.

Der Textbefund läßt leider nur wenige Schlüsse zu, da die Textzeugen verhältnismäßig einheitlich sind. Man beachte jedoch, daß TSeb Kap. 6–8 einen Langtext und einen Kurztext bieten. Die Unterschiede lassen sich in diesem Fall literarkritisch verwerten.

In II,2 werden wir zeigen, daß Zukunftsaussagen kein formprägendes und notwendiges Element sind. Die prophetisch-apokalyptischen Abschnitte haben also formal gesehen keine Immunität.

Es sei schließlich erwähnt, daß Becker einige Stücke disqualifiziert, weil sie Dubletten seien[1]. Dieses Argument läßt sich nicht aufrechterhalten; vgl. unseren Kommentar in TR[2].

b. Inhaltliche Argumente:

Es handelt sich hier in erster Linie um einige thematische Untersuchungen, wo der Nachweis erbracht wird, daß der Inhalt und die Vorstellungswelt der Grundschrift und der Interpolation voneinander abweichen. Diese Untersuchungen sind in III,1–6 gesammelt. Eine kurze Zusammenfassung der Argumente scheint berechtigt.

1. Anachronismen: Sowohl in der Grundschrift als auch in den Interpolationen begegnen zahlreiche Anachronismen. Sie setzen alle naiv voraus, daß gegenwärtige Ordnungen, Institutionen, Sitten usw. aus der Patriarchenzeit stammen. Die Interpolatoren vergessen aber oft die Testamentfiktion und erwähnen Verhältnisse, die zur Zeit der Stammväter ganz inaktuell sein würden. Als ein typisches Beispiel sei die Erwähnung des Tempels oder der Stadt Jerusalem genannt. Solche Fehler macht der Verfasser nicht, weil er immer auf die zugrundeliegende Fiktion achtet. Vgl. III,1.

2. Individuen und Kollektive: Die Stammväter treten in der Grundschrift immer als Personen auf, während sie in den Zufügungen oft Stämme oder Institutionen darstellen. Levi und Juda repräsentieren den Priesterstamm/die Priesterschaft bzw. den Königsstamm/die Dynastie usw. Vgl. III,2.

3. Der Begriff πνεῦμα: In den ethisch-didaktischen Abschnitten ist „Geist" ein psychologischer Begriff, der die Gesinnung oder geistige Verfassung des Menschen zum Ausdruck bringt. In den prophetisch-apokalyptischen

---

[1] *Untersuchungen* 326 Nr. 4 und passim; s. auch: Baltzer *Bundesformular* 165; Bickermann *JBL* 69 (1950) 248ff; Otzen *GamPseud* 7,718; Steck *Israel* 151 Anm. 1.

[2] Vgl. neuerdings Hultgård *L'eschatologie* II,187ff.

Stücken ist „Geist" dagegen überwiegend ein dämonologischer Terminus, der mit „Dämon" zu übersetzen ist. Vgl. III,3.

4. Diesseitige Vergeltung und jenseitiges Gericht: Die Grundschrift kennt kein eschatologisches Gericht. Die Strafe ist hier immer diesseitig und vom *ius talionis* bestimmt. In den Interpolationen ist das eschatologische Gericht dagegen ein zentrales Thema. Vgl. III,4.

5. Tod und Auferstehung: Dieses Thema hängt mit dem vorangehenden eng zusammen. Der Auferstehungsglaube läßt sich nur in den Einschüben nachweisen. Vgl. III,5.

6. Levi, Juda und Joseph: In den ethisch-didaktischen Abschnitten spielt Joseph die Hauptrolle. Seine Brüder treten in den Hintergrund. In den prophetisch-apokalyptischen Stücken spielen dagegen Levi und Juda die Hauptrollen, während Joseph ganz unbedeutend ist. Vgl. III,6.

Diese thematischen Untersuchungen bilden den Hauptstamm der inhaltlichen Argumente. In vielen Einzelfällen wird außerdem gezeigt, daß der Inhalt eines konkreten Abschnittes nicht zu dem betreffenden Testament oder den TP allgemein paßt.

Wir sind uns dessen bewußt, daß sich die oben aufgelisteten formalen und inhaltlichen Argumente verschieden interpretieren lassen. Nicht jeder Leser wird von den einzelnen Argumenten überzeugt werden. Deshalb gilt folgende *Hauptregel*: nicht das einzelne Argument an sich, sondern die Summe der Argumente trägt die Beweislast dafür, daß ein Abschnitt eingeschoben worden ist. In bezug auf die inhaltlichen Argumente ließe sich behaupten, die erwähnten Unterschiede seien von der Art des Stoffes bedingt. Diese Erklärung verdient ernsthaftes Bedenken. Ihre Glaubwürdigkeit nimmt aber stark ab, wenn nicht nur ein, sondern mehrere Argumente in dieselbe Richtung weisen. Unsere Hauptpointe ist, daß die Verteilung so konsequent ist. Dies läßt sich kaum als ein bloßer Zufall erklären. In bezug auf die formalen Kriterien ist ebenfalls Vorsicht erforderlich. Man darf nicht ohne weiteres voraussetzen, daß Verfasser einer längst vergangenen Zeit unseren literarischen Maßstäben folgen. Brüche und schlechte Übergänge zeugen nicht automatisch von Interpolationen. Wo sich ein möglicher Zusammenhang etablieren läßt, sollte dies getan werden, wenn die Erklärung nicht zu gezwungen anmutet. Daß man einer gewissen Subjektivität nicht entgehen kann, ist selbstverständlich, ist aber an sich kein entscheidendes Argument. Literarkritische Untersuchungen sind immer mit Subjektivität belastet, fordern also Disziplin von seiten des Forschers, so daß er faktischen Argumenten mehr Gewicht als dem eigenen Urteil beimißt. Wir haben danach gestrebt, so viele Argumente wie möglich zu finden, um die Gefahren der Subjektivität zu meiden. Ein Abschnitt wird selten nur mit formalen oder nur mit inhaltlichen Argumenten disqualifiziert. Im allgemeinen ergänzen sie einander.

Es gibt Perikopen, wo die Zahl der Argumente zu gering ist, um sichere Folgerungen zu erlauben. Wo dies der Fall ist, wird auf verwandte Stücke verwiesen. Man darf nämlich *a priori* vermuten, daß gattungsgeschichtlich zusammengehörige Gruppen, wie z.B. die SER-Stücke und die Levi-Juda-Stücke einen gemeinsamen Ursprung haben. Wenn eine Perikope dieser Gruppen zu wenige Argumente aufweist, wird also auf die gesammelte Gruppe verwiesen. Diese kollektive Argumentation ist kaum besonders kühn oder fraglich. Als Beispiele seien TG 8:2; TIs 5:7−8a und Kap. 6 angeführt. In TD 5:10a macht der Verweis auf verwandte Stücke das einzige Argument aus. Das ist eine seltene Ausnahme, die davon bedingt ist, daß der betreffende Abschnitt nur aus zwölf Wörtern besteht. Es ist kein Wunder, daß ein so kurzer Text sich nicht verrät. Der Verweis auf verwandte Texte ist übrigens keine Regel. Das Hauptprinzip ist, jeden Text für sich zu lesen.

Wenn man den Interpolatoren vorwirft, sie hätten formale und inhaltliche Fehler gemacht, schreibt man ihnen dann nicht eine Rolle zu, die man dem Verfasser der Grundschrift nicht zuschreiben will? U.E. achtet ein Verfasser mehr auf die Einheitlichkeit seines Werkes als spätere Bearbeiter dies tun, weil ihre Interpolationen oft tendenziös und mit einer gewissen, zwar nicht immer spürbaren, Absicht unternommen worden sind. Deshalb sind die späteren Bearbeiter weniger aufmerksam. Sie machen kleine und scheinbar unbedeutende Fehler, die aber dem geübten Blick des Forschers nicht entgehen. Nach mühsamer Arbeit gelingt es ihm, diese „Visitenkarten" zu sammeln, und wenn ihre Anzahl groß genug wird, werden sie verhängnisvoll.

Unsere Arbeit folgt nicht der in den TP vorliegenden Reihenfolge der Testamente. Die Testamente Naphtalis, Judas und Levis (TN, TJud, TL) werden absichtlich am Ende der Untersuchung behandelt. Schnapp bevorzugt, mit TL und TJud zu beginnen und dann die übrigen Testamente der Reihe nach folgen zu lassen. Er begründet seine Wahl mit diesen Worten: „...weil sich an ihm (d.h. am TL) die ganze Anlage des Buches klar erkennen und auf diese Weise ein sicherer Ausgangspunkt gewinnen läßt. Die Betrachtung der übrigen Abschnitte des Buches muß die Probe für die Richtigkeit der hier gewonnenen Resultate abgeben."[3] Es scheint uns methodisch bedenklich, mit dem kompliziertesten und umstrittensten sämtlicher Testamente zu beginnen. „Die ganze Anlage des Buches" läßt sich sicher besser erkennen, wenn man mit einem der weniger komplizierten

---

[3] *Testamente* 14.

Testamente beginnt. Schnapp hat sich wahrscheinlich davon verleiten lassen, daß TL so vielen Stoff für seine These abgibt. Wenn man sich nicht von seiner Analyse des TL überzeugen läßt, wird man ihm kaum weiter folgen. Es ist übrigens ein Unglück, daß Schnapps Analyse der anderen Testamente – dies gilt in hohem Grad auch für TJud – viel zu summarisch ist. Die Behandlung der übrigen Testamente dient nur der Absicht, die Analyse von TL zu bestätigen. Wir meinen, daß jedes Testament im Prinzip für sich analysiert werden sollte, ohne von den Ergebnissen der anderen Testamente beeinflußt zu werden. Praktisch ist es zwar unmöglich, die Resultate zu vergessen, die man schon erreicht hat. Außerdem setzt unsere Untersuchung die oben besprochene Arbeitshypothese voraus. Es sagt sich also von selbst, daß unsere Analysen niemals objektiv im strengen Sinn des Wortes werden können. Das Ideal ist, jedes Testament als eine geschlossene Einheit zu analysieren, obwohl Querhinweise unvermeidlich sind.

Wenn man von den drei erwähnten Testamenten absieht, ist die Reihenfolge der übrigen Testamente nicht von einem strengen Plan diktiert. Es wäre vielleicht logisch, mit TG anzufangen, weil Interpolationen sich dort nur in 8:1.2 nachweisen lassen. TG ist allerdings wenig geeignet, weil es kaum Material für die Hauptthese abgibt. Die Analysen fangen deshalb mit TR an, nicht weil es das erste Testament ist, sondern weil es eine gute Illustration der Analysentechnik und Argumentationsweise bietet. Hier kommen nämlich mehrere der oben angeführten literarkritischen Argumente zur Anwendung. Becker fängt ebenfalls mit diesem Testament an. Da Becker einer unserer wichtigsten Gesprächspartner ist, kann der Leser hier sofort Unterschiede in bezug auf Argumentation und Ergebnisse feststellen.

Die Analysen der einzelnen Testamente in II,3–14 und die thematischen Untersuchungen in III,1–6 gehören eng zusammen. Während der vorbereitenden Phase ist jedes Testament sorgfältig analysiert worden. Dadurch haben wir mehrere Brüche und Risse konstatiert, die den Verdacht von Bearbeitungen nahelegen. Die verdächtigen Abschnitte sind dann inhaltlich analysiert worden, und der erste Verdacht hat sich bestätigt: die vermuteten Einschübe unterscheiden sich auch inhaltlich von ihren Kontexten. Das Ergebnis dieser Analysen legen wir in III,1–6 vor.

In der vorliegenden Arbeit sind diese zwei Stadien mehr oder minder zusammengewachsen. Eine Art Zirkelschluß ist unvermeidlich gewesen, weil Voraussetzungen und Ergebnisse so eng zusammengehören. Unsere Arbeit steht in dieser Hinsicht aber nicht allein, denn Zirkelschlüsse sind allen literarkritischen Untersuchungen gemein. Wesentlich ist nur, ob der Zirkel eben und rund wird. Ist dies der Fall, dann hat sich die Methode bewährt und die Problemstellung als fruchtbar erwiesen. Der Leser muß selbst entscheiden, ob uns dies gelungen ist.

Die literarkritische Methode scheint heutzutage in *einigen* Kreisen in Mißkredit zu sein. Diesem Mißtrauen stimmen weder wir noch die große Mehrzahl der Ausleger der TP zu[4]. Die Methode an sich bedarf keiner Verteidigung, denn sie gehört zu den klassischen Werkzeugen und ist gerade für diese Art von Texten unentbehrlich. Das grundlegende Problem der Methode haftet an den literarkritischen Argumenten. Unsere Resultate unterscheiden sich stark von den Ergebnissen, die z.B. von Charles und Bousset und Becker erreicht worden sind. Dies beruht an und für sich nicht auf der Methode, sondern ist davon bedingt, daß diese Verfasser andere Argumente anführen. In unseren Analysen werden wir hoffentlich nachweisen, daß unsere Vorgänger falsch argumentiert haben und/oder inkonsequent gewesen sind.

Zum Aufbau unserer Arbeit ist noch folgendes zu bemerken:

In Teil I, der in erster Linie Problemstellung, Ziel und Methodik gewidmet ist, steht noch eine Übersicht über die Textkritik aus (I,6).

Teil II ist der Hauptteil. II,1 bietet eine Darstellung über den Aufbau der TP, gefolgt in II,2 von einer Untersuchung der Testamentgattung. In II,3−14 werden die einzelnen Testamente analysiert, mit dem Hauptziel, alle sekundären Stücke zu beseitigen.

Die wichtigsten inhaltlichen Argumente, die für die Disqualifikation eines Abschnittes sprechen, sind in Teil III gesammelt. In II,3−14 wird summarisch auf diese Argumente verwiesen. Dadurch werden unnötige Wiederholungen vermieden. Es erübrigt sich zu sagen, daß man natürlich nicht sämtliche Argumente in jeder Perikope erwarten kann.

In Teil IV werden die in II und III gewonnenen Ergebnisse verwertet. In IV,1 behandeln wir den Stoff der Grundschrift, in IV,2 ihre Vorstellungswelt und Ideologie. In IV,3 stellen wir das Milieu des Verfassers zur De-

---

[4] In der Debatte über die TP spielen literarkritische Argumente eine zentrale Rolle. Unsere Arbeit nimmt somit auf die vorliegende Forschungssituation Bezug. Daß einige, wie z.B. M. de Jonge und seine Schüler, literarkritischen Operationen kritisch gegenüberstehen, beruht wohl kaum darauf, daß sie die literarkritische Methode an sich ablehnen, sondern eher darauf, daß sie die Literarkritik gerade in diesem Fall für falsch halten. Da wir im Gegenteil vom zusammengesetzten Charakter der TP überzeugt sind, liegt die Wahl von Hauptmethode auf der Hand. Aus dem Gesagten ergibt sich von selbst, warum wir uns nicht neuerer Methoden, wie z.B. des Strukturalismus, bedient haben. Die strukturalistische(n) Methode(n) setzt (setzen) ja im Prinzip voraus, daß der Text eine Einheit ist; ausserdem sind (sind) diese Methode(n) atemporal/ahistorisch. Deshalb schließen die literarkritische und die strukturalistische(n) Methode(n) einander aus. Hier muß eine Wahl getroffen werden. In Anbetracht unserer Gesamtauffassung der TP ist diese Wahl nicht schwer gewesen.
Die Wahl einer Methode beeinflußt bekanntlich auch das Resultat einer Untersuchung. Deshalb machen wir keinen Anspruch darauf, sämtliche Probleme der TP endgültig gelöst zu haben. Wir hoffen aber, daß wir einen Beitrag zum Verständnis der TP geleistet haben, und daß wir die Möglichkeiten eines konsequenten Methodeverfahrens gezeigt haben.

batte, in IV,4 die Frage nach der Ursprache. Nach einer Übersicht über die verschiedenen Interpolationsschichten in IV,5, fragen wir in IV,6 nach dem Alter der Grundschrift und in IV,7 nach ihrem Ursprungsort. Abschliessend, in IV,8, versuchen wir ein Bild der Traditionsgeschichte der TP zu zeichnen.

6. Zur Textkritik[1]

A. Textzeugen[2]

a. Der griechische Text (G)

Wir besitzen zur Zeit vierzehn griechische Mss, die herkömmlich mit den Siglen a–n bezeichnet werden. Die Mss k und n geben nur Exzerpte des Textes, wobei k sein Interesse auf die christologischen Aussagen beschränkt, während n zwei kurze Fragmente umfaßt, nämlich TR 3:6–5:7 und TL 3:1–10. Die übrigen Mss, a–j + lm, bieten einen zusammenhängenden Text, die meisten zwar mit kürzeren oder längeren Auslassungen und Lakunen.

Erwähnt seien auch die vier ganz langen Marginalien in Ms d, Fm^d genannt, und die vielen Marginalien in Ms e in TR, TSim, TL und TJud bis 9:8, e^{marg} genannt.

Textausgaben: Wir bauen auf Charles' *Text*, M. de Jonges *Textausgabe* und M. de Jonges (ed.) *Editio Maior*.

b. Andere Versionen

Die wichtigste Version ist die armenische (A), die mehr als fünfzig Mss aufweist. Daneben finden sich eine slawische Version (S, mit zwei Rezensionen, S^1 und S^2) und eine neugriechische Version (Ngr). Es gibt auch ein kleines serbisches Fragment (Serb) zu TR Kap. 1–5 (und eine lateinische Übersetzung von Ms b).

Neben G kann nur A Anspruch auf textkritisches Interesse machen. Leider gibt es keine zuverlässige textkritische Ausgabe von A. Wir haben uns einiger der von Stone editierten Teiltexte[3] und der in den griechischen Textausgaben und bei Hultgård[4] verzeichneten Textvarianten bedient.

Obwohl die Textkritik keine große Rolle in unserer Untersuchung spielt,

---

[1] Forschungsberichte finden sich z.B. in: Becker *Untersuchungen* 7ff; Slingerland *A Critical History of Research* passim.

[2] Die beste Übersicht über die Textzeugen mit Literaturangaben bietet *Editio Maior* XIff.

[3] *The Testament of Levi; The Armenian Version*. (Seine Aufsätze in *Sion* 44 (1970) 1ff und ibid. 49 (1975) 207ff waren uns nicht zugänglich.)

[4] Vgl. *Croyances* und *L'eschatologie* I–II, passim.

scheint eine Darstellung unserer prinzipiellen Auffassung vom Wert der einzelnen Textzeugen an ihrem Platz. Zunächst folgt eine Übersicht über die zentralsten Beiträge zur Erforschung des Textes. Dabei werden G und A getrennt behandelt.

B. Der griechische Text

Charles[5] benutzt neun Mss, a–i, die er in zwei Familien, α = chi und β = abdefg, ordnet. β teilt er in zwei Untergruppen, bdg und aef, ein. (Innerhalb α trennt er auch hi von c.) In α sei c der beste Vertreter, in β dominiere b. Charles hält c für das beste Ms überhaupt und bevorzugt im allgemeinen α (c) vor β. Die beiden Hauptfamilien gehen nach Charles auf zwei hebräische Textrezensionen zurück: $\alpha < H^\alpha$ und $\beta < H^\beta$[6].

Charles' textkritische Arbeit hat im großen und ganzen einen positiven Empfang erfahren, obwohl man auch kritische Einwände verspürt. Burkitt[7], Schürer[8] und Bousset[9] haben sich vor allem gegen die Annahme von zwei hebräischen Rezensionen gewandt[10]. Burkitt stellt außerdem Charles' hohe Bewertung von chi in Frage und hält α für eine schlechte Ausgabe der TP.

Die Umwertung vom Wert der Familien, die von Burkitt angedeutet wurde, hat nur wenig Zustimmung gefunden. Mit Hunkin[11] hat aber Charles' Position umfassende Kritik erhalten. Hunkin ist mit Charles' Einteilung der Zeugen einverstanden, bewertet sie aber ganz anders. Auf Grund eines vierfachen Vergleichs (Wortdifferenzen, Auslassungen, Zusätze, Wortfolge) versucht er nachzuweisen, daß α nur eine späte und minderwertige Rezension des β-Textes darstelle. Der beste Vertreter sei nicht c, sondern b.

M. de Jonge[12] greift auf Hunkin zurück und meint, er habe dessen Ergebnisse bestätigt. Neu gegenüber Charles (und Hunkin) ist seine Differenzierung von β in zwei Familien, γ=aef und δ=bdg. Zu δ rechnet er auch Ms k, das 1927 veröffentlicht wurde[13] und nach M. de Jonge b sehr nahesteht. Zusammenfassend folgert er: „$\gamma+\delta$ have to be preferred to α, δ to γ, and b to d and g."[14] Seine textkritische Position liegt seiner Textausgabe

---

[5] *Text* IXff; XIXff; *Comm* XVIIIff; XXXIIff.
[6] *Text* XXXIIff; *Comm* XLVIIff.
[7] *JThS* 10 (1909) 135ff, bes. 137ff.
[8] *ThLZ* 33 (1908) 505ff.
[9] *ThR* 13 (1910) 429ff.
[10] Positiv dazu stellten sich dagegen: Perles *BOLZ* 2 (1908) 10; Eppel *Piétisme* 18.
[11] *JThS* 16 (1915) 80ff.
[12] *Testaments* 13ff.
[13] James *JThS* 28 (1927) 337ff.
[14] *Testaments* 22.

zugrunde. Sie bietet den Text von b mit einer kleinen Auswahl von Varianten.

Den nächsten wichtigen Beitrag hat Becker geliefert[15]. Becker behandelt Hunkins Argumente, und seine Kritik trifft damit auch M. de Jonge, der ja die Ergebnisse Hunkins übernimmt. Becker legt denselben vierfachen Vergleich wie Hunkin zugrunde, läßt sich aber weder von Hunkins Resultaten noch von M. de Jonges weiterführender Argumentation überzeugen. Seine Auffassung läßt sich in einige Hauptpunkte zusammenfassen:

a. G kann nach Becker in zwei Familien, α und β, aufgeteilt werden. β zerfalle ihrerseits in zwei Untergruppen, γ und δ, die jedoch nicht Familien seien.

b. Die Vorherrschaft des α(c)-Textes bei Charles sei von Hunkin und M. de Jonge zu Recht kritisiert worden, doch setzten sie nur die Familie β (bzw. δ oder b) an seine Stelle, ohne ihre Schwächen zu erkennen.

c. Im ganzen gesehen seien α und β etwa gleichwertig.

In seiner Übersetzung=Komm hat er seine Position wiederholt[16]. Prinzipiell meint er: „Der inneren Textkritik an der Einzelstelle gebührt immer die Prävalenz."[17]

Ein eklektisches Prinzip wird auch von Hultgård in 'Croyances' bevorzugt[18]. Er behält die Familie α(=chiNgr), löst aber die Familie β auf. Er meint, daß dlm doch wahrscheinlich eine Familie ausmachen und übrigens mit bkg eng zusammengehören. Verwandt seien auch a und f, während e für sich stehe. Die wichtigsten Zeugen seien e und b, gefolgt von flg.

Ein neues Modell hat H.J. de Jonge vorgelegt[19]: eine Familie β (bk, g, ldm, e, af) habe es nie gegeben, denn die älteste Spaltung gehe gerade zwischen bk und allen anderen Handschriften, inklusive α und der Versionen. Wir müßten mit einem einzigen Archetypus der gesamten Tradition (ω) rechnen, der im Laufe der Zeit zum Hyparchetypus der Familie α depraviert sei. Die vorliegenden Handschriften und Übersetzungen seien von verschiedenen Hyparchetypen abhängig, die einzelne Stadien der Entwicklung darstellten. bk seien vom ältesten Stadium abhängig und entstammten dem Archetypus selbst. Nacheinander seien dann aus den jeweiligen Entwicklungsformen des Archetypus eine/die Vorlage von g, von

---

[15] *Untersuchungen* 16ff.
[16] Op. cit. 21; vgl. *Untersuchungen* 31f.
[17] *Komm* 21.
[18] Op. cit. 5 usw.
[19] *ZNW* 63 (1972) 27ff. Nachdruck in *Studies* 45ff.

ldm, von e, von S, von af entsprossen. Vom jüngsten Hyparchetypus (α) ließen sich zwei Handschriftengruppen ableiten: nSerb und chiNgr.

Später hat H.J. de Jonge seine Theorien ein wenig modifiziert[20]: bk, jetzt Familie I genannt, wird nicht mehr eine Sonderstellung gegenüber Familie II (=den übrigen Zeugen) zugeschrieben, da sie alle beide auf selbständige Transliterationen von Majuskeln zu Minuskeln zurückgingen. g wird jetzt zusammen mit ldm als eine Subfamilie gerechnet.

Die neue Editio Maior, die auf alle bekannten griechischen Zeugen baut, legt H.J. de Jonges modifizierte Theorie zugrunde[21]. Sie operiert also mit zwei Familien: I=bk und II=die übrigen Zeugen. Familie II wird in zwei Subfamilien, gldm(+Fm^d) und nchijNgr(α) und zwei Untergruppen, e und af, geteilt. Bei der Rekonstruktion des Textes hat man zuerst die Hyparchetypen von I und II gefunden und dann eine begründete Wahl von Lesart getroffen. Wo sich keine Entscheidung fällen lasse, habe man aus praktischen Gründen I gewählt, ohne damit zu behaupten, daß I besser sei[22]. Die wichtigsten Zeugen sind nach 'Studies'[23] (die Vorarbeiten zu Editio Maior enthalten), bk, g, l und e. Editio Maior legt niemals einen Text, der nur von α oder eafnchij bezeugt ist, zugrunde[24].

Neuerdings hat Hultgård seine Theorien geändert. In 'Croyances' war seine Textbasis viel zu schmal, in 'L'eschatologie II'[25] dagegen basiert er sich auf der ganzen Schrift. Die fundamentale Spaltung liegt nach Hultgård nicht zwischen bk und allen übrigen Zeugen (= H. J. de Jonge usw.), sonder zwischen bk *und* gldm einerseits und eafnchijA(+SNgrSerb) andererseits. Die Texttradition bestehe aus vier Hauptzweigen: bk, gldm, eafnchijSNgr und A, die aber alle einem gemeinsamen Archetypus entstammen sollen. Der sekundäre Langtext in TSeb zeuge davon, daß bk und gldm enger zusammengehörten, obwohl sie auf verschiedene Unzialtraditionen zurückzuführen seien. Die Mss nchij seien zwar eine Rezension des Textes, hätten aber nichtsdestoweniger einige ursprünglichere Lesarten bewahrt[26]. Prinzipiell entscheidet sich Hultgård für einen konsequenten Eklektizismus: „Pour établir le texte des Testaments des Douze Patriarches, il est donc nécessaire de consulter et comparer chacune des quatre branches de la tradition textuelle."[27]

---

[20] *Studies* 63ff.

[21] Vgl. *Editio Maior* XXXIIIff und *Studies* 174ff. Man beachte jedoch, daß H.J. de Jonge die Familie I nicht so hoch schätzt wie *Editio Maior*. *Editio Maior* 181ff gibt der Familie I den Vorzug an 60 Stellen, der Familie II an 153 Stellen. H.J. de Jonge sagt aber in *Studies* 82, daß er nur zwei oder drei Lesarten in bk gefunden habe, die er bevorzugen würde.

[22] *Editio Maior* XXXV.

[23] Op. cit. 179.

[24] Vgl. *Studies* 179.

[25] Op. cit. 11ff

[26] Ibid. 27ff.

[27] Ibid. 52.

Aus dieser Übersicht geht hervor, daß die Meinungen auseinandergehen. Da die Textkritik ein Studium für Experten ist, wagen wir keine selbständig begründete Auffassung über Einzelheiten der Textüberlieferung oder Familienverhältnisse auszusprechen. Die vielen Theorien zeugen u.E. davon, daß das letzte Wort noch nicht gesagt ist. In Anbetracht des Mangels an Konsensus sollte man sich nicht allzu kategorisch ausdrücken. Auf Grund der obigen Darstellung scheinen uns jedoch einige Folgerungen möglich:

1. α bleibt als Siglum einer Familie (= nchijNgrSerb) intakt. β läßt sich nicht mehr als eine Familie auffassen.

Da das Siglum β sowohl in älterer als auch jüngerer Literatur vorkommt, haben wir es trotzdem beibehalten, um die Diskussion zu vereinfachen. Da β keine Familie ist, schreiben wir das Siglum "β". Ein "β" bedeutet: die übrigen griechischen Mss, die nicht zu α gehören.

2. Die alternative Gliederung der Handschriften in Familie I und II (H.J. de Jonge usw.) scheint uns angesichts der Untersuchungen von Hultgård[28] verfehlt.

3. Die Hochschätzung von bk (evtl. "β") und die entsprechende Geringschätzung von α, die bei der „niederländischen Schule" begegnet, ist nicht berechtigt. Daß die Familie α Schwächen hat, wird von allen Autoritäten zugestanden. Ihre Bedeutung nimmt aber zu, wenn sie von anderen Zeugen gestützt wird. Lesarten, die von α + eaf bezeugt sind, fordern immer ernsthafte Überlegung. Das gilt umsomehr, wenn man erkannt hat, daß nur α an einigen Stellen den ursprünglichsten Text bewahrt hat[29].

4. Die griechischen Handschriften lassen sich in mehrere Untergruppen einteilen: bk, gldm, eaf/e, af, nchij(=α). Ob man sie Familien, Subfamilien, Zweige o.ä. nennen soll, bleibt umstritten. Die Verwandtschaftsverhältnisse scheinen jedenfalls gesichert zu sein.

5. Aus dem Langtext in TSeb geht hervor, daß bk und gldm eng zusammengehören. Da der Langtext sekundär ist[30], läßt sich der gemeinsame Text nicht damit erklären, daß die anderen Zeugen gekürzt haben. Also muß eine enge Verwandtschaft vorliegen.

Aus den obigen Punkten ergibt sich, daß wir uns für ein eklektisches Prinzip entscheiden. Der inneren Textkritik gebührt die Priorität.

---

[28] Ibid. 23ff.
[29] Vgl. z.B.: TSeb 3:4(Moses), II,6 mit Anm. 7; TB 3:4 ($-\dot{\alpha}\dot{\epsilon}\varrho\iota o\varsigma$), III,3 mit Anm. 68; TAs 3:2 ($\delta\iota\alpha\beta o\acute{\nu}\lambda\iota o\nu$), IV,2 Anm. 14. S. übrigens Hultgård in Anm. 26.
[30] Vgl. die Diskussion in II,6 mit Anm. 18−24.

C. Der armenische Text

Das Studium von A hat dank der Untersuchungen von Burchard[31], Stone[32] und Hultgård[33] seit 1969 eine enorme Entwicklung erfahren. Die endgültige Einschätzung von A muß jedoch anstehen, bis eine wissenschaftliche Textausgabe vorliegt[34]. Daß Charles' Text nicht den besten Text bietet, ist jedenfalls klar, obwohl man in hohem Maß auf ihn angewiesen ist. Schlüsse, die nur auf seinem Text basieren, sind also mit erheblicher Unsicherheit belastet. Es braucht kaum gesagt werden, daß viele ältere Untersuchungen zu A heute uninteressant sind, weil das zur Verfügung stehende Material zu schlecht war.

In der nachfolgenden Übersicht steht die Frage nach der Bedeutung des Armeniers für die Rekonstruktion des ursprünglichsten Textstadiums im Mittelpunkt.

Charles[35] hat zwölf Mss gekannt, konnte aber nur neun verwerten. Er meint, A sei ein naher Verwandter der Gruppe bdg und lasse sich in zwei Familien teilen, A^{α} und A^{β}. Die Bedeutung von A bestehe einerseits darin, daß der Text weniger christliche Stellen als G aufweise. Viele christliche Interpolationen – nicht alle, da A doch nicht frei von christlicher Bearbeitung sei – ließen sich somit auf Grund eines Vergleichs von G und A beseitigen. Andererseits biete A in TL 3:1–5 den besten Text und habe in TJos 19:3–7 und TB 2:6–8 allein den ursprünglichen Text bewahrt.

Hunkin[36] ist weniger positiv als Charles. Er meint, daß A, den er wie Charles in zwei Familien teilt und mit bdg verbindet, an einigen Stellen korrupt sei, und oft Auslassungen, aber auch Erweiterungen aufweise. An zwei Stellen, TJos Kap. 19 und TB 10:10, habe er aber offenbar einen ursprünglicheren Text als G[37]. In TIs, TJos und TB, „the narrative of A is shorter and neater than that of the Greek MSS, which is inclined to be a little rambling."[38] Hunkin vermutet, daß die griechische Vorlage von A etwas kürzer als unser Text gewesen sei, meint aber zugleich: A „represents a slight abridgement, and the present Greek text a very slight expansion of the original Testaments."[39]

M. de Jonge[40], der nochmals auf Hunkin zurückgreift, betont dieselben Schwächen wie sein Vorgänger und meint, daß A ganz unbedeutend sei.

---

[31] *BZNW* 36 (1969) 1ff.
[32] S. Anm. 3.
[33] *Croyances* und *L'eschatologie* I–II.
[34] Sie wird von Stone vorbereitet.
[35] *Text* XIIff; *Comm* XXIIff.
[36] *JThS* 16 (1915) 93ff.
[37] Ibid. 94 (s. auch Anm. 4, wo er TB 2:6–8; TIs 5:6.7 erwähnt).
[38] Ibid. 94.
[39] Ibid. 94f.
[40] *Testaments* 23ff, bes. die Folgerung ibid. 30f.

TB 10:10 sei eine der wenigen Stellen, wo A den Vorzug verdiene[41]. Für die Ausscheidung der sogenannten christlichen Interpolationen sei A ohne wesentlichen Wert[42].

Becker[43] schätzt A viel positiver ein als M. de Jonge. Er verneint nicht, daß A mancherlei Schwächen aufweist, gibt ihm aber an mehreren Stellen den Vorzug ganz oder teilweise; vgl. z.B. TB 3:8; 10:6−10; Kap. 11; TJos 19:11f; TJud 22:1−3. Es handelt sich um Texte, wo A kürzer als G ist. An den Stellen, wo A einen längeren Text bietet, sei A sekundär; vgl. z.B. TJos 19:3−7; TB 2:3−8. Jeder Text müsse also für sich betrachtet werden.

In seiner Dissertation 'Croyances' operiert Hultgård mit vier Familien[44]: A^z, A^{mv}, A^α und A^β. Der beste Text sei A^z, gefolgt von A^{mv}. A^α kürze und ändere, basiere aber auf einem Text, der mit A^z nahe verwandt sei und habe deshalb oft bessere Lesarten als A^{mv} und A^β bewahrt. A stehe der Gruppe bdgkl nahe, vor allem den Mss dg[45]. Hultgård hält A für einen der wichtigsten Zeugen und mißt ihm bei der Rekonstruktion des ursprünglichsten Textes große Bedeutung zu.

Editio Maior schätzt A höher als M. de Jonge es früher getan hat, stimmt aber dem Zutrauen Beckers und Hultgårds nicht zu. Da A nur ein Zeuge unter vielen anderen der Familie II und nicht besonders vortrefflich sei[46], hat man es nicht für notwendig gehalten, die Edition der TP aufzuschieben, bis ein zuverlässiger armenischer Text vorliegt[47]. In der Tat werden nur sieben Lesarten von A im Apparat verzeichnet[48]. In einem Appendix[49] werden freilich die von Stone editierten Texte angeführt.

In 'L'eschatologie II'[50] hat Hultgård seine Theorien ein wenig modifiziert. Da A jetzt (neben bk; gldm; eafnchijSNgr) für einen selbständigen Zweig der Texttradition gehalten wird[51], der dem gemeinsamen Archetyp entstamme[52], sagt sich von selbst, daß Hultgård ihm vielleicht noch größere Bedeutung als früher zuschreibt. So erwähnt er mehrere Stellen, wo A einen ursprünglicheren Text bewahrt haben soll[53], aber auch Stellen, wo A

---

[41] Ibid. 138 Anm. 82; 33 mit 139 Anm. 93.

[42] Ibid. 31ff.

[43] *Untersuchungen* 44ff.

[44] Op. cit. 27ff. S. auch Stone *The Armenian Version* 4ff.

[45] *Croyances* 36. Stone *The Testament of Levi* 163 folgert, daß A^β und A^m „substantially like the Greek, and in particular like Greek b and d" sind.

[46] Vgl. z.B. die Kritik in *Studies* 130ff.

[47] Vgl. *Editio Maior* XXVII; *Studies* 135.

[48] Vgl. *Editio Maior* 192f. Unter ihnen findet sich TN 2:7, wo alle griechischen Mss korrupt sind und wo die Textkonjektur tatsächlich auf A basiert.

[49] *Editio Maior* 193ff.

[50] Op. cit. 17ff; 34ff.

[51] Op. cit. 23ff; vgl. die Folgerung ibid. 52.

[52] Ibid. 52.

[53] Ibid. 35f; 36ff.

griechische Varianten stütze und somit die Wahl zwischen verschiedenen Lesarten erleichtere[54].

Man sieht, daß die Probleme sich auch hier häufen, und daß ein Konsensus über den Wert von A noch nicht erreicht worden und auch in der nahen Zukunft nicht zu erwarten ist.

Wir haben selbst keine Perikope gefunden, wo A einen originalen Text bewahrt hat, der in der gesamten griechischen Überlieferung verlorengegangen ist. A hat aber an einigen Stellen anscheinend einen ursprünglicheren Text als G (vgl. TB 10:10). Ebenfalls repräsentiert A an einigen Stellen ein weniger christianisiertes Stadium als G (vgl. TB 3:8), oder bietet einen Text, der nicht verchristlicht ist (vgl. TJos 19:11f).

Die Spätdatierung von A – nicht früher als 9. Jh. n. Chr. –, die die „niederländische Schule" vertritt[55], bewährt sich nicht. Andere Autoritäten wie Burchard[56] und Hultgård[57] datieren A in das 6./7. Jh. n. Chr.[58] Stimmt die Annahme von Hultgård, daß A einen selbständigen Zweig repräsentiert, lassen sich Stellen wie TJos 19:11f und TB 3:8 mit einer Frühdatierung leichter erklären. A geht auf einen Text zurück, der weniger christianisiert ist als unser G, und das wäre im 9. Jh. n. Chr. kaum denkbar.

Alles in allem ist A ein Zeuge, den man weder unterschätzen noch überschätzen darf. Sein Wert muß von Fall zu Fall entschieden werden.

---

[54] Ibid. 40ff.
[55] Vgl. z.B. *Studies* 77ff; 135ff.
[56] *BZNW* 36 (1969) 28.
[57] *Croyances* 35; *L'eschatologie* 51f.
[58] Stone *RB* 84 (1977) 102ff läßt die Frage offen.

TEIL II

ANALYSE DER TESTAMENTE

1. Der Aufbau der Testamente der Zwölf Patriarchen

Der Aufbau der Testamente ist u.a. von M. de Jonge[1], Baltzer[2], Becker[3], v. Nordheim[4] und Hultgård[5] untersucht worden. Wir brauchen somit keine neue und selbständige Bearbeitung des Materials zu unternehmen, sondern legen ihre Darstellungen zugrunde. Wesentlich sind vor allem die Arbeiten von Becker, v. Nordheim und Hultgård. M. de Jonges Beitrag ist weniger wichtig, weil er den Stoff nicht gut genug systematisiert hat. Baltzers Behandlung der Einleitungen und Abschlüsse der Testamente, die sogenannten Rahmen, ist viel zu knapp. Ansonst vertritt er aber interessante Ansichten. Wir bauen in erster Linie auf v. Nordheim, der dem Aufbau und Gattungsproblem eine zweibändige Monographie gewidmet hat.

Jedes Testament gliedert sich in drei Teile. Der Hauptteil ist die Abschiedsrede, die von einer Einleitung (Anfangsrahmen) und einem Abschluß (Schlußrahmen) umspannt ist. Wir folgen in unserer Präsentation v. Nordheims Terminologie[6].

Die Einleitung (der Anfangsrahmen) wird auch Präambel genannt[7]. Sie besteht aus zwei Teilen: einem überschriftartigen Teil und einem erzählenden Teil. (Becker nennt sie den „urkundlich-notariellen Teil" bzw. den „annalenhaft-beschreibenden Teil". v. Nordheims Benennung wirkt unmittelbar einfacher und sachgemäßer.)

Der überschriftartige Teil hat fünf Glieder:

1. Jedes Testament beginnt wie ein Buchtitel: Ἀντίγραφον διαθήκης/ λόγων + Name des Patriarchen = *Titel und Name*.

2. Danach folgt ein Relativsatz mit einem *verbum dicendi* und einem Dativ zur Angabe der Personen, zu denen gesprochen wird, nämlich (primär) den Söhnen des Patriarchen = *Adressaten*.

---

[1] *Testaments* 110ff(83ff; vgl. Hollander/M. de Jonge *Comm* 29ff).
[2] *Bundesformular* 147ff.
[3] *Untersuchungen* 158ff.
[4] *Lehre* I,12ff; 89ff (Zusammenfassung).
[5] *L'eschatologie* II,53ff.
[6] Dabei ziehen wir zwar die Bezeichnungen „Mahnung" und „Weissagung" (so in der masch.schr. Diss.) statt „Verhaltensanweisung" und „Zukunftsansage" (so in *Lehre* I) vor.
[7] Vgl.: Baltzer *Bundesformular* 147; Becker *Untersuchungen* 158; Hultgård *L'eschatologie* II,54; Haupt *Levi* 85; LI Anm. 2.

3. Dann wird erzählt, daß der Stammvater kurz vor seinem Tod steht. Die Rede ist also eine Abschiedsrede in eigentlichem Sinn = *berichtender Hinweis auf den bevorstehenden Tod.*
4. Es folgt eine Angabe des Lebensalters = *Altersangabe.*
5. In Verbindung mit dieser Altersangabe findet sich an einigen Stellen ein Synchronismus zum Todesjahr Josephs = *Vergleichsdatierung/Synchronisierung.*

Die Abfolge dieser Elemente ist ziemlich fest. Einzelmomente können jedoch fehlen oder anderswo im Testament angebracht sein. Wiederholungen sind auch möglich; vgl. die nachfolgende Synopse.

Der erzählende Teil hat drei Glieder:

1. Zuerst findet sich eine Schilderung der Situation. Hier kann mit einer Partizipialkonstruktion von der Krankheit oder Gesundheit des Patriarchen erzählt werden. Dies liegt allerdings verhältnismäßig selten vor; vgl. TR, TSim/TL, TAs (und TN). Im allgemeinen gibt diese Schilderung der Situation Auskunft über die Zusammenkunft aller Söhne[8] = *(Schilderung der) Situation.*
2. Dann kommt ein *verbum dicendi*, dessen Subjekt der Stammvater ist. Darauf folgt meist ein obliquer Kasus von αὐτοί (= seine Söhne). Der Patriarch erzählt, daß er stirbt = *persönlicher Hinweis auf den bevorstehenden Tod.*
3. Mit einer Redeeinleitungsformel ruft der Sterbende dann zur Aufmerksamkeit. Diese Formel ist entweder eingliedrig oder zweigliedrig und lautet *schematisch:*
   eingliedrig: „Hört, Kinder ... , euren Vater"
   zweigliedrig: „Hört, Kinder ... , euren Vater, vernehmt die Worte ..."
   Die Bezeichnung „Redeeinleitungsformel" ist besser als der üblichere Ausdruck „Lehreröffnungsruf"[9] oder „Lehreröffnungsformel"[10], weil man dadurch eine Parallele zur Redeabschlußformel im Schlußrahmen erhält[11]. Die Redeeinleitungsformel gehört zum Rahmen, nicht zur eigentlichen Abschiedsrede[12] = *Redeeinleitungsformel.*

Die nachfolgende Synopse gibt eine Übersicht über das Vorkommen dieser Elemente. Eine Schilderung der Situation findet sich in sämtlichen Testa-

---

[8] In TR 1:4ff sind Juda, Gad und Asser, in TJos 1:1ff alle Brüder neben den Söhnen anwesend.

[9] Vgl.: G. v.Rad *Das fünfte Buch Mose* (*ATD* 8), Göttingen 1964, 140 und *Weisheit* 32f; Becker *Untersuchungen* 182f und passim; Haupt *Levi* passim.

[10] Vgl. H.W. Wolff *Dodekapropheton I Hosea* (*BK* 14,1), Neukirchen 1965, 122f.

[11] S. v.Nordheim *Lehre* I,93.

[12] Richtig: v.Nordheim *Lehre* I,93; Baltzer *Bundesformular* 148; Haupt *Levi* LI Anm. 2; Hultgård *L'eschatologie* II,54 mit Anm. 6; falsch: Becker *Untersuchungen* 158 Anm. 2; 162.

menten, kann aber sehr knapp sein[13]. Der persönliche Hinweis auf den bevorstehenden Tod hat ein Gegenstück im überschriftartigen Teil, wenn auch in berichtender Form.

Die Einleitung ist sehr flexibel, und die Anzahl der Formelemente variiert erheblich. Man findet alle acht Elemente in TR (TSeb), aber nur vier in TG. Dadurch entgeht der Verfasser aber der drohenden Stereotypie, und die Monotonie wird einigermaßen gebrochen.

Der Abschluß (der Schlußrahmen) hat fünf Glieder:

1. Er wird mit einer Redeabschlußformel eingeleitet, die konstatiert, daß die Rede zu Ende ist. Sie wird verschieden gestaltet und hat verschiedene Länge = *Redeabschlußformel*.
2. Der Patriarch befiehlt seinen Söhnen (ihn nach Hebron hinaufzubringen und) ihn (dort) bei seinen Vätern zu begraben. (Auch andere Bestattungswünsche werden erwähnt.) Im allgemeinen redet der Stammvater selbst, doch kann sein Wunsch auch referiert werden. Dieses Element ist wesensmäßig im Abschluß zu Hause[14], obwohl es auch in der Abschiedsrede begegnet = *Bestattungsanweisungen*.
3. Dem schließt sich ein Vermerk über den Tod des Patriarchen an. Er kann sehr knapp sein; vgl. z.B. TR 7:1. Im allgemeinen benutzt der Verfasser alttestamentliche Formulierungen wie „er wurde zu seinen Vätern versammelt", „er schlief einen guten Schlaf", „er streckte seine Füße aus" o.ä.; vgl. III,5 = *Tod*.

   In Verbindung mit diesem Vermerk des Todes kommt an einigen Stellen eine Altersangabe vor. Sie gehört jedoch am natürlichsten zum Anfangsrahmen; vgl. die Synopse.
4. Danach wird erzählt, daß die Söhne ihren Vater bestatten. Zu diesem Element rechnen wir auch die vorläufige Sarglegung; vgl. TR, TSim, TL, TSeb, TB ("β", A). Sie ist sicher an anderen Stellen vorausgesetzt, weil der Aufenthalt in Ägypten eine direkte Bestattung in Hebron unmöglich machte. Ein selbständiges Formelement ist diese Einsargung kaum[15]. Besonders typisch für dieses Formelement ist der spätere Transport des Gestorbenen nach Hebron und das endgültige Begräbnis in der Höhle von Machpela = *Bestattung durch die Söhne*.
5. Eine Mitteilung von der Trauer der Nachkommen findet sich nur in TSim und TJos; vgl. aber auch TSeb 10:1. Sie ist wahrscheinlich anderswo vorausgesetzt = *Trauer*.

Das Vorkommen der Elemente geht aus der Synopse hervor. Der Ab-

---

[13] Vgl. die Analyse von TSeb(1:2).
[14] Zur näheren Begründung, vgl. v.Nordheim *Lehre* I,94f.
[15] Das meint Becker *Untersuchungen* 162; s. aber v.Nordheim *Lehre* I,91 Anm. 219.

schluß ist weniger flexibel als die Einleitung, doch können einige Elemente fehlen. TJos hat alle fünf(?) Elemente — die Bestattungsanweisung zwar in der Abschiedsrede. TIs hat dagegen nur zwei Elemente. Die hier gegebene Abfolge der Momente ist die übliche. Ausnahmen kommen aber vor. Der Bestattungswunsch findet sich zweimal (TD und TJos) im Mittelteil.

Die Abschiedsrede, der Mittelteil, besteht aus drei Hauptteilen:

1. Sie fängt mit einem *Rückblick auf die Vergangenheit* an. Der Patriarch erzählt eine (oder mehrere) Episode(n), die als Ausgangspunkt der nachfolgenden Paränese dient (dienen). Es handelt sich im allgemeinen um ein Ereignis aus dem eigenen Leben, und zwar öfters eine Sünde oder Missetat. Positive Beispiele kommen ebenfalls vor; vgl. TJos. TB zeigt, daß der Rückblick auch um eine andere Person — in diesem Fall Joseph — kreisen kann. Der Rückblick ist keine neutrale Darstellung geschwundener Zeiten, sondern die Stammväter haben sich aus diesen Vorfällen Lebenserfahrung erworben. Die Patriarchen erzählen nicht um der Erzählung willen. Diese Episoden sind im Gegenteil Illustrationen zur Paränese, in der der Sterbende den Nachkommen seine Lebenserfahrung mitteilt.

   Eine Sonderform des Rückblicks liegt in TN vor. Hier wird die Regelmäßigkeit der Natur als Ausgangspunkt der Mahnungen gebraucht. Ganz für sich steht TAs, das keine Lebensgeschichte bringt. Statt dessen begegnet in 1:3ff ein ausführlicher Lehrvortrag.

2. *Die Mahnungen (Verhaltensanweisungen)* ziehen Lebenserfahrung und Lebensweisheit aus dem Rückblick. Rückblick und *Paränese* sind somit eng verbunden. Sie können alle beide wiederholt werden. Ein illustrierendes Beispiel liefert TJud, in dem mehrere Rückblicke Mahnungen verschiedener Art erlauben. Im allgemeinen konzentriert sich jedoch die Paränese auf ein Hauptthema: Hurerei, Neid, Haß, Zorn, Güte, Einfalt usw. Ein charakteristischer Zug der Paränese ist die *Schlußmahnung*, die also am Ende der Abschiedsrede zu erwarten ist. Sie sammelt sich um zwei Hauptpunkte: Gottesfurcht und Nächstenliebe.

3. Es gibt mehrere Formen von *Weissagungen (Prophezeiungen, Zukunftsansagen)* in den TP. Zwei Typen, die Levi-Juda-Stücke und die SER-Stücke, fallen besonders auf. Dazu kommt eine Gruppe verschiedener, eschatologisch-apokalyptischer Texte, z.B. Auferstehungsaussagen, „Messiasverheißungen" usw.; vgl. IV,5D.

   Weissagungen kommen in allen Testamenten vor, doch ist ihr Umfang verschieden von Testament zu Testament. Sie machen erhebliche Einschläge in TL, TJud und TN aus, begrenzen sich aber in TG auf zwei Verse, 8:1—2.

   Die logische Reihenfolge der drei Hauptteile der Abschiedsrede ergibt sich von selbst: Rückblick – Mahnungen – Weissagungen. Die Paränese setzt den Rückblick voraus, und der Rückblick geht deshalb den Verhaltensanweisungen voran. Die natürliche Anbringung von Prophezeiungen ist am Ende der Abschiedsrede. Nachdem der Sterbende Vergangenheit und Gegenwart hinter sich gelassen hat, blickt er in die Zukunft hinein.

Nach unserer These sind aber sämtliche Weissagungen, mit der Ausnahme von TJos Kap. 20, sekundär. Eine prinzipielle Begründung dieser Auffassung findet sich unten in Verbindung mit einer Untersuchung ihrer Funktion; vgl. II,2. Wir verweisen im übrigen auf die Analyse der Testamente.

Die nachfolgende Synopse gibt einen Überblick über das Vorkommen der Elemente der Rahmen und des Mittelteils der einzelnen Testamente. Sie basiert auf einer entsprechenden Synopse bei v. Nordheim[16].

Trotz aller Unterschiede halten wir daran fest, daß die TP planvoll von *einem* Autor verfaßt worden sind[17]. Die Hypothesen von kleineren Sammlungen von Testamenten, die später zur jetzigen Zwölfzahl erweitert worden seien[18], überzeugen nicht. Die Ergebnisse dieser Hypothesen weichen, nicht unerwartet, stark voneinander ab.

Der Mangel an Uniformität bedeutet, daß es keinen Sinn hat, zwischen „Langformen", „Kurzformen" und „Mischformen" innerhalb der Rahmen zu unterscheiden[19].

---

[16] *Lehre* I,90.

[17] Vgl. z.B.: Becker *Untersuchungen* 161; M. de Jonge *Testaments* 110; Baltzer *Bundesformular* 148; v.Nordheim *Lehre* I,107; Hultgård *L'eschatologie* II,57f; usw.

[18] Vgl.: Philonenko *Interpolations* 4f; Kolenkow *SCS* 5,41f; Stemberger *Leib der Auferstehung* 64; Rost *Einleitung* 107; 109; Rengstorf in: *La Littérature juive* (ed. v.Unnik) 44ff.

[19] So Becker *Untersuchungen* 161ff. Zur Kritik, s. v.Nordheim *Lehre* I,92.

	TR	TSim	TL	TJud	TIs	TSeb	TD	TN	TG	TAs	TJos	T
Anfangsrahmen												
Titel und Name	*	*	*	*	*	*	*	*	*	*	*	*
Adressaten	*	*	*	*	*E	*	*	*E	*	*		*
Berichtender Hinweis auf den bevorstehenden Tod	*	*	*E	*		(*?)	*	*			*E	
Altersangabe	*	2*(*S)	*S	*S	*M	*	*	*	*	*	(*S?)	2*
Vergleichsdatierung	*	*	*M		(*S!)	*						
Situation	*	*	*	*	*	*	*	*	*	*	*	*
Persönlicher Hinweis auf den bevorstehenden Tod	2*			*S		2*M	*M	*				*
Redeeinleitung	*	*		(2?)*M	*	*	*	*		*	*	
Mittelteil = M												
Rückblick	*	*	*	*	*	*	*	*	*	*	*	*
Mahnungen	*	*	*	*	*	*	*	*	*	*	*	*
Weissagungen	*	*	*	*	*	*	*	*	*	*	*	*
Schlußrahmen = S												Ms c
Redeabschluß	*	*	*	*		*	*	*		*	*	*
Bestattungsanweisungen			*	*			*M	*	*	*	*M	
Tod	*	*	*	*	*	*	*	*	*	*	*	*
Bestattung durch die Söhne	*	*	*	*		*	*	*	*	*	(*?)	*
Trauer		*									*	

überschriftartiger Teil

erzählender Teil = E

54

2. Die Testamentgattung

Die TP sind eine Sammlung von Sterbereden. Jeder der zwölf Stammväter Israels sammelt vor seinem Tod seine Söhne (und Enkel) um sich, nimmt Abschied von ihnen und verkündigt alles, was ihm am Herzen liegt. Die TP gehören also zur Kategorie der Abschiedsrede. Abschiedsreden waren in der Antike eine beliebte Literaturgattung, die in den verschiedensten Milieus Verwendung fand und eine Unzahl von Typen aufweist[1]. Die Bezeichnung „Abschiedsrede" ist leider gänzlich nichtssagend. Sie besagt nur, daß es sich um die letzten Worte des Redenden handelt, vermittelt aber nichts über Aufbau, Inhalt, Motive, Intention o.ä. Der Terminus ist somit vage und unpräzis. Vergleicht man z.B. die TP mit der Apologie des Sokrates, entdeckt man sofort die Unterschiede. Ihnen ist vor allem der nahe bevorstehende Tod gemein. Doch ist auch dieser scheinbar typische Zug nicht obligatorisch, denn es gibt Abschiedsreden, die nicht Sterbereden sind. So ist z.B. die Abschiedsrede des Paulus in Milet (Apg 20:17ff) zwar die letzte Rede des Apostels an die Ältesten der Epheser, aber deshalb keine Sterberede. Dasselbe gilt für Abschiedsreden inkarnierter Götter, wenn sie die irdischen Regionen verlassen. Man vergleiche auch die Abschiedsrede des Henoch vor seiner Himmelfahrt; s. unten. Müssen wir uns dann mit dieser weitgefaßten Sammelbezeichnung begnügen, oder läßt sich die literarische Eigenart der TP näher bestimmen?

v. Nordheim[2] und später auch Hultgård[3] haben gezeigt, daß die TP zu einer selbständigen und eigenständigen Gattung innerhalb der Abschiedsreden gehören, die auch in vielen anderen jüdischen Texten Niederschlag gefunden hat. v. Nordheim nennt sie „Testamentgattung". Dieses Genre wird erstens von einer Reihe formaler Kriterien gekennzeichnet, denen wir schon in den TP begegnet sind: die Abschiedsrede ist von einer Einleitung und einem Schluß umspannt. Jeder dieser Hauptteile ist von bestimmten

---

[1] Vgl. Stauffers Artikel 'Abschiedsreden' in *Reallexikon für Antike und Christentum*, I,29ff; s. auch seine *Theologie des N.T.*, Stuttgart [4]1948, 327ff, die eine Übersicht über verschiedene Momente innerhalb Abschiedsreden und Abschiedsszenen gibt.
Muncks Aufsatz 'Discours d'adieu' (*FS Goguel*) liefert keine Gattungsbestimmung, sondern nur allgemeine Beobachtungen, was nicht überrascht. Das Material erlaubt keine Genredefinition, weil Abschiedsreden keine homogene Literaturart sind.
[2] *Lehre* I und II; vgl. bes. I,229ff; II,143ff.
[3] *L'eschatologie* II,58ff.

Formelementen charakterisiert, deren Zahl allerdings wechseln kann; s. unten.

Zu diesen formal-stilistischen Kriterien treten zweitens inhaltliche Charakteristika hinzu, nämlich Motivation, Intention und Argumentationsweise[4].

Eine echte Gattung hat auch einen Sitz im Leben. v. Nordheim findet ihn in der weisheitlichen Belehrung[5]. Dieser Sitz im Leben ist an und für sich selbstverständlich, sagt uns aber nur wenig. v. Nordheim ging davon aus, daß sich in den TP eine gemeinsame Form aufweisen läßt. Sie ist äusserlich zwar recht frei und offen, aber die erwähnten inhaltlichen Charakteristika finden sich durchgehend. Die nächste Frage war, ob die gefundene Form ein Einzelfall sei, nur für diese eine Schrift geschaffen und etwa nach dem Modell des Jakobssegens gestaltet, oder ob in ihr wirklich eine selbständige Literaturgattung zu sehen sei[6]. Als Ergebnis stellte sich heraus, daß die Form des Testamentes als ein echtes Genre angesehen werden kann, das sich auch in vielen anderen Texten nachweisen läßt.

In den nachfolgenden Synopsen werden wir das Resultat seiner Untersuchung der leichteren Zugänglichkeit halber schematisch darstellen[7]. Dabei haben wir das sogenannte Testament Hiskias (AscJes) ausgelassen, weil es unklar und viel zu kompliziert ist. Umgekehrt haben wir Jub 36:1−18 (Isaaks Testament) hinzugefügt. Wir betonen, daß die behandelten Texte jedenfalls nur eine Auswahl sind.

v. Nordheim und Hultgård haben auch auf andere relevante Abschnitte aufmerksam gemacht; vgl. z.B. Evas Testament in VitAd Kap. 49−51, das Testament des Antiochus Epiphanes in 1.Makk 6:8−16, die schon erwähnte Abschiedsrede des Paulus in Apg 20:17−38 (Jesu Abschiedsrede in Joh Kap. 13−17). Man vergleiche auch Jub 20:1−11; 21:1−26; 22:5−23:8; 35:1−27; usw. Eine erschöpfende Darstellung wäre also kaum möglich und würde übrigens die erreichten Ergebnisse schwerlich ändern.

---

[4] Vgl. z.B. die Zusammenfassung in v.Nordheim *Lehre* II,143:
Motivation: „Lebenserfahrung darf nicht in Vergessenheit geraten, sondern muß über Generationen hinweg weiterüberliefert werden."
Intention: „Diese Erfahrung dient dem, der sich an sie hält, als Hilfe bei der Bewältigung seines Lebens."
Argumentationsweise: „Der Sterbende spricht rational argumentierend; er will einsichtig machen und überzeugen; er belegt seine Anweisungen durch eigene Erfahrung oder Beobachtung und untermauert sie durch Aufzeigen der Konsequenzen in der Zukunft."

[5] *Lehre* I,239ff; II,143ff.

[6] Vgl. *Lehre* I,10f; II,143ff.

[7] Eine Synopse zu den apokryphen und kanonischen Schriften des Alten Testaments findet sich in v.Nordheim *Lehre* II,149. Zu den anderen Texten hat er keine Übersicht hergestellt.
In den nachfolgenden Anmerkungen erwähnen wir nur die von uns benutzte Literatur. Man vergleiche sonst die Literaturangaben in: v.Nordheim *Lehre* I und II; Delling *Bibliographie*; Charlesworth *SCS* 7; Denis *Introduction*; *GamPseud* 1−8; *OTP* I und II usw.

	Levi[9]	Naphtali[11]	Amram[15]	Hiob[20]	Abraham[24]	Isaak[32]	Jakob[37]
Anfangsrahmen							
Titel und Name		*	*	*	*	*	*
Adressat(en)	*	*	*	*		*33	
Berichtender		(*)12	*	*	*25	*	*
Hinweis auf den bevorstehenden Tod							
Altersangabe	*	(*)12	*		*26	*S34	*S
Vergleichsdatierung	*		*16				
Situation	*	*		*			
Persönlicher Hinweis auf den bevorstehenden Tod				*M			*S
Redeeinleitung	*	*		*	(*)27	*M	
Mittelteil = M		13					
Rückblick		*		*		*35	*35
Mahnungen	*	*	*17	*21	(*)28	*36	(*)28
Weissagungen		*	(*?)18				
Schlußrahmen = S			19				
Redeabschluß		(*)14				*	*
Bestattungsanweisungen							*
Tod				*22	*29	*29	*29
Bestattung (durch die Söhne)				*	*30	*30	*38
Trauer				*	*31		*38
Folgerung[8]	(T?)10	T	T	T	R+t	R+t	R+t

---

[8] Vgl. Anm. 10 und 77–94.

[9] = Das Cambridger Fragment (Kol. e3–f23 =) V.82ff; vgl. II,14.

[10] Vgl. II,14 mit Anm. 71.

[11] = Das hebräische Naphtalitestament (hTN); vgl. II,12. Zum Aufbau: v.Nordheim *Lehre* I,108ff.

[12] Indirekt. Naphtali war ein sehr alter Mann.

[13] Der Mittelteil ist im großen und ganzen als Vision stilisiert.

[14] 10:10a übernimmt die Funktion der Redeabschlußformel; s. v.Nordheim *Lehre* I,109.

[15] Text und Übersetzung: Milik *RB* 79 (1972) 77ff. Zum Aufbau: v.Nordheim *Lehre* I,115ff (Hultgård *L'eschatologie* II,60[ff]).

[16] Zu den Jahren des Aufenthaltes Israels in Ägypten.

[17] Der Mittelteil ist eine Vision, übernimmt aber für die Söhne die Funktion von Ermah-

nungen; vgl. v.Nordheim *Lehre* I,117. Wenn das letzte von Milik op. cit. 90 mitgeteilte Fragment zum TestAmram gehört, ist die Paränese noch deutlicher.

[18] In Verbindung mit dem in Anm. 17 erwähnten Fragment spricht v.Nordheim, *Lehre* I,117, von „Zukunftsansage". Diese Bezeichnung ist hier kaum berechtigt. Es handelt sich um die Konsequenzen eines der Mahnung entsprechenden oder widerstrebenden Verhaltens für die Zukunft. Den Terminus „Zukunftsansage" dürfte man auf die wirklichen Weissagungen beschränken; s. auch Anm. 75.

[19] Der Schluß ist anscheinend verlorengegangen. Er wird jedenfalls nicht von Milik mitgeteilt.

[20] = Das Testament Hiobs. Text: Kraft *The Testament of Job*; Brock *Testamentum Iobi*. Übersetzungen: Kraft ibid; Rießler *Schrifttum* 1104ff; *OTP* I,839ff; *AOT* 622ff; *BEI* 1609ff; *JSHRZ* III,3,325ff. Zum Aufbau: v.Nordheim *Lehre* I,119ff.

[21] Die Mahnungen begrenzen sich auf 27:7 und 45:1–3. Der ausführliche Rückblick fungiert indirekt als Paränese.

[22] Die Kap. 46–52 sind verdächtig. Näheres dazu in v.Nordheim *Lehre* I,132ff. v.Nordheim vermutet, daß 45:4–52:12 Zusatz seien. An Stelle dieses Einschubs stünde vermutlich eine kurze Notiz über den Tod Hiobs. Das Element des Todes liegt allerdings auch im jetzigen Text vor. Kap. 52 berichtet davon und von der Himmelfahrt seiner Seele.

[23] Zu dieser Bezeichnung, vgl. v.Nordheim *Lehre* I,136ff.

[24] = Das Testament Abrahams. Dieser Text ist in griechischer, koptischer (bohairischer), arabischer, äthiopischer, rumänischer, slawischer und neugriechischer Version überliefert. Der griechische Text liegt in zwei Rezensionen, A (Langtext) und B (Kurztext), vor, von denen B dem Original näher zu stehen scheint; vgl. dazu v.Nordheim *Lehre* I,140ff. Text: Stone *The Testament of Abraham* (= beide Rezensionen). Übersetzungen: Griechisch: Stone ibid.; Delcor *Le Testament d'Abraham* 89ff=A (mit Kommentaren) und 177ff=B; Rießler *Schrifttum* 1091ff=B; *OTP* I,882ff=A und I,896ff=B; *BEI* 1655ff=A; *AOT* 399ff=A; *JSHRZ* III,3,205ff=A+B. Koptisch: Delcor op. cit. 186ff. Äthiopisch: Delcor op. cit. 214ff. Arabisch: Delcor op. cit. 242ff. Wir legen den griechischen und den koptischen Text (in Übersetzung) zugrunde. Zum Aufbau: v.Nordheim *Lehre* I,142ff.

[25] Die griechische Rezension A wiederholt dieses Element.

[26] Die Altersangabe fehlt in der griechischen Rezension B. In der koptischen Übersetzung findet sie sich im Schlußrahmen.

[27] Nur im koptischen Text = Redeeinleitung des *Erzählers*.

[28] Nur indirekt durch die Himmelreise.

[29] Die Seele verläßt den Körper und wird von Engeln in den Himmel gebracht; vgl. TestIsaak und TestJak, in denen sogar Gott selbst die Seele holt.

[30] In der griechischen Rezension A bestatten die Engel Abraham. Nach B und der koptischen Version wird er von seinem Sohn, Isaak, begraben. In TestIsaak hören wir nichts von einer Bestattung. Zu TestJak, vgl. Anm. 38.

[31] So im koptischen Text.

[32] = Das Testament Isaaks. Es liegt in koptischer (bohairischer und sahidischer), arabischer und äthiopischer Sprache vor. Übersetzungen: Koptisch: Delcor *Le Testament d'Abraham* 196ff (Bohairisch); *AOT* 427ff (Sahidisch). Äthiopisch: Delcor op. cit. 224ff. Arabisch: Delcor op. cit. 252ff; Rießler *Schrifttum* 1135ff; *OTP* I,905ff. Zum Aufbau: v.Nordheim *Lehre* I,151ff.

[33] Neben der Familie sind die Leser Adressaten (so im koptischen und äthiopischen Text).

[34] Nicht in der sahidischen und arabischen Version.

[35] Tatsächlich ein Bericht in der 3.P.Pl., der Funktion nach aber ein echter Rückblick auf die Vergangenheit.

[36] Neben traditionellen Mahnungen indirekt durch die Himmelreise.

[37] = Das Testament Jakobs. Es ist überliefert in koptischer (bohairischer), äthiopischer und arabischer Sprache. Übersetzungen: Koptisch: Delcor *Le Testament d'Abraham* 205ff; *AOT* 443ff. Äthiopisch: Delcor op. cit. 233ff. Arabisch: Delcor op. cit. 261ff; *OTP* I,914ff. Zum Aufbau: v. Nordheim *Lehre* I,161ff.

[38] Wahrscheinlich ein Nachtrag; vgl. v.Nordheim *Lehre* I,167.

		PSEUDEPIGRAPHEN					
					Teilform innerhalb größerer Schriften		
		Adam[39]	Salomo[44]	Moses[46]	Henoch[50]	Deborah[55]	Isaak[57]
Teil I	Anfangsrahmen						
	Titel und Name	[40]	*	(*)[47]	[51]	[51]	[51]
	Adressat(en)	*		*E[48]	*[52]	*[56]	*
	Berichtender	2*(*M)				*	
	Hinweis auf den bevorstehenden Tod						
	Altersangabe	*		(*)[47]	(*)[53]		2*S
	Vergleichsdatierung	2*(*S)[41]		*[49]			*[58]
Teil = E	Situation	*		*	*	*	*
	Persönlicher Hinweis auf den bevorstehenden Tod	*M[42]		2*M	*	*M	*M
	Redeeinleitung	*			*	*	
	Mittelteil = M						
	Rückblick				*		*[59]
	Mahnungen	*		*	*	*	*
	Weissagung	*[43]	*	*	*		*
	Schlußrahmen = S			FEHLT	[54]		
	Redeabschluß				*		*
	Bestattungs-anweisungen	*M					*M
	Tod	*	*[45]		(*!)	*	*
	Bestattung (durch die Söhne)	*	*[45]			*[56]	*
	Trauer	*				*[56]	
	Folgerung[8]	T	t	T	T	T	T

[8] Vgl. Anm. 10 und 77–94.

[39] Es gibt eine umfassende „Adamliteratur". v.Nordheim *Lehre* I,171ff untersucht verschiedene Traditionen. Wir legen die sogenannte „Schatzhöhle" 6:6–21 zugrunde. Übersetzung: Rießler *Schrifttum* 950. Zum Aufbau: v.Nordheim *Lehre* I,173f; 178f.

[40] Dieses Element fehlt. Zum Problem, vgl. v.Nordheim *Lehre* I,179.

[41] In 6:6b findet sich ein Synchronismus zu den Jahren Mahalaleels und in 6:17 zur Schöpfung.

[42] Indirekt in 6:11.

[43] Nur ein Vers: 6:13.

[44] = Das Testament Salomos. Übersetzungen: Rießler *Schrifttum* 1251ff (nur die Kapitel 1–2; 20–26); Conybeare *JQR* 11 (1898) 15ff; *OTP* I,960ff; *AOT* 737ff. Zum Aufbau: v.Nordheim *Lehre* I,187ff.

[45] In Vers 26:9 (der in Rießler, Conybeare und *AOT* [s. Anm. 44] fehlt; vgl. aber *OTP* I,987 Anm. f.) von Salomo berichtet!

[46] = Das Testament Moses oder Assumptio Mosis. Übersetzungen: *APAT* II,311ff; *APOT* II,414ff; Rießler *Schrifttum* 485ff; *GamPseud* 4,324ff; *OTP* I,927ff; *AOT* 606ff; *BEI* 999ff; *JSHRZ* V,2,68ff. Zum Aufbau: v.Nordheim *Lehre* I,198ff.

[47] Die ersten drei Zeilen sind vollkommen verblichen. Man darf vermuten, daß sie die zwei Formelemente „Titel und Name" und „Altersangabe" enthielten; vgl. v.Nordheim *Lehre* I,198.

[48] = Josua.

[49] In 1:2 begegnet ein Synchronismus zur Schöpfung. Die nachfolgende Vergleichsdatierung (1:3; defekt) ist vielleicht sekundär.

[50] = Das slawische Henochbuch Kap. 55−67. Das Buch liegt in zwei Versionen vor, von denen die kürzere besser ist. Als Textausgabe empfiehlt sich Vaillant *Secrets d'Hénoch* (kurze Version). Übersetzungen: kurze Version: Vaillant op. cit.; *GamPseud* 7,816ff; *AOT* 349ff; *BEI* 1206ff (sie folgen alle dem Text von Vaillant). Beide Versionen: Bonwetsch *Geheimnisse Henochs*; *OTP* I,182ff. (Kapitel- und Verseinteilung sind verschieden in diesen Übersetzungen. Vaillant hat 23 Kapitel, verzichtet aber auf eine Verseinteilung. *GamPseud* und *AOT* folgen der Kapiteleinteilung von Vaillant, versehen aber die Kapitel (abweichend voneinander) mit Versen. *BEI* greift dagegen auf die ältere Kapiteleinteilung von Charles (*APOT* II) zurück, hat aber eine ganz neue Verseinteilung. *OTP* folgt Charles mit kleineren Modifikationen. Wir richten uns nach Bonwetsch.) Zum Aufbau: v.Nordheim *Lehre* I,221ff.

[51] Weil es sich um eine Teilform handelt, fällt das Element „Titel und Name" natürlich fort. Der Begriff „Testament" ist nicht mehr zu erwarten. Der überschriftartige Teil tritt nicht mehr in Erscheinung. Seine Formelemente treten allerdings auf; vgl. v.Nordheim *Lehre* I,220. (Zum Element „Titel und Name", vgl. Anm. 40!).

[52] In 55:1 spricht der Patriarch bereits seine Söhne an. Nichtsdestoweniger befiehlt er Methusalem in 57:1, die übrigen Brüder, das Hausgesinde und die Ältesten des Volkes zusammenzurufen; vgl. dazu v.Nordheim *Lehre* I,222.

[53] Sie ergibt sich aus 1:1, wenn man Gen 5:23 kennt.

[54] Weil Henoch leiblich in den Himmel aufgenommen wird, fallen die Elemente „Bestattungsanweisung", „Tod", „Bestattung durch die Söhne" und „Trauer" naturgemäß fort. Die Hinaufnahme in den Himmel entspricht allerdings formal dem Tod und wird deshalb in der Synopse registriert. Die Trauer schlägt hier in Freude um.

[55] = Liber Antiquitatum Biblicarum (LAB) Kap. 33. Übersetzungen: Rießler *Schrifttum* 809f; *OTP* II,347f; *BEI* 1330f; *JSHRZ* II,2,198ff.

[56] = das Volk.

[57] Jub 36:1−18. Übersetzungen: *APOT* II,67; *APAT* II,100f; *OTP* II,124f; *GamPseud* 3,276f; *AOT* 109ff; *BEI* 772ff; *JSHRZ* II,3,501ff.

[58] Synchronismus zur Schöpfung; vgl. 35:1!

[59] Sehr kurz: 36:6.

	ALTTESTAMENTLICHE APOKRYPHEN Teilform innerhalb Schriften			KANONISCHE TEXTE (AT) Teilform innerhalb Schriften			
	Mattathias[60]	Tobit[62]	Tobit[64]	David[68]	Jakob[69]	Moses[71]	Josua[74]
Anfangsrahmen							
Titel und Name	51	51	51	51	51	51	51
Adressat(en)	*	*	*	*	*	*72	*
Berichtender Hinweis auf den bevorstehenden Tod	*		*	*			*
Altersangabe			*S65			2*(*S)	*S
Vergleichsdatierung	*S61						
Situation	*	*	*	*	*	*	*
Persönlicher Hinweis auf den bevorstehenden Tod		2*(*M)	*66	*M	*S	*	2*(*M)
Redeeinleitung					*		
Mittelteil = M			\		70		
Rückblick	*		*	*			*
Mahnungen	*	*	*	*		*	*
Weissagung			*				(*?)75
Schlußrahmen = S		63					
Redeabschluß			*67		*		*
Bestattungsanweisungen		*M	*M		*		
Tod	*		*	*	*	*	*
Bestattung (durch die Söhne)	*		*	*	*	*73	*76
Trauer	*56					*	
Folgerung[8]	T	T	T	T	t	T	T

---

8 Vgl. Anm. 10 und 77–94.

60 = 1.Makk 2:49–70. Text: Ralphs *Septuaginta* I,1045f. Übersetzungen: *APOT* I,74f; *JSHRZ* I,4,306ff. Zum Aufbau: v.Nordheim *Lehre* II,5ff.

51 Weil es sich um eine Teilform handelt, fällt das Element „Titel und Name" natürlich fort. Der Begriff „Testament" ist nicht mehr zu erwarten. Der überschriftartige Teil tritt nicht mehr in Erscheinung. Seine Formelemente treten allerdings auf; vgl. v.Nordheim *Lehre* I,220. (Zum Element „Titel und Name", vgl. Anm. 40!).

61 Vgl. V.70: „Er starb im Jahre 146", d.h. nach der seleukidischen Zeitrechnung. (Nach einigen = 167/166 v. Chr., nach anderen = 166/165 v. Chr.) Nach v.Nordheim *Lehre* II,8 entspricht diese Angabe der Jahreszahl derjenigen des Lebensalters.

56 = das Volk.

Auf Grund dieser Synopsen lassen sich die Texte in drei Hauptgruppen einteilen:

1. Zu den Testamenten (= T) gehören: (Levis „Testament"[10](?) im Cambridger Fragment), Das hebräische Naphtalitestament[77], Amrams Testament[78], TestHiob[79], Adams Testament[80] (in der „Schatzhöhle" Kap. 6), TestMos[81] (AssMos), Henochs Testament[82] (in 2.Hen Kap. 55ff), Deborahs Testament[83] (in LAB Kap. 33), Isaaks Testament (in Jub Kap. 36), Mattathias' Testament[84] (in 1.Makk Kap. 2), Tobits 1. Testament[85] (in Kap. 4), Tobits 2. Testament[86] (in Kap. 14), Davids Testa-

---

[62] = Tobit Kap. 4. Text: Ralphs *Septuaginta* I,1011ff. Übersetzung: *APOT* I,210ff. Zum Aufbau: v.Nordheim *Lehre* II,10ff.

[63] Weil Tobit nicht stirbt, gibt es natürlich keinen Schlußrahmen. Man beachte, daß sich die Bestattungsanweisung im Mittelteil befindet.

[64] = Tobit 14:3–11. Text: Ralphs *Septuaginta* I,1036ff. Übersetzung: *APOT* I,239ff. Der griechische Text liegt in zwei Versionen vor: Codex Sinaiticus = ℵ (Langtext) und Codex Alexandrinus = A+Codex Vaticanus = B (Kurztext). Zum Aufbau: v.Nordheim *Lehre* II,12ff.

[65] So A+B. In ℵ schon in 14:2!

[66] A+B im Mittelteil, ℵ im Schlußrahmen.

[67] = A+B.

[68] = 1.Kön Kap. 2. Zum Aufbau: v.Nordheim *Lehre* II,26f. Er hält 2:1–2.5–10 für die frühest erreichbare Textgestalt des Testaments Davids; vgl. ibid. 17ff.

[69] = Gen Kap. 49+50:12–13. Zum Aufbau: v.Nordheim *Lehre* II,29ff, bes. 33f.

[70] Der Mittelteil enthält ausschließlich Stammessprüche. Sie haben mit den üblichen Formelementen der Abschiedsrede nichts oder fast nichts zu tun. „Wäre der Rahmen nicht, niemand würde auf die Idee kommen, in dieser Sammlung von Stammessprüchen den Mittelteil eines Testamentes zu sehen", sagt v.Nordheim *Lehre* II,33 zutreffend.

[71] = Dtn Kap. 31–34. Zum Aufbau: v.Nordheim *Lehre* II,52ff, bes. 61ff. Nach einer eingehenden Analyse legt er 31:2.5–6a.7f.14f.23; 32:48–52; 34:1–8 zugrunde.

[72] = Josua und das Volk; vgl. 29:1; 31:1.

[73] Gott selbst begrub ihn. Deshalb kann von Bestattungsanweisungen keine Rede sein.

[74] = Jos Kap. 23–24. Zum Aufbau: v.Nordheim *Lehre* II,65ff. Er legt 23:1–16(–V.5.13a) + 24:29f zugrunde.

[75] v.Nordheim *Lehre* II,68; 69 nennt 23:12.13b.15–16 Weissagungen. Es handelt sich jedoch eher um Konsequenzen für die Zukunft. Das ist jedenfalls in 23:12.13b der Fall; vgl. Anm. 18 oben.

[76] „Sie" begruben ihn.

[10] Vgl. II,14 mit Anm. 71.

[77] Vgl. v.Nordheim *Lehre* I,113f; vgl. II,12 (mit Anm. 17).

[78] Vgl. v.Nordheim *Lehre* I,117f; s. auch Hultgård *L'eschatologie* II,60ff.

[79] Vgl. v.Nordheim *Lehre* I,134f.

[80] Vgl. v.Nordheim *Lehre* I,178f; 184.

[81] Vgl. v.Nordheim *Lehre* I,206f.

[82] Vgl. v.Nordheim *Lehre* I,225.

[83] Vgl. v.Nordheim *Lehre* I,227f.

[84] Vgl. v.Nordheim *Lehre* II,15.

[85] Vgl. v.Nordheim *Lehre* II,15.

[86] Vgl. v.Nordheim *Lehre* II,15.

ment[87] (in 1.Kön Kap. 2), Moses Testament[88] (in Dtn Kap. 31ff), Josuas Testament[89] (in Jos Kap. 23ff).

2. Andere Texte vereinigen in sich Formelemente der Testamentform und Merkmale eines Romans (R+t): TestAbr[90], TestIsaak[91], TestJak[92].
3. Die letzte Gruppe weist nur einige der Formelemente der Gattung auf (= t): TestSal[93], der Jakobssegen[94] (in Gen Kap. 49[f]).

Einige Texte, die „Testamente" genannt werden (TestAbr, TestIsaak, Test-Jak und TestSal), gehören also nicht zur Testamentgattung. TestSal ist nur notdürftig als Testament stilisiert. Die TestIIIPatr weisen dagegen viele der typischen Formelemente auf. Alle vier verraten sich aber inhaltlich. Wir werden unten sehen, daß Mahnungen ein konstituierendes Element sind. TestSal scheidet also sofort aus. Die oben erwähnten inhaltlichen Charakteristika treffen auch nicht für TestSal zu. In den TestIIIPatr fällt vor allem die Berichtsform auf. In TestAbr kommt der Sterbende selbst kaum zu Wort, vielmehr berichtet ein Erzähler seine Erlebnisse. In TestIsaak und TestJak schlägt die 1. Person zwar auch durch, doch sind diese Texte primär als Berichte über Isaak und Jakob gestaltet. Die echten Testamente sind aber Abschiedsreden und müssen also – wenn man von den Rahmen absieht – in der 1. Person gehalten werden[95]. Der plötzliche Sprung in Test-Isaak und TestJak kann seinen Grund nur in der Erinnerung oder Angleichung an die Testamentform haben[96]. Wir erwähnen weiter, daß TestAbr und TestJak keine wirklichen Mahnungen bringen. Das Verhalten der TestIIIPatr zu den inhaltlichen Charakteristika ist ebenfalls nicht unproblematisch.

Die TP sind der vornehmste Repräsentant der Testamentgattung, aber wahrscheinlich nicht das älteste Beispiel. Stimmen die Analysen v. Nordheims, läßt sich dieses Genre schon in der vorexilischen Königszeit nachweisen[97] – zwar in nachexilischer, deuteronomistischer Bearbeitung. Die aktuellen Texte aus dem Alten Testament sind freilich mit einer gewissen Unsicherheit behaftet. Sie fordern die Rekonstruktion älterer Schichten und Textgestalten und müssen somit hypothetisch bleiben. Wir messen

---

[87] Vgl. v.Nordheim *Lehre* II,27f.
[88] Vgl. v.Nordheim *Lehre* II,63f.
[89] Vgl. v.Nordheim *Lehre* II,69.
[90] Vgl. v.Nordheim *Lehre* I,149f.
[91] Vgl. v.Nordheim *Lehre* I,159f.
[92] Vgl. v.Nordheim *Lehre* I,169f.
[93] Vgl. v.Nordheim *Lehre* I,191f.
[94] Vgl. v.Nordheim *Lehre* II,34ff.
[95] Dialoge kommen an einigen Stellen vor; vgl. das hebräische Naphtalitestament, Henochs Testament, Deborahs Testament; s. weiter: TestHiob Kap. 46ff; vgl. aber Anm. 22!
[96] Vgl. v.Nordheim *Lehre* I,159.
[97] S. auch Hultgård *L'eschatologie* II,64f.

ihnen deshalb nur begrenzten Wert bei. Viel wichtiger sind die Beispiele in den Apokryphen und Pseudepigraphen, besonders weil sie aus ungefähr derselben Zeit wie die TP stammen.

Die Testamentgattung ist fast nur im israelitisch-jüdischen Milieu belegt. Im Alten Vorderen Orient finden wir einige Texte, die im größeren Rahmen der weisheitlichen Belehrung, der Lehr- und Mahnrede, Verwandtschaft mit der Testamentform aufweisen[98]. Testamente sind sie aber nicht. Jeder Verweis auf den nahe bevorstehenden Tod des Redenden fehlt. Der nahe Tod als Antrieb zur Weitergabe von Lebenserfahrung spielt also keine Rolle. Es sei jedoch bemerkt, daß die Textbasis recht schmal ist und vor allzu sicheren Schlüssen warnt.

Größere Ähnlichkeit mit dem israelitischen Testament zeigt die ägyptische Literaturgattung „Lehre"[99]. Gemeinsam sind vor allem die inhaltlichen Charakteristika Motivation, Intention und Argumentationsweise sowie der Sitz im Leben. Ob man aus dieser Gattungsverwandtschaft die Folgerung ziehen darf, das Testament habe sich in Israel auf Grund des Anstoßes durch die ägyptischen Lehren aus der Lehr- und Mahnrede heraus entwickelt[100], bleibt allerdings mehr als fraglich.

Im griechisch-römischen Kulturraum finden sich jedenfalls zwei echte Testamente[101]. Das eine ist in Xenophons Institutio Cyri VIII.7.1ff[102] enthalten, das andere in Sallusts Bellum Iugurthinum IX.4−XI.2[103]. Die Vermutung liegt nahe, Sallust habe Xenophon verwendet oder gedanklich auf dem Testament des Cyrus aufgebaut[104]. Die Institutio Cyri war nämlich im Altertum sehr beliebt und weit verbreitet. Man darf auch vermuten, daß Xenophon seine Testamentform nicht aus dem griechischen, sondern aus dem aramäischen Kulturraum entlehnt hat[105]. Griechisch-römisch ist diese Gattung also nicht.

Die Untersuchung des Aufbaus der TP hat gezeigt, daß die Testamentform sehr flexibel ist. Der Durchgang der übrigen Schriften/Texte hat die-

---

[98] Vgl. v.Nordheim *Lehre* II,94ff.

[99] Vgl.: v.Nordheim *Lehre* II,108ff; Bergman in: *Sagesse et Religion* ed. Jacob, 21ff und in: *Lebenslehren* eds. Hornung/Keel, 74ff.

[100] Vgl. v.Nordheim *Lehre* II,141f; 145.

[101] Vgl.: v.Nordheim *Lehre* II,106f Anm. 11; Hultgård *L'eschatologie* II,87ff, bes. 89ff.

[102] Es enthält (nach v.Nordheim *Lehre* II,106f Anm. 11) folgende Elemente: Ber. Hinweis a.d.bev. Tod; Adressat; Situation; Pers. Hinweis a.d.bev. Tod/Rückblick; Mahnungen/-Bestattungsanw.; Pers. Hinweis a.d.bev. Tod; Redeabschluß; Tod.

[103] Es enthält (nach v.Nordheim *Lehre* II,107 [Anm. 11] folgende Elemente: Ber. Hinweis a.d.bev. Tod; Adressat; Situation/Rückblick; Pers. Hinweis a.d.bev. Tod; Mahnungen/Tod; Bestattung.

[104] S. v.Nordheim *Lehre* II,107 (Anm. 11).

[105] S. v.Nordheim *Lehre* II,107 (Anm. 11).

sen Eindruck bestätigt. Auf Grund des vorliegenden Materials stellen wir jetzt die Frage nach den konstitutiven Formelementen der Gattung[106].

Wir beginnen mit dem *Anfangsrahmen:*

Titel und Name sind ein notwendiges Element in selbständigen Schriften, fallen aber fort, wenn sich die Testamente in größere Einheiten eingliedern.

In TJos fehlt ein direkter Hinweis auf *Adressaten.* Er kommt sonst in allen Einzeltestamenten der TP und allen übrigen Testamenten vor und ist offenbar obligatorisch.

Der Verweis auf den nahe bevorstehenden Tod liegt in zwei Formen vor. Entweder berichtet der Sterbende selbst davon oder dieser Hinweis ergeht in berichtender Form, d.h. innerhalb der redaktionellen Einführung für den Leser. In einigen Testamenten finden sich beide Alternativen, in anderen nur eine. In den TP fehlt jeder Hinweis auf den bevorstehenden Tod in TIs, TG und TAs. Der im Schlußrahmen berichtete Tod und der größere Zusammenhang dieser Testamente innerhalb der Sammlung der TP lassen jedenfalls keinen Zweifel daran, daß es sich um Sterbereden handelt[107]. In den übrigen Beispielen kommt der Hinweis auf den Tod regelmäßig vor. Eine mögliche Ausnahme bildet das hebräische Naphtalitestament. Doch liegt er auch dort *indirekt* vor; vgl. auch das Testament des Levi (im Cambridger Fragment) – falls es sich wirklich um ein Testament handelt[108]. Fazit: der Verweis auf den nahe bevorstehenden Tod ist notwendig und konstitutiv.

Die Altersangabe ist ein natürliches Element. In den TP kommt sie immer vor – in TJos zwar nur in Ms c. In den Texten außerhalb der TP fehlt sie an mehreren Stellen. Im allgemeinen geht es aus dem Text hervor, ob der Sterbende alt oder jung ist, so daß eine direkte Altersangabe überflüssig ist.

Die Vergleichsdatierung ist selten, und wenn man von den vier/fünf Stellen in den TP absieht, begegnet sie nur in Amrams Testament, Adams Testament, TestMos, Isaaks Testament (in Jub Kap. 36) und Mattathias' Testament; vgl. das Cambridger Fragment. Formprägend ist sie also nicht.

Eine Beschreibung der Situation findet sich in allen Testamenten, freilich mit verschiedenem Umfang, und muß als ein wesentliches Element betrachtet werden.

---

[106] Vgl. v.Nordheim *Lehre* I,229ff; II,143ff.

[107] Vgl. II,10 mit Anm. 1.

[108] S. Anm. 10. Daß diese Rede 19 Jahre vor dem Tod Levis gehalten wurde, ist kein entscheidendes Argument. Der Text (ist unvollständig überliefert und) setzt vielleicht die Todessituation voraus? Vgl. Tobits 1. Testament!

65

Die Redeeinleitungsformel ist häufig in den TP (9/12), kommt aber sonst in weniger als 50 % der Fälle vor und ist somit nicht notwendig.

Zusammenfassung: Folgende Elemente sind konstitutiv: Titel und Name, Nennung der Adressaten, ein Verweis auf den bevorstehenden Tod und eine Beschreibung der Situation. Sie können mit einer Altersangabe und einer Redeeinleitungsformel ergänzt werden. Ein Synchronismus ist unnötig.

Zum *Schlußrahmen* ist zu bemerken:

Die Redeabschlußformel ist typisch in den TP (10/12). Im übrigen wird der Abschluß der Rede nur selten markiert. Daraus folgt, daß sie nicht notwendig ist.

Die Bestattungsanweisung ist häufig in den TP (8/12). Dort ist sie sicher vom Aufenthalt in Ägypten bedingt. Sie ist in der Tat nur notwendig, wenn der Sterbende einen Sonderwunsch äußert.

Der Vermerk des Todes ist ein selbstverständliches Element. In Henochs Testament (2.Hen Kap. 55ff) wird dagegen der Tod durch seine Himmelfahrt ersetzt. Dies ist nur eine Variante. In Tobit Kap. 4 fehlt er ebenfalls, weil Tobit nicht starb.

Ein Bericht von der *Bestattung* ist ein zu erwartendes Moment. Im allgemeinen wird der Tote von seiner Familie begraben. Moses wird von Gott bestattet, Deborah vom Volk; vgl. Jos 24:30: „Und sie begruben ihn …“ In 2.Hen Kap. 67 und Tobit Kap. 4 fällt dieses Moment natürlich fort.

Die Trauer der Hinterbliebenen wird in den TP ausdrücklich nur zweimal erwähnt. In den anderen Texten kommt sie häufiger vor. Sie ist also kein konstitutives Element.

Zusammenfassung: Folgende Elemente sind konstitutiv: Tod und Bestattung. Sie können mit einer Redeabschlußformel, einer Bestattungsanweisung und einer Erwähnung der Trauer ergänzt werden.

Besonders interessant ist *die Abschiedsrede (der Mittelteil)*. In den TP findet man in ihrer jetzigen Fassung die drei Elemente Rückblick, Paränese und Weissagung in sämtlichen Testamenten. Ein Blick in die übrigen Texte ist aufklärend:

Der Rückblick auf die Vergangenheit findet sich im hebräischen Naphtalitestament, in TestHiob, Henochs Testament, Isaaks Testament (in Jub Kap. 36), Mattathias' Testament, Tobits 2. Testament, Davids Testament und Josuas Testament, fehlt aber in Amrams Testament, Adams Testament, TestMos(AssMos), Deborahs Testament, Tobits 1. Testament und Moses Testament (in Dtn). Er begegnet also nur in ungefähr 50 % der Texte. Daraus folgt, daß dieses Element nicht formprägend ist.

Mahnungen kommen dagegen in allen Testamenten vor[109]. Wir folgern, daß die Paränese konstitutiv ist, bemerken aber zugleich, daß der Umfang der Verhaltensanweisungen sehr variierend ist. In TestHiob sind nur vier Verse (27:7; 45:1−3) direkt paränetisch. Texte wie Gen Kap. 49f, TestSal, (TestAbr und TestJak), verraten sich gerade an diesem Punkt.

Weissagungen finden sich im hebräischen Naphtalitestament, in Adams Testament, in TestMos(AssMos), Henochs Testament, Isaaks Testament (in Jub Kap. 36) und in Tobits 2. Testament. Man vermißt sie dagegen in TestHiob, Deborahs Testament, Mattathias' Testament, Tobits 1. Testament, Davids Testament und Moses Testament (in Dtn)[110]. Prophezeiungen kommen also nur in ungefähr 50 % der Texte vor. Wir ziehen den Schluß, daß Prophezeiungen kein konstitutives Element sind.

Zusammenfassung: Von den drei Formelementen „Rückblick", „Paränese" und „Weissagung" ist nur die Paränese absolut notwendig, die beiden anderen können ausfallen: „Ohne eine Anweisung zu einem bestimmten Verhalten ist also ein Testament kein Testament, nicht jedoch ohne die beiden anderen Elemente."[111] Man vergleiche z.B. Deborahs Testament, Tobits 1. Testament und Moses Testament in Dtn, in denen sowohl Rückblick als auch Weissagungen fehlen.

Für unsere These ist diese Folgerung von größter Bedeutung:
Die Testamentform an sich garantiert nicht, daß die Prophezeiungen in den TP ursprünglich sind. Nur eine eingehende Analyse jedes einzelnen Testamentes kann ihre Echtheit entscheiden.

M. de Jonge, der sich bewußt ist, daß die Prophetien nur schlecht mit dem Kontext verbunden sind, argumentiert für ihre Ursprünglichkeit: „Yet they are an integral part of the Testaments for it is only natural that the last words of a dying patriarch contain predictions of the future as well as reminiscences of the past and exhortations for the present."[112] Doch ist dies gar nicht „natürlich", denn nur 50 % der uns zur Verfügung stehenden Texte haben sich ihrer bedient. M. de Jonges Ansicht basiert vielleicht auf der in vielen Kulturen bekannten Vorstellung, der Sterbende verfüge über ein Wissen, das über das Normale hinausgehe[113]. Bei näherem Zusehen entdeckt man aber, daß dieses Argument in den TP hinfällig ist. Wenn nämlich die Zukunft offen vor den Augen des Sterbenden liegt, warum berufen sich die Stammväter dann so oft auf fremde Quellen wie die Bücher

---

[109] Zu Amrams Testament, vgl. Anm. 17.
[110] Zu Amrams Testament und Josuas Testament, vgl. Anm. 18 und 75.
[111] v.Nordheim *Lehre* I,233. Er betont passim, daß beide Elemente, „Rückblick" und „Weissagung", fehlen können; vgl. z.B. II,87; I,233; 238.
[112] *Testaments* 120.
[113] Vgl. z.B.: Sokrates' *Apologie* 30,2−4; Cicero *De Divinatione* I,XXX,64. S. weiter Lohmeyer *Diatheke* 35; 38. Kritisch: v.Nordheim *Lehre* I,238f.

Henoch o. ä.? Uns erscheinen diese Verweise recht verdächtig. Sie sind ein typischer Versuch, den Weissagungen größere Autorität zu verleihen[114], obwohl, nach der genannten These, der Sterbende selbst die höchste Autorität ist. In anderen Texten der Testamentgattung, die Prophezeiungen aufweisen, garantiert der Sterbende selbst für die Zuverlässigkeit seiner Worte. Quellenverweise sind unnötig. Eine Ausnahme bildet Tob Kap. 14. Tobit verweist dort (V.4.5.8) auf Jona und andere Propheten und sagt, er sei davon überzeugt, daß alles, was sie geweissagt hätten, eintreffen werde. Er *bestätigt* also die Worte der Propheten.

Die Testamentform ist eine selbständige Gattung. Das bedeutet, daß die These Baltzers, die Testamentform sei aus dem Bundesformular ableitbar[115], falsch ist. Auf den ersten Blick muten die beiden Gattungen zwar sehr ähnlich an. v. Nordheim hat aber gezeigt, daß sie in bezug auf Formelemente, Gesamtaufbau und inhaltliche Charakteristika unabhängig voneinander sind[116]. Dieses Ergebnis ist verhängnisvoll für Becker. Er baut nämlich auf Baltzers These[117] und findet darin eine prinzipielle Begründung der Ansicht, Weissagungen seien ein notwendiges Grundelement in den TP. Nach v. Nordheims Untersuchung ist diese Auffassung nicht mehr möglich.

Die Testamentform kann die Echtheit der Prophetien der TP nicht garantieren. Deshalb versucht v. Nordheim mit ihrer Funktion und Bedeutung zu argumentieren[118]. Er rechnet mit zwei Hauptmotiven. Die Weissagung – v. Nordheim nennt sie jetzt eher Zukunftsansage[119] – wolle die Konsequenzen eines Verhaltens aufzeigen, das der voraufgehenden Verhaltensanweisung entspreche bzw. widerspreche; vgl. oben zur Argumentationsweise[120]. Man darf sich fragen, ob die Bezeichnung „Weissagung" in diesem Fall überhaupt geeignet ist. Es handelt sich in der Tat nur um einen Ausschlag des Talionprinzips der TP; vgl. III,4; IV,2. Es ist die bekannte Lebensregel: „Was der Mensch sät, wird er ernten" (Gal 6:7). v. Nordheim spricht jetzt zwar von „Zukunftsansage"; in seiner Arbeit registriert er aber Aussagen dieser Art unter „Verhaltensanweisungen", und dort sind sie auch zu Hause.

Wesentlicher ist die Funktion, die er „Aktualisierung" nennt. Den Ausgangspunkt bildet die fiktive Situation der TP: „Die in Wahrheit Angere-

---

[114] Vgl. allgemein Speyer *Die literarische Fälschung.*
[115] *Bundesformular* 142; 146ff.
[116] *Lehre* II,72ff. S. auch Thomas *BZNW* 36 (1969) 133ff.
[117] *Untersuchungen* 157 und passim.
[118] *Lehre* I,101ff.
[119] Vgl. II,1 Anm. 6.
[120] Dieses inhaltliche Charakteristikum ist nicht vom Vorkommen von Prophezeiungen abhängig. Die Worte der Stammväter haben jedenfalls ihre Gültigkeit für die Zukunft der Nachkommen.

deten sind ja gar nicht die Patriarchensöhne damals, sondern die Leser der TestXIIPatr. später. Ihnen gelten die Verhaltensanweisungen der Patriarchen,... ." Der Patriarch, meint v. Nordheim, überbrücke in weissagender Vorausschau die große Kluft zwischen seiner eigenen Zeit und der des Lesers. Dadurch werde die Paränese aktualisiert.

Diese Erklärung ist scheinbar gut. Sie paßt aber nicht für die TP! Die Vorausschau ist im allgemeinen keine Weiterführung der Paränese. Die Weissagung knüpft nur ausnahmsweise an die Mahnung an[121]. Das werden wir in der nachfolgenden Analyse der Einzeltestamente mehrmals beobachten können.

Ein anderes Problem drängt sich ebenfalls auf: beziehen sich die Prophezeiungen wirklich auf die Zeit des Lesers? Die SER-Stücke stellen die Katastrophe von 721 oder 587 v. Chr. und die darauffolgende Restitution dar. Wird aber dieses Ereignis als ein bis in die damalige Gegenwart von Verfasser und Leser hinein andauerndes vorgestellt? Möglicherweise – zwingend ist diese Annahme aber nicht. Relativ gelungen ist v. Nordheims Verweis auf die Levi-Juda-Stücke, doch seien Levi und Juda weder Personen noch Stämme, sondern die Institutionen des Priestertums und des Königtums. Und wie verhält es sich mit anderen eschatologisch-apokalyptischen Textabschnitten? Lassen sie sich als Aktualisierungen interpretieren? Kaum ohne Gewalt.

Wir folgern, daß v. Nordheims Argumentation nicht gelungen ist. Er hat uns nicht davon überzeugt, daß die Weissagungen der TP ursprünglich sind. In der Tat muten seine literarkritischen Analysen der TP unkritisch an. Das überrascht, denn andere Texte hat er scharfsinnig behandelt. Man kann sich aber nicht damit begnügen, nur offenbare Einschübe zu disqualifizieren. Das Vorkommen von Bearbeitungen macht eine eingehende Analyse aller Texte – und nicht nur der Weissagungen, sondern auch der Rückblicke und Mahnungen – unumgänglich.

Die Bezeichnung „Testament" und „Testamentgattung" ist vielleicht nicht günstig. Ein besserer Begriff steht aber nicht zur Verfügung. Das Wort „Testament" führt den Gedanken eher zu einem juristischen Dokument. Unsere Texte gehören nicht zu dieser Kategorie, wenn auch juristische Elemente auftauchen können[122]. Typisch sind sie jedenfalls nicht. Die These Hultgårds, daß „le cadre des Testaments des Douze Patriarches, et surtout le préambule, s'inspire dans une certaine mesure du testament

---

[121] Das ist Schnapps Hauptargument in *Testamente* passim; vgl. Leivestad *NTT* 55 (1954) 108ff.
[122] Vgl. z.B.: Jub 36:12ff (Isaaks Testament); das hebräische Naphtalitestament 1:3; TB 10:4. S. weiter: TestHiob 45:4ff; vgl. aber Anm. 22! S. weiter die beiden Arbeiten von Bergman in Anm. 99.

juridique"[123] ist, trotz der vorbehaltenden Formulierung, zweifelhaft. Es liegt näher, an die sogenannten „Philosophentestamente" zu denken. v. Nordheim macht aber darauf aufmerksam[124], daß die überlieferten Testamente tatsächlich rein vermögensrechtlicher Natur sind. Nach Lohmeyer[125] wurde der Begriff διαθήκη auch für „geistige Vermächtnisse" gebraucht. Von den erwähnten Beispielen sind uns aber nicht mehr als die Titel bekannt. Nur von diesen allein auf den Inhalt zu schließen, wie Lohmeyer das tat, ist unmöglich und unerlaubt[126]. Vorläufer der jüdischen Gattung sind sie also nicht. Falls man das Genre ins Alte Testament hinein zurückverfolgen und sogar in sehr alten Texten nachweisen kann, ist diese Annahme ganz unmöglich.

Der Begriff διαθήκη ist griechisch. Das beweist nicht, daß die Ursprache der Rahmen der TP (und der Schrift) griechisch war. Man kann annehmen, daß ein Übersetzer den griechischen Begriff in die TP eingebracht hat[127]. Vielleicht ist er erst während der Tradierung des Textes eingedrungen[128]. Von den zwölf Testamenten haben fünf (TR, TN, TG, TAs und TJos) die Lesart ἀντίγραφον διαθήκης, die übrigen dagegen ἀντίγραφον λόγων. In einigen Mss findet sich aber διαθήκης statt λόγων. Der hebräische Ausdruck „Worte" ist also vielleicht ursprünglich in allen Testamenten und in fünf Texten durch den griechischen Begriff „Testament" ersetzt worden. In Amrams Testament finden wir die Überschrift ... פרשגן כתב מלי חזות עמרם. Das hebräische Naphtalitestament fängt mit ... צוואת נפתלי an.

---

[123] *L'eschatologie* II,86.
[124] *Lehre* I,242.
[125] *Diatheke* 32ff; vgl. Behm *ThWNT* II,127.
[126] So mit Recht v.Nordheim *Lehre* I,242.
[127] So: Bickermann *JBL* 69 (1950) 247. Becker *Untersuchungen* 170 weist diese Erklärung ohne Argumente ab. Man bedenke, daß der Begriff „Testament" auch für Texte verwendet wird, die weder Rechtstestamente noch „geistige Vermächtnisse" sind; vgl. TestIIIPatr, TestSal und das in *OTP* I,993ff genannte „Testament unseres Vaters Adam".
[128] Vgl. Hultgård *L'eschatologie* II,60f.

3. Die Abschiedsrede in Testament Ruben

Der Anfangsrahmen in TR 1:1–5 ist breit gestaltet und enthält sämtliche Momente, die vorkommen können; vgl. die Synopse in II,1. Die Adressaten, die Söhne Rubens, werden in der Überschrift erwähnt. Aus der ausführlichen Schilderung der Situation in 1:2–5 geht aber hervor, daß auch seine Enkel[1], V.2, und drei seiner Brüder[2], Juda, Gad und Asser, V.4, anwesend waren.

Die Abschiedsrede umfaßt in ihrer jetzigen Form 1:6–6:12, weist aber einige sekundäre Abschnitte auf. Der Rückblick auf die Vergangenheit in 1:6–10 ist sicher echt[3]. Ruben beschwört seine Söhne (und seine Brüder), sich von Hurerei – das Thema des TR – fernzuhalten. Der Ausgangspunkt dieser Warnung ist die Jugendsünde Rubens, der Beischlaf mit Bilha, der Nebenfrau seines Vaters. Hier wird der Beischlaf an sich nur kurz erwähnt, während das Gewicht auf der Strafe Rubens und vor allem seiner Buße liegt. Sein Vergehen steht dagegen zentraler im parallelen Stück 3:9–4:5. Der Stoff ist aus Gen 35:22; 49:4 bekannt, wird aber dort ganz knapp geschildert. In der Tradition ist die Episode mit vielen Einzelzügen erweitert worden; vgl. Jub 33:1ff. In diesem Traditionsstrom steht TR, besonders der Abschnitt 3:9–4:5, obwohl Jub und TR in Einzelheiten voneinander abweichen[4].

Aus der Tatsache, daß 1:6–10 und 3:9–4:5 eine Art Dubletten sind, darf man nicht die Folgerung ziehen, daß nur einer der Abschnitte ursprünglich ist. Becker argumentiert für die Echtheit von 1:6–10 und disqualifiziert 3:9–4:5. Er begründet seine These mit einem Nachweis des verschiedenen

---

[1] Enkel werden nur hier in der Überschrift erwähnt. Sie könnten aber auch im Begriff πατριά in TD 1:2 inkludiert sein; s. übrigens TL 12:6 und TJud 8:3.

[2] In TJos 1:1f sind sämtliche Brüder anwesend. Das stimmt mit Gen 50:24f überein.

[3] So auch Becker *Untersuchungen* 182ff; 202, obwohl er den Rest des TR sehr kritisch behandelt; vgl. unseren Text.

[4] Einige charakteristische Unterschiede: nach TR 1:8 war Juda 30 Jahre, als die Episode stattfand, nach Jub 28:11; 32:33; 33:1.21 etwa 21–23 Jahre. Bilha erzählt nach Jub 33:7 Jakob, was geschehen war, während ein Engel es ihm offenbart in TR 3:15. Nach Jub 33:8 wurde Jakob sehr zornig; in TR 1:7 und 4:4 betet er für Ruben. Nach TR 3:13 war Bilha trunken und schlief unbedeckt im Schlafraum. Ruben verübte die Missetat, ohne daß sie etwas merkte, TR 3:14. (Das erklärt TR 3:15.) Nach Jub 33:4 hat sie ihn entdeckt. In Jub 33 wird nicht gesagt, daß Bilha trunken war. Sie war auch nicht unbedeckt (Jub 33,7); usw.

Charakters der beiden Texte[5]. Die Speisungswunder in Mt Kap. 14 und 16 mit Parallelen sowie die Berichte von der Bekehrung des Paulus in Acta Kap. 9; 22; 26 zeigen, daß das Vorkommen von Dubletten kein entscheidendes Argument ist. In Acta 9:7 und 22:9 liegen sogar sachliche Unterschiede vor. 1:6ff und 3:9ff weisen zwar Differenzen auf, doch schließen sie einander thematisch und sachlich kaum aus. Man darf eher 3:9ff als eine nähere Ausführung zu 1:6ff betrachten[6]. Dabei scheint der Verfasser in 3:9ff aus den vorliegenden Traditionen zu schöpfen, während er in 1:6ff einen selbständigen Beitrag leistet. Der Abschnitt enthält nämlich mit seinem *ius talionis,* 1:7, und seiner Praxis der Buße, 1:10, einige der typischen, ideologischen Vorstellungen der TP; vgl. IV,2.

Zwischen diese Texte sind zwei Geisterlisten eingeschoben, die eine in 2:1−2 + 3:3−6 und die andere in 2:3ff. Der Abschnitt 2:3ff ist in diesem Zusammenhang nicht zu Hause, und eine fast einhellige Forschung rechnet ihn als sekundär[7]. Die Argumente sind einfach und überzeugend: in 2:1−2 verweist Ruben auf das, was er während seiner Buße über die sieben Geister der Verirrung sah[8]. Man erwartet demnach eine nähere Darstellung dieser Geister. Sie folgt aber erst in 3:3ff, während der Passus 2:3ff eine neue Liste mit sieben anderen Geistern bringt. Diese Geister sind anderer Art. Während die Geister in 3:3ff mit Lastern gleichzustellen sind und

---

[5] *Untersuchungen* 183ff (vgl. Otzen *GamPseud* 7,699f). Beckers Argumente sind u.a.: in 1:6ff stehe nicht die Sünde Rubens im Zentrum. Sie sei das auslösende Faktum einer Unheilsabfolge und illustriere das „Naturgesetz" Sünde – Strafe. Nicht die Tat Rubens, sondern sein Lebensschicksal als Modellfall dieses allgemeinen „Gesetzes" stehe im Blick. Das Gewicht liege auf der Strafe, die der Sünde folgt, und der notwendigen Buße. In 3:9−4:5 sei die Tat an sich der Mittelpunkt, und sie werde breit und detailliert geschildert. „Dabei ist es dem Erzähler höchst wichtig, den psychologischen Hintergrund der Tat aufzudecken: Anlaß zur Sünde ist die badende Balla. Ihre dabei von Ruben beobachtete Nacktheit beherrscht nun seine Sinne und läßt ihn nicht schlafen, bis er die Tat vollbracht hat (V.12). Das heißt: Der Erzähler will darstellen, wie Sünde zustande kommt." (Ibid. 184f.) Der zweite Bericht wisse nichts von der Krankheit Rubens zu erzählen, sondern konzentriere sich eher auf zwei zentrale Begriffe, „die Erwähnung der Parrhesie und des Gewissens" (ibid. 187). Diese Begriffe verweisen nach Becker den Abschnitt unmißverständlich in das hellenistische Judentum. Becker folgert, daß 3:9ff sekundär seien, und daß nur 1:6ff zum Grundstock gehörten. Warum er sich gerade für das erste Stück, und nicht ebensogut für das zweite entscheidet, bleibt unklar.

[6] So M. de Jonge *Testaments* 72ff; Hultgård *L'eschatologie* II,188ff.

[7] Vgl.: Charles *Comm* 4ff; Becker *Untersuchungen* 188ff; Eppel *Piétisme* 121; Rießler *Schrifttum* 1335; Dibelius *Hirt des Hermas* 519; Schweizer *ThWNT* VI,389 Anm. 340; Böcher *Dualismus* 35 Anm. 111; v.Nordheim *Lehre* I,14 mit Anm. 5; Otzen *GamPseud* 7,698; Macky *Importance* 469; *Treves* RQ 3 (1961) 452; *BEI* 819f usw. Sogar M. de Jonge *Testaments* 77 erwägt die Möglichkeit einer Interpolation (so *AOT* 516f), bevorzugt aber, dem Verfasser auch die zweite Liste zuzuschreiben. Er erklärt nicht, warum der Verfasser den guten Zusammenhang zerstört habe. Turdeanu *JSJ* 1 (1970) 170 rechnet beide Listen als echt. Es überrascht, daß Schnapp diese Interpolation nicht gesehen hat; vgl. *Testamente* 49.

[8] Nach v.Nordheim *Lehre* I,14 handelt es sich um eine Vision. Das Verb „sehen" darf nicht gepreßt werden. Wahrscheinlich ist nur eine besondere *Einsicht* während der Buße gemeint; vgl. Hollander/M. de Jonge *Comm* 93 z.St.

72

einen psychologischen Gebrauch des πνεῦμα-Begriffes repräsentieren, sind sie in 2:3ff – ganz singulär in den TP – überwiegend neutral-anthropologisch; vgl. III,3. Diese Liste ist unter stoischem Einfluß entstanden, obgleich der Stoff nicht ausschließlich griechisch, sondern auch semitisch ist[9]. Das Stück ist schlecht in den Zusammenhang hineingefügt. Der Übergang von 2:2 zu 2:3 ist nicht gut, und die Komposition des Stücks ist nicht gelungen. Der siebente der Geister, der Geist des Samens und des Beischlafs, d.h. der geschlechtlichen Synusie, wird als sündig charakterisiert. Er ist somit nicht neutral wie die übrigen Geister[10]. „Die Erwähnung der Sünde wird der Anlaß gewesen sein, warum die Aufzählung in TR Eingang fand", schreibt Becker[11]. Das ist eine wahrscheinliche Vermutung. Wenn dies der Fall ist, ist 2:9 ein Versuch, an 1:6 anzuknüpfen. Die Liste in 2:3ff handelt gewiß nicht von Jünglingen, doch ist der siebente Geist nach 2:9 der erste der Jugend. Weil er mit ἄγνοια angefüllt ist (vgl. 1:6), führt er den Jüngling ins Verderben. Ruben war selbst ein Modellfall.

Weniger glücklich erwähnt 3:1 noch einen achten Geist, den Geist des Schlafes. Nach 2:3 erwartet man nur sieben neutralanthropologische Geister. Allerdings ist dieser achte Geist nicht wesensfremd. Derselbe Geist taucht auch in 3:7 auf, und dort ist er schlecht angebracht. Der neutrale Schlaf hat mit den Lastern in 3:3ff nichts zu tun, und 2:1 spricht nur von sieben Geistern. Die Stellen 3:1 und 3:7 stammen wahrscheinlich von ein- und derselben Hand[12]. Wir haben kein Mittel zu entscheiden, ob diese Verse zu derselben Schicht wie 2:3ff gehören[13], oder ob sie einem anderen Interpolator zuzuschreiben sind[14]. Schließlich ist 3:2 eine redaktionelle Zufügung.

Becker disqualifiziert auch die Liste in (2:1–2 +) 3:3ff. Seine Argumente überzeugen nicht[15]. Wahrscheinlich handelt es sich nicht um eine Original-

---

[9] Vgl.: Charles *Comm* 4ff; M. de Jonge *Testaments* 75ff mit Anm. 188–190 ibid. 150; s. aber Eppel *Piétisme* 121f.

[10] Der zweite Geist bildet wohl eine Ausnahme, denn obwohl ἐπιθυμία neutral sein kann (so z.B. Rießler *Schrifttum* 1150 und ihm folgend Becker *Untersuchungen* 188f; *Komm* 34), scheint sie im Zusammenhang mit dem Blick eher negativ zu sein; vgl. Hollander/M. de Jonge *Comm* 93 z.St.

[11] *Untersuchungen* 189. In dieselbe Richtung weist auch, daß der zweite Geist das Begehr erweckt; vgl. Anm. 10! Das stimmte mit dem Fall Rubens überein.

[12] Vgl. Charles *Comm* 7: „This addition [d.h. 3:7] is either modelled on iii.1,2, or else both are from the same hand." Ibid. 6 argumentiert er für die letztere Annahme.

[13] So Becker *Untersuchungen* 189 Anm. 2.

[14] So Böcher *Dualismus* 35 Anm. 112.

[15] *Untersuchungen* 189f:
1. Diese Geister seien zum Thema des TR inkongruent. Die Liste habe nur wegen 3:3 eine lose Verbindung zum Kontext. Die übrigen Geister würden in den TP – mit Ausnahme des Geistes der Lüge (TD) – nicht erwähnt. Sonst sei nur indifferent von einem oder mehreren Geistern (= Böcher *Dualismus* 35) die Rede (Ausnahme: TJud 16:1).
2. Die Liste habe in den TP keine Verarbeitung gefunden, stehe isoliert und lasse sich leicht aus dem Zusammenhang lösen.

komposition des Verfassers, sondern um eine übernommene Liste[16]. Sie ließ sich wegen der Stichworte πορνεία/πνεῦμα τῆς πορνείας in seine Darstellung einpassen, obwohl sie auch Stoff enthält, der in seinem neuen Zusammenhang irrelevant wirkt. Eine Originalkomposition hätte sicher eine andere Ausformung bekommen.

Becker hat gezeigt[17], daß der Abschnitt 4:6−6:4 als eine geschlossene Einheit zu betrachten ist. Vers 4:6 fungiert als thematischer Ausgangspunkt. Der Inhalt ist gut gegliedert, die Komposition gelungen. Dieses Stück fügt sich mit seiner Warnung vor Hurerei gut in TR ein, wenn auch die Frauen im Gegensatz zum konkreten Fall, Ruben und Bilha, als aktiv und verführerisch bezeichnet werden. Wir stimmen deshalb Becker nicht zu, wenn er den ganzen Abschnitt als interpoliert abweist[18].

Forts.

3. Ferner rede der Abschnitt 1:5−10 nicht direkt von Hurerei, und ein Zusammenhang mit dem Grundstock des TR (= 1:1−10) sci somit problematisch.

4. Die pneumatologische Tugend- und Lasterparänese sei der Grundschicht abzusprechen.

4. hängt von Beckers Auffassung der Grundschrift ab und läßt sich kaum diskutieren.

3. ist sicher falsch. In 1:6 wird gerade vor Hurerei gewarnt. Becker neigt deshalb zur armenischen Version, die dieses Glied ausläßt; vgl. *Untersuchungen* 182 Anm. 6.

1. und 2. setzen Beckers Methode voraus. Daß der Verfasser den Stoff nicht verarbeitet, ist kein entscheidendes Argument. Das ist in den TP oft der Fall und reicht nicht als Grundlage umfassender literarkritischer Operationen aus. Viele der Einwände Beckers werden abgeschwächt, wenn wir voraussetzen, daß die Liste entlehntes Gut ist; vgl. unseren Text.

[16] Vgl.: M. de Jonge *Testaments* 77; Hollander/M. de Jonge *Comm* 94.

[17] *Untersuchungen* 190ff.

[18] *Untersuchungen* 192:

1. Der Abschnitt habe nichts mit Ruben zu tun.

2. Nicht Ruben, sondern Joseph und die Engel seien Beispiele.

3. Die Darstellung der Frau als der aktiven Verführerin in 5:1ff passe nicht zum Bild von Bilha in 3:11ff.

4. Nur in 5:3 – abgesehen von 3:3 – komme der Geist der Hurerei vor.

5. Von der Teufelsgestalt in 4:7 und 6:3 wisse das Vorangehende (1:1−4:5) nichts.

6. Es gehe um die Verführungskünste der Frauen, nicht um die psychologisierende Frage, wie die Sünde Eingang ins Innere des Menschen finde (3:9−4:5) oder um den Zusammenhang Sünde−Krankheit−Gebet−Buße−Heilung (1:5ff).

1. Die Lesart „der Gott *meiner* Väter" ("β") in 4:10 paßt nicht zur These Beckers. Er muß sich, ohne eine nähere Begründung, auf Ms c: „*unser*" oder Mss nhij + A: „*euer*" stützen. Er disqualifiziert ebenfalls 5:3a (weil er einen Hinweis auf den Redenden, Ruben, enthält) mit der Behauptung, daß dieser Satz überflüssig(!) sei – das läßt sich von vielen Sätzen sagen –, und daß er den guten Zusammenhang zwischen 5:2 und 5:3b unterbreche. Das ist reine Willkür.

2. Es überrascht nicht, daß Joseph Beispiel ist. Das ist der Fall in großen Teilen der TP. Man vergleiche z.B. TB, wo „der gute Mann" gerade Joseph ist. In demselben Testament ist Kain Beispiel in Kap. 7. Benjamin tritt dagegen in den Hintergrund. Die Wächter sind auch in TN 3:5 negatives Beispiel. Becker setzt voraus, daß der betreffende Stammvater Paradigma sein muß. Davon verlautet im Text kein Wort.

3. Die beiden Abschnitte haben gemein, daß sie den Blick auf äußere Faktoren lenken. Der Fall Rubens wurde von der Nacktheit Bilhas verursacht (3:11ff). Deshalb warnt er vor der Schönheit der Frauen (4:1). Dieselbe Warnung kehrt dann in 5:1ff zurück; vgl. TJud Kap. 12f. Daß Frauen versucherisch sind, steht in beiden Abschnitten fest, wenn auch Bilha trunken und somit inaktiv war. Der Vergleich von 5:1ff mit 3:11ff ist übrigens unlogisch, weil Becker doch 3:9ff als sekundär betrachtet.

Zweifelhaft ist auch die andere Folgerung Beckers, daß die Paränese in 4:6ff einen jüdisch-hellenistischen Ursprung habe[19]. Er meint folgendes: „... in 4:6–6:4 liegt eine literarisch fixierte hellenistische Synagogenpredigt vor, oder vorsichtiger formuliert: in diesem Stück hat der Stil der jüdisch-hellenistischen Homilie sich niedergeschlagen."[20] Becker stützt sich hier auf die Untersuchungen Thyens[21]. Sie scheinen aber nicht die Beweislast tragen zu können. Im Gegenteil erheben sich Bedenken: obwohl das vorliegende Stück einer jüdisch-hellenistischen Homilie ähnelt, folgt daraus nicht, daß ein palästinischer Ursprung ausgeschlossen ist. Wir wissen nur wenig von der älteren palästinischen Synagoge. Wahrscheinlich hatte eine palästinische Synagogenpredigt eine ähnliche Form. Das wird auch von Thyen angedeutet[22]. Dazu kommt, daß keine Synagogenpredigt in unbearbeiteter Form vorliegt, so daß wir jedenfalls auf Rekonstruktionen bauen müssen[23]. Becker führt selbst eine Reihe von Einzelzügen an, die *nicht* typisch hellenistisch sind[24], und es bleibt unklar, warum er ihnen so wenig Gewicht beimißt. Schließlich sind die sogenannten „Charakteristika", die Becker (nach Thyen) sammelt[25], kaum charakteristischer für eine Synagogenpredigt als für die Gattung „Weisheitsliteratur". Unsere

---

Forts.

4. Der Geist der Hurerei steht nicht isoliert in 5:3. „Geist der Hurerei" und „Hurerei" sind austauschbare Begriffe; vgl. III,3.

5. Das Vorkommen der Teufelsgestalt ist als literarkritisches Argument schlecht geeignet. Betrachtet man die TP gesammelt, kommt Beliar sowohl in echten als auch in sekundären Stücken vor.

6. Die Frage ist nicht, welchen Einfallswinkel dieser oder jener Abschnitt hat, sondern ob die Texte eine gemeinsame Thematik aufweisen. Das gemeinsame Thema Hurerei hält sie zusammen. Becker spielt nochmals 3:9ff gegen 4:6ff aus, obwohl er 3:9ff als sekundär rechnet; vgl. Punkt 3.

[19] *Untersuchungen* 193ff; vgl. *Komm* 36.

[20] *Untersuchungen* 194.

[21] *Stil*.

[22] *Stil* 28: „Die hellenistische Synagoge ... ist fast in jeder Beziehung ein, wenn auch manchmal sehr selbständiges, Kind der Synagoge des palästinensischen Mutterlandes. Von vornherein legt sich deshalb wiederum die Vermutung nahe, daß der Stil der palästinensischen Homilie einen nicht geringen Anteil an der Entstehung des Stiles der Predigt der Diasporasynagoge haben wird."

[23] Thyen *Stil* 40ff.

[24] *Untersuchungen* 194: „..., denn es fehlen die Allegorese, die Personifikation von Tugenden und Lastern, der Scherz, der Dialog, die Anrede mit ὦ und jeder pathetische Ton. Der Stil will nicht raffiniert und originell sein, um griechischen, rhetorisch verwöhnten Ohren zu gefallen, sondern geht eher nüchtern-streng und sachlich-generell einher." Deshalb folgert er ibid.: „..., so wird man urteilen, daß dieser Stil in den TP noch wenig hellenisiert ist, ...". (Es folgt das vorangehende Zitat.)

[25] *Untersuchungen* 194: „Es herrscht die parataktische Diktion, die große, kunstvolle Perioden meidet. Der ruhige, sachliche Ton, der dem Scherz abhold ist, läßt auch den dialogischen Charakter zurücktreten. Wenige Klangfiguren und wenig äußerer Schmuck sind festzustellen, doch z.B. eine Anaphora und Parallelismen bzw. Antithesen. Sentenzartige Sätze begegnen ebenso wie die Illustration durch atl. Exempla für Tugend und Laster oder Beispiele aus dem Leben. Als Anrede dient 'meine Kinder'."

Folgerung lautet: die Verse 4:6ff haben keinen jüdisch-hellenistischen Ursprung. Es bleibt auch höchst unsicher, ob das Stück einen synagogalen Hintergrund hat.

Der Bericht von den Wächtern in 5:6f stammt aus der Tradition; vgl. Gen 6:1ff; Jub 4:15.22; 5:1ff; 1.Hen 6ff; 1QGenAp II. Hier ist die Vorstellung eigenartig. Die Wächter schlafen nicht mit den Frauen. Während aber die Männer ihren Frauen beiwohnen, erscheinen die Wächter den Frauen, und die Frauen begehren im Herzen nach ihren Erscheinungen und gebären Riesen.

Die Verse 6:5−12 machen die erste Zukunftsprophetie in den TP aus, und zwar in Gestalt eines (zweier) Levi-Juda-Stückes (Stücke)[26]. In diesem Abschnitt häufen sich die exegetischen Probleme. Eine eingehende Diskussion ist innerhalb der Rahmen dieser Arbeit nicht möglich. Wir verweisen anstelle auf die Literatur[27]. Wir fragen primär nach der Echtheit dieses Passus. Man hat oft bestritten, daß die Perikope einheitlich ist. Charles faßt V.7b: καὶ τῷ Ἰούδᾳ ... ἄρχοντας als einen Einschub auf[28]. Das ist eine unnötige Annahme. Die Stelle läßt sich unter Verweis auf die Lagerordnung in Num 2 erklären[29]. Wichtiger ist der Versuch Bickermanns, 6:5−8 und 6:10−12 als Dubletten zu betrachten[30]. Er hält das letzte Stück für sekundär, weil 6:9 ein passender paränetischer Abschluß sei. Becker zerlegt den Abschnitt in vier kleinere Teile: 6:5−7; 6:8; 6:9 und 6:10−12 und meint, daß 6:9 + 6:10−12 ursprünglich seien[31]. Otzen votiert für die Einheit des Stückes, abgesehen davon, daß 6:9 den Zusammenhang unterbreche[32]. Hultgård, der Beckers Einteilung des Textes übernimmt, weist ab, daß es sich um Dubletten handle. Zugleich betrachtet er 6:9 als „malplacé" und schlägt vor, den Vers anderswo in TR (am Ende der Abschiedsrede oder vor 6:5) anzubringen[33].

Diese Lösungsvorschläge geben uns den Eindruck, daß die literarkritischen Probleme in 6:5ff sehr kompliziert sind. Wir schlagen eine einfache Lösung vor: 6:9 ist echt, während 6:5−8 und 6:10−12 sekundär sind. Ob man sie als Dubletten charakterisieren soll, ist eine Frage der Terminologie. Alle Levi-Juda-Stücke stammen wahrscheinlich aus ein- und derselben

---

[26] Vgl. zu den Levi-Juda-Stücken: M. de Jonge *Testaments* 86ff; Becker *Untersuchungen* 178ff; Hultgård *L'eschatologie* I,45ff; 58ff; Hollander/M. de Jonge *Comm* 56ff.

[27] Vgl. z.B.: Becker *Untersuchungen* 195ff; Hultgård *L'eschatologie* I,49ff; 58ff; Hollander/M. de Jonge *Comm* 106ff.

[28] *Comm* 13f; *Text* 13. Kee *OTP* I,784 klammert nur ἐμοὶ ... Ἰωσήφ aus.

[29] Vgl.: Segal *Tarbiz* 21 (1949/50) 132; v.d.Woude *Vorstellungen* 103; M. de Jonge *NT* 4 (1960) 209; Becker *Untersuchungen* 196f; Hollander/M. de Jonge *Comm* 106; Otzen *GamPseud* 7,702.

[30] *JBL* 69 (1950) 250f.

[31] *Untersuchungen* 195ff.

[32] *GamPseud* 7,702.

[33] *L'eschatologie* I,58.

Hand und müssen notwendigerweise große Übereinstimmung aufweisen; vgl. IV,5. Wir argumentieren zuerst dafür, daß 6:5−8 und 6:10−12 (zwei) Einschübe sind und versuchen dann, die Entstehung des vorliegenden Textes zu erklären.

Schon Schnapp hat gesehen, daß wir vor einer Interpolation stehen[34]. Wir stimmen seinen Argumenten zu. Die Glorifikation von Levi (und Juda) hat mit dem bisher behandelten Thema nichts zu tun und ist kontextfremd. Zwischen 6:4 und 6:5 liegt ein Bruch vor. Der Versuch, mit διὰ τοῦτο an das Vorangehende anzuknüpfen, ist unverständlich, denn die Prophezeiung des Aufruhrs der Rubeniten gegen Levi setzt die Warnung vor Hurerei nicht fort[35]. Tatsächlich liegt ein Stichwortanschluß vor[36]: ζῆλος in 6:4 wird mit ζηλώσετε in 6:5 aufgegriffen. Dieser Anschluß ist aber rein formal, denn Nomen und Verb werden unterschiedlich bestimmt; vgl. hebr. קנאה und קנא, die auch doppeldeutig sind. Wir führen weiter an: Levi und Juda spielen in den prophetisch-apokalyptischen Abschnitten eine Rolle, die ihnen sonst in den TP nicht zukommt; vgl. III,6. Sie treten hier nicht mehr als Individuen, sondern als Stämme/Institutionen auf; vgl. III,2. (Laut einigen Kommentatoren bezeichnet Juda in 6:11 sogar das Südreich [Israel und Juda][37]. Andere weisen dies ab[38].) Schließlich sei bemerkt, daß die Testamentform nicht die Echtheit der Weissagungen garantiert; vgl. II,2. Es gibt somit viele und wuchtige Argumente, die gegen die Ursprünglichkeit dieser Levi-Juda-Stücke sprechen.

Der jetzige Text wird folgendermaßen entstanden sein: Vers 6:9 folgte ursprünglich auf 6:4 als Schlußmahnung in TR. Mittels Stichwortanschluß wurden 6:5−8 eingeschoben. Dabei wurde 6:9 von 6:4 getrennt. Danach wurden 6:10−12 angefügt. Man darf vermuten, daß der Text in zwei Etappen entstanden ist.

Der Text dieses Abschnittes verrät die Aktivität eines christlichen Interpolators. Doch ist die nähere Abgrenzung seiner Wirksamkeit schwierig[39]. In V.8 sagt der christliche Bearbeiter, daß die Aufgabe der Leviten mit der

---

[34] *Testamente* 49ff; vgl.: Kohler *JewEnc* 12,114; Philonenko *Interpolations* 6. Vgl. aber idem *BEI* 824f.

[35] In TSim 5:4 liegt scheinbar eine Parallele vor. Dort ist aber schon 5:3 sekundär, und die Erwähnung der Hurerei in 5:4 ist ein Versuch, 5:4 mit 5:3 zu verknüpfen; vgl. TSim.

[36] Vgl. (neben Schnapp): Hultgård *L'eschatologie* I,50; Becker *Komm* 38 (*Untersuchungen* 195).

[37] So: Schnapp *Testamente* 52; M. de Jonge *Testaments* 153 Anm. 245. Nach Thomas *BZNW* 36 (1969) 117 bezeichnet Juda „den judäischen Teil Israels".

[38] Vgl.: Becker *Untersuchungen* 202 Anm. 1; Hultgård *L'eschatologie* I,53. Er bemerkt: „Y voir une allusion à la division en deux parties du royaume davidique implique un abandon de la fiction des *Testaments* qui ailleurs est strictement maintenue." Das stimmt nicht. Die Interpolatoren haben diese Fiktion mehrmals zerstört; s. III,1!

[39] S. bes. Becker *Untersuchungen* 197ff; 200ff.

Ankunft Christi aufgehört hat. In V.12 scheint jedenfalls der mittlere Satz christlich zu sein.

Der Schlussrahmen in TR ist verhältnismäßig kurzgefaßt und besteht aus 7:1−2. Von den Elementen vermißt man einen Bestattungswunsch (und einen Verweis auf die Trauer der Nachkommen); vgl. die Synopse in II,1. Zur Vorstellung des Todes in den TP allgemein; vgl. III,5.

Damit ist die Analyse des TR zu Ende geführt.

Zusammenfassend haben sich folgende Abschnitte als sekundär erwiesen:

2:3−3:2 + 3:7:   die neutral-anthropologische Geisterliste

6:5−8 + 6:10−12: zwei Levi-Juda-Stücke

Christliche Bearbeitungen kommen in 6:8 und 6:12 vor.

4. Die Abschiedsrede in Testament Simeon

Die Einleitung in TSim umfaßt 1:1–2:1 und enthält sämtliche Elemente, abgesehen von einem persönlichen Hinweis auf den bevorstehenden Tod; vgl. die Synopse in II,1. Die Redeeinleitungsformel in 2:1 ist nach α zweigliedrig, nach den übrigen Textzeugen eingliedrig[1].

Die Abschiedsrede, 2:2–7:3, beginnt mit einer Vorstellung Simeons, 2:2–4; vgl. TJud 1:3ff; TIs 1:2ff; TN 1:6ff; TSeb 1:3; TG 1:2. Simeon erinnert an seine Geburt, seine Namengebung und seine körperliche Stärke. Der Aufbau ist poetisch mit 3 mal 3 Sinnzeilen[2]. Der eigentliche Rückblick, der der nachfolgenden Mahnung zugrunde liegt, folgt in 2:6ff. (2:5 ist vielleicht eine alte Glosse?[3]) Rückblick und Paränese sind in TSim zusammengewoben. Sie werden vom gemeinsamen Thema φθόνος = ζῆλος = Neid zusammengehalten. Simeons Erfahrung bildet den Ausgangspunkt. Er war eifersüchtig auf Joseph, weil Jakob ihn liebte, und wollte seinen Bruder töten, 2:6f. Gott aber sandte seinen Engel und rettete Joseph aus der Gefahr, 2:8. In 2:9 wird erzählt, wie diese Errettung geschah: Juda verkaufte Joseph heimlich. Danach geriet Simeon in Zorn über Juda, weil er Joseph gerettet hatte, 2:11. Er wollte sich an Juda rächen, aber Gott hinderte ihn am Gebrauch seiner Hände. Seine rechte Hand war sieben Tage lang halb verdorrt[4], 2:12. Simeon erkannte, daß ihm dies wegen Joseph zustieß. Er tat Buße und bat den Herrn, körperlich und seelisch geheilt zu werden, 2:13. Es wird nicht gesagt, daß dies geschah, doch muß

---

[1] Für α votieren z.B.: Charles *Text* 15; *Comm* 17; v.Nordheim *Lehre* I,15. Becker hält in *Untersuchungen* 326 α für sekundär. In *Komm* 40 neigt er zur umgekehrten Schätzung.

[2] Vgl.: Charles *Text* 16; *Comm* 17f; Becker *Untersuchungen* 326f; *Komm* 40.

[3] So z.B.: Becker *Untersuchungen* 327; *Komm* 40. Hultgård *L'eschatologie* II,208f meint, daß der Text von bgldmeA in 2:6 diese Annahme bestätige, weil er zeige, daß ein Element, das dem Vers 2:6 vorangehe, verlorengegangen oder unterdrückt worden sei. Die anderen Lesarten in 2:6 seien ein Versuch, die Lakune zu füllen, ibid. 209 Anm. 1; vgl. dazu schon M. de Jonge *Testaments* 21.

[4] Böcher *Dualismus* 68 schreibt dazu: „Umgekehrt läßt sich aus der Strafe an Simeon, dessen 'rechte Hand … sieben Tage lang halb verdorrt' war (Test Sim 2:12), schließen, daß er im Zorn gegen Juda (Test Sim 2:11) ebendiese Hand tätlich erhoben hatte." TSim 2:12a sagt doch ganz klar, daß Gott ihn am Gebrauch der Hände hinderte. Simeon hatte keine Möglichkeit, sich an Juda zu rächen. 2:13 betont, daß die Krankheit ihm wegen Joseph zustieß. Gemeint ist also eher, daß Simeon gestraft wurde, weil er die Hand gegen Joseph erheben wollte.

man, dem zugrundeliegenden Schema Sünde – Strafe – Buße – Heilung gemäß, voraussetzen, daß Gott ihn geheilt hat.

Dieser Rückblick hat eine Parallele in Gen 37. Die Unterschiede fallen auf. Während Gen uns den Eindruck gibt, daß alle Brüder, mit Ausnahme von Ruben (und Benjamin, der zu klein war), Joseph töten wollten, spielt Simeon hier die Hauptrolle. Daß Simeon eine zentrale Rolle in seinem Testament einnimmt, überrascht nicht, doch scheinen die Traditionen, auf die der Verfasser baut, die drei Brüder Simeon, Gad und Dan besonders negativ dargestellt zu haben; vgl. TD, TG, TSeb 2ff. Wenn wir uns dem Verkauf zuwenden, sehen wir, daß Juda in Gen nur Antragsteller ist. Der Verkauf wird von allen Brüdern, mit Ausnahme von Ruben (und Benjamin) unternommen. Hier wird Joseph von Juda verkauft, und es wird ausdrücklich gesagt, daß Simeon abwesend war, 2:9. Die Lokalität ist auch verschieden. Nach Gen 37:17 findet die Episode in Dothan statt. In TSim 2:9 heißt es, daß Ruben, der beim Verkauf nicht anwesend war, nach Dothan aufgebrochen war. Der Verkauf muß also anderswo geschehen sein.

Der Faden aus 2:6–14 wird mit 4:1–6 aufgenommen (mit Paränese in 4:5). Im Kontrast werden die Handlungen Simeons und Josephs geschildert. Als die Brüder nach Ägypten kamen, hat sich Joseph nicht gerächt, sondern Simeon und die anderen Brüder geliebt. Das Thema des Neides klingt stark an in diesen Rückblicken, und wird ferner in den Abschnitten 3:1–6 und 4:7–5:2, die im großen und ganzen paränetisch sind, betont. 2:6–5:2 machen eine kompositorische Einheit mit einem übergeordneten Thema aus. Der Abschnitt ist nicht wohlkomponiert. Dem Verfasser aber den größeren Teil des Stücks abzusprechen, wie Becker es tut, ist viel zu radikal[5].

5:2 lautet wie eine geeignete Schlußmahnung. Darauf folgt ganz abrupt ein neues Thema in 5:3. Während das Vorangehende um das Thema des TSim – Neid – kreist, wird jetzt plötzlich vor Hurerei gewarnt. Die Annahme einer späteren Bearbeitung drängt sich auf. Das hat schon Schnapp

---

[5] *Untersuchungen* 327ff. Sein Ausgangspunkt ist, daß der Grundstock der TP keine Tugend- und Lasterparänese und die dieser Paränese eigene Pneumatologie kenne; vgl. ibid. 326, Punkt 6. Deshalb disqualifiziert er 3:1–6; 4:5; 4:7–9; 5:1. Becker schreibt seinem Interpolator großen Scharfsinn zu. Er habe seine Paränese mit kleinen Zufügungen in der Lebensgeschichte vorbereitet: 2:7b.13b.14d. Die Texte nach der Theorie zu „verbessern" ist ein gewagtes Verfahren, dem man kaum Zutrauen schenken kann. Die Paränese begrenzt sich nach Becker auf 5:2 (und 6:2; vgl. Anm. 15). Das ist ein karges Ergebnis. Becker behauptet, die Paränese in 5:2 sei ganz anders ausgerichtet als die vorangehende Mahnung. In der Tat ist 5:2 eine typische Schlußmahnung, die um zwei Hauptpunkte kreist: Gottesliebe und Nächstenliebe; vgl. II,1 und IV,2. Ihnen ist eigen, daß sie nicht an das Thema des betreffenden Testaments anknüpfen, sondern eine allgemeine Mahnung geben. Das heißt nicht, daß sie im Gegensatz zur Paränese stehen. Ihr Ziel ist nur verschieden.

gesehen[6]. Neben dem Argument, daß 5:3 unthematisch und eigentlich in TR zu Hause sei, führt Schnapp an, daß man einen Hinweis auf das eigene Leben des Patriarchen vermisse, welcher bei der Paränese sonst nicht unterlassen werde. Dem stimmen wir zu.

Sekundär sind ebenfalls 5:4−6[7] – das erste Levi-Juda-Stück in TSim; vgl. 7:1–2. Der Interpolator verrät sich schon am Anfang mit dem Verweis auf das Buch Henoch. Damit verkennt er die Situation. Der sterbende Stammvater hat nicht nötig, sich auf fremde Quellen zu berufen; vgl. II,2. Wenn er weissagen will, liegt die Zukunft offen vor seinen Augen; vgl. TJos 20:1ff, die einzige ursprüngliche Prophetie in den TP. Levi und Juda treten nochmals als Kollektive auf; vgl. III,2. Die Lesart οἱ υἱοὶ Λευί in α in 5:4 ist sachlich korrekt, wenn auch textkritisch verdächtig[8]. Die Hervorhebung von Levi und Juda hat in der Grundschrift keinen Platz; vgl. III,6. Der Verweis auf den Segen Jakobs in 5:6 ist interessant. Der Text in Gen 49:5−7, der Simeon *und* Levi angeht, wird hier nur auf Simeon bezogen. Der Grund liegt offen zutage: die Glorifikation Levis ist mit der Kritik in Gen 49:5ff nicht vereinbar.

Im jetzigen Kontext liegt zwischen 5:3 und 5:4 ein Stichwortanschluß vor[9]: Ἐν πορνείᾳ φθαρήσονται in 5:4 knüpft an πορνεία in 5:3 an. In 5:4 ist aber die Rede von Hurerei ganz sinnlos. Es geht im Levi-Juda-Stück nicht um Hurerei, sondern um einen kriegerischen Aufstand gegen Levi. Nun ließe sich eine Empörung gegen Levi als ein Abfall von Gott erklären, und im AT wird Abfall oft als Hurerei bezeichnet; vgl. z.B.: Jer 2:20; 3:6.8; Ez 23; Hos 2, usw. (Der Hintergrund ist natürlich oft konkret im Fruchtbarkeitskultus zu suchen.) Dieser Ausweg rettet den Abschnitt nicht. Wenn nämlich diese Erklärung von Hurerei richtig ist, wird der Begriff in einem übertragenen Sinn, der dem Vers 5:3 ganz fremd ist, gebraucht. Daraus ergibt sich, daß 5:3 älter als 5:4−6 ist, wenn auch beide sekundär sind[10].

Zu den Levi-Juda-Stücken allgemein, vgl. IV,5C.

Die Situation in Kap. 6 ist kompliziert. Das Kapitel ist aus drei separaten Teilen zusammengesetzt: 6:1, 6:2 und 6:3−7[11]. 6:3−7 sind ein selbständi-

---

[6] *Testamente* 53; vgl. Schürer *ThLZ* 10 (1885) 205; *Geschichte* III,258; Becker *Untersuchungen* 329; *Komm* 43; Otzen *GamPseud* 7,706. Anders z.B.: Hultgård *L'eschatologie* II,191 Anm. 1.

[7] So auch Schnapp *Testamente* 53f; Schürer *ThLZ* 10 (1885) 205 (=Schnapp); Philonenko *Interpolations* 5f; Becker *Untersuchungen* 329f (*Komm* 43). Becker betont, daß 5:4−6 Dublette zu 7:1f seien.

[8] Sie wird von Becker *Komm* 43 bevorzugt.

[9] Vgl.: Becker *Untersuchungen* 329f; Hultgård *L'eschatologie* I,50.

[10] Eine (mündlich mitgeteilte) Hypothese Leivestads sei hier erwähnt: TSim 5:3 + 5:4−6 (Hurerei) und TR 6:5ff (Eifersucht) sind eher in TR bzw. TSim zu Hause. Leivestad schlägt vor, die Textüberlieferung sei für ihre jetzige, auffällige Anbringung verantwortlich.

[11] Vgl.: Becker *Untersuchungen* 330ff; Hultgård *L'eschatologie* I,247.

ges, jüdisches Gedicht mit einem apokalyptischen Gepräge[12]. Seine ursprüngliche, rhythmische Form läßt sich noch im Wechsel von τότε- und καί-Sätzen ahnen. Man darf aber vermuten, daß der Aufbau von der christlichen Bearbeitung in V.5 und V.7[13] zerstört worden ist. In 6:7 läßt sie sich leicht abgrenzen. V.7c: ὅτι (ὁ)θεὸς ... ἀνθρώπους ist christlich. In V.5 ist jedenfalls ὡς ἄνθρωπος christlich. Die schwierige Textlage läßt sonst keine definitiven Folgerungen zu. Daß die Abgrenzung der christlichen Zusätze nicht automatisch die ursprüngliche Form des Gedichtes wiederherstellt, sagt sich von selbst. Eine eventuelle Rekonstruktion ist innerhalb der Rahmen dieser Untersuchung belanglos. Wir fragen in erster Linie, ob dieses Stück zur Grundschrift gehörte. Die Antwort ist negativ. Der Gebrauch von πνεῦμα in 6:6 in der Bedeutung „Dämon" ist in den sekundären Abschnitten zu Hause; vgl. III,3. Der Auferstehungsglaube in 6:7 hat keine Parallele in der Grundschrift; vgl. III,5. Das apokalyptische Weltbild, das diesem Gedicht zugrunde liegt, ist der Grundschrift fremd. Der Abschnitt hat nichts mit dem Thema des TSim zu tun. Er bezieht sich nicht auf die Zukunft der Söhne Simeons, sondern des ganzen Volkes. In dieser Hinsicht erinnert er an die SER-Stücke, die ebenfalls nicht die einzelnen Stämme, sondern das gesammelte Israel vor Augen haben; vgl. III,2. 6:7 setzt scheinbar die Abschiedssituation voraus: „Dann werde *ich* mit Frohlocken auferstehen." Das ist entweder ein Versuch, an den Kontext anzuknüpfen, oder aber bezeichnete „ich" ursprünglich eine andere Person. 6:3ff wollen im jetzigen Zusammenhang 6:2 fortsetzen. Davon kann aber keine Rede sein. Die weltumspannenden, eschatologischen Ereignisse in 6:3−7 sind keine natürliche Folge der ethischen Verbesserung in 6:2. Auch inhaltlich lassen sich 6:2 und 6:3−7 kaum auf eine Formel bringen: 6:3−7 sind im Gegensatz zu 6:2 antiheidnisch-national. 6:2 spricht gerade im Blick auf Simeons Stamm, während 6:3ff das Verhältnis Israel−Heiden voraussetzen. Von der apokalyptischen Grundanschauung in 6:3ff findet sich in 6:2 keine Spur[14].

6:2 ist älter als 6:3ff. Das ist an sich kein Argument dafür, daß dieser Vers ursprünglich ist. Zu bemerken ist aber, daß die Einleitung thematisch korrekt ist[15]. Der Vers ist ebenfalls von der Testamentsituation geprägt. Andererseits ist der Stil in den Nachsätzen nicht typisch für die TP. Wenn Israel (und Jakob), wie Libanon, territorial gemeint ist (sind), paßt der

---

[12] Becker *Untersuchungen* 330ff.

[13] Vgl. zu diesen: Becker *Untersuchungen* 331; Hultgård *L'eschatologie* I,251f; *Croyances* 85f; Charles *Text* 24f; *Comm* 23f; Schnapp *Testamente* 56; Bousset *ZNW* 1 (1900) 147f; Otzen *GamPseud* 7,707; Jervell *BZNW* 36 (1969) 50; Kee *OTP* I,787.

[14] Nach Becker *Untersuchungen* 330.

[15] Becker *Untersuchungen* 330 (*Komm* 44) ändert den Text, weil er auf das Thema des TSim, Neid, Bezug nimmt; vgl. Anm. 5 oben.

Vers weniger gut. Doch ist diese Deutung nicht notwendig. Da der Text so kurz ist, muß jeder Schluß unsicher bleiben. Mit Vorbehalt rechnen wir den Vers als ursprünglich und halten ihn für die Fortsetzung von 5:2[16]. Das bedeutet zugleich, daß 6:1 fallen muß. Er ist ein redaktioneller Übergang, der von 5:6 zu 6:2 leitet[17]. Die Sünde, die hier erwähnt wird, muß diejenige in 5:4−6 sein. Zusammenfassend rechnen wir Kap. 6 *mit Ausnahme von 6:2* als sekundär[18].

In 7:1−2[19] folgt das zweite Levi-Juda-Stück in TSim. Wir meinen, daß es sekundär ist[20]. Sehr überraschend läßt Becker, der schon das erste Levi-Juda-Stück, 5:4−6, disqualifiziert hat, dieses Stück – ohne nähere Begründung – zu dem von ihm postulierten Grundstock des TSim gehören[21]. Von vornherein legt sich die Vermutung nahe, daß die Levi-Juda-Stücke eine einheitliche Gruppe sind; s. TR. In der Tat weist dieses Stück viele derselben Züge auf, die wir bereits in TSim 5:4−6 finden. Der kollektive Gebrauch von Levi und Juda ist augenfällig. Sie werden hier sogar φυλαί ("β")/γενεαί (α) genannt; vgl. III,2. Zu ihrer Glorifikation vgl. III,6. Nachdem sich 5:3ff (− 6:2) als interpoliert erwiesen haben, stehen 7:1–2 jetzt ganz isoliert. Die Testamentform kann, wie früher bemerkt, deren Echtheit nicht garantieren; vgl. II,2.

In 7:2 hat ein christlicher Bearbeiter Spuren gesetzt. Der Umfang seiner Bearbeitung ist aber umstritten. Wenn man ein „Minimumprinzip" wählt, reicht es aus, die Wörter „Gott und Mensch" und „alle Völker und" auszuklammern[22]. Andere betrachten den ganzen Vers als christlich[23]. Die

---

[16] Vgl. Becker *Untersuchungen* 330. Für die Ursprünglichkeit dieses Verses spricht, daß er so harmlos ist, daß man die Pointe einer eventuellen Interpolation nicht sieht.

[17] Vgl. Becker *Untersuchungen* 330.

[18] Das *ganze* Kap. 6 halten für sekundär: Schnapp *Testamente* 54; Schürer *ThLZ* 10 (1885) 205; *Geschichte* III,258; Philonenko *Interpolations* 5ff. Becker *Untersuchungen* 330 rechnet, wie wir, V.2, wenn auch mit Textänderung (vgl. Anm. 15), als echt.

[19] Becker *Untersuchungen* 178; 332 zählt auch V.3 zum Levi-Juda-Stück.

[20] So mit Recht: Schnapp *Testamente* 56f (christlich); Schürer *ThLZ* 10 (1885) 205ff; vgl. *Geschichte* III,258; Philonenko *Interpolations* 5ff.

[21] *Untersuchungen* 334: „Es besteht nun kein hinreichender Grund, den verbleibenden jüdischen Text 7,1.3 dem Grundstock des TSim abzusprechen." Daß man ohne gute Argumente einen Text nicht disqualifizieren darf, ist ein Prinzip, dem wir nur zustimmen können. Wenn aber Becker den größeren Teil des vorliegenden Testaments für sekundär hält, erwartet man doch, daß er uns erklärt, warum gerade dieses Stück ursprünglich sei. Es handelt sich tatsächlich um eine Art „Schemazwang". Becker meint, daß der Aufbau der Testamente dem sogenannten Bundesformular folge; vgl. II,2. Deshalb muß er einen paränetischen Teil (5:2; 6:2) und eine Vorschau (7:1.3) retten. Dasselbe war schon in TR der Fall; vgl. *Untersuchungen* 203, wo das Ergebnis seiner Analyse zu TR „nachträglich" mit einem Verweis auf das Bundesformular untermauert wird.

[22] So z.B.: Charles *Text* 25f; *Comm* 24; Otzen *GamPseud* 7,708; Higgins *VT* 3 (1953) 328; Beasley-Murray *JThS* 48 (1947) 8; vgl. auch Hultgård *L'eschatologie* I,75f; II,228ff, der allerdings unterläßt, den genauen Umfang abzugrenzen.

[23] Vgl. Becker *Untersuchungen* 332f; *Komm* 45.

Bearbeitung hat eine universalistische Drehung mit sich geführt. Sie steht nicht im Einklang mit 6:3−7, und bestätigt die weitverbreitete Annahme, daß der jetzige Text der TP unmöglich aus *einem* Guß sein kann.

7:3 ist problematisch. Einige Forscher weisen ihn dem Levi-Juda-Stück zu[24]. Vielleicht handelt es sich um den Schluß der ursprünglichen Abschiedsrede?

Der Schlußrahmen in TSim umfaßt 8:1−9:1. Von den Elementen fehlt nur eine Bestattungsanweisung; vgl. die Synopse in II,1. Das Lebensalter des Stammvaters, das schon in 1:1 mitgeteilt wurde, wird in 8:1 wiederholt. Becker hat gezeigt, daß 8:2b−4 ein späterer Einschub sind[25]. Die Angaben fallen aus dem Rahmen und lassen sich nicht ganz mit den Angaben in TJos 20 zur Deckung bringen. Sie scheinen eine Sondertradition über den Verbleib der Gebeine Josephs zu repräsentieren, die auch in Jub 46:8−10 belegt ist. Eine entsprechende haggadische Tradition liegt in TB 12:3 (“β”AS[1]) vor. Die Erweiterung in 8:2b−4 hat 8:2a von 9:1 getrennt. Wenn man sie entfernt hat, knüpft 9:1 gut an 8:2a an. Die Trauer der Söhne in 9:1a ist ein natürliches Element, obwohl sie nur hier und in TJos 20:5 begegnet; vgl. aber TSeb 10:1. Die Stelle 9:1b ist verdächtig. Die Auskunft über den Verbleib der Nachkommen in Ägypten und den Auszug (durch Mose) kommt sonst nur in TB 12:4 vor, nochmals in denselben Textzeugen (“β”AS[1]). Wahrscheinlich gehört also 9:1b zum Einschub 8:2b−4, und ein- und dieselbe Hand ist hier und in TB 12:3−4 tätig gewesen.

Das Ergebnis der Untersuchung des TSim kann wie folgt zusammengefaßt werden.

Sekundär sind:

5:3:   ein paränetischer Vers
5:4−6 + 7:1−2: zwei Levi-Juda-Stücke
6.1:   ein redaktioneller Übergang
6:3−7:   ein jüdisch-apokalyptisches Gedicht
8:2b−4 + 9:1b: eine haggadische Sondertradition

Unsicher sind:

2:5: eine alte Glosse?
7:3: (der Schluß der ursprünglichen Abschiedsrede?)
Christliche Bearbeitungen liegen in 6:5b.7c und 7:2 vor.

---

[24] S. Anm. 19.
[25] *Untersuchungen* 162f. Ihm folgt v.Nordheim *Lehre* I,15 mit Anm. 8. Hultgård *L'eschatologie* II,66f wendet sich gegen diese Annahme. (Hultgård hat seinerseits gesehen, daß 9:1b [Hultgård 9:1] mit 8:2b−4 zusammengehört; vgl. unseren Text.)

5. Die Abschiedsrede in Testament Gad

Die Einleitung in TG ist knapp. Sie begrenzt sich auf einen Vers, und viele Formelemente (die Hinweise auf den bevorstehenden Tod, die Synchronisierung und die Redeeinleitung) fehlen[1]; vgl. die Synopse in II,1. Keines der anderen Testamente ist so kurzgefaßt.

Der Rückblick besteht aus 1:2−2:5. Wie in TSim beginnt er mit einer Vorstellung des Stammvaters. Der Rückblick kreist nochmals um das Verhältnis zu Joseph. Gad erzählt, daß er und seine Brüder die Herde des Vaters gehütet hätten. Joseph hätte zusammen mit ihnen geweidet, wäre aber von der Hitze krank geworden und nach Hebron zu seinem Vater zurückgekehrt. Dort habe er dem Vater gesagt, daß die Söhne Zilpas und Bilhas (also Gad und Asser sowie Dan und Naphtali) das gute Vieh schlachteten und es äßen, ohne daß Ruben und Juda davon wüßten[2]. Dies sei aber nicht richtig, denn Gad habe nur ein von einer Bärin verletztes Lamm getötet, das ohnehin nicht am Leben bleiben konnte. Josephs Erzählung sei also eine regelrechte Verleumdung gewesen. Deshalb habe ihn Gad gehaßt, und dieser Haß sei wegen der Träume Josephs noch stärker geworden. Er habe ihn töten wollen. Das wurde aber verhindert, als Juda ihn heimlich den Ismaeliten verkauft habe[3].

---

[1] Der Text ist recht unterschiedlich überliefert; vgl. *Editio Maior* 125. Die Probleme werden übersichtlich behandelt in v.Nordheim *Lehre* I,53.

[2] Παρὰ γνώμην Ἰούδα καὶ Ῥουβήμ bedeutet wohl: „ohne daß Juda und Ruben (es) wußten". Die Kommentare übersetzen παρὰ γνώμην mit: „gegen die Ansicht/Meinung"; vgl. Schnapp *APAT* II,491/Rießler *Schrifttum* 1222; oder: „gegen den Einspruch"; vgl. Becker *Komm* 107; oder: „against the judgment"; vgl. Charles *Comm* 150; Hollander/M. de Jonge *Comm* 321; oder: „against the advice"; vgl. Kee *OTP* I,814; oder: „contre l'avis de"; vgl. Philonenko *BEI* 908.
Wir halten unsere Übersetzung für kontextuell besser. Die griechische Sprache allein ist nicht entscheidend. Man muß dem semitischen Hintergrund des vorliegenden griechischen Textes Rechnung tragen. Wie wir: M. de Jonge *AOT* 573(evtl.: „in defiance of").

[3] In 2:3−5 liegt eine kürzere Version in α als in "β" vor. Welcher dieser Versionen der Vorrang zu geben ist, läßt sich schwer entscheiden. Becker *Untersuchungen* 357f argumentiert für α, weil sie „sinnvoll und glatt" ist; ihm folgt v.Nordheim *Lehre* I,54 mit Anm. 126. Richtig ist dabei, daß "β" nicht ganz zu 2:1−2 paßt. Warum hat Gad Joseph verkauft, wenn er ihn töten wollte? α entgeht diesem Problem: *Juda* hat Joseph verkauft. Das war eine göttliche Rettung, die den Mordplan Gads verhinderte; vgl. TSim 2:9, wo nur Juda für den Verkauf verantwortlich gemacht wird. Neben dem Haß erwähnt "β" in 2:4 ein zweites Motiv, Habsucht, die jedoch im Zusammenhang keine Verankerung hat. (Betreffs Juda paßt das Motiv allerdings gut; vgl. TJud Kap. 13; 17; 19.) Daß "β" nicht im Einklang mit Gen 37 ist, spielt

Die Pointe dieses Zurückblickes ist klar: Gads Haß wird hervorgehoben und gibt somit einen geeigneten Ausgangspunkt, vor Haß, der das Thema des TG bildet, zu warnen.

Der Kern dieser Erzählung ist aus Gen 37 bekannt. Die Krankheit Josephs (1:4) wird freilich dort nicht erwähnt. Wichtiger ist, daß Gad eine aktivere Rolle als in Gen spielt. Dieselbe Erklärung wie in TSim drängt sich auf: erstens liegt es in der Natur der Sache, daß Gad eine zentrale Rolle in seinem eigenen Testament spielt, und zweitens scheinen die zugrundeliegenden Traditionen ihn negativer als in Gen zu schildern[4].

Wir hören in Gen 37:2, daß Joseph dem Vater hinterbrachte, was die Brüder Böses taten. In TG wird ein konkretes Beispiel davon gebracht. Es will den Haß Gads erklären, während Gen 37:4 den Haß der Brüder damit begründet, daß Jakob Joseph mehr als die anderen Brüder liebte. TG meint offenbar, daß Joseph gelogen habe. Wenn Gad und andere der Brüder verletzte Tiere schlachteten und aßen, ohne daß die ältesten Brüder etwas davon wußten, war ihre Handlung gewiß kritikwürdig. Die Pointe ist aber, daß sie laut Josephs Darstellung das *gute* Vieh gegessen hatten, und *dies* war eine grundlose Beschuldigung. TG läßt Joseph nicht als makellos hervortreten, sondern akzeptiert, daß er in seiner Jugend nicht ganz vollkommen war. Obwohl TG 1:6–9, ganz singulär in den TP, Joseph etwas negativ darstellt, darf man also nicht die Folgerung ziehen, daß dieser Abschnitt sekundär ist[5]. Daß Joseph beinahe sündfrei sei, ist ein Postulat, das in den TP keine Grundlage hat. Der Mordplan Gads war indessen keine

---

Forts.

keine Rolle, weil es sich doch um eine Sondertradition handelt. Weil "β" von Gen abweicht und ein wenig unerwartet kommt, wäre auch die Erklärung möglich, daß α den Text gekürzt und geglättet hat. (Wenn die Mss gldeaf Simeon statt Juda in 2:3 ("β") lesen, ist das offenbar sekundär. Sie sind wohl von TSeb 2:1; 3:2; 4:2 beeinflußt. Simeon war nach TSim 2:9ff abwesend beim Verkauf. Den richtigen Text hat Ms b; vgl. Mss chj.)

[4] Wenn die Version von "β" in 2:3–5 ursprünglich ist, spielt Gad eine wichtige Rolle beim Verkauf des Bruders; s. Anm. 3.

[5] So z.B. Becker *Untersuchungen* 356f. Neben der negativen Darstellung von Joseph führt er an, daß das Personenbild von Gad (mit 1:6–9 intakt) nicht harmonisch werde: nach 1:7b ist Gad über eine Notschlachtung betrübt, in 2:2b trachtet er Joseph blutrünstig nach dem Leben. Der Abschnitt 1:6–9 lasse sich leicht aus dem Kontext lösen. 2:1 schließe gut an 1:5 an, und 1:6ff seien sonst nicht vorausgesetzt. Die Pneumatologie in 1:9 gehöre dem Grundstock der TP nicht an.

Die negative Darstellung von Joseph hat ihren Hintergrund in Gen 37:2. Dieser Bezug auf Gen ist zwar an sich keine Garantie der Echtheit, weil auch ein Bearbeiter sich an den alttestamentlichen Text anlehnen kann; so mit Recht Becker *Untersuchungen* 357 Anm. 1. Becker vergißt aber, nach der Absicht einer eventuellen Interpolation zu fragen.

Liebe zu Tieren – hier konkret der Hirt und seine Herde – und Nächstenliebe setzen einander nicht voraus. Das ist elementare Psychologie.

2:1 knüpft nicht besonders gut an 1:5 an. 2:1 setzt im Gegenteil 1:6–9 voraus. 1:5 kann Gads Haß nicht erklären. Es steht im Text – im Gegensatz zu z.B. TSim 2:6 und Gen 37:4 – nicht geschrieben, daß er von der Vorliebe Jakobs für Joseph verursacht war. Die grundlose Verleumdung (= 1:6–9) macht ihn dagegen verständlich. Das Verb προστίθημι in 2:2 setzt ebenfalls 1:6–9 voraus. Nach den Träumen haßt Gad seinen Bruder *noch mehr*. 4:6b nimmt auf maßvolle Reaktion auf das kleine Versehen Josephs. Der Haß will diejenigen, die in einer Kleinigkeit sündigen, nicht leben lassen, sagt TG 4:6b. Das bezieht sich auf die Sünde Josephs. Sie war eine Kleinigkeit.

Kap. 3—7 sind der Paränese gewidmet, und das Thema, Haß, knüpft an die Lebensgeschichte an. Die Mahnungen werden nur von einem kurzen Rückblick in 5:9—11 abgebrochen, der seinerseits den Faden aus 2:5 aufnimmt. Das erlaubt uns nicht, die dazwischenliegende Paränese (3:1—5:8) für sekundär zu halten[6]. Mehrere Rückblicke kommen anderswo in den TP vor, vgl. bes. TJud, und jedem dieser Rückblicke können dann Mahnungen folgen.

Wir geben eine kurze Übersicht über die Komposition der Kap. 3—7[7]. Die Paränese wird von 3:1 (mit Wiederholungen in 4:1; 6:1) und 7:7 mit ihrem Stichwort μῖσος, zusammengehalten. Das entscheidende Kriterium für die Beurteilung dieses Stoffs ist, ob er in diesem Rahmen zu Hause ist.

In Kap. 3 wird der Haß als ein Feind aller positiven Handlungen geschildert. Er verfinstert die Seele. Gads Verhaltensweise gegenüber Joseph kann dies veranschaulichen, 3:3e.

4:1—5:2 charakterisieren den Haß als einen Gegenpol zur Nächstenliebe. Er macht mit dem Neid gemeinsame Sache (4:5), und hält beständig mit der Lüge (5:1). Das kann Gad aus Erfahrung sagen (5:2).

5:3—6 zeigen, wie die Rechtschaffenheit, die Demut und die Furcht Gottes den Haß besiegen. „Dieses erkannte ich zuletzt, nachdem ich Josephs wegen Buße getan hatte" (5:6).

Die Erwähnung seiner Reue gibt Gad in 5:7—8 Gelegenheit, über das Wesen der wahren Buße zu reflektieren. Sie erleuchtet und gibt neue Erkenntnis.

Jeder der Abschnitte 3:1—3; 4:1—5:2; 5:3—6 wird also mit einem Hinweis auf das Leben des Patriarchen beendet. Die Mahnungen sind der eigenen Lebenserfahrung entsprungen. Dies zeugt von einer bewußten Komposition[8]. Die Behauptung, daß diese Hinweise auf den Rückblick eine oberflächliche Redaktion seien, ist reine Willkür[9].

Forts.

1:6—9 Bezug; vgl. Hollander *SCS* 5,77 und *Ethical Model* 57.

Zur Pneumatologie, vgl. III,3.

[6] So Becker *Untersuchungen* 358ff; *Komm* 108. Sein Ausgangspunkt ist, daß Tugend- und Lasterparänese sekundär sei. (*Untersuchungen* 326, Punkt 6 u.a.; vgl. II,4 Anm. 5.) Nach Becker setzen 5:9—11 die Lebensgeschichte in 2:5 fort. Dieser Zusammenhang ist nicht einleuchtend. Γάρ in 5:9 setzt eher 5:8 fort. Die Paränese in 3:1—5:8 besteht nach Becker aus zwei selbständigen Stücken: 3:1—3 + 5:3—5 und 4:1—5:2. 4:1—5:2 seien ihrerseits ein Stück im Stil synagogaler Predigt (*Untersuchungen* 359f); vgl. dazu II,3 mit Anm. 19—25.

[7] Vgl. v.Nordheim *Lehre* I,55f.

[8] 5:6 gehört also nicht zu 5:7—8, sondern zu 5:3—5. Gegen: Becker *Untersuchungen* 359f; Otzen *GamPseud* 7,762f. Richtig: v.Nordheim *Lehre* I,55.

[9] So Becker *Untersuchungen* 360 zu 3:3E und 5:6(—8). In 5:2 sei der Prediger (s. Anm. 6, oben) gemeint, *Untersuchungen* 359. Vgl. II,4 Anm. 5 zu dieser angenommenen Redaktion.

Die letzten Verse von Kap. 5 (5:9−11) passen nach Becker und v. Nordheim weniger gut in den Zusammenhang[10]. Sie meinen, daß nicht die Reue, sondern die körperliche Bestrafung die Sünde aus der Welt schaffe. Doch setzt die Fürbitte Jakobs sicher voraus, daß Gad seine Missetat bereut hatte[11]. Es gibt eine Parallele in TR 1:6ff, und der Verfasser meint kaum, daß die Reue kommt, nachdem die Krankheit schon vorüber war. Vgl. zum Inhalt von 5:9−11, III,4 und IV,2.

Keines der Stücke in 3:1−5:6 weicht vom erwarteten Thema ab, obwohl der Einfallswinkel etwas verschieden ist. Kap. 3 ist ganz allgemein, 4:1−5:2 machen auf den Gegenpol, die Nächstenliebe, aufmerksam, während 5:3−6 zeigen, wie man den Haß bekämpft. Das Interesse für die Psychologie des Hasses macht nach unseren Maßstäben die Paränese mehr formell als reell. Doch wird der Verfasser seine Darstellung als Mahnung verstanden haben; vgl. 3:1; 4:1.

In Kap. 6−7 fährt die Paränese fort und greift auf das Thema in 4:1ff zurück: der Haß als Gegenpol zur Nächstenliebe. Das Wesen des Hasses wird enthüllt. Er schont nicht einmal den eigenen Bruder. Nach dem Rückblick in 5:9−11 setzt 6:1 folgerichtig mit neuer Anrede ein. Danach folgt in 6:2 ein Verweis auf Gads Verhältnis zu Joseph; vgl. 3:3; 5:2; 5:6.

6:3b−7 sind ein eigenartiges Stück. Die Problemstellung lautet: wie sollst du dich verhalten, wenn jemand gegen dich sündigt? Man hat es mit „Regeln zur Gemeindezucht" verglichen. Es erinnert an Stellen wie Lk 17:3f; Mt 18:15ff; 1QS 5:23−6:1; 6:25−7:25; CD 9:2ff. Becker macht aber darauf aufmerksam, daß TG 6:3b−7 nicht von einem festen Gemeindebegriff ausgehen, sondern auf das private Verhältnis der Juden untereinander zugeschnitten sind[12]. Die nächstliegende Parallele ist somit Sir 19:13ff. Die Eigenart des Abschnittes läßt nicht zu, ihn dem Verfasser abzusprechen. Er fügt sich gut in den Zusammenhang. Andererseits macht er den Eindruck eigenständiger Tradition[13]. „Dafür spricht allein schon der stilistische Wechsel zwischen 6,1−2a (Anrede in der 2. Person Plural) und 6,3bff. (Anrede in der 2. Person Singular)", schreibt Becker[14]. Solcher Wechsel kommt freilich in jüdischen Texten oft vor. Es besteht kein Grund,

---

[10] Becker *Untersuchungen* 358f; v.Nordheim *Lehre* I,55f. (Becker hält gerade dieses Stück für ursprünglich; vgl. Anm. 6.)

[11] Das ist deutlich der Fall in der Variante der Mss chj in 5:9: ...ἐβοήθησάν μοι... (vgl. Ms a). Sie wird von Charles *Comm* 155 und Otzen *GamPseud* 7,763 gewählt, ist aber sicher sekundär.

[12] *Untersuchungen* 360f.

[13] Becker *Untersuchungen* 361; *Komm* 110; v.Nordheim *Lehre* I,56; vgl. Hultgård *L'eschatologie* II,206.

[14] *Untersuchungen* 361.

6:1b−3a abzuweisen[15]. Zweifelhaft ist ebenfalls die Auffassung, daß 6:5 sekundär sei[16].

Kap. 7 fällt nicht aus dem Rahmen der Nächstenliebe. Die Problemstellung ist aber eigentümlich: wie soll der Arme sich gegenüber den Wohlhabenden verhalten? Die Antwort lautet, daß man sie nicht beneiden soll, und der Verfasser legt ein beinahe ebionitisches Ideal zugrunde (7:6).

Im Gegensatz zu 6:3b−7 ist die Rede in Kap. 7 abermals an die Nachkommen Gads gerichtet (2. P. Pl.). 7:4 enthält einen Hinweis auf die Testamentsituation: „...wie Esau, meines Vaters Bruder[17]...". 7:3 zu disqualifizieren ist unnötig[18]. Becker meint, daß 7:1−6 ein Stück eigener Tradition sei[19]. Wir halten dies für eine erwägenswerte Hypothese. Der Verfasser hat es aber jedenfalls bearbeitet (7:4!).

7:7[20] ist eine letzte, zusammenfassende Mahnung. 6:1 und 7:7 umrahmen die Kap. 6−7 und zeigen, daß der Verfasser diesen Teil als Variationen des Oberthemas verstehen will[21].

Die Kap. 6−7 passen gut zum TG[22]. Sie nehmen alle beide auf die Lebensgeschichte Bezug. 6:3b: „und wenn jemand gegen dich sündigt" erinnert abermals an die kleine Sünde Josephs. Jetzt weiß Gad, wie man sich in dieser Situation verhalten soll. Die Einleitung in 7:1 „und wenn jemand mehr Erfolg hat als ihr,..." spielt ebenfalls auf Joseph an. Er hatte mehr Erfolg als seine Brüder, denn er wurde vom Vater bevorzugt. Aus seiner Erfahrung kann Gad nochmals die richtige Verhaltensweise empfehlen.

Die beiden Hinweise auf die Testamentsituation in 6:2 und 7:4 verknüpfen die Paränese mit der Lebensgeschichte Gads. Der ethische Teil, Kap. 3−7, ist eine einheitliche Komposition mit einem Hauptthema, wenn

---

[15] So Becker *Untersuchungen* 361f.

[16] Vgl. z.B.: Charles *Text* 167f; *Comm* 157 (mit Ausnahme der fünf letzten Wörter); Aschermann *Formen* 84; Becker *Untersuchungen* 361 mit Anm. 2; *Komm* 110; Rießler *Schrifttum* 1225; v.Nordheim *Lehre* I,56 mit Anm. 130.
Anders z.B.: Otzen *GamPseud* 7,764(r); Hultgård *L'eschatologie* II,206. Er macht auf das Verb μισεῖν in 6:5 aufmerksam, ibid. Anm. 4.

[17] Nach Aschermann *Formen* 84 und Becker *Untersuchungen* 361 läßt er sich leicht herauslösen.

[18] So Becker *Untersuchungen* 361, weil 7:3 2.P.Sg. statt 2.P.Pl. habe.

[19] *Untersuchungen* 361 (zwar mit zwei Ausnahmen; vgl. Anm. 17;18); vgl. schon Aschermann *Formen* 84f; weiter: v.Nordheim *Lehre* I,56.

[20] Becker *Untersuchungen* 361 hält 7:7 für sekundär. Er reagiert wie gewöhnlich auf die Tugend- und Lasterparänese; vgl. Anm. 6.

[21] Charles *Text* 170; *Comm* 159 meint, daß μίσος= שנאה in 7:7 korrupt für קנאה =ζῆλος sei, und daß 6:1 zu diesem Fehler beigetragen habe. Seine Konjektur baut darauf, daß 7:1−6 von Neid reden.

[22] Das meint sogar Becker, *Untersuchungen* 362, obwohl er andere Prämissen zugrunde legt und 6:1b−3a; 6:5; 7:3 (einige Worte in 7:4); 7:7 ausläßt; vgl. die Anm. 15; 16; 17; 18; 20. Becker geht vom „Bundesformular" aus, vgl. II,2, das Mahnungen fordere. Weil die Tugend- und Lasterparänese ausgeschlossen sei (Anm. 6), bleiben nur die Kap. 6−7 übrig. Sie müssen allerdings „verbessert" werden.

auch die Grenzen zwischen Haß und Neid (TSim) nicht immer scharf gezogen sind.

7:7 wäre ein ausgezeichneter Schluß der Abschiedsrede. In 8:1.2 folgen aber ganz unerwartet zwei Zukunftsaussagen.

8:1 ist ein Levi-Juda-Stück; vgl. schon TR 6:5ff; TS 5:4ff; 7:1f (und IV,5C). Der Übergang von 7:7 zu 8:1 ist schlecht, obwohl 8:1 vorgibt, 7:7 fortzusetzen. Der Text in 8:1 lautet[23]: Εἴπατε δὲ καὶ ὑμεῖς ταῦτα τοῖς τέκνοις ὑμῶν, ὅπως τιμήσωσιν Ἰούδαν καὶ τὸν Λευί... Ταῦτα muß sich auf die vorangehende Paränese beziehen; und ὅπως mit Konjunktiv muß final sein. Der logische Zusammenhang fällt nicht unmittelbar auf. Mit Recht bezeichnet Kohler 8:1 als „a totally irrelevant passage."[24] Daß Zukunftsaussagen auch sonst unvermittelt auftreten, ist kein Argument, da ja 8:1 eine Fortsetzung von 7:7 sein will. Wir fügen hinzu, daß die Verherrlichung von Levi und Juda in der Grundschrift keinen Platz hat (vgl. III,6), und daß Levi und Juda hier nicht Personen, sondern Kollektive sind; vgl. III,2[25]. Wir folgern, daß dieser Vers interpoliert ist[26].

8:1 ist christlich bearbeitet worden[27]. Das läßt sich vor allem in den Mss nachweisen, die in 8:1b σωτήρ, evtl. Akk. σωτῆρα, statt σωτηρία(ν) lesen. Damit ist der Sinn nicht mehr, daß Gott *das Heil* aus Levi und Juda aufgehen läßt, sondern daß *der Heiland* von ihnen abstammt. Zugrunde liegt die Vorstellung von Christus als König und Priester. „Tatsächlich lassen alle anderen Stellen, an denen in den TP der Begriff im „messianischen" Sinn begegnet, eindeutig auf christliche Redaktion schließen (TL 10,2; 14,2; TD 6,7 (β); 6,9; TB 3,8). Nur einmal begegnet in den TP Soter als Bezeichnung Gottes (TJos 1,6). Diese Stelle ist darum von den anderen zu trennen."[28]

Es fällt auf, daß Juda die Vorrangstellung vor Levi innehat; vgl. TD 5:10; TJos 19:6(11). (TB 11:2 Ms c ist anderer Art.) Der Verdacht einer christlichen Redaktion liegt nahe. Warum diese Umstellung gerade hier und nicht eher an anderen, zentraleren Stellen stattgefunden hat, bleibt aber rätselhaft.

8:2 ist ein fragmentarisches SER-Stück[29]. Die SER-Stücke sind theologi-

---

[23] Nach *Editio Maior* 133.

[24] *JewEnc* 12,117.

[25] Levi und Juda können nicht Personen sein: nach traditioneller Chronologie war Juda schon tot; vgl. TJud 26:2; TG 1:1; Jub Kap. 28. Levi war zwar noch am Leben, vgl. TL 19:4, die Worte sind aber an kommende Generationen (vgl. ἐπὶ τέλει) gerichtet.

[26] So auch Schnapp *Testamente* 73f (christlich; vgl. idem *APAT* II,494); Philonenko *Interpolations* 5f; Kohler *JewEnc* 12,117.

[27] Vgl.: Becker *Untersuchungen* 363; *Komm* 111; Charles *Comm* 160; Hultgård *L'eschatologie* II,229; 233; 237 Anm. 1; Otzen *GamPseud* 7,764f. Zu Schnapp, s. Anm. 26.

[28] Becker *Untersuchungen* 363.

[29] Vgl. zu den SER-Stücken: M. de Jonge *Testaments* 83ff; Becker *Untersuchungen* 172ff (und passim); Hultgård *L'eschatologie* I,82ff; Hollander/M. de Jonge *Comm* 53ff (und passim).

sche Deutung der israelitischen Geschichte aufgrund eines (erweiterten) deuteronomistischen Geschichtsbildes. Die volle Form hat fünf Elemente: 1. Einleitung, 2. Sünde, 3. Gericht, 4. Umkehr, 5. Restitution; vgl. IV,5B. Hier kommen nur die zwei erstgennanten Elemente vor. 8:2 setzt gegenüber 8:1 neu ein. Ms b hat den Zusammenhang verbessert. Es läßt die Söhne Gads von Levi und Juda abfallen (ἀπ' αὐτῶν). Das ist offenbar sekundär[30]. Richtig ist die Lesart ἀπ' αὐτοῦ (Mss leafchij), d.h. von Gott. Dies entspricht den sonstigen Angaben in den SER-Stücken. „Von ihm" bezieht sich nur scheinbar auf κύριος in 8:1. Ein Zusammenhang ist kaum beabsichtigt. „Von ihm" ist typische Ausdrucksweise in den SER-Stücken. Das Element der Restitution, des Heils, fehlt nicht in 8:2, weil es ja schon in 8:1 auftritt, denn dann wäre die Abfolge der Elemente höchst irregulär. Zwar darf man vermuten, daß die SER-Stücke und die Levi-Juda-Stücke von ein- und derselben Hand stammen (vgl. IV,5), doch scheinen sie nicht aufeinander Bezug zu nehmen. Man vergleiche nur TIs 5:7—6:3. Dort folgt ein SER-Stück einem Levi-Juda-Stück, und das SER-Stück weist sämtliche fünf Momente auf. Warum dieses SER-Stück so fragmentarisch ist, läßt sich kaum erklären[31].

Schon Schapp hat gesehen, daß dieser Vers sekundär ist[32]. Die Analyse der nachfolgenden Testamente wird zeigen, daß sämtliche SER-Stücke Einschübe sind. Das vorliegende Stück ist so knapp, daß wir nur wenige Argumente anführen können. Es überrascht, daß der Interpolator sich innerhalb der Testamentsituation hält. Gad verweist auf sein eigenes Wissen, nicht auf fremde Quellen; zum Problem vgl. IV,5B. Die Rede ist dagegen nur scheinbar an die Nachkommen Gads gerichtet. In der Tat handelt es sich um die „Zukunft" des ganzen Volkes. Der wichtigste Einwand ist, daß dieses Stück weder kontextuell noch thematisch zum TG paßt. 8:2 kann, ebensowenig wie 8:1, eine Fortsetzung von 7:7 sein.

Der Abschluß in TG besteht aus 8:3—5. Man vermißt einen „Redeabschluß" sowie einen Hinweis auf die Trauer der Söhne; vgl. die Synopse in II,1.

Zusammenfassend halten wir folgende Abschnitte für interpoliert:

8:1: ein Levi-Juda-Stück

8:2: ein fragmentarisches SER-Stück

Eine christliche Bearbeitung liegt in einigen Mss in 8:1 vor.

Dieses Ergebnis zeigt, daß TG nur wenig bearbeitet worden ist. Kein

---

[30] So mit Recht Becker *Untersuchungen* 363; Hultgård *L'eschatologie* II,42. (Gegen: M. de Jonge *Testaments* 86f; Hollander/M. de Jonge *Comm* 335)

[31] Lösungsvorschläge in: Becker *Untersuchungen* 364 (gegen ihn: v.Nordheim *Lehre* I,57); Hultgård *L'eschatologie* II,212.

[32] *Testamente* 73f (christlich; vgl. idem *APAT* II,494); Charles *Text* XLVIf; *Comm* LVII; 160 (1. Jh. v. Chr.); Philonenko *Interpolations* 5; Kohler *JewEnc* 12,117.

anderes Testament hat den Charakter der Grundschrift so gut bewahrt wie TG. In ihm sehen wir, wie die einzelnen Testamente ursprünglich konzipiert waren: nach der Einleitung folgte ein Rückblick, der die Grundlage der Mahnung bildete. (Rückblick und Paränese konnten eventuell wiederholt werden.) Jedes Testament wurde mit einem Abschlußrahmen beendet. Weissagungen waren kein obligatorisches Element.

6. Die Abschiedsrede in Testament Sebulon

Der berichtende Hinweis auf den bevorstehenden Tod findet sich nur in den Mss cmd. Der Verdacht einer Harmonisierung nach anderen Testamenten liegt nahe. Der persönliche Hinweis auf den bevorstehenden Tod kommt nicht im Anfangsrahmen, sondern im Mittelteil, 10:1.4, vor. Die Situationsbeschreibung ist sehr knapp: καὶ εἶπεν αὐτοῖς. Der Leser muß sich die näheren Umstände entsprechend dem Kontext denken. Die Redeeinleitungsformel ist zweigliedrig; vgl. die Synopse in II,1.

1:3 ist eine Vorstellung Sebulons; vgl. schon TSim 2:2−4. In 1:4ff folgt eine Unschuldsbeteuerung[1]: Sebulon hat in allen Dingen sein Leben lang richtig gehandelt. Nur den Verkauf Josephs hat er aus Angst vor den Brüdern seinem Vater verschwiegen. Die Tötung Josephs hat er aber verhindert.

Die Kap. 2 und 4 berichten ausführlicher über den Verkauf Josephs und Sebulons Mitleid mit seinem Bruder. Simeon und Gad[2] wollten ihn töten, und Joseph bat sie weinend, ihn zu schonen. Die Gemütsbewegung wurde zu stark. Sebulon bekam Mitleid mit Joseph und weinte mit ihm. Joseph nahm seine Zuflucht zu Sebulon und flehte die Brüder an. Ruben schlug dann vor, ihn nicht zu töten, sondern eher in eine trockene Grube zu werfen. Später wurde er den Ismaeliten verkauft, 2:1−9. Der Bericht fährt in Kap. 4 fort. (Zu Kap. 3, vgl. unten.) Leider sind die Textprobleme in Kap. 4 groß, und jede Rekonstruktion des ältesten Textes bleibt unsicher[3]. Der Hauptinhalt ist allerdings klar: aus Mitleid mit Joseph vermochte Sebulon nicht zu essen. Auch Juda nahm an den gemeinsamen Mahlzeiten nicht teil. Er fürchtete, daß Simeon und Gad Joseph töten würden und achtete aufmerksam auf die Grube. Später beauftragten die Brüder Sebulon mit der Bewachung Josephs, bis er verkauft war. Der Verkauf fand während Rubens Abwesenheit statt; vgl. TSim 2:6. Er versuchte verzweifelt, aber erfolglos, die Händler zu finden. Dan erfand die Geschichte, die man dem Vater erzählen würde. Sie hätten dann das Gewand Josephs genommen,

---

[1] Vgl. zu dieser Gattung: Aschermann *Formen* 63ff.

[2] Die Mss h(i?)j haben in 2:1 „Simeon *und Dan* und Gad"; vgl. 3:2 und 4:2, wo sie auch von Ms c (das in 1:7b−2:1a wegen homoeotel ausfällt; vgl. Becker *Komm* 85) gestützt werden. Sie stehen unter Einfluß von TSeb 4:7.13; vgl. Becker *Komm* 86.

[3] Vgl. Becker *Untersuchungen* 205 mit Anm. 3.

es in das Blut eines Ziegenbockes getaucht und ihrem Vater gesandt, damit er glaube, Joseph sei von einem wilden Tier getötet worden.

Der Inhalt dieser Erzählung stimmt in großen Zügen mit Gen 37 überein. Die Unterschiede fallen aber auf: das Hauptmotiv, das Mitleid Sebulons, kommt in Gen nicht vor. In Gen verhindert Ruben allein die Tötung Josephs. Hier spielen ebenfalls Sebulon und Juda eine zentrale Rolle. Gen erzählt auch nicht, daß Simeon und Gad, mehr als die übrigen Brüder, Joseph nach dem Leben trachteten; vgl. aber TSim und TG. Rubens Versuch, die Ismaeliten zu finden, ist gegenüber Gen neu. Gen sagt nicht, daß der Vorschlag, das Gewand Josephs in Blut zu tauchen, von Dan stamme. Teile des Redestoffes fehlt in Gen. Gen bildet die Grundlage, und die Differenzen sind haggadische Erweiterungen, die aus der Tradition stammen.

Die Darstellung in 1:5−2:9 + 4:1−13 ist klar und konsequent. Kap. 3 fällt aber aus dem Rahmen. Schon Schnapp[4] machte darauf aufmerksam, daß die letzte Hälfte des Kapitels, die Verse 4−8, verdächtig ist. Das Kapitel schlägt anfangs fest, daß Sebulon keinen Anteil am Erlös vom Verkauf Josephs hatte, während Simeon, Gad und sechs andere Brüder[5] (ausgenommen sind noch, außer Sebulon, Ruben und Benjamin) sich und ihren Familien Sandalen für den Kaufpreis erwarben. Das Motiv war, daß sie ihn nicht verzehren wollten, weil das Blut ihres Bruders an ihm klebte. Sie wollten das Geld aber ganz „zertreten", weil Joseph gesagt hatte, er werde über sie herrschen. Damit wollten sie die Erfüllung der Träume Josephs vereiteln.

In V.4ff folgt eine merkwürdige Begründung (διὰ τοῦτο). Der Text verweist auf die Leviratsehe in Dtn 25:5ff; vgl. Ruth 4:4ff. Der Sinn ist der, daß die Brüder Joseph töten wollten. Ein Angriff auf das Leben des Nächsten, der mit Mord endet, schließt auch die potentiellen Nachkommen ein. Sie wollten somit den Namen ihres Bruders nicht weiterführen. Deshalb wurden sie, als sie nach Ägypten gekommen waren, mit der für die Verweigerung der Schwagerehe bestimmten Strafe gestraft[6].

V.4−8 sind ein midraschartiger Einschub, der sich nicht an den Testamentstil hält, sondern die 3. P. Pl. gebraucht. Es heißt, daß „die Brüder Josephs" so und so taten, während Sebulon „meine Brüder" sagen mußte. Der Verweis auf das Gesetz des Mose in V.4 (α) zeugt auch von einer Interpolation. "β" liest zwar „Henoch" statt „Mose", doch handelt es sich hier um einen Versuch, einem Anachronismus zu entgehen[7]; vgl. III,1. Die Er-

---

4 *Testamente* 59f; vgl. Bickermann *JBL* 69 (1950) 248; *vgl. Anm. 8!*
5 Die Lesart in α „Simeon und Dan und Gad und ihre Kinder" ist offenbar sekundär.
6 Vgl. Thomas *BZNW* 36 (1969) 64 Anm. 7.
7 So z.B. Becker *Untersuchungen* 175 Anm. 1; *Komm* 87. Die Lesart „Mose" wird bevorzugt von: Charles *Comm* 114; v.Nordheim *Lehre* I,37 Anm. 81; Otzen *GamPseud* 7,744; Kee *OTP* I,805; Haupt *Levi* LVf Anm. 58. Haupt meint, daß die Änderung in "β" mechanisch sei,

wähnung des Aufenthaltes in Ägypten kommt zu früh, weil er erst in Kap. 8 erzählt wird. Die Bestrafung der Brüder (3:6ff) stimmt nicht mit 8:4 oder TJos 17:4ff überein.

Als nächstes ist zu fragen, ob 3:1−3 ebenfalls ein Einschub sind. Die Verse werden u.a. von Becker und v. Nordheim, neben den schon besprochenen Versen 4−8, für sekundär gehalten[8]. Dabei führt man an, daß das *ganze Kapitel* den Gang der Erzählung unterbreche, daß 3:1−3 den Verkauf in 4:4f voraussetzten, und daß 4:1 gut an 2:9 anknüpfe. (Dazu kommen die oben genannten Argumente gegen 3:4−8). Diese Argumente überzeugen nicht, denn die Verse 3:1−3 haben einen ganz anderen Charakter als 3:4−8. Sie halten sich an den Testamentstil[9]: Sebulon redet. Die Verse sind eher eine Digression, verursacht vom Hinweis auf den Verkauf in 2:9. Sie scheinen in 5:4 vorausgesetzt zu sein; vgl. unten. Wir fügen hinzu, daß der Abschnitt ganz harmlos ist, so daß wir die Pointe einer eventuellen Interpolation nicht verstehen.

Der Bericht vom Kauf der Sandalen ist übrigens in Targum Pseudo-Jonathan zu Gen 37:28 bewahrt. Der Verfasser baut somit auf wohlbekanntes, haggadisches Material.

Mit 5:1−5 setzen die Mahnungen ein, und im Anschluß an die Lebensgeschichte, wo vom Mitleid Sebulons erzählt wurde, hat die Paränese ἔλεος καὶ εὐσπλαγχνία als Thema[10]. Es fällt auf, daß Sebulon seinen Kindern empfiehlt, Barmherzigkeit nicht nur gegenüber Menschen, sondern auch Tieren zu üben (5:1). Becker meint, daß diese Fassung des Liebesgebotes, die Menschen und Tiere umschließt, nur im hellenistischen Judentum denkbar sei[11]. Das stimmt nicht. Wir verweisen auf Prv 27:23; 2.Sam 12:3; Dtn 5:13ff; 25:4; Ex 20:9f. Becker vergißt das Motiv des guten Hirten! Die Fürsorge um Tiere ist ein natürlicher Teil der Ethik der TP.

5:2−5 sind typisch für den Vergeltungsgedanken der TP. Lohn oder Strafe folgt der Handlung automatisch; vgl. III,4. Vers 5:4 setzt 3:2 voraus. Die Söhne der Brüder Sebulons wurden krank und starben beinahe wegen Joseph, weil sie kein Erbarmen übten in ihrem Inneren. Die Kinder hatten nämlich auch Anteil am Kaufpreis und wurden dafür bestraft. Die Söhne Sebulons wurden dagegen ohne Krankheit erhalten. Becker meint[12], daß 5:4 die Testamentsituation nicht einhalte, weil es heißt: „Doch meine

---

Forts.

weil sonst von den Schriften Henochs geredet wird. „Um dem Anachronismus zu entgehen, hätte es genügt, Μωυσέως zu streichen."

[8] Becker *Untersuchungen* 206f; *Komm* 86; v.Nordheim *Lehre* I,37f.

[9] Becker *Untersuchungen* 207 behauptet, daß der Testamentstil nur in 3:1−2a behalten sei. Er übersieht aber, daß 3:3 ein Zitat sein will.

[10] Becker *Untersuchungen* 207 hält 5:1−4 für sekundär; vgl. *Komm* 88. Er disqualifiziert also, wie gewöhnlich, die Tugend- und Lasterparänese; vgl. II,4 Anm. 5.

[11] *Untersuchungen* 209 mit Anm. 10.

[12] *Untersuchungen* 207f.

Söhne blieben ohne Krankheit." Es müßte heißen: „Doch ihr bliebt ohne Krankheit." Er übersieht aber, daß die Fortsetzung „wie ihr wißt" lautet[13].

5:5 leitet von 5:1−4 zu 6:1ff über[14]. Gott schützte Sebulon vor Seenot, sagt V.5 − dies offenbar wegen seines Mitleids mit Joseph (5:2f). Damit wird ein neues Thema berührt, das in 6:1ff entfaltet wird: Sebulon, der erste Seemann und Fischer; vgl. unten.

Nach Becker ist 5:5 die ursprüngliche Fortsetzung von 4:13, während 5:1−4 eingesprengte Paränese seien[15]. Doch knüpft 5:5 nicht besonders gut an 4:13 an. Halten wir dagegen 5:1−4 für ursprünglich, liegt kein Problem vor.

Die Kap. 6−8 gehören zu den textkritisch kompliziertesten Abschnitten der TP. Sie liegen in einer kurzen und einer langen Version vor. 6:4−8:3 fehlen in eafchijA, mit Ausnahme von zwei kurzen Sätzen: 6:7 (init.): πέντε (οὖν) ἔτη ἡλίευσα/ἡλίευον, und 6:8 (καὶ) τὸ μὲν θέρος ἡλίευον, (καὶ) ἐν (τῷ) χειμῶνι ἐποίμαινον μετὰ τῶν ἀδελφῶν μου, o.ä.[16] Die längere Version ist von bdglm repräsentiert (Ms m lässt aber mehrere Verse aus). 6:1−3 sind jedenfalls den beiden Versionen gemein. Die Vorstellung von Sebulon als Seemann hat ihren Ausgangspunkt in Gen 49:13, er wird aber nicht als Fischer charakterisiert[17].

Der längere Text erzählt in 6:4−6, wie sich Sebulon in der Ausübung seines Berufs barmherzig gegen Fremde, Kranke oder Alte erzeigt habe. Er habe ihnen von seinem Fischfang gegeben, weshalb ihn der Herr mit reichem Fang belohnt habe. In Kap. 7 wird der Aufruf zu Barmherzigkeit an zwei Beispielen aus dem Leben Sebulons demonstriert. Die Mahnung in 8:1 wird in 8:2 mit einer Zukunftsaussage begründet: der Herr wird in den letzten Tagen in den Barmherzigen wohnen. Der Abschnitt wird mit einem Hinweis auf das Vergeltungsprinzip beendet (8:3). Im Gegensatz zu 6:4−8 knüpfen 7:1−8:3 nicht an Sebulons Beruf an.

Die Frage drängt sich auf: haben die Mss bdglm erweitert[18], oder haben die übrigen Textzeugen Stoff ausgelassen?[19] Wir halten den Text in bdglm

---

[13] So M. de Jonge *Studies* 155 Anm. 29.

[14] Der Vers wird von einigen zu 6:1ff gerechnet; vgl.: Becker *Untersuchungen* 207 (mit Anm. 3); *Komm* 89; Otzen *GamPseud* 7,745; (Hollander/M. de Jonge *Comm* 265; jedoch ibid. 266: „5,5 makes a transition").

[15] S. Anm. 10.

[16] Zu den Textvarianten, s. *Editio Maior* 97; Charles *Text* 125.

[17] S. M. de Jonge *Testaments* 81f.

[18] So vor allem Becker *Untersuchungen* 23f; 208; Hultgård *L'eschatologie* II,24f; vgl. weiter: Charles *Text* 125f; *Comm* 117ff; Macky *Importance* 5; Hunkin *JThS* 16 (1915) 82 Anm. 2, oder evtl. = Anm. 19; Thomas *BZNW* 36 (1969) 97f; jedoch ibid. Anm. 65! Philonenko *BEI* 887ff.

[19] So: M. de Jonge *Studies* 149ff. In *Testaments* 22; 82 ist er noch unsicher. S. weiter: v.Nordheim *Lehre* 38(f) Anm. 83; Hollander *Ethical Model* 122 Anm. 24; Hollander/M. de Jonge *Comm* 253f; vgl. Hunkin und Thomas in Anm. 18.

für eine Erweiterung. Die einfachste Erklärung ist, daß es sich um traditionsgeschichtliches Wachstum handelt. Eine Kürzung in eafchijA gegen bdglm ist schwer denkbar. Dazu sehen wir kein Motiv. Aus der Textkritik sind dagegen Erweiterungen dieser Art wohlbekannt. Ihre Absicht ist, den Vorbildcharakter Sebulons zu betonen. Was ansonst vom Mitleid Sebulons erzählt wird, ist so karg, daß ein Bearbeiter das Bedürfnis mehrerer Beispiele gefühlt hat. Kontextuell sind sie nicht ganz gelungen, da sie mit Sebulons Beruf nichts zu tun haben. Thematisch sind sie zwar hier zu Hause. Ein Bearbeiter kann sich wohl auch dem Thema anpassen. Das wird auch von M. de Jonge zugestanden. Er meint aber: „... a number of somewhat extravagant examples of Zebulons εὐσπλαγχνία and ἔλεος are omitted."[20] Er stützt sich u.a. auf die Überschriften in ef(S): περὶ εὐσπλαγχνίας καὶ ἐλέους, die Ms b entsprechen. Sie setzen nach M. de Jonge einen längeren Text voraus. Die Erwähnung dieses Themas in 5:1.3f; 9:7 (vgl. 4:2) sei zu gering, um die Überschriften zu erklären. Mit Hultgård[21] halten wir das tatsächliche Vorkommen dieser paränetischen Termini für eine befriedigende Erklärung. Ms g gibt sogar: περί ἐλεημοσύνης, welches Wort weder in TSeb noch in den TP vorkommt[22]. Das zeigt, daß diese Überschriften auf dem Inhalt der Mahnung basieren.

Das beste Argument dafür, daß eafchijA den ursprünglichsten Text bewahrt haben, ist, daß er sich als eine zusammenhängende und sinnvolle Erzählung lesen läßt[23]:

6:3: καὶ ἤμεν ἐν αὐτῷ διαπορευόμενος τοὺς αἰγιαλοὺς καὶ ἁλιεύων ἰχθύας[24] οἴκῳ τοῦ πατρός μου ἕως οὗ ἤλθομεν εἰς Αἴγυπτον.

6:7: πέντε (οὖν) ἔτη ἡλίευσα/ἡλίευον.

6:8: (καὶ) τὸ μὲν θέρος ἡλίευον, (καὶ) ἐν (τῷ) χειμῶνι ἐποίμαινον μετὰ τῶν ἀδελφῶν μου.

8:4: ὅτε δὲ κατήλθομεν εἴς Αἴγυπτον ...

Man vermißt die paränetischen Beispiele in 6:4−8:3 nicht. Die Komposition wird im Gegenteil nur straffer.

In 8:4[25] versetzen wir uns nach Ägypten, und die alte Thematik klingt wieder an. Joseph in Ägypten war ein Vorbild für wahre Barmherzigkeit. Er hätte sich rächen können, gedachte aber des erlittenen Unrechts nicht.

---

[20] *Studies* 151.

[21] *L'eschatologie* II,25.

[22] Vgl. den Index in Charles *Text* 307 und *Editio Maior* 220. (Verschiedene cogn. kommen jedoch vor.)

[23] Zu den Textvarianten, vgl. Charles *Text* 125ff; *Editio Maior* 96ff.

[24] Dieses Glied fehlt in afchij, ist aber primär.

[25] Die Mss bgl fügen in 8:4 ἐμὲ δὲ ἰδὼν ἐσπλαγχνίσθη hinzu. Diese Lesart wird von M. de Jonge *Studies* 150 verteidigt, weil sie 8:4 mit 8:1−3 verknüpfe. Es handelt sich eher um eine innere Anpassung an den längeren Text.

Auf ihn sollen die Söhne Sebulons achten und einander lieben (8:5). Die Hervorhebung des Liebesgebotes ist typisch in den TP; vgl. IV,2D.

Das Textbild am Ende von 8:6 ist kompliziert[26], und jede Rekonstruktion des ältesten Textes bleibt höchst unsicher. Wir verzichten auf eine detaillierte Besprechung.

In 8:4−6 begegnet ein neues Thema, der Aufruf zur Einheit. Der Verfasser betrachtet sicher Mitleid und Einheit als Varianten der Nächstenliebe. Wesensverschieden sind sie nicht.

9:1−4 scheinen dieses Thema weiterzuführen. In 8:4−6 wird die Mahnung zur Einheit mit dem Vorbild Josephs illustriert, während 9:1−2 die Gefahr einer Zersplitterung mit einem Beispiel aus der Natur veranschaulichen: fließt das Wasser in einem Bett, ist es mächtig, teilt es sich aber in kleine Bäche, wird es von der Erde aufgesogen. 9:3 zieht die Folgerung für die Söhne, und V.4 gibt noch eine Begründung aus der Natur: der Leib hat viele Glieder, aber nur ein Haupt; vgl. 1.Kor 12:12ff.

Scheinbar machen 8:4−6 und 9:1−4 somit eine Einheit aus. In der Tat sind sie jedoch ganz verschieden. In 9:1−4 ist die Perspektive kollektiv. Das Stück hat nicht das Individuum vor Augen, sondern wendet sich dem ganzen Volk zu. 8:4−6 sind individuell angelegt und richten sich an Einzelpersonen. Der Mangel an Einheit führt in letzter Instanz mit sich, daß dem einzelnen seelischer Schaden zugefügt wird. Die 2. P. Pl. hat also nicht denselben Sinn in den beiden Abschnitten. In 9:4 ist die Pointe in erster Linie nicht die Einheit, sondern die *Unterordnung* der einzelnen Glieder unter das *eine* Haupt. Dies bedeutet eine neue Problemstellung. Wir treten kaum fehl, wenn wir 9:1−4 als eine Einleitung, eine Vorbereitung zum nachfolgenden SER-Stück (9:5ff) betrachten, denn in 9:5ff steht die Teilung Israels in ein Nord- und ein Südreich zentral. Sie macht einen wesentlichen Teil des Elementes Sünde (Abfall) aus, und dieser Gedanke wird bereits in 9:1ff vorbereitet. Das zersplitterte Reich ähnelte dem Wasser, das sich teilt. Es ging zugrunde, wurde sozusagen von der Erde aufgesogen.

Bemerken wir überdies, daß sich der Stil in 8:4−6 von dem in 9:1−4 unterscheidet. 9:1−4 sind philosophisch ganz anders ausgerichtet. Unsere Folgerung ist klar: der Abschnitt 9:1−4 ist sekundär und dient als eine Vorbereitung zum ebenfalls sekundären SER-Stück 9:5ff. Daß 9:5ff auch nicht zur Grundschrift gehörten, wird noch zu zeigen sein. Die Textsituation in 9:5ff ist sehr kompliziert. Wiederum liegen eine kurze und eine lange Version vor. In 9:8 haben bdgklm einen wesentlich längeren Text als eafchijA und enthalten Momente, die in der kürzeren Version fehlen[27]. Die Verse

---

[26] S. Charles *Text* 126ff; *Editio Maior* 99.

[27] Charles *Text* 128f bietet eine übersichtliche Synopse. Zu den Textvarianten, s. auch *Editio Maior* 100f.

5–7 und 9 sind dagegen im großen und ganzen gemein. Wir halten den kurzen Text für ursprünglicher[28], während V.8 in bdgklm deutlich eine christliche Bearbeitung aufweist; vgl. unten.

Der Aufbau des SER-Stückes ist klar:

9:5a ist die Einleitung. Der Patriarch verweist auf das, was er in „den Schriften seiner Väter" gelesen hat. Nur hier und in TAs 7:5 kommt ein Verweis auf Schriften vor, die nicht in Verbindung mit Henoch stehen.

In 9:5b folgt das Element Sünde. Sie umfaßt, neben Abfall und Götzenverehrung[29], die Spaltung in zwei Reiche 922 v. Chr.[30] Dies ist die einzige Stelle, wo die Reichsspaltung in den SER-Stücken vorkommt.

Das Gericht folgt in 9:6, aufgewiesen an der Gefangennahme und der Zerstreuung unter die Heiden.

9:7a bringt die Umkehr und die gnädige Antwort Gottes. "β"A greifen V.8 vor und erwähnen die Heimkehr. In der Version von "β"A paßt V.8 deshalb weniger gut nach V.7[31]. Der Abschluß dieses Verses, διότι κτλ., ist wohl eine Glosse[32].

In V.8 folgt die Restitution. Das Volk kehrt in sein Land zurück und sieht den Herrn in Jerusalem.

Der Text in eafchijA hält sich innerhalb des SER-Schemas und begnügt sich mit diesen Momenten. Er läßt sich, wenn man von dem deutlichen christlichen Zusatz περὶ (τοῦ) χριστοῦ in ch(i?)j *ante* V.8 absieht, als ein ganz und gar jüdischer Text lesen. Dieser Zusatz (vgl. Ms d) zeigt, daß man V.8 als eine Prophetie auf Christus verstanden hat. Dies ist noch deutlicher in bdgklm[33], die den Rahmen des SER-Stückes mit ihren Zufügungen völlig sprengen. Der Sieg über Beliar und seine Dämonen ist in einem SER-Stück nicht zu Hause. Der Hinweis auf das Heil der Heiden und die Inkar-

---

[28] So auch: Becker *Untersuchungen* 210(f) Anm. 6; Hultgård *L'eschatologie* I,163; II,24ff; Charles *Comm* 121; Philonenko *BEI* 890ff. Dagegen bevorzugt M. de Jonge *Studies* 152 natürlich die längere Version; vgl. *Testaments* 22; 35; s. weiter: Hollander/M. de Jonge *Comm* 254; Kee *OTP* I,807.

[29] Dieses Glied fehlt in Ms c (homoeotel).

[30] Diese Deutung ist ganz selbstverständlich; vgl.: Schnapp *Testamente* 61; Becker *Untersuchungen* 210f; Hultgård *L'eschatologie* I,194; 85; Hollander/M. de Jonge *Comm* 272; Otzen *GamPseud* 7,746; Segal *Tarbiz* 21 (1949/50) 133 usw. Bousset *ZNW* 1 (1900) 191 und Charles *APOT* II,331 deuten die Spaltung auf den Bürgerkrieg zwischen Hyrkan II. und Aristobul II. Ihnen folgen Rießler *Schrifttum* 1335; 1337 und Philonenko *Interpolations* 36 (vgl. idem *BEI* 889). In *Comm* LVIII; 120 denkt Charles eher an Hyrkan II. und Antigonus II. Als Stütze für seine Deutung verweist Bousset auf den Ausdruck „in den letzten Tagen". Sieht man davon ab, daß er in eafchij fehlt, muß er vom fiktiven Standort des Stammvaters aus gelesen werden; vgl. Gen 49,1.

[31] Becker *Untersuchungen* 211f betrachtet V.7 und V.8 als Dubletten. Charles *Text* 128; *Comm* 120 rechnet mit einem Textfehler, überzeugt aber nicht.

[32] Vgl. Becker *Untersuchungen* 212.

[33] Vgl.: Charles *Comm* 121; Becker *Untersuchungen* 213; Hultgård *Croyances* 88; *L'eschatologie* I,166; II,26; Schnapp *Testamente* 63; M. de Jonge *NT* 4 (1960) 230; Otzen *GamPseud* 7,747; Hollander/M. de Jonge *Comm* 273.

nation sind typisch christliche Züge; vgl. IV,5. Der Ausgangspunkt dieser Zusätze war sicher, daß man den Beginn des Verses auf Christus deutete. Die Abfolge der Momente ist allerdings nicht „chronologisch", denn man hätte die Inkarnation am Anfang erwartet. Dies deutet wohl auf mehrere Einzelzufügungen?

Der Vers 9:9 ist problematisch, da er mit einem neuen Abfall und einer neuen Verwerfung „bis zur Zeit der Vollendung" rechnet. Das ist kaum die Formulierung eines Juden[34]. Die Aussage ist eher der Zusatz eines Christen, der die Katastrophe im Jahre 70 n. Chr. erlebt hat. Warum die Bearbeitung gerade hier, und nicht an anderen, zentraleren Stellen geschehen ist, läßt sich nicht erklären. Wir bemerken übrigens, daß von einem neuen Exil keine Rede ist. Zum Problem siehe auch TN Kap. 4 und IV,5B.

Der Abschnitt 9:5ff gehörte nicht zur Grundschrift der TP[35]. Schon die Einleitung ist verdächtig. Der Hinweis auf eine fremde Quelle paßt nicht zur Testamentsituation, aber der Interpolator versucht, dadurch die Autorität seines Einschubes zu sichern; vgl. II,2. Inhaltlich ist die Rede nicht an die Söhne Sebulons oder eventuell an den Stamm Sebulon gerichtet. Der Text ist im Gegenteil gesamtisraelitisch ausgerichtet. Der Stamm Sebulon wurde nicht in zwei Reiche zerteilt und folgte niemals zwei Königen. Tatsächlich sind die Adressaten der SER-Stücke immer das ganze Volk, wofür TSeb eines der besten Beispiele ist; vgl. III,2.

Weiter haben 9:5ff wenig mit dem Thema des TSeb zu tun, und wenn man erkannt hat, daß 9:1−4 ebenfalls sekundär sind, wird der Übergang von Paränese zu Weissagung noch schlechter.

Die Erwähnung Jerusalems in V.8 ist ein typischer Anachronismus der falschen Art, der in den Interpolationen oft auftritt; vgl. III,1. Zur Zeit der Stammväter gab es laut dem AT keine Stadt namens Jerusalem. In der Grundschrift wird sie deshalb niemals genannt. Hier wird sie dagegen als eine bekannte Größe eingeführt. Solche Fehler machen die Interpolatoren, weil sie auf die Fiktion der Schrift nicht achten.

In 9:7 („β") kommt πνεῦμα in der Bedeutung „Dämon" vor, während das Wort in der Grundschrift ein psychologischer Terminus ist; vgl. III,3. Die sekundäre Anwendung findet sich auch im christlichen Text der Mss bdgklm in V.8.

Die Abschiedsrede Sebulons wird mit 10:1−5 abgeschlossen, aber die V.2−3, in denen Sebulon von seiner zukünftigen Auferstehung und dem

---

[34] Das meint Becker *Untersuchungen* 211ff. Zu einer christlichen Deutung, vgl. M. de Jonge *NT* 4 (1960) 230; Otzen *GamPseud* 7,757. Hultgård *L'eschatologie* I,194f meint, daß V.9 im Laufe der Textüberlieferung deplaziert worden sei.

[35] S.: Schnapp *Testamente* 60f; Charles *Comm* LVIII; 119ff; *Text* XLVIf; Philonenko *Interpolations* 5ff; 36; Rießler *Schrifttum* 1335; 1337. Sie halten *das ganze Kapitel* für sekundär, zwar mit ungleichen Begründungen; s. weiter: Bousset *ZNW* 1 (1900) 189ff (= 9:5ff).

eschatologischen Gericht redet, sind deutlich sekundär. Schon Schnapp neigte zu dieser Auffassung[36], und Becker bringt viele überzeugende Argumente: „Diese Auferstehungsaussage haftet nur sehr lose im Kontext, denn 10,4 knüpft gut an 10,1 an. Fehlt 10,2f., vermißt man nichts, vielmehr wird der Zusammenhang mit den anderen Abschlüssen der Testamente besser, da keines von ihnen eine Auferstehung- und Gerichtsaussage enthält, vielmehr alle die Verstorbenen nur zu ihren Vätern versammelt werden lassen. Es fällt weiter auf, daß zwischen TSeb 9 und 10,2f. keine Verbindungslinien laufen[37]. Beide Stellen haben eine ganz unterschiedliche Zukunftserwartung. Ebenfalls ist es leicht erklärlich, warum 10,2f. nachher eingetragen wurde. Die Trauer der zurückgebliebenen Söhne, die der Patriarch in 10,1 apostrophiert, wird durch die Auferstehung in Hoffnung umgewandelt.“[38]

Zu dem Auferstehungsglauben und den Gerichtsvorstellungen als sekundär in den TP, vgl. III,5 und III,4.

Der Abschluß in TSeb umfaßt 10:6–7. Es fehlt eine Bestattungsanweisung. Die Trauer der Nachkommen wird nicht als ein eigenes Formelement genannt, wird aber in 10:1 vorausgesetzt; siehe übrigens die Synopse in II,1.

Das Ergebnis der Analyse kann hiermit zusammengefaßt werden. Als sekundär haben sich erwiesen:

3:4–8:	ein midraschartiger Einschub
6:4–8:3(–6:7 *init.* und 6:8):	der Langtext in bdglm
9:1–4:	die Vorbereitung des nachfolgenden SER-Stückes
9:5–8:	ein SER-Stück
10:2–3:	ein eschatologischer Abschnitt

Christlich sind 9:8 und 9:9 in bdgklm (und der Kommentar von α *ante* V.8: „Christus betreffend“). Die christlichen Bearbeitungen sind in diesem Fall nicht schwer zu beseitigen.

---

[36] *Testamente* 61f; vgl. Philonenko *Interpolations* 7 (zu TSeb 10:2).
[37] So schon M. de Jonge *Testaments* 94.
[38] Becker *Untersuchungen* 168f. Hultgård *L'eschatologie* I,247 mit Anm. 1 wendet sich gegen Becker, widerlegt aber seine Argumente nicht.

7. Die Abschiedsrede in Testament Dan

Die Einleitung in TD umfaßt 1:1−2. Es fehlt eine Synchronisierung. Der berichtende Hinweis auf den bevorstehenden Tod ist diesmal anders ausgedrückt: „in seinen letzten Tagen". Der persönliche Hinweis auf den bevorstehenden Tod kommt erst in 2:1, d.h. in der Abschiedsrede. Die Altersangabe gehört zum überschriftartigen Teil, nicht zum erzählenden[1]; vgl. übrigens die Synopse in II,1.

Der Mittelteil, 1:3−6:11, enthält mehrere sekundäre Abschnitte. Sie erscheinen, wie gewöhnlich, am Schluß der Abschiedsrede (5:4ff). Der Rückblick in 1:3−9 ist ursprünglich[2]. Er beginnt mit einer fast bekenntnisartigen Feststellung: gegen Wahrheit und gerechte Taten stehen Lüge und Zorn. Das hat der Patriarch selbst erfahren, und er kann es an seinem Verhalten gegenüber Joseph illustrieren; vgl. TSim, TG und TSeb. Dan erzählt, daß er sich über den Verkauf Josephs gefreut habe, weil der Vater ihn mehr als die übrigen Brüder liebe; vgl. Gen 37:4. Dan habe ihn selbst töten wollen, doch habe Gott ihn nicht in seine Hände gegeben, so daß er ihn niemals allein gefunden habe. Der Verkauf wird hier wie eine göttliche Rettung betrachtet; vgl. TSim 2:8; TG 2:5; Gen 45:8.

Der ethische Teil folgt in 2:1−5:3 + 6:8−11[3]. Er zerfällt in zwei Hauptteile. 2:1−4:2 geben eine Schilderung des Zorns und der Lüge. Die War-

---

[1] S. v.Nordheim *Lehre* I,41f. „Jedesmal, wenn eine Altersangabe im Anfangsrahmen erscheint, steht sie in dessen überschriftartigem Teil, ..." (ibid. 41).
Richtig: Charles *Text* 130f; *Comm* 123; Becker *Komm* 92; Kee *OTP* I,808; M. de Jonge *Editio Maior* 102; Hollander/M. de Jonge *Comm* 276; ebenfalls M. de Jonge in *AOT* 561.
Falsch: Schnapp *APAT* II,483; Otzen *GamPseud* 7,749; M. de Jonge *Textausgabe* 47.

[2] Becker *Untersuchungen* 348f rechnet mit weitgehender Bearbeitung in 1:3−9. Nach ihm sind nur V.4.5.9 (Grundstock) ursprünglich; vgl. ibid. 356. Seine Auffassung beruht darauf, daß er die Paränese in Kap. 2−4 für sekundär hält; vgl. Anm. 3. Er meint, daß der von ihm angenommene Interpolator von Kap. 2−4 seine Paränese in 1:3−9 vorbereitet habe; vgl. dazu II,4 Anm. 5. Philonenko *BEI* 892 klammert 1:5 aus.

[3] Kohler *JewEnc* 12,116 betrachtet die Mahnungen gegen Lüge als sekundär, zwar ohne ausführliche Argumentation. Becker *Untersuchungen* 347ff hält die Tugend- und Lasterparänese in Kap. 2−4 für einen späteren Einschub; vgl. II,4 Anm. 5. Er postuliert, daß die Paränese in 5:1−3 anders ausgerichtet sei. Er schreibt jedoch 5:1b.2 dem Interpolator zu, weil sie mit der vorangehenden Paränese verwandt sind. Das Fazit lautet somit, daß nur 5:1a.3 ursprünglich seien. Ein so karges Ergebnis der Analyse spricht für sich; s. nochmals II,4 Anm. 5.

nung vor diesen Lastern kommt in 4:3−5:3 + 6:8−11. 5:4−6:7 halten wir dagegen für sekundär; vgl. unten.

Die Abschiedsrede wird von der Überschrift in 1:3, die das Thema angibt, und den Schlußmahnungen in 6:8.10, die die Paränese zusammenfassen, eingerahmt. Die Paränese ist eine verhältnismäßig wohlkomponierte Einheit. Sie paßt gut zum Rückblick, obwohl er eigentlich vom Zorn Dans handelt und die Lüge nur in 1:3 erwähnt wird[4].

Der Abschnitt 5:4−13 bringt Weissagungen. Literarkritisch ist die Situation sehr kompliziert, weil mehrere selbständige Stücke zusammengeflochten worden sind. Die folgende Analyse gibt, nach Becker[5], eine Übersicht über die Bestandteile der Perikope. Sie erklärt auch, wie der Abschnitt entstanden ist, wenn auch manches unklar bleiben muß. Wesentlich ist, daß wir mehrere Interpolatoren nachweisen können. Das Stück enthält deshalb Vorstellungen, die sich nicht miteinander vereinbaren lassen. Jeder der Sonderteile weist deutlich sekundäre Züge auf.

Ein SER-Stück, das aus 5:4a.5.8.9.13 besteht, macht den Kern des Abschnittes aus:

5:4a ist die Einleitung.

5:5 bringt das Element der Sünde, des Abfalls vom Herrn.

In 5:8 folgt das Gericht, mit der typischen Strafe, der Gefangennahme.

In 5:9a kommt der Umschlag. Das Volk bekehrt sich, und der Herr erbarmt sich.

In 5:9b.13 wird von der Heilsrestitution erzählt. Wir hören vom Ende der Gefangenschaft, vom Wiederaufbau Jerusalems und dem Verweilen Gottes unter den Seinen.

Der Aufbau ist klar, obgleich er von den späteren Zusätzen verdunkelt worden ist; vgl. zu den SER-Stücken: TG 8:2; TSeb 9:5ff; IV,5B.

5:4b („und ihr werdet Levi erzürnen... denn durch sie wird Israel Bestand haben") ist ein Fragment eines Levi-Juda-Stückes, das mit TR 6:5−7 und TSim 5:4−6 verwandt ist; s. übrigens IV,5C.

5:4b kann nicht zum SER-Stück gehören, weil die SER-Stücke niemals von Ungehorsam diesen beiden Stämmen gegenüber reden, sondern von Abfall vom Herrn. (TG 8:1.2 bilden keine Ausnahme! s.d.) Die zwei Gattungen werden sonst auseinandergehalten; s. zu TG 8:1.2. 5:4b hat den ursprünglichen Zusammenhang zerstört. Um den Übergang zu verbessern, wurde V.5 mit einer neuen Einleitung versehen: „Wenn ihr vom Herrn abfallt". Der ursprüngliche Text lautete etwa:

5:4a: „Denn ich weiß, daß ihr in den letzten Tagen vom Herrn abfallen werdet.

---

[4] Vgl. den Einwand Kohlers in Anm. 3.
[5] *Untersuchungen* 349ff.

5:5: Und ihr werdet in aller Bosheit wandeln..."

In 5:6—7 begegnet eine neue Thematik. V.6 stellt die Daniten als Werkzeuge Satans dar. Ihre Augfabe ist es, die Leviten zu verführen, so daß sie vor dem Herrn sündigen[6]. Nach V.7 werden die Daniten zusammen mit Levi sündigen, und die Söhne Judas werden habsüchtig und räuberisch werden. Die kritische Beurteilung von Levi und Juda ist auffallend. In einem SER-Stück ist sie kaum zu Hause. Es ist somit ausgeschlossen, daß die V.6—7 einen Teil des Elements der Sünde ausmachen. Mit dem redaktionellen Zusatz σὺν αὐτοῖς in V.8 werden sie aber ganz geschickt mit dem SER-Stück verknüpft. Sie passen auch nicht zur Verherrlichung von Levi und Juda, die wir aus den Levi-Juda-Stücken kennen. 5:6—7 haben deshalb nichts mit 5:4b zu tun.

5:10a ist ein Fragment eines Levi-Juda-Stückes; vgl. 5:4b. Man bemerkt, daß Juda an erster Stelle genannt wird[7]; vgl. TG 8:1. Das Heil kommt aus den beiden Stämmen, sagt Vers 10a. Er gehört deshalb nicht zu 5:9b, weil die SER-Stücke das Heil nicht aus Levi und Juda aufgehen lassen.

5:10b—12 sind eine selbständige Apokalypse, deren Heilserwartung sich nicht mit den Gedanken in 5:13 verträgt[8]. Während V.13 diesseitig ist und von einem schon verwirklichten Heil berichtet – die SER-Stücke sind ja retrospektiv; s. IV,5B—, sind 5:10b—12 deutlich eschatologisch. 5:10b—12 passen auch nicht zu 5:10a, denn sie erwarten eine *persönliche Heilsgestalt*, während 5:10a prophezeit, daß Gott *das Heil* aus Levi und Juda aufgehen lassen werde. Umstritten ist, wer sich hinter dem Subjekt „er" in 5:10b—11 verbirgt. Einige denken an Gott[9], andere an eine messianische Gestalt[10]. Wir schließen uns der letzteren Gruppe an, betonen aber, daß nicht irgendeine jüdische Heilsgestalt gemeint ist, sondern Christus, denn diese Verse sind offenbar christlich. Das hat schon Schnapp gesehen[11], der freilich auch V.10a inkludiert. Sonst begnügt man sich im allgemeinen damit, nur „die

---

[6] Der Text in 5:6 ist sehr kompliziert. Charles *Text* 138; *Comm* 129 meint, daß ὑπακούσον-ται auf יקשיבו zurückgehe, das korrupt für יקשרו, „sie werden konspirieren", sei. Ihm folgt Otzen *GamPseud* 7,751. Diese Konjektur überzeugt nicht. Vor dem Verb lesen bdg τῷ Λευί. (Diese Lesart wird von den meisten Kommentatoren bevorzugt.) Dieses Glied fehlt in lefchij. Man kann in diesem Fall ὑμῖν, d.h. die Daniten, ergänzen. Der Text ist sicher in Unordnung geraten. Man erwartet eher, daß die Daniten den Geistern gehorchen.

[7] Charles *Text* 138; *Comm* 130 meint, daß der Text ursprünglich nur von Levi rede und daß Juda eine spätere Zufügung sei. Becker *Untersuchungen* 354; *Komm* 95 hält V.10a für eine christliche Ergänzung.

[8] Näheres dazu bei Becker *Untersuchungen* 352.

[9] So z.B.: Becker *Untersuchungen* 352ff; *Komm* 91; Otzen *GamPseud* 7,752; Bousset *ZNW* 1 (1900) 152; Kee *OTP* I,809; u.a.

[10] Nach Charles *Comm* 130f handelt es sich um einen Messias aus Levi, nach Hultgård *Croyances* 180f; *L'eschatologie* I,293ff um einen „prêtre-sauveur".

[11] *Testamente* 65f; *APAT* II,485.

Seelen der Heiligen" als christlich auszuklammern[12]. Diese kleine Apokalypse enthält aber viele typisch christliche Züge. Die Idee „des neuen Jerusalems" in 5:12b hat gewiß einen jüdischen Hintergrund; vgl. Ez 40:1ff; Jes 54:11ff; Hag 2:7; 1.Hen 90:28; u.m. Als *terminus technicus* kommt der Ausdruck aber nur im Christentum vor. Der Rabbinismus spricht, wie Gal 4:26, vom „Jerusalem da oben"[13]. Christus kämpft mit und besiegt Beliar in 5:10bf; vgl. die christlichen Texte in TSeb 9:8; TB 3:8; den christlichen Hymnus in TL 18, V.12.; weiter: AscJes 4:2ff.

TJud 25:3 (evtl. TSim 6:6) schreibt (schreiben) nur scheinbar Gott eine entsprechende Rolle zu, denn es handelt sich dort um die endgültige Vernichtung Beliars. In 5:11b paßt Gott schlecht als Subjekt[14]. Daß aber Christus die ungehorsamen Herzen zum Herrn hinwendet, ist gut christlich. 5:11c hat einen stark christlichen Klang. Christus gibt denen, die ihn anrufen, ewigen Frieden. Das hätte man kaum im Judentum vom Messias sagen können. Isoliert betrachtet lassen sich einzelne Sätze jüdisch interpretieren. Die Gesamtkomposition läßt sich dagegen am natürlichsten als ein christlicher Text lesen. Eine durchgeführt jüdische Auslegung wirkt gezwungen. Dasselbe gilt von einer Deutung auf Gott.

Dieser Abschnitt wurde eingeschoben, weil ein christlicher Interpolator V.10a als eine Prophetie auf Christus las; vgl. die Kommentare im Rand und im Text in kdc bzw. hij (*ante vs.* 10).

Der ganze Abschnitt 5:4−13 ist sekundär[15] und hat nur wenig mit dem Thema des TD zu tun. Zu den einzelnen Teilen fügen wir hinzu: die Einleitung des SER-Stückes ist unauffällig: Dan redet. Andererseits handelt das Stück nicht vom Schicksal der Daniten, sondern vom Geschick des ganzen Volkes; vgl. bes. TSeb 9:5ff. Der Interpolator verrät sich in 5:8b, wenn er damit droht, daß sie „alle Plagen Ägyptens" auf sich nehmen müssen. Diese Aussage paßt nicht im Mund des Patriarchen, denn sie verweist auf die ägyptischen Plagen als etwas *Wohlbekanntes*. Dasselbe gilt von der Erwähnung Jerusalems in 5:13. Sie setzt sogar die Verwüstung der Stadt im Jahre 587 v. Chr. voraus, obwohl wir nichts von dieser Stadt gehört haben. Solche Fehler begeht der Verfasser der Grundschrift nicht; vgl. III,1. (Der

---

[12] Vgl.: Charles *Text* 139; *Comm* 130; Becker *Untersuchungen* 353; *Komm* 96; Rießler *Schrifttum* 1206; 1337.

[13] Vgl. zur Vorstellung: Bietenhard *Die himmlische Welt* 192ff.

[14] So auch Hultgård *Croyances* 108f. Anders Becker *Untersuchungen* 351 Anm. 4.

[15] So z.B.: Schnapp *Testamente* 64f; Schürer *ThLZ* 10 (1885) 205; *Geschichte* III,258f; Philonenko *Interpolations* 5f.
Andere halten nur Einzelstücke für sekundär: Charles *Text* 137f; XLVI; *Comm* 128f; LVIIf rechnet 5:6−7 als eine antihasmonäische Interpolation aus dem 1. Jh. v. Chr.; so auch Bousset *ZNW* 1 (1900) 189; vgl. Bertholet in: Budde *Geschichte der althebräischen Literatur* 421. Becker *Untersuchungen* 349ff hält den Kern des SER-Stückes für ursprünglich.

Hinweis auf den Tempel (5:9) darf dagegen passieren, weil der Interpolator nicht ναός, sondern ἁγίασμα gebraucht.)

Der Umfang des Levi-Juda-Stückes in 5:4b ist so begrenzt, daß es sich inhaltlich nicht allzu deutlich verrät. Wir verweisen auf umfassendere Levi-Juda-Stücke, machen aber auf einige Momente hier aufmerksam. Laut traditioneller Chronologie können Levi und Juda nicht die Brüder Dans sein[16]. Sie stellen wie gewöhnlich die Stämme/Institutionen dar, und dieser Übergang von Personen zu Kollektiven geschieht ganz unvermittelt; vgl. III,2. Warum Dan darauf kommt, sie hervorzuheben, bleibt unklar. Vgl. zu dieser unberechtigten Verherrlichung III,6. Wir räumen jedoch ein, daß der Interpolator versucht hat, sich dem Thema des TD anzupassen. Das Verb προσοχθίζειν erinnert an das Thema „Haß".

Das fragmentarische Levi-Juda-Stück in 5:10a muß mit anderen Stücken verglichen werden.

5:6−7 enthalten mehrere typisch sekundäre Züge. Wir finden den üblichen Hinweis auf das Buch Henoch, der die Autorität des Einschubes erhöhen soll; vgl. II,2. Levi ist keine Person, sondern ein Kollektiv. In 5:6 wechselt *Levi* deshalb mit den *Söhnen Levis,* und in 5:7 heißt es: „Und meine Söhne werden sich *Levi* nähern und mit *ihnen* in allen Dingen sündigen." In der Grundschrift ist Levi immer eine Person; vgl. III,2. Πνεύματα bedeutet in 5:6 offenbar Dämonen, während πνεῦμα in der Grundschrift ein psychologischer Begriff ist; vgl. III,3.

Unsere Auslegung von 5:10b−12 als christlich zeigt, daß wir sie als sekundär betrachten. Die Verse verraten sich nur wenig, aber die Erwähnung des neuen Jerusalem in V.12 ist ein schlimmer Fehler; vgl. oben zu 5:13.

Zu den Teilen 5:4b; 5:6−7; 5:10a; 5:10b−12 fügen wir hinzu: wenn es stimmt, daß der Grundstamm in 5:4−13 ein *sekundäres* SER-Stück ist, fallen die eingearbeiteten Abschnitte automatisch.

Ehe wir 5:4−13 abschließen, müssen wir uns der christlichen Bearbeitung in 5:13 zuwenden. Die Situation ist verwickelt. Seit Schnapp hat man immer wieder die Worte τοῖς ἀνθρώποις συναναστρεφόμενος als christlich ausgeklammert[17], was sich aber kaum aufrechterhalten läßt. Der Kontext spricht vom Verweilen Gottes unter den Menschen, und obwohl die Christen das als eine Prophetie auf Christus gelesen haben, ist die Vorstellung echt jüdisch[18]; vgl. in den TP: TSim 6:5; TL 5:2; TAs 7:3. Der Abschluß des Verses, ἐν ταπεινώσει... ἐν τοῖς οὐρανοῖς, ist dagegen

---

[16] Vgl. II,5 Anm. 25.

[17] Vgl.: Schnapp *Testamente* 66; Charles *Text* 139; *Comm* 131; Becker *Untersuchungen* 352; *Komm* 96; Otzen *GamPseud* 7,752; Rießler *Schrifttum* 1206; 1337; Kee *OTP* I,810.

[18] S.: Philonenko *Interpolations* 34f; *BEI* 897; Hultgård *Croyances* 109; *L'eschatologie* I,174ff.

christlich[19]. Wir stellen die These auf, daß er in zwei Teile fällt: vermutlich steht der Ausdruck ἐν ταπεινώσει καὶ ἐν πτωχείᾳ im jetzigen Kontext an falscher Stelle. Er war ursprünglich wohl eine Randglosse zu τοῖς ἀνθρώ-ποις συναναστρεφόμενος. Während der Tradierung ist er in den Text eingedrungen und verkehrt angebracht worden. Der Rest des christlichen Einschubes ist eine Verheissung, die verspricht, der Gläubige werde *im Himmel* herrschen, "β". Dies paßt weniger gut zur Vorstellung, daß Gott auf der Erde wohnen werde. So muß die Lesart in α, „unter den Menschen", als eine typisch harmonisierende Korrektur betrachtet werden[20].

In 6:1−7 werden die Söhne Dans vor Satan und seinen Geistern gewarnt und aufgefordert, sich Gott und dem Engel des Friedens zu nähern. Das Stück hat einen dualistischen und mythologischen Klang. Der mythologische Aspekt ist aber in großem Grad abgestreift und durch eine psychologische Drehung ersetzt worden. Die Perikope gehört zu den interpolierten Abschnitten[21]. Sie ist gesamtisraelitisch ausgerichtet und hat nicht die Testamentsituation im Auge[22]. Zum sekundären, dämonologischen Gebrauch von πνεῦμα, vgl. III,3. Das häufige Vorkommen von „Israel" fällt auf, ist aber als literarkritisches Argument weniger geeignet; vgl. III,1. Der Inhalt in 6:1−7 zeigt Verbindungslinien zu Kap. 5, besonders zu 5:4ff. Die Warnung vor Satan und seinen Geistern weist auf 5:6f zurück. Der Engel des Friedens in 6:5 hat eine Parallele im Engel des Herrn in 5:4. An beiden Stellen ist sicher Michael gemeint. 6:1−7 scheinen durch das Stichwort „Friede" an Kap. 5 anzuschließen[23]; vgl. 5:2(bis).9.11; 6:2.5.

Der Grundstock von 6:1−7 ist jüdisch. Ein christlicher Bearbeiter hat aber in den Text eingegriffen. Er identifiziert den Engel des Friedens mit Christus[24] und liest den Text als eine Prophetie auf Christus. Der Mittler[25] zwischen Gott und Menschen, der für die Menschen eintritt, 6:2 („β"), ist für den christlichen Leser Christus; vgl. 1.Tim 2:5. Ursprünglich war an die

---

[19] Vgl.: Schnapp *Testamente* 66f; Charles *Text* 139; *Comm* 131; Becker *Untersuchungen* 352; *Komm* 96; Otzen *GamPseud* 7,752; Rießler *Schrifttum* 1206; 1337; Hultgård *Croyances* 109f; *L'eschatologie* I,150: „Le texte primitif avait sans doute ici une teneur differente. Peut-être exprimait-il l'idée du règne de Dieu, apportant le salut et le bonheur aux pauvres et aux opprimés." Einen ursprünglicheren Text gab es aber kaum. Den Hintergrund bilden Sach 9:9; Mt 21:5.

[20] "β" wird mit Recht von den meisten Kommentatoren bevorzugt.

[21] Vgl.: Schnapp *Testamente* 64; Becker *Untersuchungen* 354f. Philonenko *Interpolations* 5 hält nur 6:6−7 für sekundär.

[22] So mit Recht Becker *Untersuchungen* 354f. Es überrascht, daß er nicht gesehen hat, daß dasselbe Argument auch für das SER-Stück in 5:4ff seine Gültigkeit hat. Das zeigt nochmals, daß seine Analyse von der unglücklichen Idee eines zugrundeliegenden Bundesformulars beherrscht ist; vgl. II,2 und II,4 Anm. 21.

[23] Vgl. Hultgård *L'eschatologie* I,254.

[24] Zur Engelchristologie vgl.: Dibelius *Hirt des Hermas* 572ff; C. Barbel *Christos Angelos*, Bonn 1941.

[25] Vgl. zu diesem Begriff: Oepke *ThWNT* IV,602ff.

Rolle Michaels als Schutzengel Israels gedacht. 6:3 hat der Bearbeiter ohne Probleme auf die Situation der Christen deuten können. In 6:4 begegnet die erste christliche Änderung des Textes: „Denn er weiß, daß am Tage, an dem Israel *glauben wird* (πιστεύσει, "β"), das Reich des Feindes beendet sein wird." Dieser Gebrauch von πιστεύειν ist auffällig und sicher christlich[26]. Gemeint ist die Bekehrung Israels zum Christentum. Die Lesart in α, ἐπιστρέψει „wird umkehren", könnte jüdisch sein[27], läßt sich aber christlich interpretieren. Der Verdacht einer Änderung in "β" liegt somit nahe, denn für den christlichen Leser waren „glauben" und „sich umkehren" gleichbedeutend.

6:5 hat der Bearbeiter auf Christus deuten können. Andererseits schreiben wir ihm *den ganzen V.6* zu[28]. Andere Exegeten halten dagegen den Schluß des Verses, „denn keiner der Engel wird ihm gleich sein", für jüdisch, und meinen, daß er direkt und glatt an V.5 anschließe[29]. Sieht man davon ab, daß diese Anknüpfung nicht gut ist, bleibt übrig zu fragen, ob Michael wirklich diese Hoheit besitzt. Der Satz klingt unmittelbar wie ein Echo neutestamentlicher Stellen wie z.B. Hebr 1:1ff und Phil 2:9ff. Vielleicht ist er eine spätere Glosse zu 6:6ab.

Der ganze V.7 ist ebenfalls christlich[30]. Becker meint, daß er jüdisch sei und daß "β" ihm mit der Zufügung σωτήρ eine christliche Drehung gegeben habe[31]. (Das Glied „und unter den Völkern" sei für sich weder christlich noch sekundär, wird aber von Becker vorsichtshalber eingeklammert.) Die Deutung auf Michael ist nochmals gezwungen und läßt sich kaum belegen. Liest man 6:6 und 6:7 als Christus geltend, wird die Auslegung schlicht und einfach. 6:6ab schildern die Situation zur Zeit des Bearbeiters: Israel habe den Herrn = Christus verworfen. Deshalb habe der Herr sich zu den Heiden hingewandt. V.7 prophezeit aber, daß Israel einst umkehren werde, und dann werde Christus der Heiland der ganzen Welt werden. Die Problemstellung ist aus Röm Kap. 9–11 bekannt.

Im letzten Teil der Abschiedsrede, 6:8–11, ist die Hand eines christlichen Bearbeiters spürbar. In V.9 rührt der Abschnitt „damit euch der Heiland... das Gesetz Gottes/des Herrn" von einem Christen her[32].

---

[26] S. Becker *Komm* 97.

[27] Vgl. die Belege in Charles *Comm* 132.

[28] Vgl. Schnapp *Testamente* 67; *APAT* II,485.

[29] So z.B.: Becker *Untersuchungen* 355; *Komm* 97; Otzen *GamPseud* 7,753. Die Vorstellung der Völkerengel (s. Bietenhard *Die himmlische Welt* 108ff) liegt zugrunde, wird aber hier nicht ausgeführt.

[30] So z.B.: Schnapp *Testamente* 67f; *APAT* II,485; Otzen *GamPseud* 7,753.

[31] *Untersuchungen* 355 mit Anm. 3; *Komm* 97; vgl. schon Charles *Comm* 133; Bousset *ZNW* 1 (1900) 153 mit Anm. 2 und jetzt auch Hultgård *L'eschatologie* II,28.

[32] Vgl.: Schnapp *Testamente* 68; *APAT* II,485; Charles *Text* 142; *Comm* 133f; Rießler *Schrifttum* 1207; 1337; Becker *Untersuchungen* 355f; *Komm* 97. Otzen *GamPseud* 7,753 rechnet unnötig den ganzen Vers für christlich.

Der Abschluß in TD umfaßt 7:1–2. Man vermißt einen Hinweis auf die Trauer der Nachkommen. Die Bestattungsanweisungen, die eigentlich hierher gehören, sind vorgegriffen und finden sich in 6:11, d.h. in der Abschiedsrede. Die Bestattung geschieht in zwei Etappen, einer vorläufigen in Ägypten und der endgültigen in Hebron. Hebron wird freilich nicht genannt, ist aber durch die Erwähnung Abrahams, Isaaks und Jakobs gesichert. Der Text ist wahrscheinlich korrupt. In Analogie mit den übrigen Testamenten (–TJos?!) wurde Hebron sicher genannt; vgl. übrigens die Synopse in II,1.

7:3 gehört nicht zum Abschluß, sondern ist ein späterer Einschub[33]. Der Vers nimmt seinen Ausgangspunkt in 5:4ff und stellt fest, daß sich die Prophezeiung von dem Abfall des Stammes und seiner Bestrafung erfüllt habe. Zu Aussagen dieser Art gibt es in den Schlußrahmen der TP keine Parallele. Einige haben sie für christlich gehalten[34], doch wird diese Vermutung vom Inhalt nicht bestätigt.

Wir fassen das Ergebnis unserer Analyse zusammen. Sekundär sind:

5:4–13:	eine vielschichtige Perikope, wie folgt:
5:4a.5.8f.13:	ein SER-Stück
5:4b und 5:10a:	zwei fragmentarische Levi-Juda-Stücke
5:6–7:	scharfe Kritik von Dan, *Levi und Juda*
5:10b–12:	eine *christliche* Apokalypse
6:1–7:	Warnung vor Satan; Aufforderung, sich Gott und dem Engel des Friedens zu nähern.
7:3:	Geschick des Stammes Dan

Christlich sind, neben 5:10b–12, 5:13*fin*; 6:6.7.9b; vgl. 6:4 in "β".

---

[33] Vgl.: Schnapp *Testamente* 68ff; *APAT* II,485; Charles *Text* 142f; *Comm* 134; Philonenko *Interpolations* 5; Becker *Untersuchungen* 166 Anm. 2; Jervell *BZNW* 36 (1969) 46f; v.Nordheim *Lehre* I,42; Hollander/M. de Jonge(!) *Comm* 31; 82; 294; Philonenko *BEI* 899.

[34] So z.B. Schnapp und Jervell in Anm. 33.

8. Die Abschiedsrede in Testament Joseph

TJos unterscheidet sich von den übrigen Testamenten dadurch, daß es zwei verschiedene Lebensdarstellungen enthält[1]. Die eine liegt in 3:1–10:4 vor, die andere findet sich in 10:5ff. Daß es sich wirklich um zwei *verschiedene* Lebensgeschichten handelt, ist nicht schwer zu zeigen:

Zwischen 10:4 und 10:5 liegt ein harter Bruch vor. Die zweite Lebensgeschichte schließt schlecht an die erste an und weicht von ihr thematisch ab. Die erste Erzählung schildert den Kampf Josephs mit der Ägypterin. Hier ist das Thema Keuschheit. Die zweite ist vom Verhalten Josephs gegenüber seinen Brüdern geprägt und das Thema ist Hochschätzung der Brüder, Bruderliebe. Dieser thematische Unterschied ist zwar an sich kein entscheidendes Argument. Er ließe sich damit erklären, daß der Verfasser über viel Stoff verfügt, den er gern inkorporieren möchte. Schlimmer ist, daß die Chronologie in Unordnung ist. Die zweite Lebensdarstellung setzt zeitlich vor der ersten ein. Sie findet nämlich in Kanaan statt und müßte somit der ersten vorangehen. Eine Transponierung wäre theoretisch möglich, würde aber eine Erklärung der jetzigen Abfolge fordern. Außerdem sind die terminologischen Differenzen der beiden Erzählungen zu tiefgreifend. Im ersten Bericht wird Potiphar ὁ Αἰγύπτιος genannt[2], seine Frau ἡ Αἰγυπτία[3]. Im zweiten heißen sie Pentephres[4] und ἡ Μέμφις/Μεμφία[5]. Schließlich ist die zweite Darstellung reicher an Details und mit größerer Kunstfertigkeit abgefaßt.

Die beiden Lebensgeschichten weichen thematisch, terminologisch und künstlerisch so stark voneinander ab, daß sie kaum von ein- und derselben

---

[1] Vgl.: Sinker *Testamenta* 70ff; Schnapp *Testamente* 76ff; Bousset *ZNW* 1 (1900) 188.; Bertholet in: Budde *Geschichte der althebräischen Literatur* 421; Charles *Text* XLVIII; *Comm* LXf; 172; Kohler *JewEnc* 12,117; Rießler *Schrifttum* 1338; Eppel *Piétisme* 21; M. Braun *History and Romance* 47; Bickermann *JBL* 69 (1950) 248; 259; M. de Jonge *Testaments* 103ff; Thomas *BZNW* 36 (1969) 88ff; Becker *Untersuchungen* 228ff; Otzen *GamPseud* 7,771; v.Nordheim *Lehre* I,73f; 78f; Nickelsburg *SCS* 5,2; 5; Harrelson ibid. 29ff; Kolenkow ibid. 37ff; Hollander ibid. 47ff; Harrington ibid. 127; Hollander *Ethical Model* 16ff; Hollander/M. de Jonge *Comm* 362ff; 393f; Slingerland *JBL* 96 (1977) 507ff; Hultgård *L'eschatologie* II,197f.

[2] 3:4; 4:5; 5:1; 7:2; 8:4; die vier letzten Stellen nur in "β", jedoch: „β wird in diesen Fällen stets im Recht sein, da α die Unterschiede einebnet." (Becker *Untersuchungen* 228 Anm. 3.)

[3] 3:1; 4:3 "β"; 8:1 "β"; 8:5. (In der zweiten Erzählung nur 16:5.)

[4] 12:1; 13:1; (13:3); 13:4; (13:5); 15:6.

[5] 12:1; 14:1; (14:5); 16:1. (In der ersten Erzählung nur 3:6.)

Hand herrühren können. Gemeinsam haben sie nur, daß sie auf die Traditionen in Gen in haggadischer Form bauen. Sonst stehen sie unvermittelt nebeneinander und nehmen nicht aufeinander Bezug[6]. Es zwingt sich die Folgerung auf, daß einer dieser Berichte sekundär ist. Versuche, die Einheitlichkeit des TJos zu verteidigen, müssen abgewiesen werden[7].

Die ältere Forschung neigte zur Auffassung, daß die erste Lebensdarstellung ursprünglich sei[8]. Becker hat aber gezeigt, daß der zweite Bericht der ursprüngliche ist[9]. Dafür spricht schon die Struktur der Testamente: 1:2 und 10:5ff gehören zusammen. 1:2 erzählt, daß Joseph der Geliebte Jakobs war. Dieses Motiv wird in 10:5 weitergeführt. Weil 1:2 die Einleitung abschließt, paßt 10:5 somit ausgezeichnet als Anfang der Abschiedsrede. 10:5b beginnt, wie alle Testamente außer TAs, mit den Ereignissen in Kanaan und der Jugend des Patriarchen. Die Unschuldsbeteuerung in 10:5b paßt zum typischen Eingang der Abschiedsreden in den TP; vgl. TIs 3:3f; TSeb 1:4f. (Auch die negative Form, das Schuldbekenntnis, steht am Anfang des Mittelteils; vgl. TR 1:6; TSim 2:6f; TD 1:4f; TG 2:1.) Der Verkauf Josephs in 10:6 steht an gleicher Stelle in TSim 1:6ff; TSeb 1:5ff; TD 1:4ff; TG 1:3ff; TB 2:1ff. Aufbau und Thematik zeugen davon, daß 10:5ff ursprünglich auf 1:2 folgten. Die erste Erzählung stört den Zusammenhang. Wenn sie ursprünglich wäre, würde TJos als einziges Testament mit den Begebenheiten in Ägypten beginnen, und man würde viele der gewöhnlichen Themata vermissen. Dazu kommt, daß der Verfasser in TR πορνεία ausführlich behandelt hat. Es besteht somit kein Grund, zu diesem Thema zurückzukehren. Die Bruderliebe ist dagegen nicht Gegenstand einer selbständigen und umfassenden Darstellung gewesen.

Für die erste Lebensgeschichte spricht nur, daß TR 4:8f scheinbar auf sie anspielt. Dieses Argument darf nicht überschätzt werden. Die bekannte Erzählung von Joseph und der Frau Potiphars ist in TR thematisch zu Hause, zumal Joseph in den TP ethisches Modell ist. Diese Bemerkungen in TR haben eher die Zufügung einer ganzen Erzählung in TJos erleichtert. Keine andere Erzählung war besser geeignet, keine andere mutet so natürlich an.

---

[6] Schnapp *Testamente* 77 hat gesehen, daß in 12:1 die Ägypterin neu eingeführt wird, und daß 14:4 nach Kap. 7 und 9 unmöglich ist.

[7] S. vor allem M. de Jonge *Testaments* 107ff; Kolenkow *SCS* 5,37ff; Hollander *SCS* 5,47ff; *Ethical Model* 16ff; Slingerland *JBL* 96 (1977) 507ff. Sie haben die Argumente, die wir in unserem Text bringen, nicht widerlegt. Sie haben uns vor allem nicht erklärt, warum ein Redaktor/Verfasser seinen Stoff so schlecht redigiere. (Ihre Argumentation ist sehr unterschiedlich.)

[8] Vgl.: Schnapp, Charles und Braun in Anm. 1.

[9] S. Anm. 1. Ihm folgen: Otzen, Harrelson, v.Nordheim; s. Anm. 1; vgl. schon Bickermann in Anm. 1.

Charles[10] wendet gegen die zweite Lebensgeschichte ein, daß Joseph dort mehrmals lügt, während die TP sonst Wahrhaftigkeit fordern und Lüge verwerfen; vgl. besonders TD. Dieser Einfallswinkel ist verfehlt. Die Ethik der TP ist nicht absolut. Hier muß die Forderung auf Wahrhaftigkeit derjenigen auf Hochschätzung der Brüder weichen.

Wir wenden uns jetzt der Einleitung zu. Der überschriftartige Teil (1:1a) ist sehr knapp und beschränkt sich auf die Elemente „Titel + Name". Der berichtende Hinweis auf den bevorstehenden Tod kommt erst im erzählenden Teil, während der persönliche Hinweis fehlt. Die Situationsangabe zeigt, daß nicht nur die Söhne Josephs, sondern auch seine Brüder anwesend waren; vgl. Gen 50:24ff und TR 1:4f. Das Alter des Patriarchen wird im Schlußrahmen in 20:6 mitgeteilt, aber nur in Ms c; vgl. dazu unten. Die Redeeinleitung ist zweigliedrig; vgl. übrigens die Synopse in II,1.

1:3—2:7 gliedern sich in drei deutlich abgrenzbare Teile: 1:3—7, 2:1—3 und 2:4—7[11]. 1:3—7 und 3:4—7 sind Poesie, 2:1—3 Prosa[12]. Becker klassifiziert 1:4—7 als „einen berichtenden Lobpsalm"[13]. Das ist wohl keine sachgemäße Bezeichnung. Nicht besser ist Hollanders Vorschlag – zwar zum ganzen Abschnitt 1:3—2:6–: „individueller Dankpsalm"[14], wenn auch Inhalt und Terminologie an diese Gattung des alttestamentlichen Psalmbuches erinnern. Wir meinen, daß es sich um ein Lehrgedicht handelt, wovon der Abschnitt 2:4—7 wahrscheinlich der Schluß ist. Dies erklärt, warum beide Stücke eine poetische Form haben. Das Gedicht wendet sich nicht an Gott, sondern an die Gemeinde; vgl. vor allem 2:4—7.

Seine Funktion ist nicht in erster Linie, Gott zu danken oder ihn zu ehren, obwohl es *indirekt* auch Dank und Lobpreis leistet, sondern die Zuhörer über die Treue Gottes zu belehren. Nach 2:7 zeigte Joseph in zehn Versuchungen seine Geduld. Zehn ist vielleicht nur eine runde Zahl. Doch lassen sich zehn Versuchungen in 1:4—7 wiederfinden, wenn wir 1:4 als die erste Versuchung zählen. 1:5—7 berichten die übrigen neun (dreimal drei).

---

[10] *Comm* 172.

[11] Becker *Untersuchungen* 230ff; Hollander *SCS* 5,47ff; *Ethical Model* 16ff; Hollander/M. de Jonge *Comm* 362; 365ff trennen 2:7 von 1:3(4)—2:6 ab. Aschermann *Formen* 77ff (vgl. 33) scheint 2:7 zu 1:3ff zu rechnen. Otzen *GamPseud* 7,771 zerlegt den Text wie wir, obwohl er 2:1ff zu 3:1ff zählt.

[12] S. schon Charles *Text* 183ff; *Comm* 173ff. Becker *Untersuchungen* 234 hält 2:7 für Prosa (vgl. *Komm* 119), gesteht aber ibid. Anm. 4: „Es liegt allerdings gehobene Prosa vor, die die Gedanken parallel ordnet."(!) Seine Auffassung ist davon bedingt, daß er 2:7 von 2:3—6 trennt; vgl. Anm. 11.

[13] *Untersuchungen* 229ff; vgl. schon Aschermann *Formen* 77ff; s. auch Otzen *GamPseud* 7,771; Hultgård *L'eschatologie* II,202 mit Anm. 2.

[14] *SCS* 5,47ff; 58ff; *Ethical Model* 16ff; 31ff; s. weiter: Hollander/M. de Jonge *Comm* 362; 367ff.

Dabei fällt allerdings die breitere Schilderung der ersten Versuchung in V.4 auf[15]. 1:3 ist jedenfalls eine Art Überschrift[16].

In seinem jetzigen Kontext ist das Lehrgedicht vom eingesprengten Prosatext (2:1−3) in zwei geteilt worden. Dieser Prosaabschnitt gehört seinerseits zur ersten Lebensdarstellung in 3:1ff[17]. Besser wäre also der Aufbau 1:3−7 + 2:4−7 und 2:1−3 + 3:1ff gewesen. Andererseits sind 2:1−3 nicht schlecht oder planlos eingefügt worden. Nach 1:7 wurde Joseph erhöht. „Der Prosatext 2,1−3 knüpft daran geschickt an. Die Erhöhung wird nun als Stichwort aufgefangen: Der Eunuch des Pharao vertraut Joseph sein Hauswesen an."[18]

Gehörten 1:3−7 + 2:4−7 zur Grundschrift? Wir haben schon gesehen, daß 10:5ff die Fortsetzung von 1:2 bilden. Inhaltlich sind 1:3−7 + 2:4−7 jedoch unauffällig. Ein Gedicht dieser Art paßt gut im Munde Josephs und zerstört wohl kaum die Struktur des Testaments; vgl. z.B. TSim 2:2−4, wo die Vorstellung des Patriarchen ebenfalls die Redeeinleitung und den eigentlichen Rückblick trennt. Jedenfalls sind 1:3−7 + 2:4−7 älter als 2:1−3 + 3:1ff. 3:1ff nehmen nämlich auf die zehn Versuchungen in 2:7 Bezug. Der Interpolator erzählt zehn Episoden[19], in denen Joseph erprobt gefunden wurde. 2:7 sagt indessen nicht, daß sich die zehn Versuchungen auf das Verhalten Josephs gegenüber der Ägypterin beziehen. 2:7 war aber das Fazit, nach dem der Interpolator sein Material gestalten mußte.

Der Abschnitt 3:1−10:4 besteht aus einem erzählenden Teil in 3:1−9:5 und einem ermahnenden Teil in 10:1−4. 2:2−3 geben eine Zusammenfassung der nachfolgenden Erzählung. 2:2 entspricht 3:1−8:4a; 2:3 entspricht 8:4b−9:5. Der Vers 2:1 setzt das Ganze in einen historischen Rahmen.

Im Anschluß an M. Braun[20] pflegt man im allgemeinen zu betonen, daß die erste Erzählung von der beliebten und weitverbreiteten Phaedra-Legende beeinflußt ist. Phaedra begehrte ihren Stiefsohn Hippolyt, wurde von ihm abgewiesen und bewirkte, daß er auf Grund falscher Anklagen zum Tode verurteilt wurde. Pervo[21] und Hollander[22] haben aber gezeigt, daß Brauns Erklärungsmodell modifiziert werden muß. Viele Motive in TJos Kap. 3−9 sind ohne Zweifel der hellenistischen Literatur entnom-

---

[15] α spricht in 2:7 von *elf* Versuchungen und hat vielleicht 1:4 als zwei Versuchungen gezählt?

[16] S. zu diesem Problem: Hollander *SCS* 5,50; *Ethical Model* 20; Hollander/M. de Jonge *Comm* 362; 368.

[17] Vgl.: Aschermann *Formen* 78; Becker *Untersuchungen* 233; Otzen *GamPseud* 7,773.

[18] Becker *Untersuchungen* 232.

[19] Zur Zählung vgl.: Becker *Untersuchungen* 234f; Otzen *GamPseud* 7,771; Nickelsburg *SCS* 5,3.

[20] *History and Romance* 44ff.

[21] *SCS* 5,15ff.

[22] *SCS* 5,60ff; *Ethical Model* 33ff.

men, doch sind Kap. 3—9 keine Erzählung im eigentlichen Sinn. Es handelt sich eher um eine Sammlung von Einzelepisoden ohne Kontinuität, die nur von einem gemeinsamen Thema und Rahmen zusammengehalten werden[23].

Pervo charakterisiert das Stück (zwar *2:1*—10:4) als „a homiletic passage... ‚containing haggadic illuminations of Gen 39:10 and dealing with the topic of resisting the temptation to adultery."[24] Hollander hat gezeigt, daß das Porträt, das von Joseph gezeichnet wird, vom Bild des unterdrückten und verfolgten Gerechten der individuellen Klagepsalmen des Alten Testaments geprägt ist.

Die Problemstellung der vorliegenden Arbeit schließt eine eingehendere Diskussion dieser Probleme aus.

Die Abschiedsrede des ursprünglichen TJos beginnt mit 10:5. Der Übergang von 10:4 zu 10:5 erfolgt sehr abrupt. Das Verb ὑψοῦν in 10:3 nimmt auf ὑψοῦσθαι in 10:5 Bezug, doch kann dieser Versuch eines Stichwortanschlusses den schlechten Übergang nicht verbergen. In ihrer jetzigen Form umfaßt die Abschiedsrede 10:5—20:3, doch ist Kap. 19 sekundär.

Der Rückblick beginnt mit den Begebenheiten in Kanaan und endet mit Josephs hoher Position im Dienste Pharaos in Ägypten. Der größere Teil des Rückblicks ist seinem Leben als Sklave gewidmet. Er illustriert das Thema Bruderliebe. Joseph hat Schweres erduldet, denn er wollte seine Brüder nicht beschämen und ihre bösen Handlungen bloßstellen. Er hätte seine Identität verraten und die Freiheit erlangen können, doch wählte er den Sklavendienst.

Die Lebensgeschichte wird an sich eine Paränese, und die Mahnungen werden nicht deutlich vom Rückblick getrennt, sondern sind in die Lebensdarstellung eingearbeitet; vgl. 11:1; 17:1ff; 18:1ff. Joseph ist der Prototyp des Gottesfürchtigen, der die Gebote Gottes hält und seinen Nächsten liebt. Jeder, der seinem Beispiel folgt, wird von Gott belohnt werden (18:1ff); vgl. III,4.

Nach M. de Jonge lassen sich Kap. 12—14 und Kap. 15 schwer miteinander vereinbaren[25]. Er meint, daß der Kaufmann (gegen Kap. 13) in 15:1—5 keine Schwierigkeiten mit Potiphar gehabt habe und daß Joseph bei der Wiederkehr der Ismaeliten im Kerker sei. 15:1—5 dürfen nicht isoliert betrachtet werden. Die erste Behauptung scheitert an 15:6[26] und übrigens wird in 15:1—5 vom Kaufmann gar nicht geredet. Wo das Gespräch zwischen Joseph und den Ismaeliten in 15:1—5 stattfand, wird nicht gesagt. Nach 14:2 hat aber Potiphar befohlen, Joseph einzukerkern, „bis die Her-

---

[23] M. Braun *History and Romance* 87f hat das erkannt.
[24] *SCS* 5,22.
[25] *Testaments* 108f; vgl. Hollander/M. de Jonge *Comm* 401.
[26] Vgl. Becker *Untersuchungen* 240 Anm. 2.

ren des Sklaven kommen". Daß er hier wieder frei ist, ist somit nicht ausgeschlossen.

Milik verweist auf angeblichen Parallelstoff zu 14:4−5(?) und 15:1−17:2 aus 4Q[27]. Die Fragmente lassen diese Folgerung kaum zu[28].

Das ursprüngliche Testament wurde mit 20:1−3 beendet. Wir stehen hier vor der einzigen echten Weissagung der TP. Joseph prophezeit, daß die Ägypter die Israeliten nach seinem Tod plagen werden; vgl. Ex Kap. 1ff. Im Gegensatz zu den meisten sekundären Prophezeiungen beruft sich Joseph nicht auf andere Autoritäten (Henoch o.ä.), sondern verweist als Sterbender auf sein eigenes Wissen. Diese Vorschau hat das ganze Volk, Israel, vor Augen, doch ist dies am Platz, denn nicht nur die Söhne Josephs, sondern auch seine Brüder sind nach 1:1f anwesend.

Der größere Teil des Stoffes des Rückblicks stammt nicht aus Gen. Er ist auch nicht aus anderen haggadischen Traditionen bekannt[29]. Das heißt aber kaum, daß der Verfasser ihn frei erfunden hat. Es handelt sich wahrscheinlich um haggadisches Material, das ihm und seinen Zeitgenossen bekannt war, das aber später verlorengegangen ist. Sein Beitrag bestand darin, den vorliegenden Stoff auszuwählen und ihn zu gestalten.

Kap. 19 enthält Weissagungen. Die Textprobleme sind erheblich. Es liegen eine lange und eine kurze Version vor. 19:3−7 finden sich nur in A[30], fehlen aber in G. Der Wert der armenischen Version ist umstritten. Wir müssen innerhalb der Rahmen dieser Arbeit auf eine umfassende Besprechung verzichten. Wir verweisen auf die Literatur[31] und begnügen uns mit einigen allgemeinen Überlegungen. Das Zutrauen zu A ist heute geschwächt, und es wirkt wenig wahrscheinlich, daß A einen Originaltext bewahrt haben soll, der in der ganzen griechischen Überlieferung keine Spur hinterlassen hat. Es bleibt andererseits ein Mysterium, wie 19:3−7 in A eingedrungen sind. Von einer christlichen Interpolation kann hier keine Rede sein. Der Text ist ganz und gar jüdisch und ist nicht einmal christlich bearbeitet worden. Er erinnert an die Traumvisionen in 1.Hen Kap. 85ff. Wir neigen zur Auffassung, daß 19:3−7 eine sekundäre Bearbeitung von 19:2 sind[32].

---

[27] Im Aufsatz *Écrits préesséniens* 121f in: Delcor (ed.) *Qumrân. Sa piété, sa théologie et son milieu* (91ff).

[28] Zur Kritik s. M. de Jonge *NTS* 26 (1979/80) 513.

[29] Vgl. Ginzberg *Legends* II,1.

[30] Der Text findet sich (mit englischer Übersetzung) in Stone *Armenian Version* 52ff.

[31] Vgl.: Preuschen *ZNW* 1 (1900) 137ff; Bousset ibid. 155f; Charles *Comm* 191ff; Messel *BZAW* 33 (1918) 369ff; M. de Jonge *Testaments* 28f; 33; *NT* 4 (1960) 215ff; *Studies* 133ff; v.d.Woude *Vorstellungen* 201ff; Koch *ZNW* 57 (1966) 87ff; Jeremias ibid. 216ff; Murmelstein ibid. 58 (1967) 273ff; Becker *Untersuchungen* 59ff; Philonenko *Interpolations* 29f; *BEI* 932f; Hultgård *Croyances* 163ff; *L'eschatologie* I,213ff; II,37f; v.Nordheim *Lehre* I,79; Otzen *GamPseud* 7,780f; Hollander/M. de Jonge *Comm* 407.

[32] So Becker *Untersuchungen* 62ff. Ihm folgt: Otzen *GamPseud* 7,780.

Der Text in G fällt in zwei Teile: 19:1−2 + 19:8−10 und 19:11(−12). Der erste Abschnitt ist Josephs Traumgesicht, der zweite ein Levi-Juda-Stück. Das ganze Kapitel ist sekundär[33]. Es unterbricht den Zusammenhang: in 18:4 hat der Patriarch von seinem hohen Alter gesprochen und 20:1 knüpft gut daran an: „Ich weiß, daß nach meinem Tod... " Kap. 19 läßt sich leicht aus dem Kontext lösen. Es steht isoliert für sich, ist nicht vorbereitet und bezieht sich thematisch nicht auf die Lebensgeschichte. Der Abschnitt ist mit TN 5:1ff verwandt. Wenn man gesehen hat, daß TN 5:1ff sekundär sind, spricht diese Verwandschaft ebenfalls gegen Kap. 19. Der Traum 19:1−2 + 19:8−10 ist auch mit den SER-Stücken verwandt, obwohl das Element "S" fehlt. Die SER-Stücke sind aber insgesamt sekundär.

Das Levi-Juda-Stück ist kurz und verrät sich deshalb nur wenig. Es ist in G stark christlich bearbeitet worden, während A anscheinend unbearbeitet ist; vgl. unten.

In 19:11 finden wir zwei bekannte Motive wieder: 1. die Aufforderung, Levi und Juda zu ehren, und 2. die Vorstellung, daß das Heil Israels aus ihnen aufgehe. Die Verherrlichung von Levi und Juda ist ein typisch sekundärer Zug; vgl. III,6. Levi und Juda sind hier offenbar nicht die Brüder Josephs; vgl. III,2. Wir verweisen sonst auf die Analysen anderer Levi-Juda-Stücke, die weitere Argumente geben; vgl. TR, TSim, TG, TD.

Der christliche Bearbeiter hat in Kap. 19 eingegriffen[34]. Es herrscht aber keine Einigkeit über den Umfang seiner Bearbeitung. In 19:8 ist die Kombination von der Jungfrau und dem Löwen in ihrer jetzigen Form sicher christlich. Die Motive könnten an sich jüdisch sein. Der Text gab ursprünglich wohl eine messianische Deutung der Immanuelsprophetie in Jes 7:14. Der Text ist dunkel, und der Ausdruck ἐξ ἀριστερῶν αὐτοῦ ὡς λέων ist schwerbegreiflich. Die Übersetzung ist: „zu seiner Linken[35] (war etwas) wie ein Löwe". Was bedeutet dies aber? Ist an zwei Gestalten gedacht, einen Löwen neben dem Lamm? Oder handelt es sich um eine Kombination von Lamm und Löwen? Die letztere Alternative läßt an die Fabeltiere in Dan Kap. 7 und Apk Kap. 13 denken, und in Apk Kap. 5 wird Christus gerade als Lamm und Löwe dargestellt. Über Vermutungen hinaus kommt man nicht. Beckers Besprechung der Auslegungsgeschichte dieser Perikope[36] kann diesen Eindruck nur bestätigen. Man darf jedenfalls damit rech-

---

[33] Vgl. Schnapp *Testamente* 78. (Schnapp rechnet übrigens die zweite Erzählung als sekundär; vgl. Anm. 8.) Weiter: Philonenko *Interpolations* 5ff; Becker *Untersuchungen* 242f; ihm folgt Harrelson *SCS* 5,30.

[34] Zur Literatur vgl. Anm. 31!

[35] Rießler *Schrifttum* 1243; Otzen *GamPseud* 7,781 übersetzen verkehrt zu ihrer/seiner *Rechten*. (Das entspricht jedoch A; vgl. Stone *Armenian Version* 54; 55.)

[36] *Untersuchungen* 59ff.

nen, daß der christliche Bearbeiter die Meinung verdunkelt und den Übergang von 19:2 zu 19:8 zerstört hat.

In 19:11b ist der Text in allen griechischen Textzeugen christlich. Der Text in V.11 lautet: „Und nun, meine Kinder, beachtet die Gebote des Herrn und ehrt den Levi und den Juda, denn aus ihnen geht euch auf das Lamm Gottes, aus Gnade rettend alle Völker und Israel." Anstatt „aus Gnade" liest Ms c: „das der Welt Sünde trägt." A scheint in diesem Fall einen ursprünglicheren Text bewahrt zu haben. V.11 lautet hier nach der englischen Übersetzung von Stone[37]: „And you, my children, honour Levi and Judah, for from them the salvation of Israel shall shine forth for you." Hier fehlt beides: das Lamm wie auch das Heil der Heiden. Der Gedankengang ist aus anderen Levi-Juda-Stücken bekannt; s. den Text oben.

19:12 ist in seiner griechischen Form ebenfalls christlich. Die vergängliche Herrschaft Josephs[38] wird mit dem ewigen Königtum des Lammes[39] verglichen. A hat auch hier wieder einen ursprünglicheren Text: „Because my kingdom which is in your midst will come to an end, like a gardener's hut which will not be seen after the summer."[40] Diese Version hat keinen christlichen Klang.

In A knüpft 19:12 gut an 19:11 an. Allerdings bleibt fraglich, ob dieser Zusammenhang ursprünglich ist, denn 19:12 hat sonst keine Parallele in den Levi-Juda-Stücken. Es ist jedoch denkbar, daß die konkreten Verhältnisse in TJos diesen Stilbruch mit sich geführt haben.

Der Abschlußrahmen in TJos, 20:4−6, liegt in drei Hauptvarianten vor: A, "β" und Ms c. Die Verse 4 und 5 sind gemein. In A fehlt V.6, während G sich hier in "β" und Ms c spaltet. (Dabei ist "β" nicht ganz einheitlich.) Becker entschließt sich für den Kurztext in A und meint, seine Kürze sei für "β" und Ms c der Anlaß, je getrennt zu erweitern[41]. M. de Jonge bevorzugt, wie gewöhnlich, "β": „In both passages (d.h. hier und in TB Kap. 12) c gives only a conglomerate of phrases found everywhere, whilst the other MSS give interesting original details."[42] v. Nordheim gibt Ms c den Vorrang[43] und betont, daß es zwei der konstitutiven Elemente enthält,

---

[37] *Armenian Version* 55.

[38] Hollander/M. de Jonge *Comm* 409 bemerkt: „Thus, in our verse, Joseph's kingship may stand for Israel's (and Judah's) kingship in general, ...". Gemeint ist aber die hohe Stellung Josephs in Ägypten.

[39] Otzen *GamPseud* 7,781f meint, daß αὐτοῦ sich eventuell auf Levi beziehe. Doch ist Levi niemals König in den TP.

[40] Übersetzung nach Stone *Armenian Version* 55f.

[41] *Untersuchungen* 166ff.

[42] *Testaments* 160 Anm. 338.

[43] *Lehre* I,72f.

nämlich die Altersangabe und die Bestattung (in Hebron[44]). Die Abfolge
der Elemente – (die Bestattung kommt vor der Altersangabe) – spiele bei
der überall in den TP erkennbaren Variabilität der Form keine Rolle.

Wie soll man die Lage beurteilen? v. Nordheims Position überzeugt
nicht. Hat Ms c wirklich einen Text bewahrt, der in der übrigen griechischen Textüberlieferung verlorengegangen ist? Oder hat es sich eher dem
üblichen Schema angepaßt und mit den zu erwartenden Elementen ausgefüllt? Wenn "β" (und A) den Grabplatz nicht angibt, ist vielleicht der
Grund darin zu suchen, daß Joseph nicht in Hebron, sondern in Sichem
bestattet wurde (vgl. Jos 24:32), so daß das Original Hebron nicht erwähnen konnte? Andererseits darf man sich fragen, ob das Original tatsächlich
nichts vom Transport seines Sarges nach Kanaan – (er fehlt nur in TIs) –
und seiner Bestattung (in Sichem) erzählt hat. (Das erste Moment wird in
20:2 vorausgesetzt.) Ms c wirft also mehrere Fragen auf, doch müssen wir
bei der Beurteilung bleiben, daß Ms c kaum ursprünglich ist. Gegen "β"
spricht, daß man mehrere Elemente vermißt. Die Begründung der Trauer
ist auffällig und fällt völlig aus dem Rahmen der TP. Trotz der Versicherung
M. de Jonges leuchtet es nicht unmittelbar ein, daß die Details in "β" besonders interessant sind. V.6 mutet eher wie die Bemerkung eines Ab-
schreibers an. A hat sich in 19:11.12 als zuverlässiger als G gezeigt. Daraus
darf man freilich nicht folgern, daß A auch hier einen ursprünglicheren
Text bewahrt hat. In 19:11.12 handelt es sich um christliche Bearbeitungen. Davon ist hier keine Rede. A hat, wie bekannt, eine Tendenz zu kürzen. Der Verdacht einer Kürzung liegt auch hier nahe. Er wird davon
bestätigt, daß A in 19:3 eine „Redeabschlußformel" mangelt[45].

Wir ziehen den Schluß, daß sich keine der Varianten auf den Originaltext berufen kann.

Zusammenfassend halten wir folgende Abschnitte für sekundär:

2:1−3 + 3;1−10:4: die erste Darstellung der Lebensgeschichte
19:1−2 + 19:8−10: Josephs Traumgesicht
19:3−7:   eine sekundäre Erweiterung in A
19:11(−12?):   ein Levi-Juda-Stück

Wir wagen nicht zu entscheiden, ob 1:3−7 + 2:4−7 ursprünglich oder sekundär sind.

Christliche Bearbeitungen liegen in 19:8 und 19:11.12 in G vor.

---

[44] Nach Jos 24:32 wurde er in Sichem begraben; s. Text. Andere jüdische Legenden erzählen dasselbe, teilen aber auch mit, daß Joseph in Hebron bestattet zu werden wünsche; s.
Ginzberg *Legends* II,184 und V,377 Anm. 443.

[45] Vgl. den Text in Stone *Armenian Version* 57.

9. Die Abschiedsrede in Testament Issachar

Die Einleitung in TIs beschränkt sich auf einen Vers (1:1). Sie enthält nur die Elemente Titel + Name, Adressaten, Situationsschilderung und Redeeinleitungsformel[1] (zweigliedrig). Jedoch wird die Altersangabe, ganz singulär, in der Abschiedsrede (7:1) nachgeholt. In 7:9, d.h. im Schlußrahmen, liegt wohl eine Art Vergleichsdatierung vor; vgl. übrigens die Synopse in II,1.

Der Mittelteil umfaßt folgende Hauptteile:

a. In 1:2−3:8 findet sich ein umfassender Rückblick.

b. Die Paränese in 4:1−5:6 schließt sich daran an.

c. In 5:7−8 folgt ein sekundäres Levi-Juda-Stück.

d. Die jetzige Abschiedsrede fährt mit einem sekundären SER-Stück in Kap. 6 fort.

e. Die ursprüngliche Abschiedsrede wird mit einem neuen Rückblick (mit mahnendem Charakter) in 7:1−6 und einer Schlußmahnung/Verheißung in 7:7 abgeschlossen.

Der Rückblick in 1:2ff ist eigenartig, weil der größere Teil nicht dem Leben Issachars gewidmet ist, sondern von Lea und Rahel handelt. Er berichtet die bekannte Erzählung über die Liebesäpfel aus Gen 30:14ff und erweitert sie mit Redestoff, der seinen Hintergrund in Gen 29:15ff hat. Der Rückblick ist eine Vorgeschichte und erklärt, wie Issachar geboren wurde. Der Stoff ist somit nicht ganz irrelevant, zeugt aber davon, daß dem Verfasser nur wenig Material über Issachar zur Verfügung stand.

Wir hören, daß Ruben zwei Liebesäpfel vom Feld brachte. Als er nach Hause kam, begegnete ihm Rahel und nahm die Äpfel. Ruben weinte und seine Mutter Lea kam heraus. Rahel wollte ihr aber die Äpfel nicht geben, sondern sagte, sie sollten ihr anstelle der Kinder gehören. Nach einer heftigen Diskussion einigten sich die Schwestern: Rahel behielt einen Apfel und gab dafür Lea eine Nacht mit Jakob. Lea wurde schwanger und gebar

---

[1] Aus Gründen des *parallelismus membrorum* ist der Lesart ῥήματα ἠγαπημένου der Vorzug zu geben; vgl.: Hultgård *L'eschatologie* II,42; Becker *Komm* 79; v.Nordheim *Lehre* I,32 Anm. 64; Otzen *GamPseud* 7,738; Kee *OTP* I,802; und schon Charles *Text* 106; *Comm* 100. Hollander/M. de Jonge *Comm* 235; 236 bevorzugen ῥήματα ἠγαπημένοι (= Ms b).

Issachar. Am folgenden Tag gab Lea Rahel den anderen Apfel und bekam dadurch noch eine Nacht mit Jakob (2:4).

In Kap. 2 folgt eine merkwürdige Spekulation über die Zahl der Äpfel, die in Gen keine Parallele hat. Danach entsprechen die zwei Äpfel zwei Kindern. Wenn nicht Lea für das Zusammensein mit Jakob ihrer Schwester die zwei Äpfel gegeben hätte, hätte sie acht Söhne gebären können. Nun gebar sie nur sechs, während Rahel, die sonst kinderlos geblieben wäre, zwei Söhne gebar. Das war der Lohn Gottes, denn er sah, daß Rahel um der Kinder willen mit Jakob zusammensein wollte, und nicht aus Lüsternheit. Diese Begründung fällt auf. „Why should a two day's continency of Rachel who could be with Jacob whenever she wanted, be considered as especially virtuous? And was it not Leah who wanted to be with Jacob in order to get children, and not for the pleasure's sake?" fragt M. de Jonge[2]. Er macht darauf aufmerksam, daß wir eine Tradition mit der entgegengesetzten Pointe in Ber. Rabb. 72,3.5 finden. Dort wird Rahel getadelt, weil sie Jakob für die Äpfel aufgab. Deshalb sollte sie zwei Stämme verlieren (72,3). Leas Motiv war dagegen, Stämme hervorzubringen. Das sah Gott, und er segnete sie mit zwei großen Stämmen, Issachar und Sebulon (72,5).

Die Version in Ber. Rabb. wirkt scheinbar logischer als die Darstellung in TIs. M. de Jonge zieht daraus weitgehende Schlüsse[3]. Er meint, daß die Erzählungen nicht unabhängig voneinander entstanden sein könnten. Der Verfasser der einen habe die andere gekannt. Seine These ist, daß der Verfasser der TP die Tradition in Ber. Rabb. bewußt verändert habe. Die Erzählung in TIs rühre von einem Christen her, der das Original völlig umgeschrieben und die Pointe auf den Kopf gestellt habe. Dadurch habe er seine Sympathie für die Auffassung der frühen Kirche von Zölibat und Opfer gezeigt.

Der Text kann die These eines christlichen Verfassers nicht tragen[4]. Aber auch die Behauptung, daß TIs eine sekundäre Version sei, ist

---

[2] *Testaments* 79.
[3] Ibid. 79ff.
[4] So auch Becker *Untersuchungen* 336 Anm. 1, der die Argumente M. de Jonges in *Testaments* 80f für eine gewaltsame Auslegung des Textes hält. Er läßt sie mit Recht unkommentiert, denn es sagt sich von selbst, daß M. de Jonges Verweise auf die hohe Schätzung der Enthaltsamkeit in 2:1, und das Opfer der Liebesäpfel sowie die Erwähnung des Hauses des Herrn und des Priesters, der in jener Zeit amtierte (2:5), eine christliche Provenienz nicht beweisen können. Sie überzeugen nur, wenn man Position bezogen hat. (Seine Exegese ist allerdings konkret falsch, wenn er behauptet, TIs 2:5 sei nicht mit TL Kap. 8 und anderen Stellen zu vereinbaren, weil Levi dort als der erste Priester des Herrn dargestellt werde. Levi ist in den TP gar nicht der erste Priester. Er steht im Gegenteil in einem Traditionszusammenhang; vgl. TL Kap. 9 und IV,2.)

verfehlt[5]. Im Gegenteil sprechen viele Momente für ihre Originalität. Es ist richtig, daß Rahel stets mit Jakob zusammen sein konnte. Ihr Motiv in TIs, schwanger zu werden, stimmt aber mit Gen 30:1ff überein. Wir sehen nicht, warum der Verfasser die in Ber. Rabb. vorliegende Tradition hätte verändern wollen. Sie paßt nämlich ausgezeichnet in TIs, wenn man nur Lea die Rolle der Heldin spielen läßt. Tatsächlich hätte man erwarten können, daß Issachar seine eigene Mutter hervorheben wollte. M. de Jonge meint, die Verteilung der Söhne auf Frauen und Nebenfrauen sei in Ber. Rabb. viel natürlicher als in TIs. Nach Ber. Rabb. sollten Lea und Rahel je vier Söhne, die beiden Nebenfrauen die übrigen vier Söhne gebären. Nach TIs waren die von Gott bestimmten Zahlen ursprünglich acht, keiner bzw. vier Söhne. Diese Verteilung wurde, sowohl laut Ber. Rabb. als auch gemäß TIs, nach der Episode der Liebesäpfel verändert. TIs wirkt aber originaler, gerade weil seine Darstellung nicht so „logisch" ist, und sie stimmt abermals mit Gen überein. Nach Gen 29:31 und 30:1ff war Rahel dazu bestimmt, kinderlos zu bleiben. Will man in diesem Fall von Priorität reden, dürfte man eher die „logische" Version in Ber. Rabb. als eine Korrektur von TIs betrachten. Davon kann aber keine Rede sein. Es handelt sich um zwei selbständige Traditionen, die einander nicht beeinflußt haben. Daß die Tradition in Ber. Rabb. sehr spät ist (5./6. Jh. n. Chr.) ist nicht unwesentlich. Für M. de Jonge, der die Abfassung der TP um 200 n. Chr. verlegt, ist dies weniger wichtig, weil die Tradition in Ber. Rabb. doch erheblich älter als ihre schriftliche Fixierung sein kann (und ist). Setzt man aber voraus, daß die TP etwa 400 Jahre älter sind (s. IV,6), kann TIs unmöglich eine Korrektur bieten. Wir gestehen aber, daß wir dieses Argument nicht gegen M. de Jonge anführen können, da er unsere Prämissen nicht teilt. Wir reagieren aber, wenn er meint, daß die Erwähnung des Engels in 2:1 zeige, daß die Version sekundär sei, weil die Offenbarung der Belohnung Rahels der höchsten Autorität bedürfe. Er übersieht dabei, daß Engel oft Geheimnisse in den TP offenbaren; vgl. TR 3:15; 5:3; TJud 15:5. Dieser Zug zeigt, daß der Verfasser seiner Darstellung das richtige Zeitkolorit gibt. In Gen gebraucht Gott oft Engel.

Als nächstes ist zu fragen, ob der Abschnitt 1:2–2:5 einheitlich ist, was von z.B. Becker bestritten wird[6]. Er meint, der Grundstock bestehe aus 1:2–6. 7b–15 und berichte ganz allgemein von Liebesäpfeln, ohne sich für

---

[5] Sie wird auch von Becker *Untersuchungen* 336 Anm. 1 abgewiesen, obzwar ohne eine eingehende Argumentation.

[6] *Untersuchungen* 335f. Hultgård *L'eschatologie* II,202f hält auch 2:1–5 für einen Einschub und verweist auf Beckers Analyse. Zur Kritik von Becker vgl. M. de Jonge *Studies* 301f. Er verweist darauf, daß die Einstellung gegenüber der Sexualität in 2:1–3 in Übereinstimmung mit derjenigen in 3:5 steht, und daß die Gabe Rahels in 2:5 ihr Pendant in Issachars Opfern in 3:5 und 5:3 hat. Diese Verse werden aber von Becker als ursprünglich gehalten!

die Zahl der Äpfel zu interessieren. 1:7a + 2:1–3 und 2:4f betrachtet er dagegen als zwei spätere Erweiterungen, die die Zahl der Liebesäpfel ergründen wollten. In der ersten entsprächen die zwei Äpfel zwei Söhnen, in der anderen den zwei Nächten, in denen Rahel auf Jakob verzichtete. In Kap.1 ginge es nur um die Liebesäpfel und eine Nacht, nämlich diejenige, in welcher Issachar empfangen wurde.

Die Komposition von 1:2–2:5 ist nicht gelungen. Die Abfolge der Momente in Kap. 2 ist weniger geglückt, doch ließ sich der Text nur schwer redigieren. Wenn man eine logischere Komposition fordert, bedeutet dies aber, dem Text fremde Maßstäbe aufzuzwingen. Der Sinn des Textes – wie er in "β" vorliegt – ist verhältnismäßig klar. Die Spekulation über die Äpfel in Kap. 2 wird in Kap. 1 vorbereitet. Die Zahl der Äpfel, zwei, steht schon in 1:7a fest. Es überrascht somit nicht, daß Becker ihn disqualifizieren muß[7]. Noch schlimmer ist, daß er in 1:14 die Lesart in α wählt[8], was M. de Jonge mit Recht kritisiert[9]. Textkritische Überlegungen dürfen nicht zu stark von literarkritischen Auffassungen bestimmt werden. Liest man mit "β", fallen viele der Probleme in Kap. 1–2 fort. Beckers Verständnis von Kap. 1 liefert nur eine Rekonstruktion des Erzählungsverlaufes in Gen 30:14ff. TIs 1:2ff zeigen uns aber eine typisch haggadische Erweiterung dieser Erzählung. Die Tradition weiß von der Zahl der Äpfel und ihrem Sinn zu erzählen. Die Wiedergabe der Erzählung in TIs folgt Gen in 1:2–13 und gibt ihr dann in 1:14 eine neue Drehung. Von den zwei Äpfeln bekam Rahel nur einen. Für diesen gab sie Lea eine Nacht mit Jakob. In 2:4 heißt es, daß Rahel am folgenden Tag Lea noch eine Nacht mit Jakob gab, „damit sie auch den anderen Liebesapfel empfinge." Nach Becker läßt α diesen letzten Satz aus, weil er zum Voranstehenden nicht ganz passe[10], was auch stimmt. α läßt den Satz aus, weil er nicht im Einklang mit α's Wiedergabe von 1:14 ist. Zu "β" paßt er dagegen gut. Es bleibt somit unverständlich, daß Becker in 1:14 für α eintritt, während er in 2:4 "β" den Vorrang gibt. α's Version in Kap. 1 ist doch nichts anderes als eine Korrektur nach Gen (= Becker!). Wir bemerken noch, daß 2:4 eigentlich nicht gegen 2:2 verstößt, denn in 2:2 wird nicht gesagt, daß Rahel beide Äpfel gleichzeitig bekam.

Wir folgern, daß die Erzählung 1:2–2:5 einheitlich ist, wenn auch nicht besonders wohlkomponiert. Die Tradition in Ber. Rabb. zeigt uns, obwohl

---

[7] *Untersuchungen* 335. Ihm folgt Hultgård *L'eschatologie* II,203 Anm. 1.

[8] *Untersuchungen* 335 Anm. 1; *Komm* 80. Die Lesart in "β" wird disqualifiziert, weil sie unter Einfluß von 1:7a und Kap. 2 stehe, die Becker schon als sekundär gerechnet hat! Das nennt man sonst einen Zirkelschluß. Es stimmt, daß α mit 1:8 übereinstimmt. Die Vermutung liegt aber nahe, daß α den Text in Einklang mit 1:8 und Gen bringt. (Hultgård *L'eschatologie* II,202 mit Anm. 7 bevorzugt in 1:14 nicht α, sondern befA.)

[9] *Studies* 300.

[10] *Komm* 80.

sie spät belegt ist, daß man über die Zahl der Äpfel gegrübelt hat. Der Verfasser der TP hat die Erzählung über die Liebesäpfel mit den ihm bekannten Spekulationen über ihre Zahl kombiniert.

In Kap. 3 beginnt Issachar von sich selbst zu reden und erzählt von seinem Beruf als Bauer und von seiner Aufrichtigkeit, ἁπλότης[11]. An diese Lebensdarstellung knüpft dann die Paränese in 4:1–5:6. Kap. 4 beschäftigt sich mit dem Thema „Aufrichtigkeit", während der Beruf des Bauern in 5:1–6 im Zentrum steht. Hier kommt der Begriff ἁπλότης nur in 5:1 vor.

Zum ganzen Abschnitt 3:1–5:6 hat Becker eine überraschende These aufgestellt. Er behauptet schlicht und einfach, daß alle Rede von Aufrichtigkeit sekundär sei![12] M. de Jonge wendet sich mit Recht gegen diese unmögliche Position[13], die, wie gewöhnlich, davon bedingt ist, daß Becker jede Tugend- und Lasterparänese für sekundär hält[14]. Das bedeutet in diesem Fall, daß Becker das Hauptanliegen des TIs beseitigen muß[15]. In der Tat ist ἁπλότης nicht nur die Haupttugend in TIs, sondern auch ein zentraler Begriff an anderen Stellen der TP; vgl. TR 4:1; TSim 4:5; TL 13:1; TB 6:(5–)7; vgl. ebenfalls die Begriffe μονοπρόσωπος und διπρόσωπος in TAs. Und noch mehr: diese Aufrichtigkeit steht in engster Verbindung mit dem Beruf des Bauern, nicht nur in den TP (vgl. außerhalb des TIs: TR 4:1), sondern auch in anderen Texten[16]. Der Begriff ἁπλότης läßt sich somit nicht vom Beruf des Bauern lösen. Man darf auch nicht einen falschen Gegensatz zum Liebesgebot konstruieren, wie Becker es tut.

Interessant ist, daß Issachar als γεωργός bezeichnet wird. Diese Bezeichnung kommt sonst nur in LXX's Übersetzung von Gen 49:15 vor. Der hebräische Text, ויהי למס-עבד, wird hier mit ἐγενήθη ἀνὴρ γεωργός wiedergegeben. Der Unterschied sollte jedoch nicht übertrieben werden. Issachar wird im TM als ein Landmann dargestellt, zwar nicht als ein freier Bauer, sondern als ein fronender Knecht unter den Kanaanitern. Die terminologische Ähnlickeit in LXX und TIs wird allerdings von M. de Jonge betont[17]. Er meint, dies zeige, daß der Verfasser der TP sein Thema aus LXX geholt habe. Er folgert auch, daß der Verfasser Griechisch kenne und

---

[11] Literatur zu diesem Begriff in Becker *Untersuchungen* 336 Anm. 2; s. auch Hollander/ M. de Jonge *Comm* 233f; Hollander *Ethical Model* 102 Anm. 41.

[12] *Untersuchungen* 336ff. Ihm folgt Otzen *GamPseud* 7,739.

[13] *Studies* 302ff.

[14] Vgl. II,4 Anm. 5.

[15] Becker *Untersuchungen* 337f hat versucht, den Text in Kap. 3 zu lesen unter Ausschluß aller Aussagen, die an das Thema „Aufrichtigkeit" anknüpfen. Er konstatiert, daß „im Text keine Lücken entstehen, sondern der bleibende Rest straff und glatt ist" (ibid. 337). Das ist kein Beweis: „Daß in Kap. III die Hinweise auf ἁπλότης entfernt werden können, ist, in Anbetracht der Zusammensetzung dieses Kapitels aus vielen kleinen Sätzen, nicht erstaunlich." (M. de Jonge *Studies* 303)

[16] Vgl. z.B.: Causse *RHPhR* 7 (1927) 201ff; Amstutz *ΑΠΛΟΤΗΣ*.

[17] *Testaments* 78.

schreibe und LXX als Heilige Schrift benutze. Wir stimmen diesen Schlüssen nicht zu. Setzt man voraus, daß LXX und TIs eine gemeinsame Tradition haben, folgt daraus nicht automatisch, daß TIs seine Vorstellung der griechischen Übersetzung entnommen hat. Es könnte auch damit erklärt werden, daß TIs eine Tradition wiedergibt, die LXX ebenfalls gekannt hat[18]. Es bleibt jedoch fraglich, ob es sich in LXX überhaupt um eine Tradition handelt. Wir halten eher ihre Version für eine Verlegenheitsübersetzung. LXX hat den hebräischen Text nicht verstanden, denn es wird nicht gesagt, wem Issachar seinen Frondienst leistete. Der Kontext zeigt aber deutlich, daß sich Issachar mit Ackerbau beschäftigte, weshalb LXX den unklaren Ausdruck „fronender Knecht"[19] mit „Bauer" übersetzt hat. Der entsprechende Terminus in TIs erklärt sich folgendermaßen: die TP waren semitisch abgefaßt (IV,4). Im Original wurde Issachar (nach Gen 49:15 TM) עבד-מס genannt. Der Verfasser hat diesen Ausdruck kaum historisch korrekt verstanden, hat aber geglaubt, daß Issachar für seine Familie arbeitete; vgl. 3:1.6[20]. Als die TP ins Griechische übersetzt wurden, hat der Übersetzer die Wiedergabe des Ausdruckes, die er aus LXX kannte, benutzt. LXX hat somit TIs beeinflußt, aber in ganz anderer Weise als M. de Jonge sich das denkt!

Die Verse 4:1−5:6 bringen Mahnungen. Nach einer kurzen redaktionellen Überleitung in 4:1 folgt eine negativ beschreibende Reihe[21] in 4:2−6. Sie fällt in zwei Hälften, 4:2−3 und 4:4−6a. Der Aufbau ist nicht symmetrisch und auch nicht ganz durchsichtig[22]. In der ersten Hälfte finden sich fünf kurze Negationen (4:2−3a) und ein positives Glied (4:3b), in der zweiten Hälfte ebenfalls fünf Negationen verschiedener Länge (4:4−5) − 4:4bc zählen als ein Glied − und zwei positive Glieder (4:6a). 4:6b scheint aus dem Rahmen zu fallen, setzt jedoch die Negationen fort. (Ist dieser Halbvers falsch angebracht?)

In 5:1ff ist die Paränese direkt an die Nachkommen gerichtet. Die Vermutung liegt somit nahe, in 4:2−6a ein übernommenes Stück zu sehen, das der Verfasser in seine Paränese eingearbeitet hat. 5:1 nimmt das Stichwort

---

[18] So Doeve *NedTT* 9 (1955) 51. Gegen ihn betont M. de Jonge in *StEv* (*TU* 73) 1959, 549 Anm. 1 nochmals die terminologische Ähnlichkeit.

[19] Andere Texte zeigen, daß LXX die Bedeutung des Ausdruckes verstanden hat, wenn auch מס „Frondienst" oft mit Tributbezahlung wiedergegeben wird; vgl. Dtn 20:11; Jos 17:13; Ri 1:28.30.33.35; usw. In Gen Kap. 49 paßt dies scheinbar schlecht. Es handelt sich kaum um einen Versuch, Issachars Rolle als Fronknecht abzuschwächen, obwohl sich diese Tendenz sich anderswo nachweisen läßt. In Targ.Ps.Jon. und Targ.Jer. ad loc. beschäftigt sich Issachar mit dem Studium der Thora.

[20] In 3:1 ist Pl. „meiner Väter" richtig. Sg. „meines Vaters" ist aus 3:6 eingedrungen.

[21] Vgl. zu dieser Gattung Aschermann *Formen* 30ff. Er baut seinerseits auf v.Rad *BzhTh* 16 (1953) 153ff.

[22] S. die verschiedene Behandlung des Textes bei Charles *Text* 111f; *Comm* 105f; Becker *Untersuchungen* 339f; *Komm* 81f; Hollander/M. de Jonge *Comm* 242f.

„Aufrichtigkeit" auf, während 5:2 auf das doppelte Liebesgebot hinweist. 5:3−6 knüpfen konkret an den Beruf Issachars und den reichen Segen des Ackerbaus und der Feldarbeit an. In V.6 wird an die Worte Jakobs in Gen 49 angespielt.

In 5:7−8a begegnet ein isoliertes Levi-Juda-Stück, das sekundär ist[23]. Es ist lose mit dem Zusammenhang verbunden. Im Vorangehenden hören wir vom Beruf Issachars, während 5:7 vom Priestertum Levis und Königtum Judas redet, d.h. ihren „Berufen". Die Argumentation ist aber ganz verschieden: 5:6 verweist auf den Segen Jakobs in Gen 49:14f, 5:7 auf Gottes Verherrlichung der beiden Brüder. Die Stichworte εὐλογεῖν (V.6)/δοξάζειν (V.7) und der Begriff ἁπλότης in V.8[24] vermögen nicht den Eindruck abzuschwächen, daß das Stück unerwartet kommt und unthematisch ist. Zur unberechtigten Glorifikation von Levi und Juda vgl. III,6. Zum Thema Priestertum/Königtum vgl. vor allem TJud 21:1ff. Dies zeigt, daß es sich um die Institutionen handelt; vgl. III,2. Weil das vorliegende Levi-Juda-Stück kurz ist und sich nur wenig verrät, müssen andere Levi-Juda-Stücke zu Rate gezogen werden; vgl. unsere Analysen von TR, TSim, TG, TD und TJos[25].

5:8b ist kaum in seinem jetzigen Kontext zu Hause. Von einigen Forschern wird die Stelle als ein Fragment aus TG betrachtet[26]. Dann muß man aber erst recht erklären, wie der Text in TIs eingedrungen ist. Otzen deutet an, es gäbe ursprünglich nach dem Stück über Levi und Juda und ihre Ämter eine Liste über die besonderen Aufgaben der übrigen Stämme[27]. Dann müßte der Rest dieser Liste verlorengegangen sein, und das bleibt höchst hypothetisch.

Kap. 6 bringt ein SER-Stück; vgl. schon TG, TSeb und TD. Es enthält die gewöhnlichen Elemente. Der Abfall wird in antithetischen[28] Parallelismen beschrieben (z.B. die Aufrichtigkeit verlassen/der Habgier anhängen usw.), und die Sünden sind konkreter als in den meisten anderen SER-Stücken. Zwei Stichworte aus der Lebensdarstellung/Paränese tauchen auf: ἁπλότης in 6:1 und τὸ γεωργεῖν in 6:2. Becker meint, daß die Vorstellung über Aufrichtigkeit von einer späteren Bearbeitung herrühre, und daß das Stück ursprünglich nur vor dem Abfall von der Landarbeit

---

[23] So: Schnapp *Testamente* 57f; Becker *Komm* 83. In *Untersuchungen* 342; 347 hält er es dagegen für ursprünglich, klammert aber die Erwähnung der Aufrichtigkeit aus.

[24] Becker *Untersuchungen* 342 und Otzen *GamPseud* 7,740 schreiben ihn dem angenommenen Redaktor von Kap. 3−5 zu; vgl. Anm. 12; s. auch die vorige Anm. zu Beckers neuer Auffassung von 5:7−8.

[25] S. übriges auch das Argument in II,5 Anm. 25.

[26] Vgl.: Charles *Text* 113; *Comm* 108; Rießler *Schrifttum* 1337; Eppel *Piétisme* 25; Philonenko *BEI* 882. (Vgl. Kee *OTP* I,804, der jedoch nichts über seinen Ursprung anführt.)

[27] *GamPseud* 7,741. (Er nennt den letzten Teil des Verses 5:9.)

[28] Vgl. zu den antithetischen Reihen (Sentenzen) Aschermann *Formen* 91ff.

warne[29]. Eine andere Erklärung liegt näher: das Stück ist eine Interpolation[30], aber der Interpolator hat sich in diesem Fall dem Kontext und dem Thema besser angepaßt als er zu tun pflegt. Deshalb stimmen wir Hultgård nicht zu, wenn er auf TIs Kap. 6 als ein Beispiel des nahen Zusammenhanges von Paränese und Prophetie verweist[31]. TIs Kap. 6 ist nicht repräsentativ für die SER-Stücke und darf nicht als ein allgemeiner Beweis einer bewußten Komposition verwertet werden. Das heißt zugleich, daß dieses SER-Stück nur wenige der sekundären Merkmale aufweist. Wir bemerken jedoch, daß es sich in dieser Perikope nicht um die Nachkommen Issachars handelt, sondern um das Schicksal des Volkes; vgl. III,2. Die Beweislast des sekundären Charakters dieses Abschnittes muß im übrigen von der Sammlung der SER-Stücke getragen werden.

7:1−6 sind ein letzter Rückblick, und zwar in Gestalt eines (negativen) Unschuldsbekenntnisses[32]. Die Stelle ist an sich nicht direkt ermahnend, dient aber indirekt als Paränese. Der Patriarch wird als Vorbild dargestellt, und darin liegt eine Aufforderung, ihn nachzuahmen. 7:1−6 weisen in V.1−4 sieben negative Formulierungen auf, denen dann in V.5−6 fünf positive und zwei negative Sätze (7:5b) folgen[33]. Die Abschiedsrede wird schließlich mit einer letzten Mahnung und einer Verheißung beendet (7:7). 7:7 zeigt, daß das Unschuldsbekenntnis als Paränese verstanden werden will. Nachdem wir jetzt die sekundären Abschnitte 5:7−8 und 6:1−4 aus dem Kontext entfernt haben, knüpfen 7:1ff gut an 5:6 an.

Der Schlußrahmen in TIs (7:8−9) ist knapp. Er referiert den Bestattungswunsch des Stammvaters und berichtet dann nur den Tod Issachars. Man vermißt in erster Linie eine Bemerkung über den Transport nach Hebron; vgl. TJos. Er ist allerdings in 7:8 vorausgesetzt; vgl. übrigens die Synopse in II,1.

Christliche Bearbeitungen lassen sich in TIs nur schwer nachweisen. In 7:7 spielt die Textvariante συμπορευόμενος auf das Leben Jesu an. Liest man dagegen συμπορευόμενοι mit den Mss meafh(i?)j, bleibt das ganze TIs jüdisch[34]. (Man bemerke aber, daß hij [zusammen mit Ms c] nichtsdestoweniger περὶ τοῦ χριστοῦ im Text [am Rand] hinzufügen!) Ms k sagt ganz charakteristisch: οὗτος οὐδέν τι περὶ τοῦ χριστοῦ ἐφθέγξατο[35].

---

[29] *Untersuchungen* 342f; *Komm* 83; vgl. Otzen (s. Anm. 12; 24).
[30] So Schnapp *Testamente* 58; Philonenko *Interpolations* 5f.
[31] *L'eschatologie* I,191f.
[32] Vgl. zu dieser Gattung Aschermann *Formen* 63ff. Becker *Untersuchungen* 343ff; *Komm* 83 hält 7:1−7 für einen Einschub. Ursprünglich knüpfe 7:8 direkt an 6:4. In 7:2−6 handelt es sich vielleicht um übernommenes Gut, doch besagt das nichts über die Echtheit. 7:1−7 passen gut in TIs.
[33] Die zwei negativen Sätze fehlen in α, sind aber sicher ursprünglich.
[34] Vgl. zu diesem Problem Becker *Untersuchungen* 345f.
[35] Text nach *Editio Maior* 80.

126

Das Ergebnis der Analyse ist demnach dieses:

Als sekundär haben sich erwiesen:

5:7−8a: ein Levi-Juda-Stück

5:8b: ein fragmentarisches Stück von Gad

6:1−4: ein SER-Stück

Eine christliche Bearbeitung findet sich in einigen Textzeugen in 7:7.

Das TIs gehört zu den Testamenten, die wenig bearbeitet worden sind. Die Lebensdarstellung und die Paränese sind intakt und die typischen Erweiterungen, das Levi-Juda Stück und das SER-Stück, lassen sich ganz mühelos aus dem Kontext herauslösen.

10. Die Abschiedsrede in Testament Asser

Die Einleitung in TAs umfaßt 1:1−2. Es wird nicht gesagt, daß der Patriarch stirbt. Dieses Element scheint sonst konstitutiv für die Form zu sein; vgl. II,1.2; s. aber TIs und TG! Der Text läßt jedoch keinen Zweifel daran, daß es sich um eine Abschiedsrede handelt[1]. Der Begriff διαθήκη, der Verweis auf das hohe Alter des Stammvaters sowie der Satz „Noch gesund sprach er zu ihnen" (1:2) weisen alle in diese Richtung. Entscheidend ist aber die Stellung des TAs inmitten der anderen elf Testamente. Sie qualifiziert TAs eindeutig als eine Sterberede. Wir verweisen übrigens auf die Synopse in II,1.

Der Mittelteil, 1:3−7:7, enthält mehrere sekundäre Abschnitte. Sie tauchen, wie gewöhnlich, am Ende der Abschiedsrede auf: 6:4(b?)−6; 7:1−3; 7:4−7. 5:1−3 sind ebenfalls verdächtig.

TAs weicht von der Struktur der übrigen Testamente ab. Die Abschiedsreden beginnen sonst mit einem Rückblick, einer Lebensgeschichte. Diese Lebensdarstellung fehlt hier. Statt dessen begegnet in 1:3ff ein ausführlicher Lehrvortrag. In der Tat kommen biographische Auskünfte kaum vor. Nur in 5:4 redet der Patriarch von sich selbst, und dieser eine Vers faßt zusammen: 1. Assers Erfahrung, daß seine Lehre Gültigkeit hat; 2. eine Unschuldsbeteuerung; 3. sein Eifer für das Gesetz. Diese Momente treten häufig in den TP auf, wenn auch in breiteren Formulierungen.

Warum fällt TAs aus dem Rahmen der TP? Man hat angedeutet, daß es defekt sei[2]. Wenn dies der Fall wäre, könnte man sich denken, daß die Lebensgeschichte Assers fortgefallen und vom Lehrvortrag in 1:3ff verdrängt worden sei[3]. Jedoch kann diese Erklärung kaum überzeugen. Mangel an Stoff ist ein wahrscheinlicher Grund[4]. Die Intention des Verfassers war es, eine Lebensgeschichte für jeden Stammvater darzubieten, die dann als Ausgangspunkt der Paränese dienen konnte. Für elf der zwölf Patriarchen fand er geeignetes Material, entweder in kürzeren oder längeren Notizen des Alten Testaments, oder in den haggadischen Weiterführungen. Für Asser stand offenbar kein gebräuchliches Material zur Verfügung. Die

---

[1] Vgl. dazu v.Nordheim *Lehre* I,58.
[2] Vgl. Kohler *JewEnc* 12,117; Hultgård *L'eschatologie* II,156.
[3] Vgl. Becker *Untersuchungen* 371.
[4] Das wird von Becker ibid. abgewiesen.

Etymologie seines Namens in Gen 30:13 und die Aufrechnung der Jakobs-söhne in Gen 35:23−26 waren ungeeignet. Der Segen Jakobs in Gen 49:20 war kein passender Ausgangspunkt einer Paränese: „Ascher, fett ist sein Brot. Königskost liefert er." Dasselbe galt für den Segen des Mose in Dtn 33:24f: „(Und für Ascher sagte er:) Mehr als die (anderen) Söhne sei Ascher gesegnet, bei seinen Brüdern sei er beliebt, er bade seinen Fuß in Öl. Deine Riegel seien von Eisen und Bronze. Hab Frieden, solange du lebst!" Damit ist der alttestamentliche Stoff erschöpft. Geeignetes hagga-disches Material findet sich anscheinend auch nicht. Theoretisch hätte der Verfasser eine Lebensgeschichte erdichten können, aber auf diese Weise hat er nicht gearbeitet. Er hat haggadisches Material gesammelt und redi-giert, aber nicht neue Momente erfunden. Der eigentliche Beitrag des Ver-fassers sind nicht die Lebensdarstellungen, sondern die Paränese; vgl. IV,1. Wir folgern also, daß die Unregelmäßigkeit in TAs auf Stoffmangel beruht.

Wir wenden uns jetzt dem Lehrvortrag in 1:3ff zu. Nach Becker umfaßt er 1:3−6:6[5], jedoch gehört der Abschnitt 6:4(b)−6 nicht zu diesem Vor-trag. 5:1−3 scheinen auch nicht zu passen. Dieses Problem werden wir im folgenden näher entfalten.

Der Lehrvortrag baut auf die Vorstellung der zwei Wege, die oft in jüdi-scher und christlicher Paränese begegnet[6]. Die bekanntesten Beispiele sind Did 1−6; Barn 18:1−21:6; 1QS 3:13−4:26. Die Vorstellung ist allerdings viel älter (vgl. z.B.: Ps 1; Prov 4:18f; 10:17; 12:28; u.a.), wenn auch deren technischer Gebrauch seinen ältesten Niederschlag in TAs hat[7].

Der Inhalt von 1:3−6:3 ist ziemlich kurzgefaßt[8]:

1:3−9:   Belehrung über die zwei Wege.
2:1−10: Belehrung über Menschen, die gute und böse Handlungen tun, welche Handlungen in ihrer Ganzheit aber böse sind.
3:1−2:   Paränese: Warnung vor der Doppelgesichtigkeit.
4:1−5:   Belehrung über Menschen, die gute (und scheinbar) böse Hand-lungen tun, welche Handlungen in ihrer Ganzheit aber gut sind.
5:1ff: Zusammenfassung von Kap. 2 und 4: Zwei Dinge gehören stets gegensätzlich zusammen, aber nur eines davon ist gut.
6:1−3:   Paränese: Folgt mit einfachem Gesicht der Wahrheit!

Das Stück hat scheinbar einen klaren und übersichtlichen Aufbau. Bei nä-herer Betrachtung entdeckt man, daß dieser Eindruck modifiziert werden muß. Vor allem fällt die Stelle 5:1−3 auf. Die dualistichen Spekulationen dieser Verse weichen ohne Zweifel von den übrigen Ausführungen ab und

---

[5] Ibid. 365ff.
[6] Angaben zur Sekundärliteratur in Becker *Komm* 113.
[7] So nach Charles *Comm* 161 und Rießler *Schrifttum* 1338.
[8] Vgl. zu dieser Übersicht Becker *Untersuchungen* 365f.

129

scheinen zugleich nicht einheitlich zu sein. Wir sehen nicht, wie 5:2a mit 5:2b zu verknüpfen ist und finden keine Linie, die von 5:2b zu 5:3 führt. 5:2f haben mit 5:1 nichts zu tun. In 5:1 treten die Gegensätze *gleichzeitig* auf. Ein Aspekt wird vom anderen verborgen. In 5:2a folgen die Gegenpole zeitlich aufeinander und lösen einander ab. Der Rest des Verses ist höchst verwirrend. Was bedeutet: „Alles aber steht unter dem Tag"? Und wie bringt man diesen Satz in Einklang mit der nächsten Aussage: „…unter dem Leben das Gerechte, unter dem Tod das Ungerechte"?[9] Den letzten Satz in V.2 „διὸ καὶ τὸν θάνατον ἡ αἰώνιος ζωὴ ἀναμένει" finden vielen sinnlos[10]. Statt des Verbums „abwarten" scheint der Zusammenhang eher die Bedeutung „fortsetzen" oder „nachfolgen" zu fordern. Dieser Konjektur stimmen wir jedoch nicht zu. Gemeint ist nur, daß das jetzige Leben und das ewige Leben polare Größen sind. Das ewige Leben erreicht man aber erst mit dem Tod, und deshalb kann gesagt werden, daß das ewige Leben auf den Tod wartet. Auch wenn diese Erklärung richtig ist, sehen wir doch nicht, wie dieser Schluß (διό) auf Grund der Aussagen in 5:1 und 5:2a.b gezogen werden kann. In 5:2a folgt der negative Begriff dem positiven. 5:2c stellt die Begriffe um, denn hier ist das ewige Leben die positive Größe. 5:3 ist allerdings verhältnismäßig klar formuliert, wenn auch die Verbindungslinie zu 5:2 undurchsichtig ist. Die Folgerung kommt freilich unerwartet. Parallel mit „alle Wahrheit ist unter dem Licht" hätte man „alle Lüge ist unter der Finsternis" erwartet. Statt dessen heißt es: „wie alles unter Gott".

Das Fazit muß somit lauten: dieser Abschnitt ist nicht konsistent. Er enthält dualistische Spekulationen ganz verschiedener Art, die keinen logischen Zusammenhang aufweisen. Der Verdacht liegt nahe, daß mehrere Hände in den Text eingegriffen haben und daß die Perikope allmählich gewachsen ist. Wir halten sie deshalb für sekundär. (Wir bemerken allerdings, daß die Einleitung in V.1a echt sein könnte. Dagegen enthält schon V.1b Überlegungen, die der Darstellung in Kap. 2—4 fremd sind.)

Becker meint, (daß 1:3—6:6 eine Einheit seien und) daß der Abschnitt das „Bundesformular" als Gliederungsprinzip habe[11]. Das wird leicht von v. Nordheim widerlegt[12]. 6:4—6 passen nicht zum postulierten Element „Segen und Fluch". In der Tat stehen wir hier vor einer späteren Interpolation, die mit dem Vorangehenden nichts zu tun hat. Das Stück hat wahrscheinlich einen jüdischen Hintergrund, ist aber von einem hellenistischen

---

[9] Der letzte Satz fehlt in "β". (Otzen *GamPseud* 7,769 übersetzt: „und das Ungerechte unter der *Nacht*". Dieser Lapsus ist wohl vom vorangehenden „unter dem Tag" verursacht.)

[10] Vgl. z.B.: Charles *Comm* XLVI; 167; Becker *Komm* 116; Böcher *Dualismus* (111;)117; Aalen *Licht und Finsternis* 106 Anm. 3.

[11] *Untersuchungen* 366.

[12] *Lehre* I,61 Anm. 146; vgl. übrigens II,72ff.

Glauben an die Unsterblichkeit der Seele beeinflußt. Die Seele überlebt den Leib, und ihr ewiges Schicksal wird unmittelbar nach dem Tod entschieden; weitere Einzelheiten in III,5.

Sehen wir von den Einschüben in 5:1−3 und 6:4−6 ab, bildet der Abschnitt 1:3ff eine wohlkomponierte Einheit. Gegen Becker[13] halten wir diesen Lehrvortrag für ursprünglich in TAs. Becker betrachtet 5:4 als eine typisch redaktionelle Bemerkung, die die Fiktion aufrechtzuerhalten versuche, Asser halte eine Abschiedsrede. Die Stelle sei leicht aus dem Kontext zu lösen und ein Fremdkörper in der völlig unpersönlichen Paränese[14]. Die Situation läßt sich auch anders interpretieren: bei 1:3−4:5 handelt es sich um einen übernommenen Lehrvortrag, den der Verfasser der TP mit Hilfe von 5:4 im TAs verankerte[15]. Spätere Zufügungen haben dann 5:4 von 1:3−4:5 getrennt.

Vom Verfasser rühren auch die Mahnungen in 6:1−3 her, und 5:4 + 6:1−3 machen, neben den Rahmen, den Beitrag des Verfassers aus. Die Lebenserfahrung Assers ist praktischer Art gewesen. Er ist immer nach den Gesetzen des Höchsten gewandelt (5:4). 5:1−3 verdunkeln dieses praktische Ziel und führen theoretische und spekulative Vorstellungen ein. Streicht man 5:1−3, knüpft 5:4 ausgezeichnet an 4:5 an.

Der Abschnitt 1:3ff ist als Paränese aufzufassen[16]. Eine Weisheitsrede ist

---

[13] *Untersuchungen* (365;)371f. Er weist nach, daß die Zukunftserwartungen in 6:4−6 in einer ganz anderen theologischen Vorstellungswelt als Kap. 7 leben. Für unsere Analyse ist dies jedoch belanglos, weil wir 6:4−6 *und* Kap. 7 für sekundär halten. Daß das Zwei-Wege-Schema in den TP nicht mehr verwendet wird, ist nicht ausschlaggebend. Es ist nur ein Aspekt des deutlich dualistischen Gepräges der TP; vgl. z.B. TJud Kap. 20; TN Kap. 2.
Es stimmt nicht, daß Kap. 2 und 4 sich für Grenzfälle zwischen Gut und Böse interessieren, während die Paränese sonst immer von einem eindeutigen *„aut-aut"* geprägt ist. Nicht die Handlungen, sondern die Personen hinter den Handlungen stehen im Blickfeld. Die Bosheit der in Kap. 2 erwähnten Zweigesichtigen kann nicht von einzelnen guten Handlungen verborgen werden, weil ihr διαβούλιον vom Bösen beherrscht ist, 1:8f. In Kap. 4 stehen die Eingesichtigen im Zentrum. Sie tun oft scheinbar böse Werke und werden deshalb von den Zweigesichtigen als Sünder angesehen. Vor Gott sind sie aber Gerechte, weil sie nur das Böse bekämpfen. Ein typisches Beispiel liegt in V.3a vor: einen Barmherzigen zu hassen, ist an sich böse. Wenn aber dieser Barmherzige zugleich ungerecht ist, ist seine Barmherzigkeit nur ein Schein, und der Eingesichtige handelt gut, wenn er ihn haßt, obwohl sein Haß scheinbar böse ist. Er ahmt nur Gott nach, 4:3d.
Eines der Argumente Beckers ist auffällig: „Endlich enthält TAs 1,1−6,6 keine pneumatische Tugend- und Lasterparänese, d.h. Ausdrücke wie 'Geist der Hurerei', 'Geist der Lüge' usw. fehlen, obwohl von Tugend und Lastern gesprochen ist. Doch sind solche Formulierungen gerade für die sonstigen Tugendparänesen in den TP kennzeichnend." Die Tugend- und Lasterparänese in den TP rechnet aber Becker insgesamt als sekundär! (Vgl. II,4 Anm. 5.) Der bruchlose Übergang von 1:2 zu 1:3, der für die Echtheit von 1:3ff spricht, wird von Becker damit erklärt, daß 1:2 redaktionelle Klammer sei. 1:2 gehört aber zum Anfangsrahmen und ist somit kein Einschub.
[14] *Untersuchungen* 365.
[15] Vgl. v.Nordheim *Lehre* I,62. (Weniger gut bevorzugt er chj in 5:4.)
[16] S. v.Nordheim *Lehre* I,62.

paränetisch, auch wenn sie sich nicht mahnender Aufforderungen bedient. Es liegt in der Natur der Sache, daß sie als Lebensweisheit auf eine Verhaltensanweisung hinzielt; vgl. z.B. das alttestamentliche Spruchbuch. Die in unserem Lehrvortrag vorliegende Paränese ist von den Begriffen Eingesichtigkeit und Doppelgesichtigkeit beherrscht. Die Mahnungen warnen vor Doppelgesichtigkeit. Sie haben ein Gegenstück im ἁπλότης-Begriff des TIs.

Ein Problem für sich bilden 2:9f und 4:5, die wie typische Glossen anmuten. Ihr Fehlen würde man nicht vermissen. Andererseits sind sie inhaltlich nicht verdächtig und sind auch nicht besonders schlecht angebracht. Mit gewissem Zweifel rechnen wir sie als einen ursprünglichen Bestandteil des Textes, denn die Argumente einer Disqualifikation reichen nicht aus.

Läßt sich etwas über den Ursprung von 1:3ff sagen? M. de Jonge hält den Abschnitt für christlich, weil die Vorstellung der zwei Wege so oft in christlicher Paränese verwendet werde[17]. Dies ist kein Beweis, sondern eine „*petitio principii*"[18]. Becker behauptet, daß der Abschnitt im hellenistischen Judentum zu Hause sei. Im Gegensatz zu M. de Jonge versucht er seine Auffassung zu begründen, überzeugt aber nicht[19]. Aschermann meint, daß er aus der frühen Synagoge stamme und verweist auf Parallelen in Mischna[20]. Es bleibt dabei unklar, ob er an die palästinische Synagoge oder die Diasporasynagoge denkt. Da die Argumente einer außerpalästinischen Provenienz unzulänglich sind, folgern wir, daß er aus Palästina stammt.

Kap. 7 enthält zwei SER-Stücke. Die nähere Abgrenzung ist umstritten. Einige zerlegen das Kapitel in 7:1−4 und 7:5−7[21]. Richtig ist die Grenzzie-

---

[17] *Testaments* 119.

[18] Becker *Untersuchungen* 369 Anm. 4. „Der Text zeigt nicht den geringsten christlichen Einfluß, den man gerade etwa 6,4−6 zumindest erwarten würde."

[19] *Untersuchungen* 368. Er verweist u.a. auf die „Tierallegorese" in 2:9 und 4:5, die eine direkte Parallele in Arist § 144ff habe: „Sie ist geboren aus apologetischem Interesse, nämlich die den Hellenen unverständliche Aufteilung der Tiere in rein und unrein so zu deuten, daß sie einen tieferen, hellenischem Geist verständlichen Sinn erhält." Nichts im Text zeugt davon, daß die Aufteilung der Tiere in rein und unrein problematisch sei. Tatsächlich haben 2:9 und 4:5 nichts mit allegorischer Auslegung zu tun. Es handelt sich nicht um eine Deutung, sondern um einen Vergleich.
„Auch der Vorstellungsbereich der Nachahmung Gottes bzw. der Geister der Verführung (TAs 4,3; 6,2) weist in den Hellenismus." Vgl. aber Stellen wie Lev 19:2 und Mt 5:(43−)48. Becker führt weiter sprachliche Argumente an; vgl. IV,4.
(Seine Argumente zu 6:4−6 fallen fort, weil dieser Abschnitt doch nicht zu 1:3ff gehört; vgl. Text.)

[20] *Formen* 58. Er verweist auf Pirqe Aboth II:9; III:2f.15.18; V:9−15 (ibid. Anm. 11).

[21] So z.B.: Otzen *GamPseud* 7,769; Aschermann *Formen* 16 (zwar ohne V.1).

hung 7:1–3 und 7:4–7[22]. Beide Abschnitte beginnen mit einer Mahnung, die nicht zu den SER-Stücken in engerem Sinn gehört. Die SER-Stücke finden sich demnach in 7:2–3 und 7:5–7. Die Absicht der beiden Mahnungen ist klar. Die erste gibt den Schein, daß die Paränese noch fortfährt, die andere leitet vom einen SER-Stück zum anderen über.

Der Aufbau der SER-Stücke bereitet nur wenige Probleme. Wir finden die typischen Elemente: Einleitung (7:2a/7:5a); das Element der Sünde (7:2b/7:5b); das Element des Gerichts (7:2c/7:6); das Element der Heilsrestitution (7:3/7:7). In beiden Stücken fehlt das Element der Umkehr. Zu bemerken ist noch, daß das Element der Heilsrestitution in 7:7 deutlicher zum Ausdruck kommt als in 7:3, weil 7:3 christlich bearbeitet worden ist; vgl. unten.

Wir halten das ganze Kapitel für sekundär[23]. Scheinbar passen beide Abschnitte, 7:1–3 und 7:4–7, zur Testamentsituation, denn die Aussagen „ich weiß" (7:2), „ich erkannte" (7:5) und „meine Brüder" (7:6) lassen an Asser denken. Doch handelt es sich um typische Versuche, die Abschiedssituation einzuhalten[24]. In der Tat enthält Kap. 7 viele der wiederkehrenden sekundären Merkmale. In 7:5 wird auf eine fremde Quelle, die Tafeln des Himmels, verwiesen; vgl. II,2. Sie fehlt zwar in α, doch darf man vermuten, daß sie ursprünglich ist[25]. Keines der SER-Stücke hat etwas mit dem Thema des TAs zu tun[26]. Die Beschuldigungen sind ganz allgemein und reden von Sünde und Abfall, nicht von Doppelgesichtigkeit. Es handelt sich nicht um die Nachkommen Assers, sondern um das Geschick des Volkes (721 und) 587 v. Chr.; vgl. III,2. In 7:6 achtet der Interpolator nicht genügend auf die Einhaltung der Testamentsituation. Der Vers setzt als eine wohlbekannte Tatsache voraus, daß die Stämme Gad und Dan zerstreut waren; vgl. TD 7:3. Das könnte bedeuten, daß die Stämme Gad und

---

[22] So z.B.: Charles *Text* XLVI; *Comm* LVII; 170 (7:4–7: eine Zufügung aus dem 1. Jh. v. Chr.); Becker *Untersuchungen* 369 (7:1–3: sekundär); v.Nordheim *Lehre* I,65 (*eines* der Stücke sekundär); Hultgård *L'eschatologie* I,197f (7:2–3; 7:(4)5–7); M. de Jonge *Testaments* 85; Hollander/M. de Jonge *Comm* 54; 359.

[23] So auch: Schnapp *Testamente* 74; Philonenko *Interpolations* 5ff. Zu Charles, Becker und v.Nordheim, s. Anm. 22. Sie halten nur einen Teil des Kapitels für sekundär. Becker bemerkt ganz richtig, daß das erste SER-Stück nichts mit TAs zu tun hat. Im zweiten schreibt er zu Recht die Bemerkung „meine Brüder" einer Redaktion zu. Er meint aber, daß diese Redaktion vom Verfasser der TP herrühre, „weil er wohl eher als ein späterer Redaktor auf Einhaltung der Testamentssituation achtete."(!) (*Untersuchungen* 369.) Im allgemeinen schreibt aber Becker gerade seinem Redaktor (Interpolator) diesen Scharfsinn zu; vgl. II,4 Anm. 5. Der Verdacht liegt nahe, daß Becker gezwungen ist, eines der SER-Stücke für ursprünglich zu halten, weil er den Rest des Textes schon disqualifiziert hat.

[24] Zu 7:6 vgl. Becker in der vorigen Anm.

[25] Becker *Untersuchungen* 174f rechnet freilich die kürzere Form „ich weiß", „ich erkannte" usw. (ohne Erwähnung irgendeiner Quelle) für ursprünglich in den SER-Stücken.

[26] So mit Recht Becker *Untersuchungen* 369 zum ersten SER-Stück; vgl. Anm. 23.

Dan zur Zeit des Interpolators aufgehört hatten zu existieren[27]. Jedenfalls ist klar, daß nicht die Personen Gad und Dan, sondern die Stämme gemeint sind; vgl. III,2. Im Mund Assers paßt diese Aussage nicht.

Es bleibt unklar, warum TAs zwei SER-Stücke enthält. Eine entsprechende Doppelung liegt auch in TN 4:1−3 und 4:4−5 vor. Dort ist wahrscheinlich das zweite Stück chronologisch nach dem ersten einzuordnen; vgl. πάλιν in 4:4. Das scheint in TAs nicht der Fall zu sein[28]. Hultgård meint, in TAs 7:2−3 dominiere der retrospektive Aspekt, in 7:5−7 dagegen der aktualisierende Aspekt[29]. Seine Erklärung leuchtet nicht unmittelbar ein. Eines der Stücke einem Redaktor zuzuschreiben, ist ein Verlegenheitsausweg[30]. Die SER-Stücke bilden offenbar eine einheitliche Gruppe. Man muß entweder alle disqualifizieren oder sämtliche anerkennen – *tertium non datur*. Tatsächlich läßt sich kein Muster für das Auftreten der SER-Stücke nachweisen[31]. Eine überzeugende Erklärung der vorliegenden Doppelung liegt noch nicht vor. Die Komposition von Kap. 7 wird ein Rätsel bleiben, denn der Interpolator der SER-Stücke hat im Text keinen Interpretationsschlüssel hinterlassen.

Nachdem wir jetzt gesehen haben, daß 6:4−6 + 7:1−7 sekundär sind, drängt sich die Frage auf, wie der vorliegende Text, 6:4ff, entstanden ist. Becker hat auf einen möglichen Stichwortanschluß („Engel" in 6:6; 7:1) aufmerksam gemacht, gesteht aber, daß diese Möglichkeit unsicher ist[32]. Falls sie richtig ist, denkt man sich am einfachsten, daß 7:1ff jünger als 6:4−6 sind[33]. Doch ist diese Folgerung nicht notwendig, denn es gibt Beispiele dafür, daß das vorangehende Stück an das nachfolgende anknüpft; vgl. TJos 10:3; 10:5.

Die christlichen Bearbeitungen in TAs sind nicht besonders umfangreich. Sie finden sich in 7:3 und 7:4. Es herrscht keine Einigkeit über

---

[27] So Bousset *ZNW* 1 (1900) 206ff. Wenn Bousset aber folgert, daß der Stamm Asser ebenfalls zerstreut sei, irrt er sich. Er hat dann nicht gesehen, daß die SER-Stücke vom ganzen Volk handeln, nicht nur von den Nachkommen desjenigen Stammvaters, dem der Interpolator ein SER-Stück in den Mund legt; vgl. vor allem TSeb 9:5ff.

[28] Anders: v.Nordheim *Lehre* I,65. Das ihm vorliegende SER-Stück (vgl. Anm. 22) habe der Redaktor nur auf das Exil und die Rückkehr aus der Gefangenschaft gedeutet. Diese habe er aber nicht als endgültige Heilsrestitution anerkennen können, weil er seine Zeit als unter der Strafe Gottes befindlich betrachte, was er nur als eine Folge erneuten Abfalls verstehen könne. Vgl. dazu schon Charles *Comm* LVIIf.
Aschermann *Formen* 16 hält es für möglich, daß die Ereignisse nach der Zerstörung Jerusalems 70 n. Chr. der Anlaß der Doppelung seien, und daß sie auf einen Christen zurückgehe.

[29] *L'eschatologie* I,197f.

[30] So z.B. Becker *Untersuchungen* 369. (Vgl. übrigens v.Nordheim und Charles in Anm. 22; 28.)

[31] Vgl. die Übersicht in Hollander/M. de Jonge *Comm* 53ff; usw.

[32] *Untersuchungen* 369.

[33] Der hellenistische Einfluß in TAs 6:4−6 läßt keine Folgerung über das Alter zu, denn er war schon im 3. und 2. Jh. v. Chr. stark; vgl. Hengel *Judentum und Hellenismus*.

den Umfang in 7:3[34]. Der Vers redete ursprünglich von dem Kommen Gottes auf die Erde und dem Heil Israels, was der christliche Interpolator auf die Inkarnation gedeutet hat. Von ihm rühren mit Sicherheit die Worte ὡς ἄνθρωπος ... πίνων und καὶ πάντα τὰ ἔθνη κτλ. Das Motiv des Drachenkampfes ist alttestamentlich und könnte sich auf den Kampf Jahwes mit dem Chaosdrachen beziehen. Die Ausdrücke ἐν ἡσυχίᾳ und δι' ὕδατος sind schwerbegreiflich[35]. Spielt die letztgenannte Wendung auf die christliche Taufe an? Vielleicht ist das ganze Motiv christlich und bezieht sich auf Christus, der das Haupt der Schlange zermalmt (Gen 3:15) und die Macht des Teufels in der Taufe vernichtet.

Die Einleitung in 7:4 „Sagt nun dieses euren Kindern" mutet nicht besonders christlich an. Die Fortsetzung „daß sie ihm nicht ungehorsam sind" halten wir dagegen für christlich. Sie greift also der Anklage in V.5 „Ihr werdet ihm ganz ungehorsam sein" vor. In V.5 war der Abfall ursprünglich ein Abfall von Gott. Der vorgreifende Satz in V.4 nimmt aber auf die christliche Bearbeitung von V.3 Bezug und gibt dem zweiten SER-Stück eine christliche Drehung. Αὐτός bezeichnet für den christlichen Leser nicht mehr Gott, sondern Christus. Diese Interpretation lag nahe, weil die Beschuldigung, nicht auf das Gesetz Gottes zu achten, sondern auf die Gesetze der Menschen (7:5), an die Worte Jesu in Mk 7:7f; Mt 15:9 erinnerte. Der christliche Leser hat deshalb TAs 7:5−7 auf den Fall Jerusalems im Jahr 70 n. Chr. gedeutet.

Der Abschlußrahmen in TAs, 8:1−2, enthält alle Elemente außer dem seltenen Verweis auf die Trauer der Nachkommen; vgl. die Synopse in II,1.

Zusammenfassend halten wir folgende Abschnitte in TAs für sekundär:
5:1−3: verschiedene dualistische Spekulationen
6:4−6: ein eschatologischer Abschnitt (das Geschick der Menschen nach
　　　　dem Tod)
7:2−3: ein SER-Stück mit einleitender Mahnung in 7:1
7:5−7: ein SER-Stück mit einleitender Mahnung in 7:4 (christlich bearbeitet)
Christliche Bearbeitungen liegen in 7:3 und 7:4 vor.

---

[34] Vgl. zu diesem Problem: Becker *Untersuchungen* 369f; Charles *Text* L; 180f; *Comm* LXIV; 170; Schnapp *Testamente* 74ff; Otzen *GamPseud* 7,770; M. de Jonge *Testaments* 85f; 152 Anm. 222 und *NT* 4 (1960) 232f; Hultgård *Croyances* 73ff; *L'eschatologie* I,153ff; 227ff; Kee *OTP* I,818.

[35] Hultgård *Croyances* 74; *L'eschatologie* I,156f meint, daß Hebräisch לבבם dem ersten Ausdruck zugrunde liege. Becker *Komm* 117 bemerkt: „Vielleicht steht ein labæṭāḥ im Hintergrund." (Weil er damit rechnet, daß die TP in Griechisch abgefaßt seien, muß er Hultgård modifizieren.)

11. Die Abschiedsrede in Testament Benjamin

Der Anfangsrahmen in TB umfaßt 1:1−2a. Man vermißt vor allem einen Hinweis auf den bevorstehenden Tod, der sich aber in 10:2, d.h. in der Abschiedsrede, findet. Der Anfangsrahmen enthält keine Redeeinleitung − dieses Element kommt sonst in allen Testamenten außer TL und TG vor − und keine Vergleichsdatierung. Eine Synchronisierung nach dem Tod Josephs liegt allerdings nur in TR, TSim, TL, TIs(?!) und TSeb vor und ist kein konstitutives Formelement; vgl. II,2. Die Altersangabe wird in 12:2 wiederholt. S. übrigens die Synopse in II,1.

Der Mittelteil besteht aus 1:2b−11:5. Interpolationen begegnen, wie gewöhnlich, am Ende der Sterberede; vgl. unsere Analysen von 9:1ff.

Der Rückblick (1:2−2:5) beginnt mit einer Vorstellung des Patriarchen (1:2b−6). Benjamin berichtet von den Umständen seiner Geburt und Namengebung. Die Etymologie seines Namens weicht von der Erklärung in Gen 35:18 ab. Die Zusammenstellung mit Bæn-Oni („Unheilskind") in Gen 35:18 zeigt, daß Bin-Jamin dort „Erfolgskind" bedeutet. Hier wird Benjamin als „Sohn der Tage" aufgefaßt. Diese Paronomasie wird oft als aramäisch bezeichnet[1], was aber ein Irrtum ist. „Tage" heißt aramäisch (im St.abs.) nicht ימין, sondern יומין. Die Form ימין ist hebräisch. Im späteren Hebräisch wird aber ם oft durch ן ersetzt[2].

Man hätte nun eine Charakterisierung seiner Jugend erwartet; vgl. TSim 2:2ff; TJud 1:3ff; TG 1:3f. Statt dessen springt Benjamin in seiner Erzählung unvermittelt über zu seinem Aufenthalt in Ägypten nach der Versöhnung der Brüder mit Joseph. Dieser Sprung ist vielleicht von Mangel an Stoff verursacht. Benjamin erzählt nun von seinem Gespräch mit Joseph. Das Thema ist wohlbekannt: Joseph fragt, wie die Brüder sein Verschwinden erklärt hätten, und Benjamin berichtet von dem mit Blut besudelten Gewand. Joseph ergänzt und berichtigt(?).

Leider wird die Darstellung von textkritischen Problemen verdunkelt. In Kap. 2 liegen drei Hauptvarianten vor: Ms c, "β" und A[3].

Bei allen Unterschieden sind sich die beiden ersten inhaltlich recht ähn-

---

[1] So z.B.: Charles *Comm* 198; Becker *Untersuchungen* 205; *Komm* 131; Otzen *GamPseud* 7,783; Eppel *Piétisme* 17; Hollander/M. de Jonge *Comm* 415f.
[2] Vgl. Segal *Grammar* §§ 54; 70; 281; s. auch TN Anm. 16.
[3] S. Charles *Text* 215f.

lich, während A erheblich von ihnen abweicht. Vor allem kennt A drei Verse (2:6−8), die keine Parallele in G haben. Wir halten es für ausgeschlossen, daß A einen ursprünglichen Text bewahrt hat[4]. Es handelt sich, wie in TJos 19:3−7, um eine sekundäre Erweiterung. Becker argumentiert eingehend für Ms c in 2:1−5[5]. Richtig ist dabei, daß Ms c scheinbar weniger Probleme als "β" aufwirft. Keine der Versionen ist aber unproblematisch[6]. Der Stoff in Kap. 2 besteht aus typisch haggadischen Weiterführungen der Genesiserzählung. Die Traditionen des Verfassers wußten zu berichten, wie Joseph von den Ismaeliten behandelt wurde. Die Midrasche kennen entsprechende Traditionen, wenn auch andere als die in TB vorliegenden[7].

Mit Kap. 3[8] beginnt die Paränese. Es fällt auf, daß nicht Benjamin, sondern Joseph Vorbild ist, und daß die Mahnungen nicht auf den Rückblick bauen[9], was eine doppelte Unregelmäßigkeit ist. Im allgemeinen wird der betreffende Stammvater im Rückblick als nachahmenswertes oder abschreckendes Beispiel dargestellt, und die Paränese nimmt dann auf diese Lebensdarstellung Bezug. Erinnern wir uns aber daran, daß der Verfasser an einigen Stellen von dieser Struktur abweicht. In TAs gibt es keine Le-

---

[4] Das meinen: Charles *Text* XVI; (216); *Comm* XXVII; (200); v.Nordheim *Lehre* I,85; Hultgård *L'eschatologie* II,39 (mit einem besseren armenischen Text als in Charles *Text* 215f).

[5] *Untersuchungen* 34ff; vgl. Charles *Comm* 199.

[6] *Für Ms c* spricht, daß es mit Gen 37:23 und TSeb 4:10 übereinstimmt, freilich mit der kleinen Ausnahme, daß es in TSeb die Brüder, und nicht die Ismaeliten, Joseph das Knechtsgewand anziehen. In 2:5b wirkt ἐν ἀνέσει με κατέσχεν korrupt. Das erlaubt jedoch nicht, die ganze Version des Ms c zu disqualifizieren. Ms c ist sonst kontextgemäß.
Gegen "β" spricht, daß 2:3 nicht mit Gen 37:23 und TSeb 4:10 übereinstimmt. Schlimmer ist, daß 2:3 sich kaum in Einklang mit 2:2 bringen läßt. Das hat schon Schnapp *Testamente* 79 gesehen. Er rechnet deshalb 2:3ff als eine Interpolation. Legt man aber Ms c zugrunde, ist das eine unnötige Annahme. (Es sei bemerkt, daß Schnapp Ms c's Version von 2:3−5 nicht gekannt hat.) Es fragt sich, ob "β", trotz der bejahenden Antwort in 2:3, eine Darstellung des Handlungsverlaufes geben will, die die Brüder entschuldigt. Einer der Ismaeliten zieht Joseph das Gewand aus. Nach 2:2 beschmutzen die Brüder das Gewand mit Blut. In 2:4 scheint "β" eine andere Erklärung zu geben. Der Ismaelit wollte das Gewand verbergen, wurde aber von einem Löwen getötet. Das Gewand wurde dann mit Blut bespritzt. "β" scheint auch zu leugnen, daß Joseph verkauft wurde. Die Ismaeliten nahmen ihn, 2:3. Wenn dieses Verständnis richtig ist, versucht Joseph den wirklichen Handlungsverlauf zu verschleiern, obwohl Benjamin ihn nach 2:1f kennt.
Nach M. de Jonge *Testaments* 30 und 138 Anm. 78 hat Ms c den Text von "β" geändert und ihn in Einklang mit dem gewöhnlichen Bericht (in Gen und TSeb) gebracht. Doch bietet schon Ms c eine Erweiterung der Version der Gen. Daß "β" sich noch weiter entfernt hat, ist kein Argument dafür, daß der "β"-Text ursprünglicher sei. Er mutet eher wie ein späteres Traditionsstadium an. Hält man den Umfang des Wachstums für entscheidend, müßte man A vorziehen.

[7] Vgl. Ginzberg *Legends* II,20.

[8] A hat in 3:2−5 einen abweichenden Text; vgl. Charles *Text* 217 und Hultgård *L'eschatologie* II,48f Anm. 3. Er gehört sachlich zu A's Version von 2:3ff und bereitet zugleich 3:6f vor. Das Motiv einer Änderung ist offenbar.

[9] Nach Schnapp *Testamente* 80 hat der von ihm postulierte Interpolator von 2:3ff (s. Anm. 6) einige Bemerkungen über die Frömmigkeit Josephs in Kap. 2 gestrichen.

bensgeschichte, sondern einen Lehrvortrag, 1:3ff, aber nach 5:4 hat Asser die Richtigkeit dieser Lehre in seinem Leben konstatieren können. Der Ausgangspunkt der Mahnungen in TN ist nicht das Vorbild des Patriarchen, sondern die Wohlgeordnetheit der Natur. Joseph ist in vielen Testamenten neben dem Stammvater ethisches Paradigma; vgl. TR 4:8ff; TSim 4:4ff; TL 13:9; TSeb 8:5. Das Auffällige in TB ist, daß Benjamin beinahe völlig in den Hintergrund tritt; vgl. jedoch 3:2, wo er behauptet, das Beispiel Josephs nachgeahmt zu haben[10]. Man darf vermuten, daß die Unregelmäßigkeit in TB u.a. von Mangel an Stoff verursacht ist. Der Verfasser hat kein gutes Thema für die Lebensgeschichte gefunden, die als Grundlage einer Paränese hätte dienen können. Gen 49:27: „Benjamin ist ein reißender Wolf: Am Morgen frißt er die Beute, am Abend teilt er den Fang" wäre nur für eine negative Darstellung geeignet gewesen. Benjamin ist aber nach Dtn 33:12 der Liebling des Herrn. Man muß auch in Betracht ziehen, daß TB die Sammlung der TP abschließt. TB scheint eine Zusammenfassung der Mahnungen des Verfassers zu präsentieren. In TB werden viele der Themata der anderen Testamente aufgenommen. Als Paradigma des richtigen Lebenswandels war Joseph somit ideal, zumal er schon in vielen Testamenten gelobt worden war. Das heißt zugleich, daß das Gespräch in TB Kap. 2 in einem größeren Zusammenhang zu Hause ist. Das Verhalten Josephs gegenüber seinen Brüdern ist sowohl aus Gen wie auch aus den TP bekannt; vgl. in den TP: TSim 4:3f; TSeb 8:4f; TJos 10:5ff. Wenn diese Überlegungen stimmen, verstehen wir, daß der Verfasser den Stoff der anderen Testamente voraussetzen kann.

In 3:6–8 findet sich ein neuer Rückblick, der nochmals auf das Leben Josephs verweist. Er dient als Vorbild der Nächstenliebe. Joseph bittet seinen Vater, daß dieser für die anderen Brüder beten möge, damit der Herr ihnen nicht ihre Sünde, d.h. ihren Haß gegen Joseph, anrechne. Die Szene erinnert an Gen 50:16f, spielt sich aber vor dem Tod Jakobs ab. In V.7 dankt Jakob Joseph überschwenglich, und in V.8 zitiert er eine Prophetie, die Jakob in Joseph erfüllt sieht. Diese Weissagung liegt in zwei Varianten, G und A, vor. In der armenischen Version fehlen einige typisch christliche Zufügungen. Daraus folgt aber nicht, daß A einen ursprünglichen Text in 3:8 bewahrt hat. Der ganze V.8, sowohl in G als auch in A, ist christlich[11].

---

[10] Becker hält 3:2 für sekundär; vgl. Anm. 12.

[11] A wird für ursprünglich(er) und jüdisch gerechnet von: Becker *Untersuchungen* 51ff; *Komm* 132f; Charles *Comm* 202; Bousset *ZNW* 1 (1900) 156; Hultgård *L'eschatologie* II,39f; 237 Anm. 1; v.Nordheim *Lehre* I,86 Anm. 205; O'Neill *JSNT* 2 (1979) 7ff. Der Inhalt dieser Prophetie (in A's Version) hat aber nichts mit Joseph zu tun. Er war nicht sündlos (vgl. TG 1:6ff) und starb nicht für Gottlose. Beckers Auslegung von ἀποθανεῖται ist verblüffend: „Daß Joseph starb, ist im übertragenen Sinn im Leben Josephs erwiesen: Wie oft schwebte er in Lebensgefahr!" (*Untersuchungen* 56). Boussets Argumentation (a.a.o.) ist auch auffällig: „Es bleibt im armenischen Text thatsächlich nichts christliches mehr. Denn die

Der Unterschied besteht darin, daß A in diesem Fall ein weniger verchristlichtes Stadium repräsentiert; vgl. TJos 19:11f.

Becker meint, daß die Perikope 2:1−5 + 3:6−8 eine Einheit bildet und echt sei, während der Abschnitt 3:1−5 drei spätere Interpolationen (3:1; 3:2; 3:3−5) darstelle[12]. Diese Atomisierung des Textes überzeugt nicht. Liest man 2:1−5 + 3:6−8, geben sie nicht den Eindruck, eine kompositorische Einheit zu bilden[13]. Nach Becker passen 3:1 und 3:2 nicht zusammen, weil in 3:2 Benjamin das ethische Vorbild sei und nicht Joseph, was in 3:1 der Fall ist[14]. Jedoch ist Benjamin in 3:2 nicht ethisches Paradigma. Er ist eher eine Person, die dem Beispiel Josephs gefolgt ist. Das Stichwort διάνοια ist übrigens einer der Hauptbegriffe der Paränese. Obwohl die Stelle 3:3−5 eine kleinere Einheit bildet, folgt daraus nicht, daß diese Verse unecht sind; vgl. zum Inhalt TIs 7:6−7; TN 8:4; TB 5:2. Gottesfurcht und Nächstenliebe sind zentrale Vorstellungen der TP; vgl. IV,2D. Die beiden Verweise auf Joseph in 3:3c und 3:4a zeugen von bewußter Komposition[15]. 3:6f knüpfen ihrerseits an die vorangehende Rede von Nächstenliebe an und zeigen, wie Joseph das Liebesgebot erfüllte. Joseph taucht nicht unvermittelt auf, sondern steht sowohl im Rückblick als auch in der Paränese im Blickfeld.

Die Paränese setzt in 4:1−8:3 fort. Die Formulierung in 4:1: Ἴδετε…τοῦ ἀγαθοῦ ἀνδρὸς τὸ τέλος greift auf den Wortlaut in 3:1:…, μιμούμενοι τὸν ἀγαθὸν καὶ ὅσιον ἄνδρα Ἰωσήφ, zurück. Die Paränese ist ganz allgemein, knüpft aber formell an die Person Josephs an, weil Joseph Typus des „gu-

Forts.

Hervorhebung des Satisfactionsgedankens ist nicht specifisch christlich. Den kennt auch das Judentum." (Vgl. Charles *Comm* 202.) Gibt es wirklich Aussagen, die in der jüdischen Literatur so christlich klingen? Zur Kritik, vgl. Hollander *SCS* 5,101f Anm. 320; *Ethical Model* 128f Anm. 32.

Die Diskussion, ob die Vorstellung eines „Messias ben Joseph" sich in TB 3:6−8 wiederfinden lasse, ist uninteressant, weil 3:8 christlich ist. (Zur Literatur vgl.: Dix *JThS* 27 (1926) 130ff; Jeremias *ThWNT* V,685f; Rese *ZThK* 60 (1963) 21ff; O'Neill *JSNT* 2 (1979) 1ff.) Der christliche Interpolator hat 3:8 hinzugefügt, weil er Joseph als einen Typus Christi betrachtete; vgl. Hollander/M. de Jonge *Comm* 419f. Deshalb spielte es keine Rolle, daß Jesus nicht von Joseph, sondern von Juda stammt.

[12] *Untersuchungen* 244ff. v.Nordheim *Lehre* I,86 Anm. 203 hält auch 3:2 für sekundär, weist aber die weitere literarkritische Aufsplitterung des 3. Kap. ab.

[13] Vgl. v.Nordheim *Lehre* I,85: „Außerdem ist der Zusammenhang von 3,6−8 mit Kap. 2 in keiner Weise zwingend: Zwar ist die Form dieselbe (Rückblick), aber die Personen wechseln: Waren es in Kap. 2 Joseph und Benjamin, die sich unterhielten, so sprechen in 3,6−8 Joseph und sein Vater Jakob miteinander. Beide Dialoge haben keine inhaltliche Verbindung miteinander; der zweite knüpft an den ersten weder an noch interpretiert er ihn. Die Unausgefülltheit des ersten Dialoges, seine ihm im Rahmen der Testamentsform fehlende Funktion, bleiben bestehen."

[14] *Untersuchungen* 245.

[15] Nach Becker *Untersuchungen* 246 stammen sie von dem von ihm angenommenen Interpolator von 3:3−5, „um so wenigstens formal eine Verbindung zu 3,1 zu erhalten, …". (Der Restbestand sei ein vorliegendes Traditionsstück.) Vgl. allgemein II,4 Anm. 5 und II,10 Anm. 23!

ten Mannes" ist. Τέλος bezeichnet in diesem Zusammenhang die Erhöhung Josephs in Ägypten. Die Verheißung des „Ehrenkranzes" in 4:1 spielt ebenfalls darauf an; vgl. TL 13:9. Der Verfasser verweist auch in 5:5 auf Joseph. Es gibt somit in den Mahnungen 3:1−5 + 4:1−8:3 viele Hinweise auf Joseph. Sehen wir vorläufig vom eigenartigen Abschnitt 7:1−5 ab, läßt die Paränese sich mit der in einigen Mss vorkommenden Überschrift περὶ διανοίας καθαρᾶς zusammenfassen. Während viele der Testamente sich auf Einzelthemata wie Hurerei, Neid, Haß usw. konzentrieren, betont TB die Gesinnung des Menschen als Grundlage allen ethischen Handelns. Der psychologische Aspekt steht im Zentrum und kommt besonders in Kap. 6 zum Ausdruck. Joseph, nicht Benjamin, war der Prototyp dieses guten διαβούλιον (= יצר).

Obwohl die Paränese nach unseren Maßstäben nicht ganz glatt ist, halten wir sie für einheitlich[16]. Dies schließt die Möglichkeit, daß der Verfasser fertig vorgefundene Überlieferungsstücke verwendet hat, nicht aus[17]. Beckers Hauptthese, daß diese Paränese sekundär sei, weisen wir ab[18].

Kap. 7[19] mutet wie ein Fremdkörper an. Es handelt sich hier wahrscheinlich um ein selbständiges Traditionsstück, das aus irgendeiner Quelle stammt[20]. Die Abgrenzung ist umstritten. Umfaßt es 7:1−5[21] oder 7:2−5[22]? Wir halten die letztere Annahme für richtig. 7:1 rührt eher vom Verfasser her, der mit 7:1 das ihm vorliegende Stück in der Paränese verankerte[23]. Es besteht kein Grund, 7:2−5 zu disqualifizieren, obwohl die Perikope nur wenig mit TB zu tun hat. Der Verfasser hat das Stück in seine Paränese eingearbeitet, weil Kain einen Gegenpol zu Joseph bildete.

9:1−5 bringen Prophezeiungen. 9:3−5 sind offenbar christlich. Dasselbe gilt sicher auch für den Schluß von V.2[24]. Der Restbestand von 9:1−2 ge-

---

[16] Vgl.: Hultgård L'eschatologie II,199; v.Nordheim Lehre I,86f.

[17] Vgl. v.Nordheim Lehre I,86 (4:2−5; 6:1−4, d.h. zwei negative, teilweise auch positiv gewendete Bekenntnisreihen. Zur Abgrenzung der zweiten Reihe (6:1−4), vgl. Aschermann Formen 31 und v.Rad BzhTh 16 (1953) 155f. Becker Untersuchungen 250 argumentiert für 6:1−6 und Hultgård L'eschatologie II,145; 199, für 6:1−7.

[18] Untersuchungen 245; 247ff; vgl. allgemein II,4 Anm. 5.

[19] Zu den Textproblemen (in 7:2), vgl.: Charles Text 223f; Comm 206; Becker Untersuchungen 252; Komm 134f; Otzen GamPseud 7,786.

[20] Vgl.: Becker Untersuchungen 252; v.Nordheim Lehre I,87; M. de Jonge Testaments 161 Anm. 356.

[21] So: M. de Jonge Testaments 161 Anm. 356.

[22] So: Becker Untersuchungen 252; v.Nordheim Lehre 87.

[23] 7:1 knüpft sowohl an 6:7 als auch an 7:2 an. Die Anknüpfung an 6:7 ist doppelter Art, teils formal durch Einhaltung der Testamentsituation („darum, meine Kinder"), teils stichwortgemäß („Beliar"). Zwischen 7:1 und 7:2 liegt auch Stichwortanschluß („Schwert") vor. 8:1 setzt, mit der üblichen Anrede („und nun, meine Kinder"), die Paränese fort. Der Vers nimmt deutlich auf 7:1 Bezug: 7:1: φεύγετε τὴν κακίαν τοῦ Βελιάρ; 8:1: ἀποδράσατε τὴν κακίαν. (Schließlich greift 8:2 das Stichwort „Liebe" aus 8:1 auf.)

[24] Zu den christlichen Interpolationen in Kap. 9 vgl.: Charles Text L; 227; Comm LXIV; 212; Becker Untersuchungen 253f; Komm 135f; Schnapp Testamente 82ff; Hultgård L'eschato-

hört zu den SER-Stücken und ist somit sekundär[25]. Der Aufbau des Stückes wird von der schwierigen Textsituation verschleiert. Es weist die üblichen Elemente auf, einige zwar in etwas abweichender Gestalt. Ganz traditionell ist die Einleitung mit dem Verweis auf Henoch. Auch das Element der Sünde ist nicht auffällig. Die Strafe wird dagegen nicht mit der gewöhnlichen Drohung von Gefangennahme und Exil charakterisiert, sondern es heißt, daß die Herrschaft des Herrn plötzlich von ihnen fortgenommen werden wird. Gemeint ist natürlich der Fall Jerusalems. Die Restitution besteht im Wiederaufbau des zerstörten Tempels und in der Rückkehr der Stämme, obwohl das Element des Gerichts weder von einer Tempelzerstörung noch von einem Exil gesprochen hat.

Das SER-Stück hat nichts mit dem Thema des TB zu tun und paßt nicht in diesen Kontext hinein. Es unterbricht die Paränese, die mit 10:2–5 fortgesetzt wird. Inhaltlich verrät es sich an mehreren Stellen. Der Hinweis auf eine äußere Quelle (Henoch) als Garantie der Wahrheit der Worte verkennt die Testamentsituation; vgl. II,2. Die Erwähnung des ersten und des zweiten Tempels[26](s. Hagg 2:9) setzt den Wiederaufbau des Tempels nach der babylonischen Gefangenschaft voraus. Es handelt sich zwar um eine Prophetie, doch haben wir überhaupt nichts vom Bau des Tempels gehört. In der Grundschrift meidet der Verfasser Anachronismen dieser Art sehr sorgfältig. Ναός kommt deshalb nur in den Interpolationen vor; vgl. III,1. In 9:2 setzt der Interpolator ebenfalls das Exil als eine wohlbekannte Größe voraus, obwohl im vorliegenden SER-Stück davon nicht die Rede war. Diese fehlende Einhaltung der Fiktion kehrt immer wieder zurück; vgl. III,1. Schließlich ist die Weissagung nicht an die Nachkommen Benjamins gerichtet, sondern an das ganze Volk; vgl. III,2.

10:1 ist ein Problem für sich. Der Vers steht im jetzigen Kontext ganz isoliert, und man hat ihn deshalb anderswo plazieren wollen[27]. Wie er dann in Kap. 10 eingedrungen ist, bleibt ein Mysterium. Wir haben keine Lösung dieses Problems und wagen es auch nicht, die Frage der Echtheit zu

---

Forts.

logie I,159ff; Otzen *GamPseud* 7,787; v.Nordheim *Lehre* I,87; Kee *OTP* I,827. Philonenkos Versuch, den „Lehrer der Gerechtigkeit" zu finden, *Interpolations* 22ff, wird von M. de Jonge *NT* 4 (1960) 225f leicht widerlegt.

[25] Vgl. Schnapp *Testamente* 80f und, teilweise mit anderen Argumenten, Becker *Untersuchungen* 253.

[26] Der Text in bk ist ganz offenbar falsch; s. neuerdings Hollander/M. de Jonge *Comm* 434.

[27] Nach Schnapp *Testamente* 80 ist er in Kap. 2 zu Hause oder evtl. aus einer fremden Quelle übernommen. Charles *Comm* 212; 199 verlegt ihn vor 2:1 und ändert 2:1; vgl. M. de Jonge *Testaments* 156 Anm. 281. Becker *Untersuchungen* 254f (der den ganzen Komplex Kap. 4–8 disqualifiziert; vgl. Anm. 18) meint, er folge auf 3:8. (Oder: „Vielleicht ist gerade auch zwischen 3:8 und 10:1 ein Abschnitt ausgefallen", ibid. 255.) Hultgård *L'eschatologie* II,212f denkt an den haggadisch-didaktischen Teil Kap. 2–3, Otzen *GamPseud* 7,787 an TN 7:2–3. v.Nordheim *Lehre* I,87 verzichtet auf eine nähere Anbringung; vgl. Philonenko *BEI* 942.

entscheiden. Wir bemerken jedoch, daß der Vers inhaltlich nicht verdächtig ist.

Mit 10:2−5 kehren wir zur Paränese, die mit diesen Versen abgeschlossen wird, zurück. Benjamin sammelt seine Mahnungen in zwei Hauptpunkte: Nächstenliebe und Kenntnis des Gesetzes des Herrn. Diese Mahnungen hinterläßt er seinen Nachkommen anstelle allen Erbes. Sie sind ein immerwährender Besitz. Mit diesen Worten beendigt der Verfasser die letzte Abschiedsrede. Alles, was folgt, mit Ausnahme des Rahmens in Kap. 12, ist sekundär[28].

In 10:6−10 folgt ein eschatologisches Stück, das die kommende Auferstehung und das Jüngste Gericht zum Thema hat. Der Abschnitt versucht, die Testamentsituation einzuhalten, aber der Inhalt verrät ihn als sekundär; vgl. die Diskussion in III,4.5. Wir fügen hinzu, daß die Perikope ganz unerwartet kommt. 10:5b lenkt zwar den Blick auf die Zukunft, doch enthält die Stelle nichts, das die nachfolgende Zukunftsvision berechtigt[29].

Die christlichen Bearbeitungen in 10:6−10 sind offenbar[30]: V.7: τὸν ἐπὶ γῆς κτλ. V.8: ὅτι παραγενόμενον κτλ. V.9: ὅσα οὐκ ἐπίστευσαν κτλ. Sie fehlen in A, und man darf vermuten, daß A einen weniger verchristlichten Text bewahrt hat[31]. A scheint auch in 10:10 den besten Text zu haben[32], während G weniger sinnvoll ist. Der Text spielt auf einen sonst unbekannten Bericht von Esau und den Midianitern an.

Zwischen 10:10 und 10:11 besteht ein klarer Bruch. In 10:11 wird nochmals die diesseitige Zukunft betont. Der Vers setzt das Exil voraus, ohne daß wir von einer eventuellen Gefangennahme gehört haben; vgl. 9:2. Die Akzentuierung verschiebt sich von einem „ihr" im ersten Teil des Verses zu einem „ganz Israel" am Ende. Meint aber der Interpolator, daß ein gottesfürchtiger Wandel der Benjaminiten dem ganzen Volk Resultate bringe? Es handelt sich um dasselbe Phänomen wie in den SER-Stücken: die Rede ist nur scheinbar an einen Einzelstamm gerichtet; vgl. III,2. Vielleicht stammt der Vers von einem Bearbeiter, der die harten Gerichtsaussa-

---

[28] Vgl. Schnapp *Testamente* 84f. Zu den Argumenten Schnapps gehört auch der Verweis auf den bevorstehenden Tod in 10:2. Die Anbringung dieses Elements läßt aber nicht folgern, daß die Rede zu Ende sei; vgl. die Synopse in II,1.

[29] Statt „allen Völkern" (G) liest A „auf der ganzen Erde". A wird bevorzugt von: Becker *Untersuchungen* 255 Anm. 3; *Komm* 136; Hultgård *L'eschatologie* II,286 Anm. 1. G ist vielleicht eine christliche Änderung?

[30] Vgl.: Charles *Text* L; 229f; *Comm* LXIVf; 214; Becker *Untersuchungen* 48f; 137; Hultgård *L'eschatologie* I,234f; Schnapp *APAT* II,505; Otzen *GamPseud* 7,788. v.Nordheim *Lehre* I,88 Anm. 214 verweist auf Becker.

[31] A wird bevorzugt von: Charles *Comm* 214; Becker *Untersuchungen* 48f; Otzen *GamPseud* 7,787f; Hultgård *L'eschatologie* I,232ff; v.Nordheim *Lehre* I,88 Anm. 214.

[32] Sogar M. de Jonge *Testaments* 33 gibt A den Vorrang.

gen über Israel abmildern bzw. ganz aufheben wollte[33]. (Nach anderen Exegeten gehört er zu 11:1ff[34].)

In Kap. 11 liegen drei Hauptvarianten, Ms c, "β" und A, in 11:1−2a vor[35], während 11:2b−5 sich nur in "β" finden. Die armenische Version hat keine Aussagen, die christlich klingen, sondern ist eine Kombination von Gen 49:27 und Dtn 33:12. Einige Kommentatoren halten deshalb A für den ältesten Text[36]. Dieser Text hat den Vorzug, daß er nur von Benjamin redet. Er rührt möglicherweise von einem Ms mit weniger christlichen Interpolationen als der jetzige griechische Text her; vgl. oben zu 10:6−10. In Ms c und "β" ist der Text deutlich bearbeitet, wenn auch in verschiedener Weise[37]. "β" deutet die Verse 11:1−2a auf Paulus. 11:2b−5 sind ein späterer Anwuchs[38], der den Lobpreis von Paulus einhält. Ms c deutet ebenfalls 11:1 auf Paulus, gibt aber in 11:2a eine messianische Auslegung ("aus dem Samen Judas und Levis"[39]). Dabei wird der Zusammenhang zerstört. Der christliche Text ist natürlich sekundär. A kann aber auch nicht Anspruch auf Echtheit machen[40]. A hält zwar die Testamentsituation aufrecht, denn die besten armenischen Mss haben 1. P. Sg. („Und ich werde nicht mehr … genannt werden"=G) und nicht 3. P. Sg. („Und er wird nicht mehr … genannt werden"[41]). Nach der Ausscheidung von 10:6−10 und 10:11 stehen 11:1−2a isoliert. Sie bilden keine natürliche Fortsetzung von 10:5, denn die Rede Benjamins ist mit 10:5 offenbar zu Ende.

Im Schlußrahmen (Kap. 12) stehen zwei Varianten zur Wahl, Ms c und "β"A[42]. Die meisten Forscher votieren für "β"A[43]. Mit v. Nordheim halten wir den Text in Ms c für erwägenswert[44]. Die Überlieferung in "β"A ist nicht einheitlich. Mss dfg und A weichen an mehreren Stellen von dem in Charles' 'Text' 232f gedruckten Text von β, A (und S[1]) ab. "β"A wollen

---

[33] So v.Nordheim *Lehre* I,88.

[34] So z.B.: Schnapp *Testamente* 86; Hultgård *L'eschatologie* I,202f; Otzen *GamPseud* 7,788.

[35] S. Charles *Text* 230f.

[36] Vgl.: Charles *Comm* 215f; Becker *Untersuchungen* 49ff; Eppel *Piétisme* 26; Hultgård *L'eschatologie* I,203; Otzen *GamPseud* 7,788; v.Nordheim *Lehre* I,88 Anm. 214; Philonenko *BEI* 943.

[37] Zur Deutung, vgl.: Charles *Comm* 215f; Becker *Untersuchungen* 51; Hollander/M. de Jonge *Comm* 442ff; u.a.

[38] Vgl. Becker *Untersuchungen* 50; s. auch M. de Jonge *Testaments* 34.

[39] Juda vor Levi findet sich jedoch auch an nichtchristlichen Stellen; vgl. IV,5C mit Anm. 26.

[40] Das meinen z.B. Hultgård *L'eschatologie* I,203 und v.Nordheim *Lehre* I,88f. (Anders Becker *Untersuchungen* 256.)

[41] S. Hultgård *L'eschatologie* I,203 Anm. 1 (gegen Becker *Untersuchungen* 50 Anm. 5; 256).

[42] S. Charles *Text* 232f.

[43] Vgl. z.B.: Charles *Comm* 217; M. de Jonge *Testaments* 139 Anm. 96; 160 Anm. 338; Hunkin *JThS* 16 (1915) 89.

[44] *Lehre* I,81ff (mit eingehender Besprechung der Varianten).

nicht nur TB zu Ende führen (V.1—2), sondern auch alle zwölf Testamente gemeinsam abschließen (V.3—4). Dabei wird auch die Zusammengehörigkeit der Einzeltestamente unterstrichen. Der Verdacht einer späteren Redaktion liegt nahe. Die Abweichungen in Mss dfg und A können diesen Zweifel erhärten, denn sie scheinen einen differierenden Text zu reflektieren. In Anbetracht unserer obigen Bemerkungen zum zusammenfassenden Charakter der Paränese der TB könnte man sich denken, daß die Zusammenfassung in V.3—4 vom Verfasser intendiert sei. Man muß sich aber klarmachen, daß der Inhalt von V.3—4 nicht ganz zuverlässig ist. 12:3 läßt sich nicht mit TG 8:5 und auch nicht mit der Tradition in Ex 13:19; Jub 46:9 vereinbaren. (TJos 20:6 Ms c läßt sich natürlich nicht anführen!) Es handelt sich in 12:3—4 um eine Sondertradition, die im Schlußrahmen nicht zu Hause ist. Dieser Einschub ist mit TSim 8:2b—4 + 9:1b verwandt.

Die Analyse von TB zeigt, daß die letzten Kapitel stark bearbeitet worden sind.

Sekundär sind:

9:1—5:   eine zweischichtige Prophetie:
9:1—2:   ein SER-Stück (mit christlicher Bearbeitung)
9:3—5:   ein christlicher Einschub
10:6—10: ein eschatologischer Abschnitt
10:11:   eine Verheißung

Unsicher ist 10:1.

In 7:2 liegt wohl eine Glosse vor[45].

Christlich sind: 3:8 (sowohl in G als auch in A); 9:2 *fin*; 9:3—5; (10:5 *fin*[46]!); mehrere Hinzufügungen in 10:6—10; 11:1—2a in G und 11:2b—5 in "β".

---

[45] Der zweite Satz muß gestrichen werden; vgl. Anm. 19.
[46] Vgl. Anm. 29.

12. Die Abschiedsrede in Testament Naphtali

Zu TN existiert ein hebräisches Naphtalitestament (hTN). Es wurde kurz vor der Jahrhundertwende von Gaster herausgegeben[1]. Der hebräische Text wurde nochmals in Charles' 'Text' S. 239ff abgedruckt. Er ist mehrmals übersetzt worden[2]. Neuerdings hat Hultgård auf eine zweite Version aufmerksam gemacht und eine Übersetzung davon gegeben[3].

Das vorliegende griechische Testament und das hebräische weisen große Ähnlichkeiten auf. TN 5:1−8:3 entsprechen hTN Kap. 2−7[4]. Es handelt sich um die Visionen Naphtalis. Gemeinsamer Stoff begegnet auch in der Liste der Körperteile und ihrer Funktionen in TN 2:8 und hTN 10:6f.

Das Verhältnis des hTN zu TN wird ganz verschieden bestimmt. Gaster[5] war der Meinung, daß hTN „the real genuine original of the Greek" sei. Resch[6] schloß sich seiner Auffassung (und Argumentation) an. Dagegen hielt Schnapp[7] hTN für spät. Es sei „in freier Anlehnung an den längst vorhandenen griech. Text der Testamente" entstanden. Bousset[8] bezeichnete hTN als eine sekundäre Bearbeitung. Eine verwandte Ansicht läßt sich bei Forschern wie Schürer, Molin und Eißfeldt nachweisen[9]. Eine vermittelnde Position nahm Charles ein. Nach ihm basierte hTN „directly or indirectly on the primitive Hebrew text from which the Greek Testament was translated"[10]. hTN sei somit nicht das Original des TN. Sie hätten aber einen

---

[1] *PSBA* 16 (1893/1894) 33ff; 109ff.

[2] Vgl.: Schnapp *APAT* II,489ff; Charles *Comm* 221ff; Rießler *Schrifttum* 1213ff; Becker *Komm* 152ff; Hollander/M. de Jonge *Comm* 446ff.
Resch *ThStKr* 72 (1899) 209ff hat eine Übersetzung ins Griechische unternommen, um den Vergleich mit den Parallelen in TN zu erleichtern.

[3] *L'eschatologie* II,288ff. Hultgård meint, sie liefere im allgemeinen einen gekürzten und sekundären Text. An einigen Stellen habe sie jedoch einen ursprünglicheren Text bewahrt. In der nachfolgenden Untersuchung wurde der Gastersche Text zugrunde gelegt. Die zweite Version wurde aber berücksichtigt.

[4] Die Einteilung in Kapitel und Verse rührt von Charles *Text* 239ff; *Comm* 221ff her. Hultgård *L'eschatologie* II,293ff gibt der zweiten Version eine entsprechende Einteilung.

[5] *PSBA* 16 (1893/1894) 40.

[6] *ThStKr* 72 (1899) 225ff.

[7] *APAT* II,458f.

[8] *ZNW* 1 (1900) 344; s. aber ibid. 193! Vgl. auch *ThR* 13 (1910) 431.

[9] Schürer *Geschichte* III,259; Molin *Söhne des Lichtes* 162; Eißfeldt *Einleitung* 786.

[10] *Text* LII; vgl. *Comm* LXVII: „... the Hebrew text is *in part* based directly or indirectly...".

gemeinsamen Ursprung, wenn auch hTN ein spätes Produkt sei. Eine ähnliche Auffassung wird von M. de Jonge verfochten[11]. Im Gegensatz zu Charles betont er aber, daß die Träume in hTN dem Original näher stünden als TN. Nach ihm haben die beiden Texte je getrennt das Original – er nennt es „Or. Naphtali" – redigiert und Stoff hinzugefügt oder ausgelassen. Korteweg[12] folgert ebenfalls, daß sich beide Texte, unabhängig voneinander, einer gemeinsamen Quelle bedient hätten, und daß die Träume besser in hTN bewahrt seien[13]. Becker[14] kehrt zur These Schnapps zurück: der Grundstock des hTN greife auf TN zurück und würde dann noch erweitert. Hultgård[15] stimmt im großen und ganzen Becker zu. TN repräsentiere eine ältere Redaktion als hTN, und hTN sei von TN abhängig. Doch sei das vorliegende TN nur ein Resümee, und hTN habe einige Elemente bewahrt, die in TN verlorengegangen seien.

Zusammenfassend lassen sich drei Hauptauffassungen aufstellen:

1. hTN ist das Original des TN (so z.B. Gaster; Resch)
2. hTN ist ein Spätprodukt des TN (so z.B. Schnapp; Becker; Hultgård)
3. hTN und TN haben sich einer gemeinsamen Quelle bedient (so z.B. Charles; M. de Jonge; Korteweg)

Wir stellen zuerst die Frage nach dem Alter des hTN zur Debatte. Aus der obigen Übersicht ergibt sich, daß hTN von vielen als eine „späte" Schrift betrachtet wird, obwohl sie auf eine Datierung verzichten. Der Begriff „spät" ist aber so unpräzise, daß er ganz unbrauchbar ist. Bedeutet dies nur, daß hTN nach TN abgefaßt wurde? Oder meint man, daß es aus der nachchristlichen Zeit oder sogar aus dem Mittelalter stamme? Will man das Alter des hTN näher bestimmen, muß man auf Sprache, Form und Inhalt achten. Sprachlich entspricht hTN ungefähr dem Hebräischen der jüngsten alttestamentlichen Schriften[16]. Die Sprache zeugt somit nicht von

---

[11] *Testaments* 52ff; vgl. Hollander/M. de Jonge *Comm* 296f.

[12] In: *Studies* 261ff.

[13] S. auch: v.Harnack *Geschichte der altchristlichen Literatur* II,1,568; Otzen *GamPseud* 7,758.

[14] *Untersuchungen* 105ff.

[15] *L'eschatologie* II,128ff.

[16] So Resch *ThStKr* 72 (1899) 208f. Nach Resch weisen jedoch „einige späthebräische und aramäische Bildungen und Wörter wie z.B. ין statt ים, להן statt להם, ש statt אשר, כדי, של, דיי, אלא =לא אין (nisi), *scriptiones plenae* wie יתפוש statt יתפש, ציוה statt צוה u.ä.m., auch das zweimal vorkommende קברנטין = κυβερνητήρια" auf „spätere" Zeit. Keiner dieser Züge zeugt aber von einer „späten" Abfassung. Echt aramäisch ist nur אלא; vgl. Segal *Grammar* § 302. Die übrigen Formen sind hebräisch und nicht besonders jung. Die Endung ין statt ים ist sogar sehr alt; vgl. Gesenius/Kautzsch *Grammar* § 87e. In der Mischna wird ם oft durch ן ersetzt (s. Segal *Grammar* §§ 54; 70; 281), muß also viel älter sein. ש findet sich an einigen Stellen im Alten Testament; vgl. Gesenius/Kautzsch *Grammar* § 36. Der Gebrauch von Pleneschreibung ist gewöhnlich in den Qumrantexten. Im Buch Daniel kommen viele griechische Lehnwörter vor.

einer „späten" Abfassung. v. Nordheim hat gezeigt, daß hTN die Form der Testamentgattung benutzt[17]. Er meint aber, es ließen sich Aufweichungen dieser Form nachweisen, die zeigten, daß wir es mit einer Schrift aus erheblich späterer Zeit als die TP zu tun haben. v. Nordheim scheint uns dabei zu viel Gewicht auf die Form der TP zu legen. Die Testamentgattung ist so flexibel – das geht schon aus den TP hervor! –, daß die TP nicht als Fazit dienen dürfen. Schließlich versucht Becker[18] auf Grund von Formkritik zu zeigen, daß hTN jünger als TN sei. Der Inhalt zeige, daß es später als TN abgefaßt sei. Wir kommen auf dieses Argument unten zurück, und es wird sich dort zeigen, daß es nicht tragfähig ist.

Wir wagen keine Datierung des hTN zu geben. Wir halten es aber für möglich, daß es aus vorchristlicher Zeit stammt. Sprache, Form und Inhalt scheinen nicht gegen diese Annahme zu sprechen.

Ein Vergleich der beiden Texte zeigt, daß hTN nicht das Original des TN sein kann. Die Unterschiede sind schlechthin zu tiefgreifend. Die These Gasters (und Reschs) scheidet sofort aus. Es überrascht, daß Gaster dies nicht erkannt hat, da er sich der Differenzen bewußt war. Er versucht aber, die Unterschiede als Auslassungen, Umstellungen und Änderungen des Stoffes in TN zu erklären[19]. Das überzeugt nicht. Charles führt sechs Argumente gegen Gasters Auffassung an, wovon einige unmittelbar einleuchten[20]. Die Ähnlichkeiten lassen sich am einfachsten damit erklären, daß die beiden Texte aus gemeinsamen Traditionen schöpfen. Tatsächlich sind nur die Gesichte gemein. Die Liste der Körperteile ist nur oberflächlich verwandt. Es gibt andere Listen in der jüdischen Literatur, die engere Verwandtschaft zur Liste des TN (als hTN) aufweisen[21].

Beim Vergleich der Texte stehen somit die Träume zentral. Der übrige Stoff und der Aufbau weichen so stark voneinander ab, daß ein gemeinsamer Ursprung ausgeschlossen ist. Wir betonen andererseits, daß der Inhalt des hTN einen guten Eindruck macht. „The Greek counterpart of the Hebrew makes no sense and has no meaning at all; whilst the Hebrew is rounded off, and complete and perfectly clear", schreibt Gaster[22]. Dem ersten Teil dieser Aussage stimmen wir nicht ohne weiteres zu. Er ist viel zu polemisch. Der Rest der Charakteristik hat aber ihre Gültigkeit. hTN verrät eine bewußte Komposition. Es ist zwar eine Sammlung verschiedener

---

[17] *Lehre* I,108ff (mit Beurteilung S.113f).
[18] *Untersuchungen* 105ff.
[19] *PSBA* 16 (1893/1894) 42.
[20] *Comm* LXVIIf; vgl. *Text* LIIf (hier fehlt Argument 6).
[21] Vgl.: Charles *Comm* 138f (*Text* 147f); Becker *Untersuchungen* 110f; M. de Jonge *Testaments* 57f.
[22] *PSBA* 16 (1893/1894) 42.

Traditionen, jedoch ist der Stoff derart redigiert, daß die Schrift als eine kompositorische Einheit erscheint.

Welches der Testamente ist älter? Das ist eine Frage, die für die Problemstellung dieser Arbeit weniger wichtig ist. Wir lassen sie deshalb unerörtert. Die wesentliche Frage lautet: welche Schrift hat die gemeinsamen Visionen am besten bewahrt? Wir brauchen kaum zu sagen, daß diese Frage nur in begrenztem Grad von der Priorität der Abfassung abhängt. Der jüngere Text kann die Tradition treu überliefert, der ältere Text sie entstellt haben.

Wir stellen die These auf, daß das Ausformen der Träume in TN sekundär ist. hTN hat sie besser bewahrt und kann an vielen Stellen Licht auf das vorliegende TN werfen. Um diese Position zu begründen, werden wir jetzt einen kurzgefaßten Vergleich der relevanten Textabschnitte unternehmen[23].

Die erste Vision in TN umfaßt Kap. 5 und entspricht hTN Kap. 2−3. Die Einleitungen der Gesichte weichen etwas voneinander ab. TN 5:1 berichtet detailliert über die näheren Umstände. Der Traum fand im 40. Lebensjahr Naphtalis auf dem Ölberg gegen Osten von Jerusalem statt. Naphtali sah, daß Sonne und Mond (still)standen. hTN 2:1 sagt nur, daß Naphtali sein Gesicht sah, als er die Herde weidete; vgl. TL 2:3.

Die Vision fällt in zwei Teile. Der erste Teil (=TN 5:2−5; hTN 2:2−10) stellt einen Wettlauf der Brüder dar:

Nach hTN werden die Brüder von ihrem Vater aufgefordert, die Himmelskörper zu ergreifen. Levi ergreift dann die Sonne, Juda den Mond, und neun andere Brüder bemächtigen sich je eines Sterns. Nur Joseph weigert sich, der Aufforderung seines Vaters nachzukommen. Er verweist darauf, daß der Standort der Menschen auf der Erde ist. Diese Bemerkung beendet den ersten Teil des Gesichtes und leitet zugleich logisch zum zweiten Teil über; vgl. unten.

In TN fordert Isaak zum Wettlauf auf. Die zu ergreifenden Objekte begrenzen sich hier auf Sonne und Mond. Wer sie ergreift, dem werden sie gehören. Levi und Juda gewinnen den Wettlauf und ergreifen die Sonne bzw. den Mond. Sie werden dann mit ihnen erhöht. Levi ist wie die Sonne und empfängt zwölf Palmenzweige von einem Jüngling, während Juda glänzend wie der Mond wird. Unter seinen/ihren Füßen sind zwölf Strahlen. Levi und Juda laufen zueinander und halten sich fest.

Es handelt sich sowohl in TN als auch in hTN um eine Verherrlichung von Levi und Juda; vgl. die Levi-Juda-Stücke. Einige der Unterschiede

---

[23] Unsere Analysen stützen sich besonders auf Korteweg *Studies* 261ff; s. auch M. de Jonge *Testaments* 53ff.

sind unwesentlich, wie z.B. die Rahmen oder Jakob/Isaak[24]. Andere sind wichtiger. In TN ist das Interesse auf Levi und Juda konzentriert, während die anderen Brüder in den Hintergrund treten. Es gibt in TN keine Sterne geringeren Grades, die sie ergreifen können. Im Gegensatz zu hTN spielt Joseph keine Hauptrolle. Der Verdacht einer redaktionellen Aktivität liegt nahe. Im Zentrum steht die Glorifikation von Levi und Juda, weshalb der Wettlauf auf ein Minimum beschränkt wird. Die anderen Brüder sind ohne Belang. Oder anders gesagt: der Sieg Levis und Judas zeigt deutlich, daß die anderen Brüder nicht mit ihnen konkurrieren können. Die Einheit Levis und Judas wird deshalb in TN stärker betont als in hTN. TN 5:5 ist ein redaktioneller Zusatz, der auf diese Einheit fokussiert. Charles streicht diesen Vers und beseitigt damit die Hauptpointe[25]. Weil TN sich für Levi und Juda interessiert, läßt es jede Erwähnung von Joseph aus. Darum ist sein Auftauchen im zweiten Teil der Vision ganz unvermittelt, während seine Rolle in hTN sinnvoll ist; vgl. unten.

Daraus ergibt sich, daß der erste Teil des Gesichtes in TN deutlich bearbeitet ist, und daß die Bearbeitung eine klare Tendenz hat. Die vollere Form in hTN ist logischer. Die zwölf Palmenzweige und die zwölf Strahlen in TN haben keine Parallele in hTN. Im zweiten Teil hören wir aber in hTN von zwölf Stäben (Szeptern). Die Vermutung liegt nahe, daß dieses Element in TN abgeändert und im ersten Teil angebracht worden ist, weil es nicht mehr in seinen ursprünglichen Kontext paßte; vgl. unten zum Sturm!

Der erste Teil der Vision hat in beiden Texten ungefähr denselben Umfang. Im zweiten Teil ist hTN annähernd doppelt so lang. Er umfaßt TN 5:6−8 und hTN Kap. 3.

Wir wenden uns zuerst dem Verlauf in hTN zu: während Joseph spricht, erscheint ein gewaltiger Stier mit Storchenflügeln und Wildochsenhörnern. Jakob bittet Joseph, auf dem Tier zu reiten. Joseph besteigt es, und der Vater geht weg. Joseph brüstet sich vier Stunden lang auf dem Stier. Er kommt dann in Judas Nähe und fängt an, ihn mit einer Standarte zu schlagen. Auf Judas Frage nach der Ursache antwortet Joseph, daß er ihn schlage, weil Juda zwölf Stäbe habe, er selbst aber nur einen. Wenn Juda

---

[24] Isaak muß falsch sein. Naphtalis Vision findet nach dem Verkauf Josephs statt; s. TN 7:1ff. Zu jener Zeit war Isaak schon gestorben; vgl. Gen 35:29. Tote Menschen können natürlich in einem Traum auftreten. In TN Kap. 7 wird aber Josephs Teilnahme als ein Zeichen dafür genommen, daß er noch lebe. Ms g scheint das Problem entdeckt zu haben und ändert „Isaak, mein Großvater" in „Jakob, mein Vater".

[25] *Text* 152; *Comm* 143. Er rechnet V.5 als eine Dittographie von V.3[abc]. Die Unterschiede sind jedoch so groß, daß dies ausgeschlossen ist; vgl. Becker *Untersuchungen* 223 mit Anm. 1; 2. Die Absicht des Verses ist zu zeigen, daß Levi (Priestertum) und Juda (Königtum) Israel gemeinsam regieren: sie halten einander fest. (Das wird von M. de Jonge *Testaments* 54 so gedeutet, daß die beiden Ämter in einer Person, d.h. in Christus, eins geworden sind. Davon steht in 5:5 kein Wort.)

ihm zehn abgebe, dann werde Friede sein. Juda weigert sich und Joseph schlägt ihn, bis er zehn Stäbe von ihm erzwungen hat. Danach bittet Joseph zehn Brüder, Juda und Levi zu verlassen und ihm zu folgen. Sie gehorchen ihm, und nur Benjamin und Levi bleiben bei Juda. Juda steigt voll Kummer von der Sonne herab. Joseph versucht Benjamin zu überreden, mit ihm zu kommen, aber Benjamin lehnt ab. Als sich der Tag zu Ende neigt, kommt ein großer Sturm, der die Brüder trennt und sie zerstreut.

Naphtali berichtet, daß er seinem Vater dieses Gesicht erzählt habe. Jakob habe es aber nicht ernstgenommen, weil es sich nicht wiederholt habe.

Die Pointe dieser Vision ist klar. Sie schreibt Joseph die Schuld an der Reichsteilung und Zerstreuung zu. Er hat das einheitliche Reich zersplittert; er hat das endgültige Unglück (symbolisch = den Sturm), das das Exil mit sich führte, verursacht.

Die Darstellung in TN ist sehr knapp: ein Stier steht auf der Erde. Er hat zwei große Hörner und auf seinem Rücken Adlerflügel. Die Brüder wollen ihn fassen, vermögen es aber nicht. Als Joseph kommt, gelingt es ihm, den Stier zu ergreifen, und er steigt mit ihm in die Höhe. Dann erscheint ihnen eine heilige Schrift. Sie kündigt ihnen an, daß mehrere Nationen die zwölf Stämme Israels gefangennehmen werden[26].

Josephs Ritt auf dem Stier und die Drohung eines zukünftigen Exils sind den beiden Texten gemein. In hTN befaßt sich Joseph – er allein – mit dem Stier, weil der zwar flugfähige Stier auf der Erde auftritt und die anderen Brüder schon in der Höhe sind. In TN nehmen andere Brüder an der Jagd teil, weil dort nur Levi und Juda erhöht worden sind. Nach TN hat der Stier Adlerflügel. Dieser Zug ist traditioneller als die Storchenflügel des hTN und deshalb sicher sekundär. Diese Unterschiede sind freilich weniger wichtig. Es fällt dagegen auf, daß von einem Konflikt in TN keine Rede ist.

Der Verdacht einer redaktionellen Aktivität liegt nochmals nahe. Josephs Rolle als ethisches Ideal ließe sich mit einer durch und durch negativen Darstellung seiner Person nicht vereinbaren. Das Resultat war eine vollständige Umarbeitung der zugrundeliegenden Vision, die uns noch in hTN begegnet. Die Konfliktsituation wurde beseitigt, womit dieser Teil der Vision eine Hauptpointe verlor. Joseph konnte nicht mehr für die Gefangennahme verantwortlich gemacht werden. Die Drohung eines zukünftigen Exils wurde jedoch beibehalten: sie wurde mittels der Offenbarung einer heiligen Schrift eingeführt. In ihrem jetzigen Zusammenhang tritt sie ganz unvermittelt und abrupt auf. Zwischen 5:6 und 5:7 existiert ein harter Bruch. 5:7 ist nur verständlich, wenn man die vollere Form in hTN kennt.

---

[26] Vgl. zu diesem Vers: Bickermann *JBL* 69 (1950) 254f.

Die unverständliche und unlogische Version in TN kann auf Ursprünglichkeit keinen Anspruch machen.

Wir fügen hinzu, daß das Element des Sturmes in TN unbrauchbar und wahrscheinlich in die zweite Vision verlegt wurde; vgl. unten. Zu den Stäben, vgl. oben.

Die zweite Vision besteht aus TN Kap. 6 und hTN Kap. 4–6.

In hTN findet diese Vision kurz nach der ersten statt (4:1):

Kap. 4: Die Brüder und der Vater stehen am Gestade des großen Meeres. Sie entdecken ein Schiff, mitten auf dem Meer, ohne Besatzung. Sie ziehen ihre Kleider aus, werfen sich ins Meer und schwimmen, um das Schiff in Besitz zu nehmen. Die ersten, die das Schiff erreichen, sind Levi und Juda. Es ist voller Kostbarkeiten. Laut Anschlag am Mast gehört es samt allen Gütern dem Sohn Berachels, d.h. Jakob. Jakob freut sich und preist Gott, weil er ihn nicht nur auf dem Land, sondern auch auf dem Meer gesegnet hat. Auf Befehl Jakobs bemannen die Söhne das Schiff. Alles, was einer ergreift, soll ihm gehören. Levi besetzt sofort den Großmast, Juda den zweiten Mast, und die anderen Brüder ergreifen die Ruder. Jakob ergreift die beiden Steuerruder. Trotz der Aufforderung seines Vaters nimmt Joseph kein Ruder. Jakob übergibt ihm dann eines der beiden Steuerruder, damit er das Schiff lenke. Der Vater belehrt alle, wie sie das Schiff steuern sollen.

Kap. 5: Als er ihnen diese Belehrung gegeben hat, geht er von ihnen fort. Joseph ergreift jetzt beide Steuerruder. Levi und Juda sitzen auf den beiden Masten und halten Ausschau, während die übrigen Brüder rudern. Solange Joseph und Juda einer Meinung sind und Joseph den Anweisungen Judas folgt, geht alles gut. Nach einer Weile entsteht aber Streit zwischen Joseph und Juda, und Joseph lenkt das Schiff nicht mehr nach dem Befehl seines Vaters und Judas Anweisung. Das Schiff kommt dann außer Kurs, wird an einen Felsen geworfen und zerschellt.

Kap. 6: Levi und Juda steigen von den Masten herab. Alle Brüder retten sich einzeln ans Ufer und werden völlig auseinandergetrieben. Der Vater kommt und findet sie zerstreut. Er fragt sie, was geschehen sei. Hätten sie seinen Befehl nicht befolgt? Die Brüder beschuldigen Joseph. Er allein hat des Vaters Wort übertreten, weil er auf Juda und Levi eifersüchtig war. Der Vater bittet sie, ihm das Schiff zu zeigen. Es schwimmt noch. Jakob sammelt seine Söhne und stellt das Schiff wieder her. Er tadelt Joseph wegen seiner Eifersucht, denn beinahe wären alle Brüder durch seine Hand umgekommen.

In TN liegt eine erheblich kürzere Version vor. Die zweite Vision findet hier sieben Tage (α) / Monate ("β") nach der ersten statt: Jakob und seine Söhne stehen am Meer Jamnia (= das Mittelmeer). Ein Schiff ohne Besatzung kommt angesegelt (und ist voll gesalzenen Fischen[27]). Auf dem Schiff steht geschrieben: Schiff Jakobs. Sie besteigen das Schiff, aber als sie eingestiegen sind, kommt ein starker Sturm. Jakob, der das Steuer hält, wird ihnen entrissen. Sie werden über das Meer getrieben, das Schiff füllt sich mit Wasser, wird von den Wogen hin- und hergerissen und zerschellt schließlich. Joseph rettet sich in einem Kahn, die anderen werden auf zehn Brettern verstreut (Levi und Juda retten sich nämlich zusammen auf einem Brett). Sie werden an die Enden der Erde zerstreut. Levi legt einen Sack an und betet für sie alle zum Herrn. Nachdem sich der Sturm gelegt hat, kommt das Schiff ans Land. Ihr Vater kehrt zurück, und alle freuen sich zusammen.

Einige der Unterschiede sind weniger wichtig, wie die Rahmen und Ben-Berachel/Jakob[28]. Aber wiederum mutet TN wie eine gekürzte Version an. Der Wettlauf und der Streit zwischen Joseph und Levi/Juda fehlen. Die Pointe des Zankes in hTN ist abermals, Joseph für das Exil verantwortlich zu machen, was in TN undenkbar wäre. Es überrascht dagegen, daß TN den Wettlauf ausgelassen hat. Seine Absicht ist, Levi und Juda zu verherrlichen und würde, wie im ersten Gesicht, gut passen. Die Vorstellung der Einheit Levis und Judas ist in TN stark reduziert. Nur in der Erwähnung, daß Levi und Juda sich auf einem gemeinsamen Brett retten, liegt ein kleiner Rest davon vor.

Der Schiffbruch ist in hTN von Josephs Ungehorsam verursacht, in TN von einem Sturm. Man darf vermuten, daß dieses Element aus der ersten Vision, wie sie uns in hTN entgegentritt, stammt[29]. In TN war es im ersten Gesicht nicht an seinem Platz. Im zweiten Gesicht paßt es sachlich gut und gibt eine zuverlässige Erklärung des Unglücks. Es tritt allerdings unmotiviert auf, denn es bleibt die Frage nach dem „Warum" der Zerstreuung. hTN kann sie leicht erklären.

Wir folgern, daß hTN auch die zweite Vision am besten bewahrt hat und stimmen somit der Auffassung M. de Jonges und Kortewegs zu: hTN liefert die bessere und ursprünglichere Version der beiden Träume.

In hTN Kap. 7 und TN 7:1−8:2(3) hören wir von der Reaktion Jakobs, wenn Naphtali ihm seinen zweiten Traum (hTN) bzw. beide Träume (TN) erzählt:

In hTN wird Jakob sehr bestürzt und bricht in Weinen aus. Er hat erkannt, daß dieser Traum mit dem ersten parallel läuft. Wegen der Wiederholung versteht er jetzt (vgl. 4:13), daß seine Söhne wegen Joseph in Gefangenschaft kommen und unter die Leute zerstreut werden würden. Das

---

[27] Vgl. zu diesem Problem Becker *Untersuchungen* 109f und neuerdings (mit einer neuen Lösung) Hultgård *L'eschatologie* II,224.

[28] Berachel ist ein Epithet Isaaks; vgl. Gen 26:29: ברוך יהוה.

[29] Nach Becker *Untersuchungen* 108f ist das Sturmmotiv hTN 3:12 sekundär eingedrungen.

ist ein grausamer Schlag, denn Jakob hat ihn mehr als die anderen Brüder geliebt. Jakob gebietet seinen Söhnen, sich nicht mit den Söhnen Josephs zu verbinden, sondern mit Levi und Juda.

In TN werden die beiden Träume ebenfalls als eine Einheit aufgefaßt und auf die Zukunft gedeutet. Das Exil wird allerdings nicht erwähnt. Jakob erkennt beglückt, daß Joseph noch lebt, denn er wird in den Träumen mit den anderen Brüdern mitgezählt. Er bricht dann in Weinen aus, doch nicht wegen der Verdorbenheit Josephs, sondern weil er ihn nicht sieht[30]. Naphtali wird zu Tränen gerührt und will vom Verkauf erzählen, wagt es aber wegen der Brüder nicht.

Nach 8:1 hat Naphtali mit diesen Träumen und ihrer Deutung seinen Söhnen die Zukunft Israels gezeigt. Er befiehlt seinen Nachkommen, mit Levi und Juda einig zu sein. Das entspricht der Mahnung Jakobs in hTN[31]. Die Warnung vor Joseph hat nochmals fallen müssen.

Mehrere Momente sind den beiden Texten gemein. In beiden Versionen erzählt Naphtali seinem Vater die Gesichte, in hTN zwar jedes Gesicht für sich (3:13; 7:1ff), in TN aber gesammelt (7:1ff). Sie werden alle beide auf die Zukunft gedeutet. Gemein sind auch die Reaktion Jakobs, obwohl sein Weinen verschieden erklärt wird, und die Verherrlichung von Levi und Juda. TN hat seinen Stoff geändert. Die Kritik von Joseph ist, wie in den Visionen, beseitigt worden. Jakobs Verzweiflung mußte deshalb anders begründet werden.

Auf Grund formkritischer Betrachtungen versucht Becker zu zeigen, daß hTN jünger als TN sei[32]. hTN sei eine späte Ausgestaltung, die geglättet, ausgefüllt und umgeformt habe. Konkretisierungen, Ausschmückungen, unwesentliche Details, Erweiterungen usw. zeugen nach Becker von einer späten Abfassung. Sie seien typisch traditionsgeschichtliche Anwüchse.

Im Prinzip sind Beckers Einwände berechtigt, in diesem Fall sind sie aber verfehlt. Korteweg betont mit Recht, daß eine isolierte Betrachtung formkritischer Art irreleiten kann[33]. hTN hat zwar eine vollere Form, doch ist dies kein entscheidendes Argument. Man muß sich fragen, ob nicht TN die Visionen bewußt gekürzt, geändert und Stoff ausgelassen hat, weil er in TN ungeeignet war. Das Motiv einer Bearbeitung in TN ist nicht schwer zu fassen: jede Kritik von Joseph mußte verstummen. Damit werden die

---

[30] Nach Korteweg *Studies* 278f und Hultgård *L'eschatologie* II,203 bauen 7:2f(f) auf eine haggadische Tradition, belegt in den Targumen zu Gen 49:21. Wir meinen, daß es sich um eine Umarbeitung der in hTN belegten Tradition handelt.

[31] hTN ist nicht ganz eindeutig. Vielleicht ist der Redende in 7:6 nicht Jakob, sondern Naphtali; vgl. 8:1ff.

[32] *Untersuchungen* 107ff.

[33] *Studies* 271.

beiden Gesichte in TN pointenlos, denn aus hTN geht hervor, daß die Visionen primär darauf hinzielen, Joseph für das Exil verantwortlich zu machen. In TN schimmern nur Reste davon in 5:8 (die Drohung eines Exils) und 6:6 (Joseph rettet sich allein in einem Kahn) durch. Wir entdecken sie, weil wir die Version in hTN kennen. In TN erscheint 6:6 wie eine natürliche Rettungsaktion[34]. 5:8 ist und bleibt unverständlich, wenn man hTN nicht kennt.

Man darf sich also nicht damit begnügen, nur nach der Form zu fragen. Ebenso wichtig ist, ob der Aufbau der Versionen logisch ist, und ob die Visionen in ihrem Kontext zu Hause sind. In hTN machen die Gesichte ein harmonisches Ganzes aus. Sie verraten eine bewußte Komposition. Sie fallen alle beide in zwei Teile, obwohl der Übergang weniger markiert im zweiten als im ersten Gesicht ist. Der erste Teil besteht aus einem Wettlauf der Brüder, der damit endet, daß Levi und Juda gewinnen und ihre Vorrangstellung zeigen. Joseph verweigert die Teilnahme in beiden Visionen. Im zweiten Teil hören wir vom Konflikt zwischen Joseph und Levi/Juda. Josephs Ungehorsam endet mit dem Exil.

Diese Doppelung zeugt von einem bewußten Plan. Zwei Visionen mit demselben Inhalt zeigen, daß sie wahr und nicht zufällig sind[35]. Das kommt deutlich in hTN 3:13 und 7:4f zum Ausdruck. In TN 7:1 werden die Träume ebenfalls als eine Einheit geschätzt. In TN haben sie aber keinen parallelen Aufbau, der diese Schätzung natürlich macht. Wesentlich ist, daß die Visionen in hTN kein Fremdkörper sind, sondern in ihrem Zusammenhang gut passen. Dies gilt nicht in TN. In der Tat sind die Träume eine spätere Interpolation; vgl. unten!

Es gibt keine unklaren Punkte in hTN, die mit Kenntnis des vorliegenden TN verständlicher werden. Umgekehrt lassen sich mehrere unklare

---

[34] Nach Becker *Untersuchungen* 225 stören die Verse 6:6 und 6:8 im Kontext. Der Verfasser habe zwei aus 7:1−8:3 bekannte Themen, Joseph und Levi-Juda, redaktionell eingetragen. Der Mangel an Einheitlichkeit ist eher davon bedingt, daß die zugrundeliegenden Traditionen in TN eine starke Umarbeitung erfahren haben.

[35] S. Korteweg *Studies* 272f mit Anm. 20.
Zur ersten Vision in TN Kap. 5 sei noch ein Problem erwähnt. Nach Becker *Untersuchungen* 107 enthält Kap. 5 eigentlich nicht *einen* Traum (so 5:1; 6:1; 7:1), sondern drei: 5:1−5; 5:6f; 5:8, je mit καὶ ἰδού eingeleitet. Das ist nicht richtig. Mit καὶ ἰδού beginnt nur ein neuer Sinnabschnitt; vgl. Apk Kap. 6.
M. de Jonge *Testaments* 55 meint weniger radikal, daß Kap. 5 zwei Träume enthalte. Er betrachtet 5:8 als eine selbständige Vision, die nur schlecht mit der ersten verknüpft sei. Sie sei jedoch nicht sekundär in TN. Der Verfasser der TP habe sie einer Quelle entnommen und sei deshalb nicht für den Inhalt verantwortlich. (NB! Damit die Datierung nicht gegen M. de Jonge benutzt werden soll!)
Bickermann *JBL* 69 (1950) 255 streicht 5:8 als eine spätere Zufügung, weil man sonst (gegen 7:1) drei Visionen erhalte.
Der schlechte Zusammenhang in Kap. 5 zeigt, daß Bearbeitung und Umarbeitung nicht gelungen sind. Er zeugt aber nicht davon, daß der Text alt und primitiv ist.

Stellen in TN nur unter Berücksichtigung des hTN erklären. Das bedeutet nicht, daß TN auf hTN baut. Sie scheinen aber einen gemeinsamen Ursprung zu haben. hTN scheint die ursprüngliche Tradition treu überliefert zu haben und dicht am Original zu stehen.

Einige Forscher setzen eine schriftliche Vorlage voraus[36], was aber höchst unsicher bleibt. Eine mündliche Tradition ist ebenso wahrscheinlich.

Damit ist dieser Teil der Untersuchung zu Ende gebracht. Wir gehen jetzt daran, das vorliegende TN zu analysieren.

Die Einleitung in TN umfaßt 1:1−5. Sie enthält alle üblichen Elemente. Nur die seltene Synchronisierung nach dem Tod Josephs fehlt; vgl. die Synopse in II,1.

Der Rückblick auf die Vergangenheit (1:6−2:1) beginnt mit einer Vorstellung des Patriarchen in 1:6−12. Naphtali erzählt von den näheren Umständen seiner Geburt und Namengebung. 1:6−7a erinnern an die entsprechende Tradition in Gen 30:1ff. Die Namenserklärung in 1:6 setzt die Bedeutung „hinterlistig sein" vom Verb פתל (Niph'al) voraus. Die alten Versionen haben das Verb in Gen 30:8 mit „kämpfen" übersetzt. In TN liegt also scheinbar eine Sondertradition vor[37]. 1:7b−8 haben keine Parallele in Gen, bauen aber auf die bekannte Tatsache, daß Naphtali und Joseph Halbbrüder waren. 1:9−12 bringen Naphtalis Genealogie. In späteren jüdischen Traditionen ist Bilha die Tochter Labans mit einer Nebenfrau und somit Rahels Halbschwester[38]. TN repräsentiert eine abweichende Tradition. Hier ist sie die Tochter eines unbekannten Rotheus, des Bruders der Deborah, Rebekkas Amme, aus dem Geschlecht Abrahams, d.h. eines Verwandten Labans. Rotheus war nach TN ein freier Mann von edler Geburt, der aber gefangengenommen wurde. Laban hat ihn freigekauft und ihm seine Magd Eunan zur Frau gegeben. Sie gebar die beiden Schwestern Zilpa und Bilha, d.h. die Nebenfrauen Jakobs[39]. Im Alten Testament liegt keine Angabe über die Abstammung Bilhas vor. Die Paronomasie in 1:12 verbindet Bilha mit dem Verb בהל[40], also mit Umstellung der beiden letzten Konsonanten.

Unter den Fragmenten aus 4Q wurde ein Stück gefunden, das TN 1:6−12 entspreche[41]. Die von Milik in 'The Books of Henoch' editierten Zeilen[42] sind deutlich mit TN 1:12 verwandt.

---

[36] Vgl.: Charles in Anm. 10; M. de Jonge in Anm. 11; Korteweg in Anm. 12.
[37] Vgl. aber Josephus *Ant* I.19.8.
[38] Belege in Charles *Comm* 136.
[39] Zu Zilpa und Bilha als Schwestern, vgl. Jub 28:9 (und Anm. 38).
[40] Vgl.: Charles *Text* 145; *Comm* 136; Hollander/M. de Jonge *Comm* 300; Hultgård *L'eschatologie* II,184.
[41] S. Milik *RB* 63 (1956) 407 Anm. 1.
[42] S. Milik *Books of Enoch* 198.

Diese familiären Informationen hätte sich Naphtali ersparen können. Die Söhne kennen sie doch längst! v. Nordheim erkennt darin den „Zwang der Form": „Ein Formelement wird aufgenommen einfach deswegen, weil es in die Form gehört, ohne daß es in seinem neuen Kontext einen Sinn ergäbe."[43] Der Verfasser stelle an den Anfang des TN einen Rückblick, auch wenn dieser keinen Vorbildcharakter habe. Das stimmt wohl, doch spielen auch die Erzählfreude und der Wunsch, sein Wissen zu vermitteln, eine wichtige Rolle.

2:1 geht zum „Beruf" Naphtalis über. Im Anschluß an die Charakteristik in Gen 49:21 wird er als leichtfüßig wie ein Hirsch dargestellt. Deshalb wurde er der Bote der Familie.

Mit 2:2ff beginnt die Paränese. Zwischen 2:1 und 2:2 steht ein Bruch. Die Verhaltensanweisungen in 2:2ff bauen nicht auf den Rückblick und scheinen 2:1 nicht weiterzuführen. Wie ist das zu erklären? Mehrere Lösungen sind vorgeschlagen worden:

1. Die Lebensgeschichte Naphtalis (1:6–2:1) geht in 5:1ff weiter. 2:2–4:5 sind Einschub[44].
2. 2:1 ist ein Fragment. Anderer Stoff ist ausgefallen[45].
3. Der Text ist literarisch uneinheitlich und war es schon immer[46].

Ehe wir dieses Problem diskutieren, werfen wir einen Blick auf die Paränese in 2:1–3:5. Nach Becker zerfällt sie in zwei selbständige Stücke: 2:2–7.10; 3:1 (mit 8:4–6) und 2:8f; 3:2–5 (mit 8:7–10)[47]. Andere Forscher halten sie für einheitlich[48]. Wir schließen uns letzterer Auffassung an.

---

[43] *Lehre* I,48.

[44] So Becker *Untersuchungen* 214ff; vgl. Anm. 47.

[45] So Otzen *GamPseud* 7,755.

[46] So v.Nordheim *Lehre* I,48f. TN sei aber formal geschlossen, denn es biete die gleichen großen Unterteilungen (Rückblick, Verhaltensanweisungen usw.) wie die anderen Testamente.

[47] *Untersuchungen* 215ff; *Komm* 100. Seine Aufsplitterung des Textes überzeugt nicht. Becker erklärt uns nicht, warum beide Stücke geteilt und an zwei Stellen des angeblichen Grundstocks des TN (1:1–2:1; 5:1–8:3; 9:1–3) angebracht worden seien. Zu 2:2–10 (oder mit Becker: 2:2–7.10) sei noch bemerkt, daß man sie kaum dualistisch nennen kann (gegen Becker u.a.). Der letzte Satz in V.6 ist zwar (im Einklang mit der Tendenz der TP; vgl. IV,2C) ethisch-dualistisch. Der Grundton ist sonst eher monistisch. Die Pointe in V.2–6 ist, die vollkommene Einheit von Körper und Seele zu zeigen, während V.7 die individuellen Unterschiede betont. Die Begriffe „Licht und Finsternis" reichen nicht aus, um diesen Vers als dualistisch zu charakterisieren. Sie werden hier sogar mit „Sehen und Hören" zusammengestellt und illustrieren nur, daß jeder Mensch ein besonderes, individuelles Wesen ist und kein Gegenstück hat. In 2:8 steht nochmals die Harmonie im Zentrum. Das Gewicht liegt aber nicht mehr auf dem Zusammenspiel von Körper und Seele, sondern auf der planvollen und harmonischen Ordnung des Menschenkörpers. V.9 zieht den paränetischen Schluß, der mit einem Beispiel in V.10 veranschaulicht wird.

[48] Vgl.: Hultgård *L'eschatologie* II,195f; v.Nordheim *Lehre* I,49f (evtl.–2:8?); Schnapp *Testamente* 70f, zwar unter Weglassung von 2:9 und 3:1.

3:1 ist allerdings verdächtig[49]. (Ist vielleicht der Vers während der Tradierung falsch angebracht worden?)

Wir kehren jetzt zum Übergang von 2:1 zu 2:2 zurück. Daß die Mahnungen abrupt auftreten, ist nicht zu leugnen. Die Vermutung, daß Stoff ausgefallen sei, ist somit denkbar. Doch läßt sie sich nicht nachprüfen und bleibt deshalb höchst hypothetisch. Es empfiehlt sich eher, nach einem möglichen Zusammenhang zu suchen. Naphtali wurde Bote, weil er besonders leichtfüßig war. Eigenschaften und Beruf, Voraussetzung und Bestimmung waren im Einklang. Diese Beobachtung bildet den Ausgangspunkt der folgenden Betrachtungen über das Wesen des Menschen. Hier steht die Übereinstimmung von Körper und Seele, von Natur und Funktion des Geschöpfes zentral. Das kommt im Bild des Töpfers zum Ausdruck: „Und wie der Töpfer jedes einzelnen (Gefäßes) Verwendung kennt, wozu es tauglich ist..." (2:4). Daß ein Übergang von 2:1 zu 2:2 wirklich intendiert ist, geht aus der Einleitung in 2:2 hervor: Καθὼς γὰρ.... Diese Anknüpfung wirkt künstlich. Sie ist sicher davon bedingt, daß dem Verfasser nur wenig Information über das Leben Naphtalis zur Verfügung stand. Die Paränese war nicht schwer zu bilden; für die Lebensgeschichte war aber nur Gen 49:21, vielleicht in einer haggadischen Ausformung, zugänglich. Weil Gen 49:21 sich nur schwer für ein bestimmtes Thema verwenden ließ, wurde der Paränese ein weisheitliches Gepräge gegeben. Es handelt sich in TN darum, seiner Bestimmung treu zu bleiben; vgl. 1.Hen Kap. 2−5. Das bedeutet u.a., der natürlichen Güte freien Lauf zu lassen; s. 8:4.6. Zur These Beckers, daß die Paränese (nach Becker zwei Stücke, s. oben) im Stil synagogaler Predigten gehalten sei[50], verweisen wir auf unsere Kommentare in TR.

In 3:3 ist eine Glosse eingedrungen: (ἐξακολουθήσαντες) πνεύμασι πλάνης; vgl. III,3.

Mit Kap. 4 fangen die Prophezeiungen in TN an. In diesem Kapitel finden sich zwei parallele SER-Stücke: 4:1−3 und 4:4−5. Sie enthalten alle beide die Elemente der Sünde, der Strafe und der Restitution. Das erste Stück hat auch eine traditionelle Einleitung und erwähnt das Element der Umkehr. Man darf im Prinzip damit rechnen, daß alle SER-Stücke aus ein- und derselben Hand stammen. Hier liegt jedoch eine Ausnahme vor. Das erste Stück benutzt 2. P. Pl., das zweite 3. P. Pl. Das zweite Stück nimmt deutlich auf das erste Bezug; vgl. die Einleitung in 4:4. Die logische Folge-

---

[49] Das Thema „Habsucht" erscheint abrupt und ist in TN nicht zu Hause. Der Vers ist „handlungsorientiert", d.h. er warnt vor den Lastern und preist die Tugenden, während die übrige Paränese in 2:2−3:5 „erkenntnisorientiert" ist, d.h. sie ruft auf zur Erkenntnis und Einhaltung der von Gott gesetzten Ordnung in der Welt; vgl. v.Nordheim *Lehre* I,49f.

[50] *Untersuchungen* 214; 216f; 228.

rung ist, daß 4:4−5 eine spätere Zufügung zu 4:1−3 sind[51]. Πάλιν deutet an, daß es sich um Begebenheiten handelt, die chronologisch nach 4:1−3 folgen. Welcher war aber der Ausgangspunkt des Redaktors? Das erste Stück hat die babylonische Gefangenschaft vor Augen. Da 4:5b christlich klingt, könnte man sich denken, daß das zweite Stück eine christliche Interpolation sei. Die Ereignisse im Jahr 70 n. Chr. könnten der Anlaß sein[52]. Dagegen erheben sich allerdings Bedenken: 4:5b läßt sich jüdisch auslegen[53], obwohl eine christliche Auslegung natürlicher ist. Der christliche Einschlag in 4:4−5 begrenzt sich doch wohl auf 4:5b. Die entsprechende Doppelung in TAs Kap. 7 spricht gegen diese Lösung. Das zweite Stück in TAs (7:5−7) ist ganz jüdisch. Eine Eroberung der heiligen Stadt und eine Tempelzerstörung sind nicht ausgesprochen. Das wäre zu erwarten, wenn der Redaktor an das Jahr 70 n. Chr. gedacht hat[54]. Setzt man einen christlichen Bearbeiter voraus, bleibt es auch unklar, warum er gerade hier eingegriffen haben soll.

Andere Lösungen sind nicht besser. Charles[55] denkt an den Abfall unter Antiochus Epiphanes oder den späteren Hasmonäern. Bilden vielleicht die Ereignisse im Jahr 63 v. Chr. einen Schlüssel? Becker[56] verweist darauf − und weist diese Lösung zugleich ab. Er meint eher, daß der Verfasser theologisch denke: „Das aus dem babylonischen Exil zurückgekehrte Volk sündigte erneut. Darum ist die Zerstreuung bis heute vom Herrn nicht beseitigt". In entsprechenden Bahnen denken auch Baltzer[57] und v. Nordheim[58]: ein Redaktor habe die Rückkehr aus dem Exil nicht mehr als einen endlichen Heilszustand verstehen können, da weder der Abfall vom Herrn noch die Zerstreuung des Volkes ein Ende genommen hätten. Deshalb habe er ein zweites Stück angefügt, das seine Meinung zum Ausdruck bringe; vgl. TAs.

Die Schwäche dieser Lösungen ist, daß sie das Vorkommen der Wiederholung gerade in TN nicht erklären können. Warum sind nicht alle SER-Stücke in derselben Weise redigiert worden? Warum hat ein Redaktor das weniger wichtige TN (und eventuell TAs) gewählt? Wir verweisen schließ-

---

[51] So z.B.: Becker *Untersuchungen* 218ff; v.Nordheim *Lehre* I,50.

[52] Vgl. z.B.: M. de Jonge *Testaments* 85; Otzen *GamPseud* 7,757 (oder: die Befreiung aus Babylon sei nur eine vorläufige Heilshandlung, die nur dann dauernde Gültigkeit bekomme, wenn Israel sich stets an den Herrn halte.).

[53] So z.B.: Charles (*Text* 151) *Comm* 142; Becker *Untersuchungen* 220, der die Aussage jedoch christlich auslegt.

[54] So mit Recht Becker *Untersuchungen* 221 (gegen M. de Jonge).

[55] *Comm* 142.

[56] *Untersuchungen* 221.

[57] *Bundesformular* 165 (oder: „Bei der Zusammenstellung des Materials der Testamente sind zwei parallele Fassungen zusammengeordnet und dann so verbunden worden, daß sie den Eindruck eines zeitlichen Nacheinander machen.").

[58] *Lehre* I,50; vgl. II,10 Anm. 28.

lich auf den Vorschlag Hultgårds[59]. Er meint, in den vier ersten Versen dominiere der retrospektive Aspekt, in V.5 der aktualisierende Aspekt, die zukünftige Perspektive. Seine Lösung leuchtet nicht unmittelbar ein; vgl. übrigens TAs.

Wir ziehen den Schluß, daß zur Zeit keine befriedigende Lösung dieses Problems existiert.

Die Echtheitsfrage ist einfacher. Das ganze Kapitel ist sekundär[60]. Einige der Argumente sind schon bekannt: der Verweis auf eine Schrift Henochs in 4:1 hält die Testamentfiktion nicht ein; vgl. II,2. Der Abschnitt bezieht sich nicht auf die Söhne Naphtalis, sondern das Volk Israel; vgl. III,2. Der Passus ist thematisch nicht in TN zu Hause. Inhaltlich verrät sich Kap. 4 sonst nur wenig. Die Anrede „meine Kinder" in 4:1 und der Gebrauch von 2. P. Pl. in 4:1−3 sind hier am Platz. In 4:4−5 ist diese Fiktion aufgegeben; s. oben. Wir verweisen übrigens auf die Analyse anderer SER-Stücke. Zur Komposition sei noch bemerkt, daß das älteste Stück (4:1−3) mittels Stichwortanschluß („Sodom" in 3:4; 4:1) in TN eingefügt wurde[61].

Zum Komplex 5:1−8:3 ist das wichtigste oben gesagt. Es bleibt noch die Echtheit zu besprechen. Becker, der den Abschnitt für ursprünglich hält[62], läßt ihn (nachdem er 2:2−4:5 disqualifiziert hat; s. oben) an 2:1 anknüpfen. Doch setzen 5:1ff gar nicht 2:1 fort. Wir halten die Träume für einen Einschub[63]. Inhaltlich sind 5:1−8:3 mit den SER-Stücken und den Levi-Juda-Stücken eng verwandt; vgl. IV,5. Neben Levi und Juda spielt Joseph eine Hauptrolle. Die negative Darstellung in der zugrundeliegenden Tradition wurde beseitigt, weil sie mit der Hochschätzung Josephs in den TP nicht vereinbar war. Das Material wurde angepaßt. Deshalb klingt 7:4 sogar wie ein Teil der Grundschrift, obwohl sonst nirgendwo gesagt wird, daß Naphtali besonders freundlich gegen Joseph war.

Der Interpolator hat typische Fehler gemacht, die seinen Standort verraten. Nach 5:1 fand der erste Traum auf dem Ölberg[64](!) gegen Osten von Jerusalem(!) statt. Beide Namen waren in der Patriarchenzeit unbekannt. Der Interpolator achtet nicht auf die Fiktion, daß die Schrift aus der Zeit

---

[59] *L'eschatologie* I,193f(f); vgl. II,10 Anm. 29.

[60] So: Schnapp *Testamente* 71; Charles *Text* XLVIf; *Comm* LVIIff; Philonenko *Interpolations* 5f; Becker *Untersuchungen* 214; 218; 222; 228.

[61] Becker *Untersuchungen* 218.

[62] *Untersuchungen* 222ff.

[63] So Schnapp *Testamente* 71. Philonenko *Interpolations* 5; 56 klammert nur 6:4b−7 und ibid. 6f auch 8:2−3 als sekundäre aus.

[64] Der Text hat ἐν ὄρεσιν ἐλαιῶν (ἐλαίου) d.h. Pl., während man sonst τὸ ὄρος (τῶν ἐλαιῶν) findet. Hultgård *L'eschatologie* II,130 meint deshalb, daß „gegen Osten von Jerusalem" eine sekundäre Interpretation sei, und daß die Vision ursprünglich auf den Ölbergen im Gebiet Naphtalis stattgefunden hätte.

Naphtalis stamme. Dasselbe gilt für die Bezeichnung „Meer Jamnia" in 6:1. Jamnia ist erst in 2.Chr 26:6 belegt. Solche Fehler macht der Verfasser der Grundschrift nicht; vgl. III,1. Schließlich sei auf die gemeinisraelitische Orientierung, die in der Prophezeiung des Exils zum Ausdruck kommt, verwiesen. Die Söhne Náphtalis stehen also nicht im Blickfeld; vgl. III,2.

Der Abschnitt 8:2−3 gehört zu den Levi-Juda-Stücken; vgl. TR, TSim, TG, TD, TJos, TIs. Während Levi und Juda in den Träumen als Personen dargestellt werden, treten sie jetzt als Stämme auf; vgl. III,2. Die Verherrlichung von Levi und Juda ist, wie im ganzen Komplex 5:1ff, verdächtig; vgl. III,6.

Der christliche Bearbeiter hat in das Levi-Juda-Stück eingegriffen[65]. Die Bearbeitung ist am deutlichsten in V.3. Der Vers sprach ursprünglich von der Offenbarung Gottes auf Erden, um Israel zu retten. Ein Christ hat dies auf die Inkarnation gedeutet und hinzugefügt: „wohnend unter den Menschen"[66]. Von ihm rührt wahrscheinlich die Verheißung der Rettung der Gerechten unter den Heiden her; vgl. IV,5A. Das erklärt die finite Verbform ἐπισυνάξει (− Ms g). Man hätte einen Infinitiv erwartet (= Ms g; A). Wir gestehen aber, daß die Vorstellung jüdisch sein könnte; vgl. schon Mi 4:1ff = Jes 2:2ff; Jes 66:18ff u.a. Charles hat darauf aufmerksam gemacht, daß sich der Text auch auf die Einsammlung der Diasporajuden deuten läßt[67]. Wenn dies der Fall ist, ist dieser Teil eher jüdisch.

Nach V.2 wird das Heil für Israel vom Stamm Juda kommen. Der Verdacht einer christlichen Korrektur liegt nahe[68]. Ursprünglich war wohl vom Heil durch die Stämme *Levi und* Juda die Rede; vgl. TSim 7:1; TD 5:4; TG 8:1; TJos 19:11 (A). 8:2a scheint dies zu erfordern, denn dort wird von den beiden Stämmen gesprochen. Die Korrektur hat sich in V.3a fortgepflanzt. Der jetzige Text lautet: „(Denn) durch seinen Stamm..." Richtig ist: „(Denn) durch ihre Stämme..." Schwierig bleibt nur die Frage, warum gerade dieses Levi-Juda-Stück in dieser Weise redigiert worden ist. Die christliche Bearbeitung in V.2 ist noch deutlicher in den Mss ef, denn sie lesen „Heiland" statt „Heil"[69].

Mit 8:4 kehren wir zur Grundschrift zurück. 8:4 und 8:6 sind zwei paral-

---

[65] Vgl. z.B.: Schnapp *Testamente* 72 (NB! Beide Verse seien christlich); Becker *Untersuchungen* 226f; Charles *Text* 155f; *Comm* 146; Otzen *GamPseud* 7,759; Hultgård *L'eschatologie* I,76; 79; 227; II,229; 233.

[66] Ms e (und g?): „wohnend im Himmel" wird von Hultgård *Croyances* 98 verteidigt.

[67] *Comm* 146.

[68] Vgl.: Bousset *ZNW* 1 (1900) 153f; Charles *Text* 155f; *Comm* 146; Becker *Untersuchungen* 227; Beasley-Murray *JThS* 48 (1947) 3f; 8; (Hultgård *L'eschatologie* I,76); u.a.

[69] Hultgård *L'eschatologie* I,227(ff) meint, daß der ursprüngliche Text vom davidischen Messias rede. Er setzt dann u.a. eine andere Erklärung von TJud Kap. 24 als wir voraus; s.d.

lele Strophen mit je sechs Zeilen[70]. 8:5 mutet wie eine Randglosse an, die während der Tradierung in den Text eingedrungen ist[71]. 8:4.6 lassen sich nur schwer mit Kap. 2−3 verknüpfen[72]. Man darf vermuten, daß die großen Einschübe Kap. 4 und 5:1−8:3 ursprünglichen Stoff verdrängt haben. Die meisten Forscher halten 8:4.6 für echt[73]. Der Inhalt kann diese Auffassung nur bestätigen[74].

8:7−10 müssen für sich betrachtet werden. Schnapp weist diese Verse sehr kategorisch ab[75]. Er verweist darauf, daß der τάξις-Begriff eine ganz andere Bedeutung hat als in Kap. 2−3. Wir stimmen seiner Beobachtung zu. Καὶ γὰϱ in 8:7 zeigt, daß 8:7−10 die Verse 8:4.6 weiterführen wollen. Der Zusammenhang ist aber höchst problematisch. 8:4.6 stellen nicht zwei Möglichkeiten auf, die nur durch Sachkenntnis erfüllt werden können. Im Gegenteil ist das ethisch Gute immer richtig. 8:7 behauptet, daß die Gebote des Gesetzes zwiefältig seien, während die Pointe in 2:2ff ist, daß alles *eine* Bestimmung hat. Der Abschnitt 8:7−10 ist eine lange Glosse, die die Pointe in 8:4.6 völlig mißverstanden hat.

Der Abschluß in TN besteht aus 9:1−3. Er enthält die üblichen Elemente; vgl. die Synopse in II,1.

Zusammenfassend hat die Analyse von TN gezeigt, daß folgende Abschnitte sekundär sind:

Kap. 4:   zwei SER-Stücke (4:1−3; 4:4f) mit verschiedenem Ursprung

5:1−8:3: die Träume Naphtalis. 8:2−3 sind ein Levi-Juda-Stück, das starke christliche Bearbeitung aufweist.

8:5:   eine Glosse

8:7−10:   eine lange Glosse

(In 3:3 findet sich ebenfalls eine kleine Glosse.)

Christliche Bearbeitungen liegen in 4:5b und 8:2.3 vor.

---

[70] Die siebente Linie in 8:4 ist wohl sekundär. Jede Strophe endet wahrscheinlich mit einem Verweis auf die Liebe oder den Haß Gottes. Eine neue Erwähnung der Engel (vgl. Zeile 2) wäre ein Antiklimax. (Charles' These einer Dittographie [*Text* 156; *Comm* 147] überzeugt nicht; vgl. übrigens Eppel *Piétisme* 11.) Becker *Untersuchungen* 41(f); *Komm* 105 fügt eine Linie in 8:6 hinzu.

[71] Vgl.: Charles *Comm* 147; Becker *Untersuchungen* 217; *Komm* 105.

[72] Vgl. zum Problem: Becker *Untersuchungen* 216ff; Otzen *GamPseud* 7,759; Schnapp *Testamente* 71f; v.Nordheim *Lehre* I,52.

[73] Anders Becker; vgl. Text mit Anm. 47.

[74] Vgl.: TIs 7:7; TD 4:7; TB 3:3ff; 5:2.

[75] *Testamente* 72.

13. Die Abschiedsrede in Testament Juda

Die Einleitung in TJud umfaßt 1:1−2 (oder 1:1−3a?, s. unten). Die seltene Vergleichsdatierung nach dem Todesjahr Josephs fehlt. Die Altersangabe[1] findet sich erst in 26:2, d.h. im Schlußrahmen. In 26:2 begegnet ebenfalls der persönliche Hinweis auf den bevorstehenden Tod. In "β" taucht die Redeeinleitungsformel in 13:1 auf. α hat sie, neben 13:1, schon in 1:3a. α wird im allgemeinen als sekundär gerechnet[2]. Vgl. übrigens die Synopse in II,1.

In 1:3−12:12 folgt ein umfangreicher Rückblick auf die Vergangenheit. Er beginnt mit einer Vorstellung des Patriarchen in Kap. 1; vgl. TSim 2:1ff u.a. In 1:3 berichtet Juda kurz von seiner Geburt und Namengebung; vgl. Gen 29:35. Die Charakteristik seiner Jugendzeit in 1:4−5 ist durchaus positiv. In 1:6 erinnert er an die Verheißung Jakobs, er werde später König werden.

Die Lebensgeschichte Judas beginnt mit Kap. 2, und der Abschnitt 2:1−12:12 fällt in vier große Teile: a. Kap. 2; b. Kap. 3−7; c. Kap. 9; d. Kap. 8 + 10−12.

a: In Kap. 2 erzählt Juda von verschiedenen Jagdtaten. Sie illustrieren seine große Stärke und Schnelligkeit[3] und scheinen Samson als Vorbild zu haben[4]; vgl. Ri 16:1−3. Kap. 2 hat keine Parallele in jüdischen Schriften. Das bedeutet allerdings kaum, daß der Verfasser sie erdichtet hat. Es handelt sich wahrscheinlich um haggadische Erzählungen, die nur hier überlie-

---

[1] Nach "β" 119 Jahre, nach α 118. "β" ist korrekt; vgl. Charles *Comm* 83 (zu 12:12) und 99.

[2] Vgl. z.B.: Becker *Untersuchungen* 306; *Komm* 63; v.Nordheim *Lehre* I,22. Die Redeeinleitungsformel kommt jedoch immer im Anfangsrahmen vor. Sie fehlt in drei Testamenten: TL, TG und TB. Wenn sie in TJud 1:3 (α) sekundär ist, drängt sich die Frage auf, warum α sie nicht in diesen drei Testamenten hinzugefügt hat. Ist sie also in "β" ausgefallen? Und wird sie nur in 13:1 (auch in α!) wiederholt, weil der Rückblick so umfangreich ist?

[3] Die Absicht ist, Juda zu verherrlichen. Deshalb enthält Kap. 2 viele Übertreibungen. Z.B. schleudert Juda nach 2:6 einen Leoparden mehrere Meilen weit. Man braucht in diesem Fall nicht zu fragen ob ein anderes Hebron in der Nähe von Gaza gemeint sei; so Charles *Comm* 69. Man vergleiche eher TG 1:3, wo erzählt wird, daß Gad wilde Tiere zwei Stadien weit schleudere. α läßt in TJud 2:6 die geographischen Bezeichnungen aus und liest in TG 1:3 „einen Steinwurf", um die Übertreibungen abzumildern.

[4] So z.B.: Eppel *Piétisme* 38 Anm. 2; Otzen *GamPseud* 7,724. Die Städtenamen Hebron und Gaza finden sich alle beide in Ri 16:1−3.

fert sind. Die Behauptung Philonenkos, die Episoden seien dem Zyklus der zwölf Arbeiten des Herakles entlehnt[5], überzeugt nicht.

b: Kap. 3−7 berichten die sogenannten Amoriterkämpfe oder Kanaanäerkämpfe. Deutliche Parallelen liegen in Jub 34:1−9 und Midrasch Wajjissaʻu[6] vor. Die Erzählung in Jub ist viel knapper als in TJud und weist sowohl Ähnlichkeiten als auch Unterschiede auf[7]. Die augenfälligsten Übereinstimmungen sind die Tributpflichtigkeit in Jub 34:8; TJud 7:8 (α) sowie der Bau zweier Städte in Jub 34:8; TJud 7:9. Die Namen der Städte (Jub: Rōbēl und Tamnātārēs; TJud: Rabael und Tamna) sind eng verwandt, doch baut nach Jub Jakob alle beide, nach TJud Jakob und Juda je eine. Man vergleiche auch den König von Tafu in Jub 34:4 mit dem König (von?) Tapua in TJud 3:2[8]. Von den Unterschieden erwähnen wir, daß Jub nur von einem Feldzug redet, TJud dagegen von vielen Einzeleroberungen. Nach Jub 34:2.5 geht der Kampf gegen die Amoriter. TJud 3:1 erwähnt einen Streit mit zwei Königen der Kanaanäer; vgl. 7:11. Nach TJud 7:2 geben sich jedoch Juda und Dan als Amoriter aus und werden in die Stadt Gaasch als Mitkämpfer eingelassen. TJud will in erster Linie die Taten Judas verherrlichen, doch zeigen der durchgängige Wir-Stil und die Nennung anderer Brüder, daß Juda nicht der einzige Kriegsheld ist. In Jub ist Jakob der Anführer, und Juda spielt dort keine Hauptrolle. Es handelt sich in Jub um den Krieg der Jakobsfamilie. Ein Rest davon liegt noch in TJud 3:7 vor. Die Fülle der Details in TJud macht einen wesentlichen Unterschied gegenüber der Darstellung in Jub aus. (Er ist natürlich von der knappen Darstellung des Jub verursacht.)

Midrasch Wajjissaʻu steht viel dichter an TJud als Jub[9]. In seiner Wiedergabe vom Midrasch hat Charles die verbalen Übereinstimmungen der beiden Versionen unterstrichen[10]. Sie sind zwar nicht auffallend viele oder besonders umfangreich, doch entdeckt man sofort, daß der Handlungsverlauf in großen Zügen übereinstimmt. Viele der Episoden sind identisch und treten oft in derselben Reihenfolge auf. Eine Liste der eroberten Städte[11] kann diesen Eindruck nur bestätigen. Die Städtenamen sind bei-

---

[5] *RHPhR* 50 (1970) 61f; vgl. idem *BEI* 858.

[6] Texte: (Yalkut Simeoni I,83ff, nachgedruckt in:) A. Jellinek *Bet ha-Midrasch* III,1ff, Leipzig 1855 und am leichtesten zugänglich in Charles *Text* 235ff (mit Markierung der Parallelen zu TJud). (Eine erweiterte Form liegt in L. Goldschmidt *Sepher Hajaschar. Das Heldenbuch,* Berlin 1923, 127ff vor.) Übersetzungen: Hollander/M. de Jonge *Comm* 451ff; M. Gaster *The Chronicles of Jerahmeel.* Oriental Translation Fund, N.S. IV, London 1899, 80ff.

[7] Wir bauen auf Becker *Untersuchungen* 114ff; M. de Jonge *Testaments* 60ff; Hultgård *L'eschatologie* II,123ff.

[8] S. Bousset *ZNW* 1 (1900) 202ff.

[9] Wir bauen auf Becker *Untersuchungen* 117ff; M. de Jonge *Testaments* 60ff; Hultgård *L'eschatologie* II,123ff.

[10] *Text* 235ff.

[11] S. Bousset in Anm. 8 oben und neuerdings Schmitt *Zeugnis* 19ff.

nahe identisch. Im Gegensatz zu Jub ist Juda die Hauptperson im Midrasch (wie auch in TJud). Der Midrasch ist geschlossen und gibt uns (wie Jub) den Eindruck eines einheitlichen Kriegszuges, während TJud in Einzelepisoden zerfällt. Übrigens ist der Ausgangspunkt der Streite verschieden. In TJud (und Jub) fangen sie mit einem Angriff auf die Herde der Jakobsfamilie an. Im Midrasch befürchten die Amoriter, daß sich die Jakobssöhne mit der Rache an Sichem nicht begnügen werden und rücken gegen sie zum Kampf aus. (S. dagegen den Schluß des Midrasches, der von einer Wiederherstellung der Herde der Jakobsfamilie redet!)

Viele Einzelzüge in TJud werden verständlicher, wenn wir die Darstellung des Midrasches kennen[12]. Einige ausgewählte Beispiele können dies wie folgt veranschaulichen. Aus TJud 4:1 erfahren wir, daß sich die Ereignisse in Kap. 3 in Sichem abspielten. Diese Ortsangabe kommt viel zu spät. Im Midrasch wird die Lokalität schon am Beginn des Kampfes angegeben (235:6)[13]. In TJud 6:3 erzählt Juda, daß sie einige Männer aus Machir getötet hätten, „bevor sie den Aufstieg geschafft hatten". Im Midrasch hören wir, daß die entsprechende Schlacht im Tal stattfand und daß die Stadt auf einem Hügel lag (237:18ff). Die Erwähnung der drei Mauern in TJud 7:3 kommt unerwartet, weil wir nicht gehört haben, daß die Stadt Gaasch befestigt war. Im Midrasch wird aber erzählt, daß Goasch eine starke Stadt sei, und daß die Jakobssöhne sie nicht erobern könnten, weil sie drei Mauern habe (237:23ff). Die Zeitangaben in TJud 5:1, 6:3 und 7:3 sind Bruchstücke eines chronologischen Schemas, das im jetzigen Text nicht durchgeführt ist[14]. Im Midrasch dauert der Kriegszug sechs Tage, und die Vorfälle jedes Tages werden der Reihe nach aufgezählt.

M. de Jonge hat versucht zu zeigen, daß TJud, Jub und Midrasch Wajjissaʻu alle von einer gemeinsamen schriftlichen Quelle abhängig seien, die wesentlich von der Zeit Abrahams und seiner Nachkommen handle[15]. Nach M. de Jonge haben die drei Texte diese Quelle in verschiedenem Grad ausgenutzt. Der Midrasch soll der angenommenen Quelle äußerst ähnlich gewesen sein. TJud sei dagegen nur ein Extrakt. Das gilt noch mehr für Jub, das „only a summary of the events mentioned in the other sources" gibt[16]. Diese Position läßt sich nicht aufrechterhalten[17]. Die These einer schriftlichen Quelle ist unnötig und unbeweisbar. Vielmehr besteht

---

[12] S. nochmals Becker, M. de Jonge und Hultgård in Anm. 7; 9.

[13] Zitiert wird nach Charles *Text* 235ff.

[14] Becker *Untersuchungen* 121 verteilt die Kämpfe auf sieben Tage. Das überzeugt nicht. Ein Kampf am Sabbat ist nicht wahrscheinlich, und die Angaben in 4:1 und 6:1 sind nicht mit einem Schema von sieben Tagen vereinbar; vgl. Anm. 20.

[15] *Testaments* 62; 71.

[16] Ibid. 61.

[17] Vgl. Becker *Untersuchungen* 114ff, bes. 123f und Hultgård *L'eschatologie* II, 125 mit Anm. 3.

eine traditionsgeschichtliche Verwandtschaft. Die Texte schöpfen alle aus einer gemeinsamen mündlichen Tradition. Sie repräsentieren verschiedene Stadien und Ausformungen dieser gemeinsamen Grundlage. Der Ausgangspunkt der ganzen Tradition ist der kleine Vers Gen 48:22, der zu einem mehrseitigen Bericht gewachsen ist. Der maximale Umfang liegt im Midrasch vor, während TJud in vielen Hinsichten eine gekürzte Version bietet. Daraus folgt nicht, daß der Verfasser eine schriftliche Vorlage abgekürzt hat. Seine Adressaten waren aber mit der Tradition vertraut. Deshalb konnte er viele Einzelheiten auslassen, die zwar für *uns* wesentlich sind, für seine Leser aber unnötig waren. Dadurch ist die Situation entstanden, daß der Midrasch *uns* mit wertvollen Auskünften versehen kann. Das bedeutet indessen nicht, daß der Midrasch die zur Zeit der TP vorliegende Tradition wiedergibt[18]. Er repräsentiert ein späteres Stadium, das zwar Altes bewahrt hat, aber auch Traditionswuchs aufweist und Stoff enthält, der dem Verfasser der TP unbekannt war[19]. TJud kann somit auch nicht die Vorlage des Midrasches sein. Die vollere Form des Midrasches, u.a. mit Einzelheiten, die in TJud fehlen, macht diese Annahme unmöglich. Obwohl der Midrasch Licht auf einige unklare Punkte in TJud werfen kann, liefert er kein Fazit, nach dem man TJud berichtigen kann. Bei Detailunterschieden ist es nicht gegeben, daß der Midrasch korrekt ist – falls nun „richtig" und „falsch" überhaupt eine brauchbare Problemstellung ist[20].

Wenn wir uns jetzt Jub zuwenden, liegt die Folgerung nahe, daß Jub ein älteres Stadium als TJud und der Midrasch repräsentiert[21]. Vielleicht liegen verschiedene Zweige der Tradition vor. Traditionsgeschichtlich ist Jub mit seiner bescheidenen Ausformung und seinem Mangel an Details jedenfalls ältest.

Zum ganzen Rückblick (1:3−12:12) behauptet v. Nordheim, daß das Material zum größten Teil aus Jub Kap. 34; 37f; 41 und Gen Kap. 38

---

[18] Hultgård *L'eschatologie* II,125 meint, daß ein späterer Redaktor TJud Kap. 3−7 bearbeitet (gekürzt) habe, und daß der Midrasch von dem ursprünglichen Text des TJud Kap. 3−7 abhänge.

[19] S. Becker *Untersuchungen* 123.

[20] Als ein Beispiel sei TJud 4:3 erwähnt. Viele meinen, daß Hebron falsch für Hazor sei, teils weil der Midrasch Hazor hat, teils weil Hebron weit von Sichem (4:1) liegt; vgl. Charles *Comm* 72f; Becker *Untersuchungen* 120; *Komm* 65; M. de Jonge *Testaments* 63f; Otzen *GamPseud* 7,726. 4:1 spricht gegen diese Hypothese. Der Vers zeigt, daß der Verfasser weiß, daß Hebron nach Süden liegt. TJud 4:1 sagt nur, daß der Kampf dort größer als der in Sichem war. Er sagt nicht, daß die Kämpfe unmittelbar nacheinander folgten. Die Ereignisse in Kap. 5 finden dagegen am nächsten Tag statt. Umgekehrt knüpft Kap. 6 nicht direkt an Kap. 5 an. 6:1 sagt nur, daß Juda zu irgendeiner Zeit an den Wassern Kozibas war. Das Tagesschema des Midraschs ist ein später und systematisierender Zug und läßt sich in TJud nicht durchführen; vgl. Anm. 14. Daß ein chronologisches Schema TJud Kap. 3−7 zugrunde liegt, ist wahrscheinlich. Wir wissen aber nicht welches.

[21] Vgl. Becker *Untersuchungen* 116.

stamme[22]. In diesem Fall müßten TJud Kap. 3–7 aus Jub Kap. 34 stammen, was aber ganz ausgeschlossen ist. Es handelt sich nicht um schriftliche Quellen, sondern um mündliche Traditionen.

Mehrere Ausleger haben in einem Teil der Städtenamen in Jub Kap. 34/ TJud Kap. 3–7 Reminiszenzen der Eroberungen der Makkabäerzeit gefunden[23]. Das ist nicht möglich. Sowohl Jub als die TP sind vor den Makkabäerkriegen geschrieben; vgl. IV,6. Wir fügen hinzu, daß eine biblizistisch-legendäre Ausgestaltung der Tradition zur Erklärung hinreicht[24]. Man darf auch nicht übersehen, daß viele der Städtenamen sich kaum identifizieren lassen[25].

Der Stoff in Kap. 3–7 ist traditionell. An zwei Stellen, 3:9f und 7:10f, scheint der Verfasser einen selbständigen Beitrag geleistet zu haben. Diese Verse rühren wahrscheinlich von ihm her[26].

c: Kap. 9 schildert den Kampf der Jakobsfamilie gegen Esau. Parallelen finden sich in Jub 37:1–38:14 und Midrasch Wajjissaʻu[27]. Im Vergleich mit den Amoriterkämpfen sind die Übereinstimmungen der Texte weniger. Jub und der Midrasch sind sich jedoch relativ nahe[28]. M. de Jonge postuliert auch hier eine gemeinsame schriftliche Vorlage[29]. Die Schwäche dieser These liegt offen zutage: TJud Kap. 9 müßte in diesem Fall eine radikale Kürzung und Umgestaltung der Quelle sein. Dafür fehlt jede Spur[30].

Weil die Texte nur entfernt verwandt sind, lassen sich Jub und der Midrasch bei der Auslegung von TJud Kap. 9 kaum verwerten. Auf Grund der anderen Darstellungen haben einige gemeint, daß der Verfasser große Unkenntnisse in palästinischer Geographie besitze. Das ist nicht der Fall[31].

d: Kap. 8 + 10–12 sind privaten Charakters. Kap. 8 erinnert an Gen 38:1–11. Juda erzählt von seiner Heirat mit einer kanaanäischen Frau und

---

[22] *Lehre* I,24.

[23] Vgl. z.B.: Bousset *ZNW* 1 (1900) 202ff; Charles *The Book of Jubilees* 202ff; *APOT* II,64; Schmitt *Zeugnis*; s. weiter Purvis *SCS* 5,151.

[24] So Becker *Untersuchungen* 117 Anm. 1.

[25] Anders Schmitt *Zeugnis* 19ff.

[26] Vgl.: M. de Jonge *Testaments* 62; Becker *Untersuchungen* 120 mit Anm. 3 und 122 mit Anm. 3; Hultgård *L'eschatologie* II,125.

[27] Zu den Textausgaben, vgl. Anm. 6. (Yalkut Simeoni I,84f; Jellinek III,3f) Übersetzung in Hollander/M. de Jonge *Comm* 454ff.

[28] S. Becker *Untersuchungen* 124f; Hultgård *L'eschatologie* II,125f.

[29] S. oben Anm. 15.

[30] So mit Recht Becker *Untersuchungen* 124f. M. de Jonge hat zwar diese Folgerung nicht gezogen; vgl. aber Charles *Comm* 78. Hultgård *L'eschatologie* II,127 meint nochmals, daß sich der Midrasch einer älteren Version des TJud bedient habe; vgl. Anm. 18.

[31] Gegen M. de Jonge *Testaments* 65 und Becker *Untersuchungen* 125 (unter Verweis auf M. de Jonges Argumentation). Die Identifikation der Ortsnamen ist zweifelhaft. (TJud verlegt den Kampf nicht nach Hebron.) TJud läßt die Söhne Esaus nicht nordwärts fliehen, wie M. de Jonge behauptet. (M. de Jonge und Becker schreiben dem Verfasser schlechte Kenntnisse der Geographie zu, weil sie meinen, daß die TP nicht in Palästina geschrieben seien; vgl. IV,7.)

seinen Söhnen. 8:3 ist nur ein kurzer Auszug. Juda kommt in Kap. 10 zu diesem Thema zurück. Die Abweichungen von Gen sind auffällig. Der Verfasser hat vermutlich Zugang zu anderen Traditionen als Gen gehabt. Juda erzählt hier, daß ein gewisser Hira sein Oberhirt sei, und daß sein Schwiegervater, der König von Adullam, Barsa(ba) heiße und dessen Tochter (Judas Frau) Batschua[32].

Der zweite Abschnitt Kap. 10–12 fällt in zwei Teile: Kap. 10–11 und Kap. 12. Die Perikope 10:1ff steht dicht an Gen 38:6–11 und nimmt die kurze Bemerkung in 8:3 auf. Parallelstoff liegt auch in Jub 41:1–7 vor. Im Gegensatz zu Gen schreibt TJud der Frau Judas die Hauptschuld am Unglück der Familie zu. Sie wollte Thamar nicht gutheißen, weil sie aus Mesopotamien stammte und nicht von den Töchtern der Kanaanäer. Ein ähnliches Motiv taucht auch in Jub 41:2.7 auf, wenn auch viel vager als in TJud.

11:1–2 passen weniger gut in ihrem jetzigen Zusammenhang. Sie unterbrechen den Erzählungsfaden, denn 11:3ff setzen 10:6 fort. Becker hält die Verse für sekundär, überzeugt damit aber nicht[33]. Es handelt sich vielleicht

---

[32] Auch in Jub 41:14 und den alten Versionen wird Hira Hirt genannt, während TM in Gen 38:12.20 ihn den Freund Judas nennt. Es handelt sich jedoch nur um eine unterschiedliche Vokalisierung von רעהו: לעהו / רֵעֵהוּ = sein Hirt/sein Freund. In Gen 38:2 TM heißt der Schwiegervater Judas שׁוּעַ, und בת-שׁוּעַ (V.12) bedeutet „die Tochter Schuas". In LXX wird der Name des Schwiegervaters nicht mitgeteilt, seine Tochter heißt aber Σαυά. In TJud wird sie Βησσουή "β"/Σαβά α genannt, ihr Vater Barsa(ba). In Jub 34:20 heißt sie Bētasū'ēl, in 41:7 Bēdsū'ēl. Es handelt sich um verschiedene Traditionen, nicht nur um Mißverständnisse des hebräischen Textes (gegen M. de Jonge *Testaments* 66 und 147 Anm. 147). LXX hat einen anderen Text als TM gekannt, und α scheint von ihm beeinflußt zu sein. "β" geht auf בת-שׁוּעַ als Eigennamen zurück. Dieselbe Tradition liegt der Version des Jub zugrunde. M. de Jonge *Testaments* 147 Anm. 147 meint, daß der Verfasser der TP (oder ein anderer) den Namen des Schwiegervaters erfunden habe. Das ist nicht wahrscheinlich. Traditionen entstehen nicht in dieser Weise.

[33] Er entfaltet seine Einwände in *Untersuchungen* 307f. 11:1–2 störten zwischen 10:6 und 11:3–5 und seien Dublette zu 8:1f. In 8:1f sei die Heirat Judas nur annalenhaft und ohne Kritik an Juda mitgeteilt. Nach 11:1–2 habe er gegen den Willen des Vaters geheiratet. Das stehe in glattem Widerspruch zu 1:4b–5. 11:1–2 wollten bewußt das lasterhafte, schlechte Vorbild Judas herausstreichen. Davon wisse der Grundstock des TJud (Kap. 2–9; 10:1–6; 11:3–5; 12:1–2.4–5.6 [teilweise]; usw.) nichts. Becker betont, daß Juda sich auch in der Thamarepisode im Endeffekt vorbildlich benehme.
Daß 11:1–2 Dublette sind, ist an sich belanglos; vgl. TR. Der scheinbare Widerspruch zu 1:4b–5 erklärt sich dadurch, daß νεότης nicht dieselbe Bedeutung in 1:4 wie in 11:1 hat. In 1:4 handelt es sich um eine Altersangabe: Juda gehorchte dem Vater während seines Heranwachsens. In 11:1 handelt es sich dagegen um eine Geneigtheit, die für junge Menschen typisch ist. Es besagt nichts über sein Alter. (TJud 7:10; 9:2; 13:3; TR 1:8; Jub 28:11ff lassen erkennen, daß Juda ungefähr 25–30 Jahre alt war, als er heiratete. Der Begriff νεότης paßt also nicht im eigentlichen Sinn.)
Juda wird nicht als schlechtes Vorbild dargestellt. Der Text entschuldigt ihn und zeigt, was sogar mit dem Besten geschehen kann, wenn er vom Wein betrunken ist und von weiblicher Schönheit geblendet wird. Becker bevorzugt in 11:2 α: „ohne mich mit meinem Vater zu beraten". Doch steht α sicher unter Einfluß von 13:7. "β" sagt nicht, daß die Heirat gegen den Willen Jakobs geschah. Er hätte sie zwar kaum erlaubt (13:7), doch war er nicht gefragt worden. Meint Becker wirklich, daß Judas Heirat mit einer *kanaanäischen* Frau ohne Kritik pas-

um eine Parenthese, oder auch sind die Verse während der Tradierung von der Paränese losgerissen worden.

Die Tradition in 11:3f ist weder in Gen Kap. 38 noch Jub Kap. 41 belegt. Jub 41:7 erzählt zwar, daß Batschua Schelas Verheiratung mit Thamar verboten habe, weiß aber nicht zu berichten, daß sie Schela eine Frau aus dem Land Kanaan nahm. Nach Gen gab Juda Thamar seinem Sohn deshalb nicht zur Frau, weil er fürchtete, daß auch er, wie schon seine Brüder (Er und Onan), sterben würde. Die Sondertradition in TJud scheint Juda jede Schuld absprechen zu wollen.

Kap. 12 berichtet die bekannte Erzählung von Juda und Thamar. Die Tradition findet sich neben Gen 38:12ff in Jub 41:8−21. Gen und Jub sind eng verwandt, während TJud für sich steht. Einige Unterschiede fallen auf. Nach Gen/Jub verspricht Juda Thamar ein Ziegenböckchen. Thamar fordert aber ein Pfand, bis er es schickt. Juda muß ihr seinen Siegelring, seine Schnur (Jub: seine Halskette) und seinen Stab geben. TJud redet von Stab, Gürtel[34] und Diadem des Königtums. Das Ziegenböckchen wird nicht erwähnt. Nichtsdestoweniger werden die drei Gegenstände als „Pfand" bezeichnet. M. de Jonge nennt 12:4−10 „a very clumsy narrative"[35]. Der Abschnitt sei ein mißlungener Versuch, einen volleren Bericht zu kürzen und lasse sich nur verstehen, wenn man Gen Kap. 38 kenne. Daß die Erzählung schlecht komponiert ist, ist nicht zu leugnen. Der Verfasser schreibt aber für Adressaten, die mit Gen oder anderen Versionen vertraut sind und den fehlenden Stoff ergänzen können. 12:4 scheint indessen von einer abweichenden Tradition zu zeugen[36].

Der Verfasser will nicht Juda als besonders sündig darstellen. Die Traditionen ließen sich aber nicht umgehen. Also versucht er, ihn zu entschuldigen und zu entlasten; vgl. 12:(2.)3.10 und 11:3f oben. Die Erzählungen dienen zugleich als Warnung vor weiblicher Schönheit, Trunkenheit und Habgier. Das Motiv der Berauschung (V.3.6) ist unbekannt in den anderen Berichten, ebenso die sogenannten „heimlichen Worte" in V.6 (die zwar nicht enthüllt werden), und die Reflektion Judas in V.7. Dieser Stoff stammt wahrscheinlich vom Verfasser.

M. de Jonge hat darauf aufmerksam gemacht[37], daß die Batschuaerzäh-

Forts.

sieren könne?

Beckers Analyse ist davon bedingt, daß er die Tugend- und Lasterparänese in Kap. 13 für sekundär hält; vgl. Anm. 50 und II,4 Anm. 5. Deshalb muß er jede Vorbereitung dieser Paränese in der Lebensgeschichte beseitigen; s. auch Anm. 38.

[34] So nach "β". α: „Siegelring" steht unter Einfluß von Gen 38:18; vgl. aber 15:3, wo auch α „Gürtel" hat.

[35] *Testaments* 69. (Zur angenommen Quelle, vgl. Anm. 15; 29.)

[36] Otzen *GamPseud* 7,731f meint, daß TJud zwei der drei Gegenstände geändert habe, um eine symbolische Auslegung zu ermöglichen. Wäre eine symbolische Exposition der Pfänder in Gen/Jub unmöglich gewesen?

[37] *Testaments* 68f.

lung und die Thamarepisode viele Parallelen aufweisen. Sie lenken den Blick vorwärts auf die Paränese.

Becker disqualifiziert 11:1–2; vgl. oben. Die logische Folge ist, daß er ebenfalls 12:3 und „in meinem Rausch" in 12:6 ausklammern muß. Wir stimmen dem nicht zu[38]. 12:2 scheint dagegen eine Glosse zu sein[39].

Der Rückblick in TJud ist sehr umfangreich, und nur wenig davon wird in der Paränese ausgenutzt. v. Nordheim erwägt sogar, ob die gesamte Lebensgeschichte 1:3–12:12 ein späterer Nachtrag sei[40]. Dieser Vorschlag ist viel zu radikal. TJud bildet nur einen Gegenpol zu TAs. Im Gegensatz zu TAs hat der Verfasser reichlichen Zugang zu Stoff gehabt und nicht vermocht, sich zu begrenzen.

Zu den chronologischen Bemerkungen in 12:11–12 verweisen wir auf Jub 28:15; 45:1 (43 Jahre) und Miliks Fund in 4Q[41].

Wir fassen die Ergebnisse zu Kap. 3–12 zusammen: Der Verfasser hat sich mehrerer haggadischer Traditionen bedient, die zur Zeit der Abfassung kaum schriftlich fixiert waren. Es fehlt jede Grundlage, eine gemeinsame schriftliche Quelle für TJud, Jub und Midrasch Wajjissaʻu zu postulieren (gegen M. de Jonge). TJud baut nicht auf Jub (gegen v. Nordheim). Die vergleichbaren Texte (TJud Kap. 3–7 mit Parallelen) zeigen nur traditionsgeschichtliche Verwandtschaft, keine literarische Abhängigkeit (mit Becker).

Der zweite Hauptteil, die Paränese, folgt in Kap. 13–20. In den Mahnungsstoff sind größere oder kleinere Rückblicke eingestreut: 13:3–8; 14:5f; 15:3–5; 16:4; 17:1; 19:2. Sie haben aber eine klare Funktion innerhalb der Paränese. Sie nehmen zum Teil Stoff aus dem eigentlichen Rückblick auf, führen ihn aber auch weiter und fügen Neues hinzu.

13:1–2 leiten die Paränese ein und sind ganz allgemein formuliert. Der erste große Komplex, 13:3–16:4, warnt vor Wein, weil Trunkenheit zur Unzucht verführe. Der Ausgangspunkt sind die schlechten Erfahrungen Judas. Als Beispiele dienen die Heirat mit Batschua und die Episode mit der Schwiegertochter Thamar. Der Wein hat ihm die Augen verblendet, so daß er das Gebot Gottes und seiner Väter (seines Vaters?) übertrat und

---

[38] Vgl. *Untersuchungen* 308f. 12:3 passe zur Tendenz in 11:1–2, die er schon disqualifiziert hat; vgl. Anm. 33. Der Vers hat keine Parallele in Gen Kap. 38/Jub Kap. 41, lasse sich leicht aus dem Kontext herauslösen und bereite die Tugend- und Lasterparänese in Kap. 13ff vor, die sekundär sei; vgl. Anm. 50. Mit 12:3 falle auch „in meinem Rausch" in 12:6.
Zu den erwähnten Anmerkungen fügen wir hinzu, daß der Mangel an Parallele in Gen/Jub natürlich kein Argument ist.

[39] Der Satz hat deutlich einen parenthetischen Charakter; vgl. Otzen *GamPseud* 7,729.

[40] *Lehre* I,24f Anm. 42. Die Redeeinleitungsformel und die Mahnungen würden dann sogleich nach dem Anfangsrahmen folgen. Das Element des Rückblickes auf die Vergangenheit wäre damit nicht eliminiert, sondern würde sich auf die in die Folge der Mahnungen mehrfach eingestreuten Rückblicke beschränken.

[41] Op. cit. in II,8 Anm. 27, S. 97f.

sich eine kanaanäische Frau nahm (13:7; 14:6). Deshalb empfiehlt er Mäßigung beim Weingenuß (14:7; 16:1f), oder noch besser: Abstinenz (16:3). Man entgeht dann allen Problemen.

Kap. 15 steht isoliert. Es unterbricht den Zusammenhang und verläßt das Motiv der Trunkenheit, das in Kap. 16 weitergeführt wird. Es besteht jedoch kein zwingender Grund, den Abschnitt für einen Einschub zu halten[42]. Es handelt sich um eine Digression, die einen Sonderaspekt der Thamarepisode, nämlich die Übergabe der drei Pfänder, bespricht und ihm eine symbolische Auslegung gibt.

Die Warnung vor Trunkenheit ist das Hauptthema des TJud. In 17:1 + 18:2-19:4 begegnen zwei andere Themata: Habsucht und Unzucht. Das Gewicht liegt auf dem erstgenannten[43]. Der Ausgangspunkt ist abermals in der Lebensgeschichte Judas zu suchen.

In 17:2-18:1 findet sich die erste Interpolation in TJud[44]. Löst man dieses Stück aus dem Kontext, knüpft 18:2 gut an 17:1 an. Der Übergang von 17:1 zu 17:2 ist hart. α hat ihn „verbessert". Der thematische Anschluß („durch diese zwei") ist oberflächlich. 17:4 steht nicht im Einklang mit der Lebensgeschichte oder der Paränese; vgl. 11:2; 13:7. Die Genealogie in 17:5 ist ungenau: Abraham war nicht der Großvater Judas[45]. In 18:1 ist der Verweis auf die Bücher Henoch ein typisch sekundärer Zug; vgl. II,2. Doch ist 18:1 eher ein Fragment für sich[46]. Im Gegensatz zu 18:1 halten 17:2-5 wenigstens die Testamentfiktion ein („ich weiß").

Kap. 20 steht für sich. Es ist nicht direkt paränetisch, sondern läßt sich als eine „dogmatische" Belehrung charakterisieren[47]. Das Thema sind die zwei Geister, die den Menschen beherrschen. Es kommt ein wenig überraschend und ist kein guter Abschluß der Mahnungen. Der lose Stichwort-

---

[42] So z.B. Kohler *JewEnc* 12,115. Er nennt das Kapitel einen „interpolated midrash on Gen XXXVIII.18." Es handelt sich zwar um einen Midrasch, doch wird nicht Gen 38:18, sondern TJud 12:14 ausgelegt.
Es wird auch von Becker *Untersuchungen* 309; *Komm* 71 ausgeklammert. Außer den in unserem Text erwähnten Argumenten führt Becker an, daß die Dauer der Buße in 15:4 singulär in den TP sei und keinen Rückhalt in der Lebensgeschichte habe. Doch ist das zeitliche Ausmaß der Buße in den TP nicht fixiert, vgl. IV,2F, und 15:4 verstößt nicht gegen andere Auskünfte der Lebensgeschichte.

[43] Nach Aschermann *Formen* 46f und Becker *Untersuchungen* 313f sind 18:3-5 ein selbständiges Gedicht. Es handle ursprünglich von der Habsucht. Das Motiv der Hurerei sei sekundär.

[44] Vgl.: Schnapp *Testamente* 44f; Charles *Text* 92f; *Comm* 87; Bickermann *JBL* 69 (1950) 248 Anm. 9; M. de Jonge *Testaments* 148 Anm. 150; Philonenko *Interpolations* 5; *BEI* 868.

[45] α, Ms d, Ms l und A haben den Text in verschiedener Weise „verbessert", vgl. *Editio Maior* 71; Charles *Text* 93.

[46] Vgl.: Becker *Untersuchungen* 313; *Komm* 73; v.Nordheim *Lehre* I,26f; Hultgård *L'eschatologie* I,107f; II,210; M. de Jonge *Testaments* 83; 86; 152 Anm. 223; (Hollander/M. de Jonge *Comm* 53; 216; 225). Nach Becker (und M. de Jonge) gehört 18:1 zusammen mit 23:1ff. (Der dazwischenstehende Text ist nach Becker sekundär.)

[47] So Becker *Untersuchungen* 315.

anschluß (19:4 ὁ ἄρχων τῆς πλάνης; 20:1: τὸ (πνεῦμα) τῆς πλάνης)[48] läßt an eine spätere Zufügung denken[49]. Dagegen erheben sich allerdings Bedenken: der Abschnitt ist inhaltlich mit anderen ursprünglichen Stücken der TP verwandt; vgl. vor allem TAs. Die psychologische Pneumatologie ist in der Grundschrift zu Hause; vgl. IV,2C und III,3. Trotz der kontextuellen Probleme reichen die Argumente für eine Disqualifikation somit nicht aus. Daß keine Verbindungslinie zu Kap. 21 vorliegt, erklärt sich dadurch, daß Kap. 21ff sekundär sind; vgl. unten.

Die Paränese macht, mit Ausnahme von Kap. 20 (und dem sekundären Stück 17:2−18:1), eine Einheit aus. Die These Beckers, daß nur ein kleiner Teil dieses Komplexes ursprünglich sei, der größere Teil dagegen sekundär, überzeugt nicht[50]. Der dritte Hauptteil, Kap. 21−25, ist den Weissagungen gewidmet. Der Abschnitt ist zusammengesetzt und enthält eine Reihe verschiedener und zum Teil unvereinbarer Vorstellungen. Kap. 21−24 sind jedoch durch das Stichwort „Königtum" miteinander verbunden. Kap. 25 ist apokalyptisch. Ein Übergang von Kap. 20 zu Kap. 21 läßt sich nicht nachweisen, und die Prophezeiungen nehmen nicht auf die Mahnungen Bezug. Eine eventuelle Disqualifikation von Kap. 20 kann diesen Problemen nicht abhelfen. Wir halten alle diese Kapitel für sekundär[51]. Die nachfolgende Besprechung der Einzelstücke wird diese These erhärten.

21:1−5 bilden ein Levi-Juda-Stück. Es ist allerdings fraglich, ob V.5 zu diesem Stück gerechnet werden kann[52]. Inhaltlich ist er zwar an seinem Platz, formal ist er aber verdächtig. Der Anredewechsel fällt auf. Nach dem besseren Text "β" − α ist eine offenbare Korrektur − wird Juda angesprochen, während er selbst in V.1−4 zu seinen Nachkommen spricht.

---

[48] S.: Becker *Untersuchungen* 315; v.Nordheim *Lehre* I,27; Hultgård *L'eschatologie* II,194. (Er verweist auch auf das Verb ἐπιγινώσκω.)

[49] So: Becker *Untersuchungen* 315; v.Nordheim *Lehre* I,27f.

[50] Seine Argumente werden in *Untersuchungen* 308ff präsentiert. Er rechnet nur 13:1−3a; 17:2ff; 18:1 für ursprünglich. Zu seinem Ausgangspunkt, vgl. II,4 Anm. 5. S. weiter Anm. 42; 43. Die sekundäre Paränese sei in 11:1−2; 12:3.6 (teilweise) vorbereitet; vgl. Anm. 33; 38. Noch einige Punkte seien erwähnt:
Daß 16:4 keinen Anhalt in der Lebensgeschichte habe (ibid. 310f), stimmt wohl, ist aber belanglos. Der Vers enthält übrigens keine Arkandisziplin. Becker übersieht, daß Batschua kanaanäisch war. (Beckers Gegenbeweis TL 2:10 ist somit falsch und tatsächlich auch sekundär; vgl. TL.) Daß 14:5 sich mit 12:10 reibe (ibid. 311), sehen wir nicht. 12:10 referiert nur die Ansicht des betrunkenen Juda, 14:5 die faktischen Umstände. Zur These, daß Kap. 14; 16 (Grundstock) einen synagogalen Hintergrund hätten, vgl. II,3 Anm. 19ff.

[51] So auch Schnapp *Testamente* 45f. Andere halten größere oder kleinere Teile für sekundär: Charles *Text* XLVIf; *Comm* LVIIff; 91; 95ff klammert 21:6−23:5; 24:4−6 wegen des königsfeindlichen Tones aus (1. Jh. v. Chr.); vgl. Otzen *GamPseud* 7,734, der jedoch keine Abgrenzung unternimmt. Bousset *ZNW* 1 (1900) 189ff disqualifiziert Kap. 22−25 (1. Jh. v Chr). Philonenko *Interpolations* 5 rechnet 21:6−25:5 als sekundär. Becker *Untersuchungen* 318f; 325 hält nur 23:1−5 (mit 18:1) für *ursprünglich*.

[52] Vgl.: Becker *Untersuchungen* 316; v.Nordheim *Lehre* I,28 Anm. 54.

Die alte Vermutung Schnapps[53], der Interpolator habe vielleicht dieses Stück einer anderen Schrift entlehnt, wo ein Engel Juda anrede, und vergessen, die zweite Person an allen Stellen in die erste umzuändern, läßt sich nicht nachprüfen. Wahrscheinlich ist sie nicht. Zweifelhaft ist auch V.4b. Er mutet wie eine typische Glosse an und hat keine Parallele in den übrigen Levi-Juda-Stücken. Er spielt auf das Unwesen von Kauf und Verkauf hoher Priesterämter an, ein Problem in Palästina von der Zeit des Antiochus Epiphanes an. Eine genauere geschichtliche Anbringung ist unmöglich.

Wir folgern, daß das ursprüngliche Levi-Juda-Stück nur 21:1−4a umfaßte. An keiner Stelle in den TP ist die Hervorhebung des Priestertums so stark wie hier. Diese Glorifikation fällt auf, denn in Kap. 1−20 hat Levi keinen Vorrang. In Kap. 5 ist er nur einer unter vielen Brüdern. Tatsächlich hebt Levi selbst die Königswürde hervor; vgl. TL 13:9. Abgesehen von dieser unberechtigten Verherrlichung von Levi *und* Juda − denn auch er wird hervorgehoben − (vgl. III,6), verrät sich diese Perikope nicht. Wir verweisen deshalb auf unsere Analysen anderer Levi-Juda-Stücke (TR, TSim, TG, TD, TJos, TIs, TN).

21:6−22:3 sind problematisch. 21:6 knüpft mit seinem Gebrauch der 2. P. Sg. an 21:5 an, setzt also die erweiterte Form des Levi-Juda-Stückes voraus. Der Zusammenhang ist jedoch unklar und das Bild undurchsichtig[54]. Bezeichnet Juda hier das Territorium, den Stamm oder noch enger das Königsgeschlecht? Ist vielleicht gemeint, daß es sowohl gute als auch schlechte Könige geben wird?

21:7ff sind viel deutlicher als 21:6. 21:7−9 gehören zu den königsfeindlichsten Texten der gesamten jüdischen Literatur. 21:6 ist zwar nicht positiv, aber auch nicht absolut abweisend. 21:7−9 sind dagegen völlig negativ. Das Bild des Meeres ist jetzt aufgegeben, oder richtiger: weitergeführt. Die Könige werden nun mit bissigen Meeresungeheuern verglichen, die Menschen wie Fische verschlingen. Die Testamentfiktion ist verlassen und taucht erst in 22:3 auf. Die Söhne Judas werden nicht angesprochen. Anstelle von „ihr werdet" heißt es: „sie werden" so und so tun. 22:2 redet zwar von „meinem Königreich". Doch darf man vermuten, daß G sich der Testamentsituation angepaßt hat, und daß A („ihr Königreich") den Vorzug verdient[55]. Zu 21:7−9 gehören auch die folgenden Verse 22:1−2[56].

---

[53] *Testamente* 46; vgl. Anm. 54.

[54] Einen Lösungsversuch gibt Hultgård *L'eschatologie* I,110ff. Er meint übrigens, daß 21:5−6 nur der Rest eines älteren Textes seien. Der ursprüngliche Text sei eine Vision Judas mit der Verheißung eines Engels, er werde König werden, oder eventuell ein Segen Abrahams oder Isaaks; vgl. ibid. II,210f.

[55] Vgl. Becker *Untersuchungen* 317; *Komm* 75.

[56] Becker *Untersuchungen* 316ff zersplittert den Abschnitt 21:7−22:2 in 21:6; 21:7−9; 22:1−2. Hultgård *L'eschatologie* I,110ff; 144ff; 166ff und v.Nordheim *Lehre* I,29 betrachten 21:6−22:3 als ein SER-Stück.

22:3 paßt dagegen nicht nach 22:2. 22:2 prophezeit den Fall des Königtums[57], während 22:3 betont, daß die Königsherrschaft Judas und seiner Nachkommen niemals verschwinden wird. Wir halten es für ganz ausgeschlossen, daß 21:7–22:2 ursprünglich sind. Von ihrer antiköniglichen Polemik findet sich in Kap. 1–20 keine Spur, abgesehen vom sekundären Stück 17:2ff. 22:3 klammern wir nur zögernd aus. Der Vers hält die Abschiedsfiktion ein und ist mit der Tendenz in TJud vereinbar.

In Kap. 23 begegnet uns ein SER-Stück mit den typischen Elementen:

23:1−2: Sünde[58](die Einleitung ist eigenartig)

23:3−4: Strafe

23:5a: Umkehr

23:5b: Restitution

Der Abschnitt bezieht sich nur scheinbar auf die Nachkommen Judas, denn „die aufgezählten Sünden und die ihnen folgenden Strafen haben nichts mit dem Königtum, aber alles mit dem Volk zu tun."[59] Der Verdacht liegt nahe, daß εἰς τὸ βασίλειον in 23:1 ein späterer Zusatz ist, der das SER-Stück mit dem Kontext verbindet, so daß der Eindruck erweckt wird, es handle vom Königtum, was es inhaltlich nicht tut[60]. Es sei erwähnt, daß diese Worte in A fehlen. Streicht man sie, sind die Sünden des Volkes, wie immer in den SER-Stücken, direkt gegen Gott gerichtet. Thematisch knüpft das Stück nicht an die Sünden Judas an. In 23:3 liegt ein schlimmer Fehler vor. Unter den Strafen wird ναοῦ θεοῦ ἐμπυρισμός erwähnt. Ναός wird nur in den interpolierten Abschnitten gebraucht. Die Grundschrift meidet dieses Wort konsequent, denn es paßt nicht im Mund der Patriarchen. Statt dessen findet man οἶκος; vgl. III,1. Es spielt keine Rolle, daß es sich um eine Prophezeiung handelt, denn Juda hat gar nicht vom Bau eines Tempels geredet. Wir verweisen sonst auf andere SER-Stücke, die ihren sekundären Charakter bestätigen.

Die Auflistung der Strafmomente in V.3 unterscheidet sich von entsprechenden Aufzählungen in anderen SER-Stücken dadurch, daß sie Substantive statt Verbalformen verwenden. Die meisten Formulierungen weisen alttestamentliche Parallelen auf[61]. Nach Hultgård liegt 23:1–3 eine fremde Quelle zugrunde[62].

v. Nordheim macht darauf aufmerksam, daß Kap. 22 mit einer Heilsan-

---

[57] Hultgård *L'eschatologie* I,145 denkt an die unrechtmäßige Machtübernahme der Hasmonäer. Nach ihm bedeutet ἀλλόφυλος „aus einem anderen Stamm". Philonenko *BEI* 871 verweist auf Herodes den Großen.

[58] Hultgård *L'eschatologie* I,109f; 116 vermutet eine schriftliche Quelle als Hintergrund des „Sündenkatalogs" in 23:1−2 (und 23:3; s. Anm. 62).

[59] v.Nordheim *Lehre* I,30.

[60] S. v.Nordheim ibid. (Vgl.: Charles *Comm* 92f; Becker *Komm* 75.)

[61] Vgl. Hultgård *L'eschatologie* I,141ff.

[62] *L'eschatologie* I,109f; 116; vgl. Anm. 58.

sage endet, und daß Kap. 24f mit Heilsansage fortfährt[63]. Er folgert daraus, daß Kap. 23 ursprünglich seinen Sitz an anderer Stelle innerhalb oder ausserhalb der TP habe. Das ist kaum richtig. Kap. 22 und 24 sind so verschieden, daß man sie nicht fortlaufend lesen kann. Diese Kapitel zeigen eher, daß sie nicht nach einem Plan komponiert sind. Es handelt sich um eine Zusammenstellung verschiedenen Materials aus verschiedenen Stadien. Dazu kommt, daß Kap. 24 sicher christlich ist; vgl. unten.

Kap. 24 gehört zu den umstrittensten Kapiteln der TP. Wir verzichten auf eine detaillierte Auseinandersetzung[64], weil sie für unsere Problemstellung unnötig ist, und begnügen uns mit einem allgemeinen Urteil. Wir halten das Kapitel für eine *christliche* Komposition. Es ist möglich, jedoch höchst unsicher, daß ein bearbeitetes jüdisches Original zugrunde liegt. Es schimmert eventuell in V.5−6 durch, während V.1−4 wie ein originalchristlicher Beitrag anmuten.

Kap. 25 fällt in zwei Teile, ein prosaisches Stück, V.1−2, und ein poetisches, V.3−5. Die Reihenfolge der Stammväter in V.1 und V.2 ist nicht kongruent. Wie dies zu erklären ist, bleibt ein Rätsel. Jedenfalls sind Levi und Juda in beiden Reihen die erstgenannten, und das zeugt wohl von einer Verwandtschaft mit den Levi-Juda-Stücken!? In der ersten Liste werden jetzt nur sieben Namen erwähnt (= Ms e), und man darf vermuten, daß sie zu irgendeiner Zeit gekürzt worden ist[65]. Die Patriarchen werden nach V.2 von verschiedenen Mächten/Elementen gesegnet. Wir verweisen auf die Erklärungsversuche von M. de Jonge[66] und Hultgård[67].

25:1−2 vertreten eine zu 24:6 und 23:5 selbständige und unterschiedene Heilserwartung apokalyptischer Natur und stehen ganz isoliert in TJud[68]. 25:3−5 sind wahrscheinlich jünger als 25:1f[69]. Sie lassen sich nicht als eine Fortsetzung von 25:1−2 lesen, denn abgesehen vom literarischen Unterschied (Poesie in V.3−5 kontra Prosa in V.1−2), ist die Testamentfiktion in V.3−5 aufgegeben, und das Interesse begrenzt sich nicht mehr auf die Stammväter.

In beiden Stücken findet sich die sekundäre Auferstehungsvorstellung; vgl. III,5. Im zweiten Stück lenken wir den Blick auf den Pneumabegriff

---

[63] *Lehre* I,30f.

[64] S. aber: Becker *Untersuchungen* 319ff; Hultgård *L'eschatologie* I,204ff.

[65] Vgl. Hultgård *L'eschatologie* I,236. Er macht ibid. Anm. 2 darauf aufmerksam, daß die Tendenz, die Liste zu kürzen, sich in den Mss nachweisen läßt: e hat sieben Namen, bgldmaA sechs, fchij fünf und k drei. Hollander/M. de Jonge *Comm* 228ff bevorzugen die Liste mit sechs Namen und meinen, sie gehe auf Dtn 27:12 zurück.

[66] *Testaments* 155 Anm. 277 (mit Ausgangspunkt in Gen Kap. 49 und Dtn Kap. 33 in bezug auf die „Elemente"; vgl. Hollander/M. de Jonge *Comm* 230).

[67] *L'eschatologie* I,237ff (mit Ausgangspunkt in den TP und Astrologie).

[68] Vgl. Becker *Untersuchungen* 323f.

[69] Vgl. Becker ibid. 324; 325. Dagegen weist Hultgård *L'eschatologie* I,243 ab, daß mehrere Hände in TJud Kap. 25 eingegriffen haben.

und das Urteil über Beliar; vgl. III,3 und III,4. Milik behauptet, in Fragmenten aus 3Q eine Parallele zu 25:1−2 gefunden zu haben[70].

Mit Kap. 26 kehren wir zur Grundschrift zurück. 26:1 bietet die übliche Schlußmahnung. In 26:2−4 folgt der Schlußrahmen. Er enthält die gewöhnlichen Elemente, wenn auch die Reihenfolge auffällig ist. Die Redeabschlußformel hätte man am Beginn des Schlußrahmens erwartet. Der persönliche Hinweis auf den bevorstehenden Tod in 26:2 ist eigentlich im Anfangsrahmen zu Hause; s. übrigens die Synopse in II,1.

Christliche Bearbeitung in TJud liegt vor allem in Kap. 24 vor. 25:4, besonders 25:4b, klingt christlich, aber Parallelen in jüdischer Literatur machen diese Annahme zweifelhaft[71]. In 22:2b sind die Wörter „und alle Völker" wohl ein christlicher Zusatz[72].

Zusammenfassend haben sich folgende Abschnitte als sekundär erwiesen:

17:2−18:1: eine Zukunftsprophetie; 18:1 ist jedoch selbständig.

Kap. 21−25: die in mehrere Teile zerfallen, nämlich:

21:1−4a: ein Levi-Juda-Stück

21:5: Verherrlichung von Levi und Juda (mit 21:1−4a verwandt)

21:6−22:3: die Zukunft des Königtums (zusammengesetzt aus 21:6; 21:7−22:2; 22:3 echt?)

23:1−5: ein SER-Stück

24:1−6: eine christliche Komposition; jüdisches Original in 24:5f?

25:1−5: apokalyptischer Text mit zwei Teilen: 25:1−2 und 25:3−5.

Zwei Glossen begegnen in 12:2 und 21:4b. 11:1−2 sind vielleicht falsch angebracht.

Zur christlichen Bearbeitung, s. oben.

---

[70] Op. cit. in II,8 Anm. 27, S. 98f; vgl. auch *DJD* III,99; *DJD* VII,3.

[71] Vgl. die Belege in Becker *Untersuchungen* 324 Anm. 3 (gegen M. de Jonge *Testaments* 32 = Mt 5:3); s. auch Hultgård *L'eschatologie* I,242.

[72] Vgl.: Bousset *ZNW* 1 (1900) 149; Becker *Untersuchungen* 58; *Komm* 75; Jervell *BZNW* 36 (1969) 42. (Bousset und Becker klammern auch „bis zur Parusie des Gottes der Gerechtigkeit" als christlich aus.) Dagegen meint Hultgård *L'eschatologie* I,168f, daß der Text jüdisch sei.

14. Die Abschiedsrede in Testament Levi

Zu TL gibt es mehrere Textfragmente, die ihrem Inhalt nach mit unserem Text nahe verwandt sind. Es handelt sich um folgende größere oder kleinere Bruchstücke[1]:

a. Die beiden Cambridger Fragmente[2]

b. Das Oxforder Fragment[3]

Diese Fragmente sind aramäisch. Sie stammen aus der Kairoer Geniza und gehören zu ein- und derselben Handschrift (11. Jh. n. Chr. oder früher[4]). Sie entsprechen TL 2:2 + 6:3ff und Kap. 8–13; vgl. unten. Sie sind leicht zugänglich in Charles' 'Text' S. 245ff[5]. Seine Einteilung in Verse hat in die Forschung Eingang gefunden und wird auch hier befolgt. Der Text ist mehrmals übersetzt worden[6].

c. Ms e bietet nach TL 18:2 einen längeren Einschub. Er läuft mit den aramäischen Fragmenten parallel (Oxf. Kol. b, c, d = V.11–32 und teilweise Cambr. Kol. c = V.66–69)[7] und bringt außerdem ein umfangreiches Stück, das in den aramäischen Fragmenten kein Gegenstück hat (V.32*fin*–65). Der Text ist in Editio Maior S. 46ff und Charles' 'Text' S. 247ff (wo er in synoptischer Anordnung zu den aramäischen Fragmenten abgedruckt ist), zugänglich. Er liegt in mehreren Übersetzungen vor[8].

d. Zum Cambridger Fragment (Kol. d = V.77–81) gibt es ein kleines syri-

---

[1] Vgl.: Becker *Untersuchungen* 69ff; Haupt *Levi* IIf Anm. 8; 9; 10; 11; Hollander/M. de Jonge *Comm* 17f.

[2] Erstedition: Pass und Arendzen *JQR* 12 (1899/1900) 651ff. (Sie befinden sich in der Taylor-Schechter Collection der Universitätsbibliothek Cambridge.)

[3] Erstedition: Charles und Cowley *JQR* 19 (1906/1907) 566ff. (Es befindet sich in der Bodleian Library in Oxford.)

[4] Greenfield und Stone planen eine Neuausgabe der Cambridger und Oxforder Fragmente. In *RB* 86 (1979) 214ff haben sie eine vorläufige Übersicht mit vielen neuen Lesarten und einer Übersetzung gegeben. Sie verweisen ibid. 216 auf Dr. M. Beit-Arie, der folgert, „that they were written before 1,000...“

[5] Die Reihenfolge der Fragmente (Cambr. Kol. a ..., Kol. b; Oxf. Kol. a, b, c, d ...; Cambr. Kol. c, d, e, f) wurde schon in *JQR* 19 (1906/1907) 569ff richtig geordnet.

[6] Vgl.: Charles und Cowley *JQR* (1906/1907) 577ff; Charles *Comm* 228ff; Becker *Komm* 142ff; Hollander/M. de Jonge *Comm* 461ff.

[7] Zur Identifizierung, s. schon Charles und Cowley *JQR* 19 (1906/1907) 569; 571.

[8] S. Anm. 6.

sches Textbruchstück, das ebenfalls in Charles' 'Text' S. 254 mitgeteilt ist[9].

e. In DJD I,87ff hat Milik viele kleine Fragmente aus 1Q veröffentlicht[10], die 1Q 21 benannt werden. Von diesen ist die Zuweisung von 1Q 21,3 = Oxf. Kol. a Z. 2−9 sicher[11]. Andere Zuweisungen sind zweifelhafter.

f. Ms e hat in TL 2:3 einen langen Zusatz, der ein Gebet Levis enthält. Der Text findet sich in Charles' 'Text' S. 29 und Editio Maior S. 25.

g. Eine aramäische Parallele zu diesem Gebet, gefolgt von einer Vision, wurde in 4Q gefunden und von Milik veröffentlicht[12].

h. Aus derselben Rolle, jetzt 4Q 213 TestLevi[a] genannt[13], hat Milik weitere fragmentarische Stücke identifiziert, aber leider nicht veröffentlicht[14]. Nach Milik entsprechen sie Oxf. Kol. a7−21; d1−15 und Cambr. Kol. e4−f19.

i. Noch ein Text aus derselben Rolle, 4Q TestLevi[a] 8 III, ist von Milik herausgegeben und diskutiert worden[15]. Er entspreche TL 14:3f.

j. Schließlich erwähnt Milik das Fragment 4Q 214 TestLevi[b], von dem wir aber beinahe nichts wissen[16].

Eine kritische Sichtung des Materials ergibt, daß sich die nachfolgende Untersuchung auf die Texte in a, b, c, f und g konzentrieren muß. Die Texte, die noch nicht ediert sind (h und j), scheiden ohne weiteres aus. Das syrische Fragment ist unbedeutend. Es bestätigt nur den aramäischen Text[17]. Die Fragmente in e scheinen nichts über die Cambridger und Oxforder Fragmente hinaus zu geben[18]. Ein Vergleich von TL 14:3f mit dem Fragment in *i* zeigt, daß sie nicht parallel sind[19]. Sie sind höchstens inhaltlich verwandt.

f und *g* müssen zusammen gesehen werden. In Ms e ist das Gebet ganz falsch am Platz. Man hätte es eher nach 2:4 erwartet, wo es sich sachmäßig

---

[9] Erstedition in Pass und Arendzen *JQR* 12 (1899/1900) 657. Übersetzung in Becker *Komm* 150f (besorgt von Dr. Klaus Beyer).
[10] S. auch seinen Aufsatz in *RB* 62 (1955) 398f.
[11] Vgl.: Becker *Untersuchungen* 70f; Haupt *Levi* 48; Hollander/M. de Jonge *Comm* 18.
[12] *RB* 62 (1955) 398ff.
[13] S. *RB* 73 (1966) 95 Anm. 2.
[14] Vgl. *RB* 62 (1955) 399.
[15] *Books of Enoch* 23f.
[16] *RB* 73 (1966) 95 Anm. 2.
[17] Fraenkel *ThLZ* 32 (1907) 475 meinte, daß der aramäische Text eine Übersetzung aus einem syrischen Text sei. Vgl. zum Problem: Charles *Text* LIVff (mit Anm. 1 in LV); *Comm* LXXff (mit Anm. 1 in LXXII).
[18] Vgl. z.B. Becker und Haupt in Anm. 11.
[19] Gemein ist nur, daß sie beide eine Anklage enthalten. Wörtliche Übereinstimmungen liegen nicht vor. Im aramäischen Fragment findet sich ein Verweis auf Henoch, der in TL Kap. 14 keine Parallele hat. Anders z. B.: Milik *Books of Enoch* 23f; Hultgård *L'eschatologie* II,93; 95; 105.

177

leicht eintragen läßt. Im jetzigen TL ist dieser Einschub offenbar sekundär und kann an sich keinen Anspruch auf unser Interesse machen. Der Fund eines aramäischen Gegenstücks (g) fordert jedoch einen Kommentar.

Wir bezweifeln, daß man diese Texte als Parallelen bezeichnen kann. In einem Vergleich der beiden Stücke hat Milik die wörtlichen Übereinstimmungen im griechischen Text des Ms e unterstrichen[20]. Sie sind erstens nicht besonders zahlreich, und zweitens eines allgemeinen Charakters. Gemeinsam ist vor allem, daß sie alle beide ein Gebet Levis referieren. Die Ausformung des Gebets ist dagegen ganz unterschiedlich. Im aramäischen Fragment folgt dem Gebet eine Vision, aber nur die Einleitung dieses Gesichtes ist bewahrt worden. In Ms e finden wir eine entsprechende Struktur, denn hier folgt dem Gebet ein Traumgesicht in 2:5ff. Das zeugt scheinbar von naher Verwandtschaft. Doch erheben sich Bedenken: das Gebet in Ms e wurde nur eingetragen, weil TL 2:4 von einem Gebet Levis redet, zwar ohne den Wortlaut mitzuteilen. Wir wissen also nicht, ob dem Gebet in Ms e jemals eine Vision folgte, geschweige denn, ob dies die im jetzigen TL vorliegende Vision war. Fügen wir nun hinzu, daß der Kontext der beiden Stücke (f und g) unbekannt ist, sagt sich von selbst, daß unsere Folgerung negativ werden muß: die Wiedergabe eines Gebets Levis kann nicht die Beweislast dafür tragen, daß es sich um ein- und dieselbe Tradition handle, zumal dann nicht, wenn ihr Inhalt tatsächlich verschieden ist. Sie bestätigen nur das, was wir schon wußten: es gab einst eine umfassende Leviliteratur, von der wir jetzt nur Reste haben. Daß man darunter auch Gebete Levis findet, kann nicht überraschen. Ms e zur Rekonstruktion des aramäischen Textes heranzuziehen[21], ist ein gewagtes Unternehmen, dem wir nicht zustimmen können.

Wie steht es nun mit dem *vorliegenden* TL 2:3ff und dem aramäischen Fragment? Wir haben schon gesehen, daß sie eine gemeinsame Struktur (Gebet – Vision) haben. Daneben findet man im aramäischen Fragment Kol. II,1.13 den Ortsnamen Abelmain, der offenbar mit Abelmaoul (o.ä.) in TL 2:3 identisch ist[22]. Bei näherem Zusehen entdeckt man aber, daß die Texte erhebliche Unterschiede aufweisen: in TL 2:4 wird der Wortlaut des Gebets nicht mitgeteilt und man vermißt ihn auch nicht. Die Vision wird dagegen breit geschildert (2:5ff). Im aramäischen Fragment ist nur die Einleitung der Vision bewahrt. Sie ist allgemein und stilisiert und läßt keine Folgerung über den Inhalt zu. Die Möglichkeiten eines Vergleichs sind also

---

[20] S. *RB* 62 (1955) 401.

[21] So Haupt *Levi* 8ff. Der griechische Text sei doch keine Wiedergabe des uns vorliegenden aramäischen Textes, sondern beide gingen auf einen gemeinsamen (aramäischen) Text zurück; s. ibid. V. Anm. 10.

[22] Vgl. Milik *RB* 62 (1955) 403; Becker *Untersuchungen* 74f; Haupt *Levi* 11ff mit einer umfassenden Diskussion der Topographie; Hultgård *L'eschatologie* II,96 mit Anm. 1.

nicht günstig. Im einen Text fehlt das Gebet, im anderen ist die Vision verlorengegangen. Der gemeinsame Ortsname, Abelmain, fällt jedoch auf.
Weil er selten ist, ist ein zufälliges Vorkommen in zwei Texten kaum denkbar. Hier muß irgendein Zusammenhang vorliegen. Wir machen aber auf
einige faktische Differenzen aufmerksam: in TL finden sowohl das Gebet
als auch die Vision in Abelmaoul statt. Im aramäischen Fragment Kol.
II,13 lesen wir, daß Levi von Abelmain aufbricht (...מן אבל מין אדין)
und das Gesicht *anderswo* empfängt (Kol. II,15: ...אדין חזיון אחזית).
Wir hören nicht, wo das Gebet stattfindet. Aus Kol. II,11ff geht jedoch
hervor, daß es jedenfalls nicht in Abelmain war. In TL gehören Gebet und
Vision eng zusammen. Levis Gebet wird mit einem Gesicht beantwortet.
Im aramäischen Fragment handelt es sich um zwei getrennte Ereignisse,
die nicht miteinander verbunden sind. Der unmittelbare Anlaß der Vision
wird nicht enthüllt.

Wir sind jetzt imstande, einige Schlüsse zu ziehen. Die These Miliks, der
Verfasser der TP habe den ihm vorliegenden aramäischen Text, der für Milik mit dem 4Q-Fragment nahezu identisch ist, gekürzt und bearbeitet[23],
läßt sich auf Grund der obigen Beobachtungen nicht aufrechterhalten. Das
aramäische Fragment erlaubt uns auch nicht, einen „Grundbestand" in TL
Kap. 2ff zu rekonstruieren[24]. Die Übereinstimmungen, die sich tatsächlich
nachweisen lassen, sind viel zu vage und allgemein. Sie lassen sich am einfachsten damit erklären, daß sich Visionen dieser Art einer konventionel-
len Terminologie und eines fest geprägten Wortschatzes bedienen. Es empfiehlt sich nicht, an ein literarisches Verhältnis zu denken. TL ist nicht vom
aramäischen Fragment abhängig, noch haben die beiden einen gemeinsamen Ursprung. Es ist nicht bewiesen, daß das Fragment zu einem Levi-
Testament oder einem Levi-Apokryph gehöre[25]. Näher legt sich die Vermutung, daß TL und das 4Q-Fragment in einem entfernten, traditionsgeschichtlichen Verhältnis zueinander stehen[26]. Sie schöpfen alle beide aus
den vorliegenden Traditionen. Das muß in irgendeiner Weise die Erklärung des gemeinsamen Ortsnamens Abelmain sein.

Wir folgern, daß das aramäische Fragment wenig für die literarkritischen
Probleme in TL ergeben kann. Wir halten übrigens den Abschnitt 2:3–6:2
für sekundär, vgl. unten, so daß diese Frage jedenfalls weniger wichtig ist.

In bezug auf die Cambridger und Oxforder Fragmente und den großen
Einschub in Ms e zu 18:2 ist das Urteil einfacher. Es handelt sich hier um
ganz konkrete Parallelen. Sie entsprechen TL Kap. 8–9, 11–13 und 19.
Die Parallelen sind so auffällig, daß die meisten Forscher mit irgendeiner

---

[23] So Milik *RB* 62 (1955) 403ff. Zur Kritik: Becker *Untersuchungen* 75.
[24] Gegen Haupt *Levi* 8ff (nämlich 2:1.3–6a + 4:2–6 („Grundbestand") + 6:2).
[25] Testament: Haupt *Levi*; Apokryph: Hultgård *L'eschatologie* II,93ff.
[26] Vgl. Becker *Untersuchungen* 75.

literarischen Abhängigkeit seitens TL rechnen[27]. (Dabei denkt man sich zwar, daß eine etwas abweichende aramäische Textgestalt als Vorlage gedient habe.) Wir werden sehen, daß sich diese Annahme kaum bewährt.

Die Übereinstimmungen ergeben sich (annähernd) aus der folgenden Übersicht[28]:

TL 8:18−19	= V.7	(Oxf. a10−13):	Levis zweite Vision
TL 9:1−5	= V.8ff	(Oxf. a14−b4):	Levis Reise nach Hebron
TL 9:6−14	= V.13ff	(Oxf. b5−d23 + Ms e V.13−61):	Priesterliche Unterweisung
TL 11:1−12:7	= V.62ff	(Ms e V.62−69 + Cambr. c3−d23; e2−5):	Genealogien (und Chronologie)
TL 13:1−9	= V.82ff	(Cambr. e5−f23):	Weisheitsrede
TL 19:4−5	= V.81	(Cambr. e1−2):	Rahmen

V.4 (Oxf. a1−2) weist Anklänge an TL 8:16 auf, doch ist der Kontext völlig verschieden[29].

V.7a (Oxf. a9) bietet vielleicht eine Parallele zu den sieben Männern in TL 8:2ff[30]. V.1−3 (Cambr. a15−23 + b15−23) haben scheinbar einen Inhalt, der der Sichemepisode in TL 2:2 + 6:3ff entspricht. Der Text ist aber sehr beschädigt und bietet, insofern er sich deuten läßt, wenige Parallelen zu TL.

TL 8:18−19 und Oxf. a10−12 (= V.7) sind eng verwandt[31]. In TL 8:19 haben wir eine fast wörtliche Entsprechung zu Oxf. a12*fin*−13. TL 8:18 läuft inhaltlich mit Oxf. a10−12 parallel. Aus Oxf. a11 darf geschlossen werden, daß die Cambridger und Oxforder Fragmente zwei Visionen

---

[27] Vgl. in der neueren Forschung vor allem: M. de Jonge *Testaments* 38ff; *RQ* 13 (1988) 367ff und andere; Haupt *Levi*; Hultgård *L'eschatologie* II,92ff. (Sie inkludieren auch andere der genannten Fragmente.) Dagegen denkt Becker *Untersuchungen* 67ff an eine mündlich-traditionsgeschichtliche Verwandschaft; vgl. unten mit Anm. 70.

[28] Vgl.: Charles *Text* 245ff; *Comm* 228ff; Becker *Untersuchungen* 77ff; M. de Jonge *Testaments* 38ff; Haupt *Levi* 47ff.

[29] S. Haupt *Levi* 52.

[30] Das ist die These Grelots *RB* 63 (1956) 398f. Er deutet, שבעתין, das er šib'ātin vokalisiert, als eine Form von שבע, also „die sieben (Männer)", während Levi *REJ* 54 (1907) 175 und Charles *Comm* 229 an ein aramäisches Äquivalent für das hebräische שבעים = „zwei Wochen" denken. Haupt *Levi* 51 folgt Grelot, Becker *Untersuchungen* 83 ist skeptisch. Gegen Grelots These sprechen, daß die Form nicht ganz regelmäßig, und dass die Deutung ohne Zweifel TL 8:2 entnommen ist. Die sieben Männer kommen sonst nicht im aramäischen Text vor. Gegen Levis und Charles' Verständnis spricht, daß die angenommene aramäische Dualform nicht belegt ist. Außerdem befremdet es, daß die Vision zwei Wochen gedauert haben soll. Greenfield und Stone *RB* 86 (1979) 218f lesen שבעתון mit ון (< הון). Die Übersetzung („jene Sieben") entspricht Grelots. Das Photo bei Charles und Cowley in *JQR* 19 (1906/1907) zwischen den Seiten 571 und 572 bestätigt diese Annahme nicht.

[31] Vgl. Haupt *Levi* 50f.

kannten. Man darf aber nicht die Folgerung ziehen, daß die erste dieser Visionen in Abelmain stattfindet (= das Fragment aus 4Q)[32]. Die erste Vision ist verlorengegangen und entzieht sich somit jedem Vergleich.

Vom zweiten Gesicht des Oxforder Fragments (a1−9=V.4−7*init*) ist nur der Schluß bewahrt. Er hat mit der Vision des vorliegenden TL Kap. 8 nichts zu tun. Lediglich V.4 und V.7a weisen mögliche Berührungspunkte auf, vgl. oben. Sonst ist der Inhalt ganz verschieden. Zwischen den Visionen des Oxforder Fragmentes und der Vision des TL Kap. 8 liegt somit keine literarische Beziehung vor[33]. Die großen Übereinstimmungen zwischen TL 8:18−19 und Oxf. a10−12 zeugen allerdings von irgendeinem traditionsgeschichtlichen Zusammenhang[34]. Diese Annahme wird von Jub 32:1 bestätigt. Auch dort ist von Levis Vision (Traum) in Bethel die Rede. Leider wird der Inhalt der Vision nicht mitgeteilt, so daß sie kein Licht auf die Probleme in TL werfen kann.

Levis Reise nach Hebron, TL 9:1−5, hat Parallelen in Oxf. a14−b4 und Jub Kap. 31f. Die Version in Jub ist weit ausführlicher und enthält mehrere Momente, die in TL und dem Oxforder Fragment keine Entsprechungen haben[35]. Man darf sowohl mit traditionsgeschichtlichem Wuchs in Jub als auch Auslassungen in den anderen Quellen rechnen[36]. TL referiert Traditionen, die den Adressaten der TP bekannt waren. Der Verfasser kann sich somit mit einer summarischen Darstellung begnügen. Es handelt sich dagegen kaum um eine bewußte Abkürzung; vgl. zu diesem Problem TJud. Es kann deshalb nicht überraschen, daß Jub und das Oxforder Fragment *uns* mit interessanten Auskünften versehen können. Das aramäische Fragment bildet allerdings keine Vorlage des TL. TL enthält einerseits Stoff, der im Oxforder Text keine Parallele hat[37]. Anderseits fehlen einige Mitteilungen des Oxforder Fragmentes in TL[38].

Wir folgern, daß TL weder von Jub noch dem Oxforder Fragment abhängig ist[39]. Nach der Ansicht vieler liegt den drei Versionen aber eine ge-

---

[32] So z.B. Haupt *Levi* 51.

[33] Vgl. Haupt *Levi* 51ff; XXXVI Anm. 34.

[34] Haupt *Levi* 54 meint, daß das literarische Verhältnis zwischen TL Kap. 8 und den aramäischen Fragmenten enger gewesen sein müsse als es Oxf. V.4−6 erkennen lassen. Eine mündliche Tradition als gemeinsamer Ausgangspunkt könne die große Übereinstimmung zwischen Oxf. V.7 und TL 8:18−19 nicht erklären; vgl. XXXVI Anm. 36.

[35] S. die Übersichten in Becker *Untersuchungen* 80f und Haupt *Levi* 66ff.

[36] Hier muß von Fall zu Fall entschieden werden, ob Jub erweitert oder die anderen Texte gekürzt haben; s. Becker *Untersuchungen* 80f. Für unsere Problemstellung ist dies weniger wichtig.

[37] Z.B.: Juda wird neben Levi in TL 9:1 (= Jub 31:5) erwähnt. Isaak will nicht mit ihnen nach Bethel kommen, TL 9:2 (= Jub 31:27).

[38] Vgl. V.9−10 (Oxf. Kol. a15ff) (= Jub 31:3bff). (TL 9:3f gibt eine summarische Darstellung, setzt jedoch wohl viele derselben Elemente voraus.)

[39] Vgl.: Becker *Untersuchungen* 83ff; Haupt *Levi* 70f; Grelot *RB* 63 (1955) 404; Hultgård *L'eschatologie* I,24; II,98.

meinsame schriftliche Quelle zugrunde[40]. Dies bleibt allerdings höchst fraglich. Vielmehr besteht eine traditionsgeschichtliche Verwandtschaft[41]. Die Versionen sind alleinstehende Darstellungen einer mündlichen Tradition. Dabei steht TL näher am Oxforder Fragment als an Jub. Wahrscheinlich repräsentiert Jub einen Sonderzweig der Tradition.

Die priesterliche Unterweisung in TL 9:6–14 hat umfassende Parallelen in Jub Kap. 21 und Oxf. b5–d3 + Ms e V.13–61. Das aramäische Fragment ist unvollständig und bricht mitten im Unterricht ab. Die Verse 32b–61 liegen nur in der griechischen Version von Ms e vor. Der griechische Text läuft aber schon von V.13 an parallel mit dem aramäischen. Der griechische Text ist nicht identisch mit dem aramäischen, doch sind die Übereinstimmungen so groß, daß sie auf eine gemeinsame schriftliche Vorlage zurückgehen müssen. Wir dürfen deshalb den aramäischen und den griechischen Text als einen zusammenhängenden Text betrachten[42].

Jub weicht von den beiden anderen Texten dadurch ab, daß hier von einer priesterlichen Unterweisung Abrahams an Isaak die Rede ist[43]. Inhaltlich laufen die Texte allerdings parallel. Das ist selbstverständlich. Göttliche Vorschriften werden nicht nach Gutdünken geändert, sondern werden treu von Generation zu Generation überliefert. Es liegt deshalb in der Natur der Sache, daß Stoff dieser Art große Übereinstimmungen aufweisen muß.

Ein Vergleich von Jub und TL zeigt, daß Jub keine Vorlage des TL sein kann: alle beide enthalten Sonderstoff, und Umfang und Reihenfolge der Themata sind verschieden[44]. Eine direkte literarische Abhängigkeit ist somit ausgeschlossen.

Die Übereinstimmungen zwischen dem aramäisch-griechischen Text und TL ist ebenfalls deutlich. Hier muß aber sofort ein verwirrender Faktor erwähnt werden: die Fragmente scheinen in doppelter Form vorzuliegen. Einige Themen werden nämlich zweimal behandelt. V.13–30 enthalten folgende Themata:

V.16: Unreinheit (vgl. V.18)

V.17: Heirat

---

[40] Vgl.: Hultgård *L'eschatologie* I,24: „une source commune"; vgl. II,98. Grelot *RB* 63 (1956) 401ff denkt an einen Midrasch zu Genesis, zentriert um Levi. S. auch: Haupt *Levi* 71; M. de Jonge *Testaments* 39; 140 Anm. 10; 148 Anm. 167.

[41] So Becker *Untersuchungen* 82ff; 103ff; vgl. *Komm* 23.

[42] Vgl.: Charles *Text* LIIIff; 245ff; *Comm* LXVIIIff; 228ff; M. de Jonge *Testaments* 39f; 129ff; Becker *Untersuchungen* 87ff; Haupt *Levi* 71ff; Hollander/M. de Jonge *Comm* 157f; 460ff; Hultgård *L'eschatologie* II,94f.

[43] TL 9:12 und der aramäisch-griechische Text V.50.57 beweisen jedoch, daß die kultische Belehrung ursprünglich Bestandteil einer Abrahamstradition gewesen ist; vgl. Haupt *Levi* 71f.

[44] Vgl. Haupt *Levi* 72.

V.19−21: Waschungen (und Kleider)

V.22−25a: Opferholz

V.25b−30: Opfervorgang

V.31−47 muten wie ein späterer Zusatz an[45]. Sie geben mehrere Vorschriften von Opferholz, Salz, Mehl, Öl und Räucherwerk. V.48−50 schließen diesen Abschnitt ab[46].

V.51−61 machen einen Teil für sich aus[47], wo V.51 eine Parallele zu V.14f ist, während V.(57)58−61 V.48−50 entsprechen[48]. In V.52−57 werden verschiedene Hauptthemen behandelt:

V.52:   Opferholz, Salz, Mehl, Öl und Räucherwerk

V.53−54: Waschungen

V.55−57: Blut

Wenn diese Analyse stimmt, haben wir zwei parallele Stücke in V.14−30 und V.51−61. V.51−61 (48−61) lassen sich kaum als ein Summarium von V.13ff bezeichnen[49]. V.55−57 stellen sich dieser Lösung in den Weg, und V.51ff wären eine höchst unvollständige Zusammenfassung von V.13ff. Man darf eher vermuten, daß zwei Traditionen zusammengefügt worden sind. Diese Zusammenarbeitung ist wahrscheinlich so alt, daß der aramäisch-griechische Text niemals anders aussah. Die Dubletten bedeuten also nur, daß zwei Traditionen zugrunde liegen. Sie zeugen nicht ohne weiteres von Mangel an literarischer Einheit[50].

In TL 9:6−14 finden wir Vorschriften für:

1. Unzucht: 9:9
2. Heirat: 9:10
3. Waschungen: 9:11
4. Opferholz: 9:12
5. Opfertiere und
   Opfervögel: 9:13
6. Erstlingsopfer: 9:14a
7. Salz: 9:14b

---

[45] So Haupt *Levi* 74f. M. de Jonge *Testaments* 39 teilt V.32−47 von der älteren Überlieferung ab, der in V.48−61 eine zweite Erweiterung folge; s. Anm. 46.

[46] Vgl. Haupt *Levi* 74f; XLVI Anm. 45. M. de Jonge *Testaments* 39 rechnet V.48−61 als eine Einheit. Doch weist Becker *Untersuchungen* 88f darauf hin, daß V.48−50 die typischen Elemente eines Schlußabschnittes enthalten und parallel zu V.57ff stehen.

[47] Vgl.: Becker *Untersuchungen* 87ff; Haupt *Levi* 75. Nach Becker besteht die priesterliche Unterweisung aus zwei Reden: V.14−50 + 61 und V.51−60; vgl. Anm. 48.

[48] Vgl.: Becker *Untersuchungen* 88f; Haupt *Levi* 75. Becker verknüpft V.61 mit V.50 als ursprünglichen Abschluß von V.14−50, während Haupt *Levi* XLVI Anm. 46 ihn als eine durch σπέρμα in V.60 veranlasste Glosse betrachtet.

[49] So M. de Jonge *Testaments* 39: „Vss. *48−61* read like a summary and repeat what has been said before."

[50] Gegen Becker; vgl. Anm. 47. Hultgård *L'eschatologie* I,27ff weist ebenfalls ab, daß V.51ff sekundäre Dublette seien, wenn auch auf anderen Prämissen.

Wir haben folgende Entsprechungen im aramäisch-griechischen Text 1.=V.16; 2.=V.17; 3.=V.19−21 + V.53f; 4.=V.22−25a + V.52; 7.= V.37ff + V.52.

Die Vorschriften für Blut = (Jub 21:6.17−20 und) V.55−57 fehlen ganz in TL. TL hat aber zwei Themata, die sich nicht in den Paralleltexten finden, nämlich 5. Opfertiere und Opfervögel und 6. Erstlingsopfer. Doch kann man sich kaum dem Eindruck entziehen, daß TL summarisch und kurzgefaßt ist. Das beruht ohne Zweifel darauf, daß der Verfasser nur ein begrenztes Interesse für den Kultus hat[51]. Stoff dieser Art war aber in TL zu Hause. Deshalb konnte er ihn nicht völlig übersehen, hat aber seine Darstellung stark gekürzt. Ein charakteristisches Beispiel liefert der Hinweis auf das Opferholz in 9:12. Während TL nur die Zahl der Opferhölzer nennt, bringen die Parallelstücke (Jub 21:12ff; aramäisch-griechischer Text V.22ff) eine genaue Aufzählung[52]. Ein kultisch orientierter Verfasser hätte kaum die Namen der angenehmen Bäume ausgelassen.

Die knappe Form in 9:6−14 sollte uns nicht dazu verleiten, voreilige Schlüsse zu ziehen. M. de Jonge nennt den Abschnitt „a bad extract" und meint, der Verfasser habe das von ihm angenommene „Original Levi" gekürzt[53]. Sieht man davon ab, daß „Original Levi" eine Konstruktion ist, spricht der Text selber nicht für seine These. Wortwahl, Stil und Themata (5. und 6.) zeigen, daß TL auf andere Traditionen baut als der aramäisch-griechische Text und Jub. Haupt betont also mit Recht, daß der uns vorliegende aramäisch-griechische Text nicht als Vorlage für TL diente[54]. Nichtsdestoweniger behauptet er, daß TL 9:6−14 nur als Produkt der Kürzung einer diesem Text nahestehenden Quelle verständlich seien[55]. Doch sprechen die beiden Themata 5. und 6. nochmals gegen die Annahme einer schriftlichen Quelle. Man darf eher damit rechnen, daß die drei Texte (TL 9:6−14; Jub; der aramäisch-griechische Text) schriftliche Fixierungen verwandter mündlicher Traditionen sind[56].

Zu TL Kap. 11−12 gibt es eine ausführliche Parallele im aramäisch-griechischen Text V.62−81. Der griechische Text umfaßt V.62−69, während der aramäische mit V.66 (= Cambr. c3) anfängt. Sie überschneiden

---

[51] Vgl.: M. de Jonge *Testaments* 40; Haupt *Levi* 75; Becker *Untersuchungen* 92 (moderiert). Anders: Slingerland *JBL* 105 (1986) 39ff.

[52] Vgl. zu diesen Listen: Levi *REJ* 54 (1907) 170ff und ibid. 55 (1908) 285ff; Charles *Text* 249. Der Text in Jub 21:12 ist offenbar in Unordnung geraten. Deshalb schwankt die Zahl der Bäume in den Kommentaren zwischen zwölf und vierzehn; vgl. *APOT* II,44; *OTP* II,95 mit Anm. d; *AOT* 69; *JSHRZ* II,3,431 (alle vier = zwölf); Rießler *Schrifttum* 594 (= dreizehn); *GamPseud* 3,204; Charles *Book of Jubilees* 135; *BEI* 718 (alle drei = vierzehn).

[53] *Testaments* 40. (Der Text hat IX 7–14.)

[54] *Levi* 75.

[55] Ibid.; vgl. XLVI Anm. 51.

[56] Vgl. Becker *Untersuchungen* 91f.

sich also teilweise. Es handelt sich im großen und ganzen um Genealogien, nämlich TL 11:1–12:4 und V.62–77. TL 12:5–7 und V.78–81 liefern eine Übersicht über die wichtigsten Daten im Leben Levis. Der Stoff ist aus alttestamentlichen Texten bekannt (vgl. Gen 46:11; Ex 6:16–25; Num 3:17–20; 26:57–61[57]), doch fußen unsere Texte nicht direkt auf den biblischen[58]. Becker macht z.B. darauf aufmerksam[59], daß einige Angaben im aramäisch-griechischen Text keine Parallele im Alten Testament haben; vgl. V.62.65.68.70.72.75. Die Reihenfolge der Daten stimmt in TL und im aramäisch-griechischen Text völlig überein[60]. Beide Texte weisen feste genealogische Schemata auf. Dabei ist der aramäisch-griechische Text einheitlich, während TL sein Schema variiert[61]. Im allgemeinen ist der aramäisch-griechische Text ausführlicher. Das erlaubt uns aber nicht die Folgerung, daß TL eine gekürzte Version biete[62]. An einigen Stellen lassen sich nämlich Erweiterungen einer einfacheren Tradition im aramäisch-griechischen Text nachweisen[63].

Es überrascht nicht, daß Texte dieser Art große Übereinstimmungen aufweisen. Man braucht also keine literarische Abhängigkeit voraussetzen. In der Tat macht ein Vergleich von TL 11:8 und V.71 diese Annahme unmöglich[64]. Doch sind die Texte natürlich traditionsgeschichtlich verwandt[65]. Wir verzichten im übrigen auf eine Einzelbesprechung, weil sie für unsere Problemstellung ohne Belang ist.

Mit den zusammenfassenden Versen 78–81 ist im aramäisch-griechischen Text ein passender Abschluß erreicht. In V.82ff folgt aber eine Weisheitsrede, die nach V.82 im 118. Jahr Levis gesprochen wurde, während wir nach V.81 bei seinem Todesjahr (137) angelangt sind. Die Vermutung legt sich somit nahe, daß V.82ff eine spätere Zufügung sind[66]. Diese weisheitliche Rede zeigt nun Übereinstimmungen mit TL Kap. 13. Der Text ist teilweise zerstört, doch läßt der intakte Text unschwer erkennen, daß er mit TL Kap. 13 verwandt ist. Die beiden Weisheitsreden sind zwar der zwischen den Parallelstücken am weitesten differente Abschnitt[67]. Teils ist

---

[57] Vgl. zu diesen Texten, Becker *Untersuchungen* 95f.

[58] S.: Becker ibid. und Haupt *Levi* 76.

[59] *Untersuchungen* 96.

[60] Vgl. die Übersicht bei Haupt *Levi* 83.

[61] Näheres dazu in Becker *Untersuchungen* 96f.

[62] So M. de Jonge *Testaments* 42f. (Genauer: TL sei eine Kürzung von „Original Levi", das beinahe mit den Fragmenten identisch sei.)

[63] S.: Becker *Untersuchungen* 97ff; Haupt *Levi* 83f.

[64] Vgl.: Becker *Untersuchungen* 100; Haupt *Levi* 82. Die beiden Stellen setzen verschiedene „Vorlagen" voraus.

[65] Wir stimmen der Folgerung Beckers *Untersuchungen* 93ff zu diesem Abschnitt zu.

[66] So z.B.: Becker *Untersuchungen* 94f; 102f; Haupt *Levi* 84. Anders: Hultgård *L'eschatologie* I,28.

[67] Vgl.: Becker *Untersuchungen* 101ff; Haupt *Levi* 84ff. Schon ein Blick in Charles *Text* 255f; *Comm* 234f informiert.

die Abfolge von Momenten ganz verschieden, teils enthalten sie alle beide Sonderstoff. Der aramäische Text gibt uns den Eindruck einer „zufälligeren" Zusammenstellung von Weisheitselementen, während TL eine bewußte Komposition bietet. Die Frage nach Priorität ist in diesem Fall eine unbrauchbare Problemstellung. Es gab kaum ein gemeinsames Original[68], sondern eher eine verhältnismäßig feste mündliche Tradition, von der alle beide in verschiedener Weise schöpfen[69]. Man darf auch damit rechnen, daß TL seinen Stoff angepaßt hat, was sich u.a. aus der jetzigen Anknüpfung ablesen läßt. Während V.82ff wie eine Zufügung anmuten, macht TL Kap. 13 einen integrierten Teil der Abschiedsrede aus. In dieselbe Richtung weist V.82 im Vergleich mit TL 19:4. V.82 verlegt die weisheitliche Rede in das Todesjahr Josephs, d.h. ins 118. Jahr Levis, während TL sie innerhalb seiner Rahmen in das Todesjahr Levis verlegen muß. Nichtsdestoweniger wird das Todesjahr Josephs in 12:7 erwähnt.

Wir folgern, daß ein älteres Stadium des aramäischen Textes mit V.81 endete. V.82ff wurden zu irgendeiner Zeit angehängt. Dieselbe Tradition hat auch in TL Kap. 13 Eingang gefunden.

Zusammenfassung[70]: Ein literarisches Verhältnis zwischen TL und dem aramäisch-griechischen Text ist nicht bewiesen. Sie bauen nicht auf eine gemeinsame Quelle. Die Texte sind dagegen traditionsgeschichtlich verwandt. Sie schöpfen alle beide aus den vorliegenden Levitraditionen, die sie je getrennt verwenden und gestalten.

Eine letzte Frage muß noch gestellt werden: Läßt sich der aramäisch-griechische Text als ein Testament charakterisieren?[71] Nach der Definition dieser Gattung in II,2 ist dies nicht möglich. Im ursprünglicheren Text (V.1–81) fehlt vor allem das konstitutive Element, die Paränese. Von den typischen Rahmen liegt auch keine Spur vor. Einige der typischen Elemente tauchen zwar in V.82f auf – Altersangabe, Adressaten, Situationsschilderung, Redeeinleitungsformel und Synchronisierung nach dem Tod Josephs –, doch finden sie sich erstens an „verkehrter" Stelle und zweitens sind V.82ff ein Anhang. Bedeutet das vielleicht, daß V.82ff aus einem aramäischen Levitestament stammen?

---

[68] Sogar M. de Jonge *Testaments* 43 wagt nicht zu entscheiden, welche Ausführung dem Original am nächsten steht; vgl. Haupt in Anm. 69.

[69] So Becker *Untersuchungen* 102. Haupt *Levi* 88f operiert mit einem literarischen Abhängigkeitsmodell, stellt aber fest, daß das literarische Verwandtschaftsverhältnis nicht mehr sicher zu bestimmen sei. Der größte Teil der Unterschiede schreibt er der Arbeit des „Autors" von TL oder späterer Bearbeitung in TL zu. Der aramäische Text könne auch Veränderungen und Bearbeitungen erfahren haben (vgl. V.89.92ff). Er folgert: „So wird man auch hier sagen können, daß TL eine von aTL abweichende Vorlage benutzt hat."

[70] Vgl. Becker *Untersuchungen* 103ff.

[71] So in der *neueren* Forschung vor allem Haupt *Levi*. Anders: Becker *Untersuchungen* 72; v.Nordheim *Lehre* I,108; Burchard *RQ* 5 (1964/1966) 283 Anm. 2; Hultgård *L'eschatologie* I,30; II,93 Anm. 1; Hollander/M. de Jonge *Comm* 21f.

Damit ist dieser Teil der Untersuchung zu Ende gebracht, und wir wenden uns einem systematischen Durchgang des vorliegenden TL zu.

Die Einleitung in TL besteht aus 1:1−2. Der persönliche Hinweis auf den bevorstehenden Tod sowie die Redeeinleitungsformel fehlen. Die Altersangabe folgt erst im Schlußrahmen (19:4), und die Vergleichsdatierung nach Josephs Tod findet sich in 12:7; vgl. übrigens die Synopse in II,1.

Die Überschrift in 1:1 ist auffällig. Im Gegensatz zu den anderen Testamenten wird hier von der Zukunft gesprochen: „...gemäß allem, was sie tun sollen und was ihnen zustoßen wird bis zum Gerichtstag." Diese Bemerkung ist vom Inhalt des TL bedingt. Sie will den Leser vorbereiten, damit der Stoff nicht unerwartet komme[72]. Der Begriff κρίσις hat nur in TL eine eschatologische Bedeutung. Er kommt zwar außerhalb TL nur vor in TR 6:8; TJos 12:3; 14:1; 15:6; (TB 7:5 Mss gdc). Dort ist aber der Sinn ein anderer; vgl. III,4. In TL 1:1; (3:2α); 3:3; 4:1; 18:2 ist er ein eschatologischer Terminus. Die Einzelbesprechung von TL wird zeigen, daß der prophetische und apokalyptische Stoff sekundär ist. Die Überschrift will den Inhalt rechtfertigen und muß als eine Bearbeitung betrachtet werden[73].

Der Mittelteil besteht aus 2:1−19:3. Er fängt mit der Lebensdarstellung an. Im Gegensatz zu den meisten anderen Testamenten erzählt Levi nichts von seiner Kindheit oder Jugend, sondern lenkt den Blick sofort auf die grausame Sichemepisode; vgl. Gen 34:1ff. Kaum hat er aber einen Ansatz gemacht, davon zu berichten (2:1−2), unterbricht er sich schon. Statt eines Berichts von der Zerstörung Sichems folgt in 2:3−6:2 die Schilderung einer Vision. In 6:3ff fährt dann die Sichemerzählung fort. Schon Schnapp hat daraus die Folgerung gezogen, daß der Abschnitt 2:3−6:2 ein Einschub sei[74]. Wir stimmen dieser These zu, wenden uns aber gegen die Annahme Schnapps, daß dieser Einschub einheitlich sei; vgl. unten. Die nachfolgende Analyse baut im großen und ganzen auf Schnapps vorbildliche Argumentation und wird mit einigen anderen Beobachtungen ergänzt.

1. Die Erzählung in 2:1−2 setzt in 6:3 fort, und wenn man den dazwischenliegenden Abschnitt beseitigt, läßt sich der Text noch zusammenhängend lesen:
2:2: ἤμην δὲ νεώτερος, ὡσεὶ (ὡς) ἐτῶν εἴκοσι, ὅτε (a: καὶ τότε) ἐποίησα μετὰ Συμεὼν τὴν ἐκδίκησιν (= „β", α stellt um) τῆς ἀδελφῆς ἡμῶν Δίνας ἀπὸ τοῦ Ἐμμώρ.

---

[72] In den anderen Testamenten wird im allgemeinen nichts vom Inhalt gesagt. Nur in TAs 1:2 findet sich eine Inhaltsangabe. Aus ihr geht hervor, daß der Inhalt ganz paränetisch war; vgl. auch TB 10:2ff.

[73] So u.a.: Schnapp *Testamente* 15; 42f; Baljon *ThSt* 4 (1886) 216; v.Nordheim *Lehre* I,16f.

[74] *Testamente* 15ff; vgl. Anm. 78.

6:3: ἐγὼ συνεβούλευσα τῷ πατρί μου καὶ ... ("β"!)

In 6:3 muß dem Text in "β" gefolgt werden. Man beachte, daß er ohne Verbindungspartikel anknüpft, d.h. er repräsentiert noch ein Stadium, wo 2:1–2 und 6:3ff eine Einheit ausmachten. Dagegen ist α: μετὰ δὲ τοῦτο συνεβούλευσα τῷ πατρί μου καὶ ... eine deutliche Korrektur[75], die 6:3 mit dem vorangehenden Gesicht verbinden will.

2. Die Vision der Himmel in 2:3ff hat mit der Vernichtung der Sichemiten nichts zu tun. Zwar sagt 5:3, daß Levi von einem Engel beauftragt wird, Rache für Dina zu nehmen, doch kann dieser Auftrag die Himmelreise nicht erklären. Levi erhält nämlich die Waffen erst, als er wieder zur Erde zurückgekehrt ist. Wenn es dem Verfasser darauf ankam zu berichten, daß Levi von Gott selbst zum Überfall Sichems ausgerüstet worden sei, so hätte er dies mit wenigen Worten sagen und sich die ganze Vision ersparen können. Die Himmelvision und die Waffenausrüstung haben nichts gemein. Das Gesicht knüpft weder an das Vorangehende noch an das Nachfolgende an. Nun könnte man vielleicht denken, daß nur die Himmelvision unecht sei, der Restbestand dagegen ursprünglich. Doch läßt sich auch dieser Ausweg nicht mit dem vorliegenden Text vereinbaren. Wir werden sehen, daß 5:3ff eine ältere Schicht ausmachen, aber 5:3ff nicht im Einklang mit 6:3ff stehen. Levi erzählt seinem Vater nichts von seinem Auftrag. Das ist *vor* der Rache verständlich. Als er aber die Reaktion des Vaters sieht (6:6), ist es höchst auffällig, daß er nicht auf seinen Auftrag verweist. Statt dessen begegnet in 6:8ff eine ganz andere Begründung[76]. Kap. 7 nimmt auch nicht auf den Auftrag Bezug. Die natürliche Folgerung ist, daß 6:3ff den Abschnitt 5:3ff nicht gekannt haben.

3. Eine strukturelle Betrachtung von Kap. 2ff zeigt, daß 2:3ff ein Fremdelement sind. In sämtlichen übrigen Testamenten – mit Ausnahme vom eigentümlichen TAs – finden wir zu Anfang eine Lebensdarstellung. Dasselbe Schema liegt auch in TL vor, wenn wir 2:3–6:2 entfernen.

4. In den TP wird Sünde mit Krankheit gestraft; vgl. III,4. Wenn 5:3ff echt waren, könnte man erwarten, daß Levis Handlung positiv beurteilt wurde. Das ist in 6:3ff nicht der Fall. Aus 6:7 geht hervor, daß seine Tat eine grobe Sünde war, und deshalb erkrankte er. Der Text in 6:7 muß mit Mss ldmeafhij ἐμαλακίσθην lauten, d.h. „ich (= Levi) erkrankte", nicht ἐμαλακίσθη, d.h. „er (= Jakob) erkrankte" mit Mss bc[77]. Die erstere Text-

---

[75] Für α argumentieren z.B. Haupt *Levi* 7; V Anm. 7; Charles *Comm* 40. Doch zieht Charles im allgemeinen α vor.

[76] 6:8a bezieht sich nicht auf die Vision, sondern wird in 6:8b begründet.

[77] So richtig: Schnapp *APAT* II,467; Rießler *Schrifttum* 1163; Becker *Untersuchungen* 270; *Komm* 51; Haupt *Levi* 25; XXI Anm. 61. Hollander/M. de Jonge *Comm* 146; 147; 148 bevorzugen Mss bc und stellen unsere Argumentation (s. Text) auf den Kopf.

form harmoniert mit dem Vergeltungsdogma der TP. Der Verfasser hat die Vernichtung der Sichemiten als eine Missetat betrachtet; vgl. Gen 49:5−7. Die Handlung wird als ein abschreckendes Beispiel berichtet. Levis Sünde bestand nicht nur darin, daß er gegen die Ansicht seines Vaters handelte, sondern die Handlung an sich war verwerflich. 5:3ff repräsentieren dagegen eine spätjüdische Tendenz, den Überfall zu verherrlichen; vgl. besonders Jub 30:1ff.

5. Unsere thematischen Untersuchungen versehen uns mit noch einigen Argumenten. Der Gebrauch des Pneumabegriffes in Kap. 3; 4:1; 5:6 ist nicht im Einklang mit der Verwendung der Grundschrift; vgl. III,3. Die Vorstellung eines eschatologischen Gerichtes in Kap. 3; 4:1 und der Krisisbegriff sind deutlich sekundäre Züge; vgl. III,4.

Wir kommen sofort auf Einzelheiten in 2:3−6:2 zurück, stellen aber zuerst fest, daß die ausgezeichnete Analyse Schnapps nur wenige Zustimmung erfahren hat[78]. Die meisten haben sie abgewiesen[79].

Die älteste Erzählungsschicht bestand somit aus 2:2 > 6:3ff. Der ganze

---

[78] Vgl.: Baljon *ThSt* 4 (1886) 208ff; Leivestad *NTT* 55 (1954) 103ff; Thomas *BZNW* 36 (1969) 77ff; Kolenkow *JSJ* 6 (1975) 63; Schürer *Geschichte* III,258f; *ThLZ* 10 (1885) 205f. (Thomas und Kolenkow zu TL Kap. 2ff)

[79] Bousset *ZNW* 1 (1900) 187f argumentiert höchst notdürftig. Nach ihm beweist Jub, daß der ganze Verlauf der Erzählung vom Verfasser der TP stammt. Von der Vision der Himmel verlautet dort aber nichts.

Becker *Untersuchungen* 257f findet die Analyse Schnapps überzeugend (!), lehnt sie aber auf Grund unserer Kenntnis der aramäischen Texte ab. Nach Becker zeigen sie, daß zwei Träume (d.h. der „Grundbestand" von 2:3−6:2 und Kap. 8) einem alten Erzählzusammenhang eingefügt wurden. Eine Analyse des TL sei jedoch notwendig, um den ursprünglichen Umfang des ersten Traumes in TL zu bestimmen.

Otzen *GamPseud* 7,709 beruft sich auch auf das 4Q-Fragment.

Haupt *Levi* 7f meint, daß Schnapp nur den alten Erzählungsgang von Gen 34:1ff (vgl. Jub 30:1ff) herstelle. Er sei zwar der Ausgangspunkt, aber TL habe ihn schon verlassen und erweitert. Der Parallelstoff zeige, daß auch in der aramäischen Tradition der eigentlichen Sichemerzählung das Gebet und die Vision Levis vorausgingen.

Hultgård *L'eschatologie* II,107ff meint, daß der Verfasser der TP die Reihenfolge der Elemente (erste Vision > Sichemepisode > zweite Vision) in seiner Quelle (d. h. in einem Levi-Apokryph; vgl. Anm. 25) gefunden habe. Diese Quelle, die wir in den aramäischen Fragmenten kennenlernten, beweise die Einheit von Kap. 2−6.

Wir bezweifeln, daß die Funde der aramäischen Texte die Lage wesentlich geändert haben. Die Vision des 4Q-Fragmentes ist nicht mit der ersten Vision in TL identisch und hat nichts mit der Sichemerzählung zu tun. Die Cambridger und Oxforder Fragmente kennen zwar zwei Visionen, doch erhebt sich dasselbe Bedenken. Die erste Vision ist verlorengegangen, und ihr Inhalt und Kontext bleiben somit unbekannt. Will man sich aber auf die aramäischen Texte berufen, muß man beweisen können, daß sie mit dem vorliegenden TL-Text identisch oder nahe verwandt sind. Sonst wäre dieser Vergleich ohne Pointe. Ein solcher Beweis ist noch nicht erbracht.

Schnapps Analyse fällt freilich mit dem Handlungsverlauf in Gen zusammen. Gen hat aber nicht als Fazit gedient. Schnapps Ergebnis ist nur von strengen literarkritischen Argumenten bestimmt.

Abschnitt 2:3−6:2 ist sekundär[80]. Er ist aber nicht einheitlich, sondern verrät mehrere Hände. Zu den ältesten Zufügungen gehört die Installation Levis als Priester in 2:3−6 > 4:2−6 > 5:1−7 > 6:1−2[81]. Daß das dazwischenliegende Stück 2:7−4:1 nicht aus *einem* Guß sein kann, ist eine alte Beobachtung[82]. 2:7−3:8 machen auf den ersten Blick eine Einheit aus. Bei näherem Zusehen fallen sie aber in mehrere Teile. Leider wird die Beurteilung dieses Abschnittes von textkritischen Problemen verdunkelt. Wir müssen auf eine eingehende Diskussion davon verzichten[83]. Die Wahl der Textvarianten α oder "β" kann die Hauptfolgerung nicht beeinflussen: Kap. 2 und Kap. 3 passen nicht zusammen.

2:7ff knüpfen jetzt mit dem Stichwort εἰσελθε/εἰσῆλθον an 2:6 an. Der Interpolator hat sich der Mehrdeutigkeit des Wortes οὐρανοί in 2:6 bedient und präsentiert in 2:7ff seine Auffassung von mehreren Himmeln.

---

[80] Nach Becker *Untersuchungen* 258ff sind 2:3−5 + 4:2−6 (Grundstock) +5:1−3a.5−7 + 6:1f ursprünglich, während Haupt *Levi* (8ff); 17ff die Stücke 2:3−6 + 4:2−6 + 6:2 für echt hält.

[81] Die Stücke 2:3−6 und 4:2−6 bilden einen zusammenhängenden Text, denn die Erhörung auf das Gebet in 2:4 kommt in 4:2. Das Stichwort ἀδικία aus 2:3 findet sich in 4:2. Der dazwischenliegende Abschnitt, 2:7−4:1, unterbricht den Erzählungsfaden und ist sicher ein späterer Anwuchs. Er knüpft mit Stichwortanschluß an 2:6 an; vgl. Text! In ihrer jetzigen Form ist die Antwort des Engels in 4:2ff stark christlich bearbeitet; vgl. vor allem 4:4.6 (s. Text). Die Hauptpointe ist jedenfalls klar: Levi wird erhört und zum Priester eingesetzt. Die Erzählung wird mit der u.E. einheitlichen Perikope 5:1−7 weitergeführt und findet ihren Abschluß in 6:1−2.
Der Erzählungszusammenhang ist wie folgt: Levi ist betrübt über die Ungerechtigkeit der Menschen (2:3−4). Schlaf überfällt ihn und er empfängt eine Vision. Er sieht die Himmel geöffnet und ein Engel befiehlt ihm, hineinzutreten (2:5−6). Dort erzählt ihm der Engel, daß der Höchste sein Gebet erhört habe, und verspricht ihm, daß er Priester für Gott sein werde (4:2−6 Grundstock). In 5:1−7 wechselt die Szene mehrmals: Levi befindet sich nun deutlich im Himmel. Das harmoniert mit sowohl 2:6 als auch 4:2−6 und wird in 5:3a vorausgesetzt. Der Engel öffnet ihm die Tore des Himmels, und Levi sieht den himmlischen Thronsaal, der zugleich ein Tempel ist ("β"), und Gott auf seinem Thron sitzend. Gott selbst *bestätigt* jetzt die Installation Levis zum Priester (5:1f). Nachdem der Engel ihn auf die Erde hinabgeführt hat (5:3a), bewaffnet er ihn und beauftragt ihn, Dina zu rächen (5:3b). Levi erkundigt sich über die Identität des Engels (5:5−6) und erwacht (5:7). Er kommt darauf zu seinem Vater. Dort findet er einen ehernen Schild, weshalb der Berg, wo er sich nach 2:5 im Geiste befunden habe, Aspis („Schild") genannt wird (6:1). Er bewahrt diese Worte in seinem Herzen (6:2).
Gegen unser Verständnis darf man nicht anführen, daß 2:6 οὐρανοί benutzt, 5:1 dagegen οὐρανός. Wenn es sich überhaupt um mehrere Himmel handelt, ist in 5:1 an den höchsten Himmel mit dem Thron Gottes gedacht. Setzt man aber ein hebräisches Original voraus, ließe שמים sich sowohl mit Plural als auch mit Singular übersetzen. Der Unterschied zwischen 2:6 und 5:1 geht also vielleicht nur auf verschiedene Wiedergaben zurück. Außerdem steht 2:6 möglicherweise unter Einfluß von 2:7ff.

[82] Vgl.: Eppel *Piétisme* 59ff; M. de Jonge *Testaments* 46ff; Becker *Untersuchungen* 259ff; Macky *Importance* 42ff; Haupt *Levi* 32ff; 38ff; 44ff. Nach M. de Jonge hat der christliche Verfasser (Redaktor) mehrere Traditionen zusammengestellt. Viel natürlicher ist die Annahme mehrerer Hände.

[83] Vgl. aber: M. de Jonge *Testaments* 20; 46; Becker *Untersuchungen* 36ff (der gegen M. de Jonges Bevorzugung von "β" polemisiert); Charles *Comm* 27ff; Haupt *Levi* 33f.

Als Führer und Begleiter Levis dient ein *angelus interpres*, der ihm Auskünfte über die himmlische Welt gibt.

In 2:7–10 hat α drei Himmel. Die zwei ersten werden in V.7 bzw. V.8
beschrieben, während der Engel vom dritten in V.9–10 erzählt. In "β" hören wir dagegen von sieben Himmeln. Der erste wird nicht geschildert. Gemeint ist wohl, daß Levi in 2:7 in ihn hineintritt. Der zweite Himmel entspricht dem ersten in α, der dritte dem zweiten in α. In 2:9–10 erzählt der
Engel, daß es noch vier Himmel gibt. Man kann sich dem Eindruck nicht
entziehen, daß α in diesem Fall überzeugender und logischer ist, während
"β" sekundär wirkt[84]: α ist geschlossen und einheitlich. Es fällt auf, daß "β"
keine Schilderung des ersten Himmels bietet. Den zweiten schildert "β"
nur kurz, den dritten ein wenig breiter. Für den vierten bis siebten Himmel
ist "β" nochmals ganz summarisch. Das erklärt sich am einfachsten damit,
daß "β" eine Bearbeitung der Version in α ist. Deshalb wird z.B. ἐκεῖ in
2:9*fin*/2:10*init*[85] unlogisch in "β" (= der vierte bis siebte Himmel!), während es in α an seinem Platz ist (= der dritte Himmel).

3:1–8 fallen in zwei Teile: 3:1–4 und 3:5–8[86]. Der erste Teil gibt
abermals eine Schilderung der Himmel. Sie werden *von unten nach oben*
gezählt. Man bemerkt aber, daß der Inhalt von dem in 2:7ff völlig verschieden ist[87]. 3:5–8 beschreiben den himmlischen Kultus *von oben nach unten*.
α hat in 3:1–8 noch drei Himmel[88], nämlich 1. = V.1–2; 2. = V.3 und 3.
= V.4; zu V.5–8 vgl. unten. Die Anzahl entspricht somit 2:7–10. Das ist

---

[84] So Becker *Untersuchungen* 36ff; 259; Macky *Importance* 44f; Haupt *Levi* 33f.

[85] *Editio Maior* 26 und Charles *Text* 31 teilen den Text verschieden ein.

[86] Wir folgen Haupt *Levi* 38; XXIX Anm. 40. Eppel *Piétisme* 62ff; M. de Jonge *Testaments*
46ff; Becker *Untersuchungen* 37f; 260; Otzen *GamPseud* 7,711; Hultgård *L'eschatologie*
II,111 sehen den Einschnitt zwischen V.3 und V.4. Dann aber ist die erste Reihe unvollständig. Der letzte Himmel muß doch der Ort der Gegenwart Gottes sein. Becker (ibid. 260)
meint deshalb, die zweite Beschreibung der Himmel (nach ihm V.4–8) habe den alten Abschluß von V.1–3 verdrängt oder aufgesogen. Für den Einschnitt nach V.4 spricht, daß V.1–4
beschreiben, wer oder was sich in diesem oder jenem Himmel befindet, also eine „Inhaltsangabe" bringen, während V.5–8 das Gewicht auf die gottesdienstliche Aktivität legen.

[87] In 2:7ff sind die beiden ersten Himmel unbewohnt, in 3:1ff wird von Bewohnern gesprochen (mit Ausnahme des ersten Himmels; Text nach "β"; s. Anm. 93). In 2:7 steht die Topographie zentral, in 3:1ff tritt sie in den Hintergrund (mit Ausnahme des ersten Himmels).
In Kap. 3 finden sich eine eigenartige Pneumatologie und Angelologie, die keine Parallelen
in den TP haben.

[88] So mit Recht Haupt *Levi* 38. Becker *Untersuchungen* 260 Anm. 1 will sieben Himmel in
3:1–8α finden, nämlich drei in V.1–3 und vier in V.4–8. Er zählt 3:3c als dritten Himmel.
Macky *Importance* 43 spricht von „at least six different levels or groups" in V.1.3.4.5.7.8.
Gegen Beckers Auffassung sei angeführt: die Erwähnung des dritten Himmels werde in diesem Fall merkwürdig kurz. Man hätte auch ἐν τῷ τρίτῳ erwartet; vgl. V.1: ὁ κατώτερος und
V.2: ἐν τῷ δευτέρῳ. Das zeigt, daß ἐν τῷ ἀνωτέρῳ πάντων in V.4 – eine deutliche Parallele
zu ὁ κατώτερος – den dritten Himmel bezeichnet. α ist in Kap. 3 redigiert worden, gerade
um drei Himmel zu ergeben. α hat den ersten und zweiten Himmel in der "β"-Version zusammengefaßt. Die exakte Anbringung der Heiligen in 3:3c*fin* in α ist somit unklar, während sie
sich nach "β" im vierten Himmel befinden. "β" ist logisch, denn hier befindet sich nur Gott

an und für sich logisch, weil Kap. 3 vorgibt, eine Erklärung von Kap. 2 zu bieten. 3:1a ist zwar jedenfalls eine redaktionelle Bermerkung. "β" spricht dagegen in 3:1a von sieben Himmeln. Doch ergeben sich für "β" entweder fünf oder acht Himmel[89]. In 3:1−4 zählt man fünf Himmel: 1. = V.1; 2. = V.2; 3. = V.3a; 4. = V.3b und 5. = V.4. Rechnet man V.5−8 als selbständige Himmelssphären, hat "β" drei weitere Himmel in V.5−6, V.7 und V.8. α hat die in V.5−8 genannten Himmel nicht als neue Regionen empfunden, denn die Dreizahl ließe sich in diesem Fall nicht aufrechterhalten. Das ist vielleicht ein Indiz dafür, daß V.5−8 erst angewachsen sind, als für α in V.1−4 schon die Beschreibung von drei Himmelssphären gegeben war[90]. Kap. 2 und Kap. 3 haben sich gegenseitig beeinflußt. In Kap. 2 hat α den ursprünglicheren Text. Die Vorstellung der drei Himmel ist dann in Kap. 3 eingedrungen und hat redaktionelle Änderungen des α-Textes verursacht. Für "β" lassen sich zwei Möglichkeiten aufstellen: entweder hat "β" Kap. 2 auf Grund der Vorstellung von sieben Himmeln früh bearbeitet, und die Siebenzahl ist dann in 3:1 eingedrungen[91]. Oder aber hat man 3:3b + 3:4 zusammengelesen und dadurch sieben Himmel in 3:1−8 erhalten − das tun auch viele moderne Forscher − und Kap. 2 bearbeitet[92]. Es ist jedenfalls klar, daß "β" in Kap. 3 den besseren Text bewahrt hat[93].

Wenn wir uns jetzt 2:10−12 zuwenden, entdecken wir, daß 2:11 ganz für sich steht. Dieses fragmentarische Levi-Juda-Stück ist hier falsch am Platz und zerstört den Kontext. Es wird von vielen als eine christliche Zufügung betrachtet[94], doch enthält die Aussage nichts typisch Christliches. Das heißt natürlich nicht, daß sie sich nicht einfach auf Christus übertragen läßt. 2:10 + 2:12[95] sind ein Verheißungswort über die Privilegien der

---

Forts.

allein im obersten Himmel, hoch über jeder Heiligkeit. Zwischen Gott und den drei ersten, unreineren Himmeln bedarf es somit einer heiligen Sphäre. (Ὅτι ist begründend und verknüpft V.4 mit V.3.)

[89] So Haupt *Levi* 38. Ὁ κατώτερος in V.1 und ἐν τῷ ἀνωτέρῳ πάντων in V.4 bezeichnet den ersten bzw. den fünften Himmel. Will man sieben Himmel in 3:1−8 zählen, entsteht ein neues Problem. Der vierte Himmel wird dann *zweimal* beschrieben in V.3c und V.8. (Nach dieser Zählung ergibt sich: V.4 = der siebte Himmel; V.5−6 = der sechste Himmel; V.7 = der fünfte Himmel; V.8 = der vierte Himmel). Man beachte aber, daß der vierte Himmel in diesem Fall ganz verschieden beschrieben wird. In V.4−8 fehlt eine Numerierung. Der Text erlaubt uns nicht zu folgern, daß V.4 den siebten Himmel schildert. Das geht nur, wenn man sich im voraus für die Siebenzahl bestimmt hat.

[90] Vgl. Haupt *Levi* 38.

[91] Vgl. Haupt *Levi* 38f.

[92] Vgl.: Macky *Importance* 44f; Otzen *GamPseud* 7,710; Becker *Untersuchungen* 36ff.

[93] So mit Recht: Haupt *Levi* 38f; Macky *Importance* 44f.

[94] Vgl. z.B.: Becker *Untersuchungen* 265f; *Komm* 48; Otzen *GamPseud* 7,711; M. de Jonge *Testaments* 50; Schnapp *Testamente* 22f; Hultgård *L'eschatologie* I,77; 79. Anders: Haupt *Levi* 36f; vgl. 124.

[95] Haupt *Levi* 37 hält 2:12 für „ein versprengtes Stück einer Priesterordnung". Doch paßt V.12 nicht besonders schlecht zu V.10.

Priesterschaft. Sie lassen sich als der ursprüngliche Schluß von 2:7ff auffassen. 2:10c wurde vielleicht christlich bearbeitet[96].

In 3:9−4:1 sind zwei selbständige Stücke, 3:9−10 + 4:1, zu einer Gerichtsschilderung verschmolzen[97]. Von diesen sind 3:9f ein denkbarer Abschluß von 3:5−8, während 4:1 die Rede des Engels nicht voraussetzt[98]. 4:1 hat mit seinem Gebrauch von doppelten Genitiven eine poetische Struktur. 3:9f sind dagegen prosaisch.

In 4:1 hat ein christlicher Bearbeiter eingegriffen[99]. Dasselbe ist auch der Fall in 4:4.6[100], deren älteste Form sich kaum mehr rekonstruieren läßt. Es empfiehlt sich deshalb, auf Einzelheiten zu verzichten.

Zusammenfassend für 1:1−6:2 ergibt sich:

Die ursprüngliche Grundschrift umfaßte 1:1−2:2 > 6:3ff. Der Abschnitt 2:3−6:2 ist interpoliert, besteht aber aus verschiedenen Elementen. Die älteste Interpolationsschicht findet sich in 2:3−6 > 4:2−6 > 5:1−7 > 6:1−2. Im Anschluß an andere Levitraditionen wird hier von einem Gesicht Levis erzählt. Er wird als Priester eingesetzt und bekommt den Auftrag, die Sichemiten zu vernichten. Zu einem späteren Stadium gehören die beiden Himmelvisionen in 2:7−10.12 und 3:1−4, von denen die erstere älter ist. Das ergibt sich daraus, daß Kap. 3 eine Erklärung zu Kap. 2 sein will. Die zweite Himmelvision hat ihrerseits die Zufügung 3:5−4:1 nach sich gezogen. Dieser Abschnitt ist allerdings zusammengesetzt (3:5−8; 3:9−10; 4:1), fungiert aber als eine kompositionelle Einheit. Sie wurde vielleicht von *einer* Hand zusammengestellt. Schließlich wurde der Text einer christlichen Bearbeitung unterworfen. Sie ist deutlich in 4:4.6 und offenbar in 4:1; s. auch 2:10c.

---

[96] A$^\beta$ ist ganz neutral: „über die Errettung Israels". G hat dagegen: „über den, der Israel erlösen wird". Doch kann in G auch an Gott gedacht sein.

[97] Vgl.: M. de Jonge *Testaments* 142 Anm. 45; Becker *Untersuchungen* 260f; Haupt *Levi* 44.

[98] Γινώσκετε ("β"−g) ist lectio difficilior. Neuerdings versuchen Hollander/M. de Jonge *Comm* 139 den Imp. Pl. zu erklären.

[99] Es handelt sich um den Satz (καὶ τοῦ ᾅδου σκυλευομένου) ἐπὶ τῷ πάθει τοῦ ὑψίστου). Wir halten nur die fünf letzten Wörter für christlich; vgl.: Charles *Text* 35; Haupt *Levi* 46. Andere scheiden die ganze Zeile als christliche Interpolation aus; vgl.: Becker *Untersuchungen* 267ff; *Komm* 49; Leloir *RQ* 7 (1970) 444f; Schnapp *Testamente* 25; *APAT* II,466 (+ den Abschluß des Verses); Baljon *ThSt* 4 (1886) 221f; 230 (+ den Abschluß des Verses; jedoch mit Vorbehalt für καὶ τοῦ ᾅδου σκυλευομένου). (Messel *BZAW* 33 (1918) 363f klammert eventuell die ganze Reihe aus; s. aber ibid. 363 Anm. 1.) Einige betrachten die Stelle als jüdisch; vgl. Charles(!) *Comm* 36; Burkitt *JThS* 10 (1909) 140f (dazu: Becker *Untersuchungen* 268 Anm. 2); Philonenko *Interpolations* 19f (dazu: M. de Jonge *NT* 4 (1960) 222f); Hultgård *L'eschatologie* I,258f. Charles und Hultgård operieren alle beide mit absonderlichen Übersetzungen von πάθος; vgl. Charles „visitations"; Hultgård „courroux"; s. auch Otzen *GamPseud* 7,712 „nidkærhed" = „Eifersucht".

[100] Vgl. zum Problem: Becker *Untersuchungen* 262ff; Haupt *Levi* 21ff; Hultgård *Croyances* 68ff.

Die ursprüngliche Erzählung setzt mit 6:3−7:4 fort[101]. Levi berichtet von der Sichemepisode. Zu den Unterschieden zwischen 6:3ff und 5:3ff vgl. oben. Eine gewisse Tendenz zur Entlastung Levis liegt freilich in 6:8ff vor. Neben ihr finden wir eine praktische Einstellung in 7:1ff. In Ms c ist die Entschuldigung noch deutlicher. Diese Handschrift fügt in 6:3 ein μή hinzu[102]. Nach ihr hat Levi die Beschneidung der Sichemiten abgeraten, weil sie als Beschnittene unter dem Schutz des Bundes stehen würden. Auch Jub 30:1ff und Josephus Antiquitates I.21,1 verschweigen die Beschneidung.

6:11 ist ein Problem für sich. Der Vers erinnert an 1.Thess 2:16, doch läßt sich schwer entscheiden, ob er davon herrührt. Er paßt nicht besonders schlecht hier[103].

Ein Blick in Gen Kap. 34 zeigt, daß Gen und TL an einigen Punkten voneinander abweichen. Levi und Simeon töten nach Gen alle Einwohner Sichems allein. In TL spielen die anderen Brüder eine wichtige Rolle. Levi und Simeon töten nach Gen Sichem und Hamor zusammen. In TL töten sie je einen. Die Bedeutung dieser Unterschiede bleibt allerdings unsicher. Die Ereignisse in 6:8f sind in Gen nicht belegt. Es handelt sich wahrscheinlich um selbständige Traditionen[104].

Schnapp hat gezeigt[105], daß 8:1−19 eine Interpolation sind. Wir legen seine Argumente zugrunde und modifizieren sie leicht:

1. Aus der Unechtheit von 2:3ff folgt, daß Kap. 8 sekundär ist, weil es deutlich auf die erste Vision Bezug nimmt. In 8:1 heißt es: „Und dort sah

---

[101] Haupt *Levi* 23ff findet drei Schichten: 6:3−7; 6:8−11; 7:1−3. (7:4 sei der Übergang zu Kap. 8; s. ibid. 47.) Von ihnen gehöre der Abschnitt 6:1−3 zum Grundstock. 7:1−3 seien eine alte Erweiterung, 6:8−11 ein jüngerer Einschub. Nach Haupt stehen 6:3−7 und 7:1−3 dicht an der Genesiserzählung. 6:8−11 seien dagegen mit Kap. 5 verwandt. In 6:3−7 werde Levis Tat als Sünde aufgefaßt. Der erste Zusatz, 7:1−3, lasse Levis Handlung nicht mehr als Sünde erscheinen. Er deute die Ereignisse positiv als eine grundsätzliche Überlegenheit über die Kanaanäer. Der spätere Zusatz, 6:8−11, schließlich spreche ein vernichtendes Urteil über Sichem = Samarien. Levis Handeln gehe nun der Ratschluß Gottes voraus (V.8.11).
Diese Aufsplitterung des Textes empfiehlt sich nicht. Thomas *BZNW* 36 (1969) 79 betont mit Recht − trotz der Polemik Haupts *Levi* XXIII Anm. 72 −, daß es sich um eine Selbstanklage Levis handelt, und daß Levis Tat ursprünglich als negativ beurteilt wurde; vgl. schon Schnapp! Zu 6:8ff und 7:1ff, s. Text.
Hultgård *L'eschatologie* II,112f versucht die Probleme in Kap. 6−7 dadurch zu lösen, daß er 6:6−7 dem Verfasser der TP zuschreibt. Dieser Verfasser habe sein Material (die Sichemerzählung), das dem von Hultgård angenommenen Levi-Apokryph (s. Anm. 25) entnommen sei, mehr oder weniger gut angepaßt.
[102] Ms c wird nur von Charles *Text* 39; *Comm* 40 verteidigt.
[103] Zum Problem, vgl. z.B. Haupt *Levi* XXII Anm. 68 mit Literaturangaben.
[104] Im Verweis auf Sarah (und Rebekka) in 6:8 sehen einige eine Anspielung auf Gen Kap. 20 (und 26); vgl. vor allem Otzen *GamPseud* 7,714; aber auch: Becker *Komm* 51; Charles *Comm* 41; Hollander/M. de Jonge *Comm* 148. Daß der Verfasser aber an diese Ereignisse denkt, steht im Text nicht geschrieben. Da auch V.9 unbelegt ist, liegt es näher, an eine Sondertradition zu denken.
[105] *Testamente* 18ff; vgl. Baljon *ThSt* 4 (1886) 218f.

ich wiederum einen Traum wie den früheren...". Und in 8:18: „Als ich er-
wachte, wurde mir klar, ὅτι τοῦτο ὅμοιον ἐκείνου ἐστί (so der Kern in "β")
/ὅτι τοῦτο ὅμοιόν ἐστι τοῦ πρώτου ὀνείρου (so α). 8:19 ist eine Parallele
zu 6:2.

2. Nach den Eingangsworten von Kap. 8, κἀκεῖ πάλιν, erwartet man,
daß auch diese Vision in Abelmaoul stattfindet. Nach 7:4 befindet sich
aber Levi in Bethel. Zwingend ist diese Folgerung jedoch nicht.

3. Nach 7:4 ist Levi in Bethel. Wenn man Kap. 8 beseitigt, lassen sich
7:4 und 9:1ff zusammenhängend lesen. Das Hin- und Herziehen in Kap. 9
scheint ein wenig zwecklos. Schnapp wollte deshalb 9:1−3a disqualifizieren[106]. Er findet es auffällig, daß Jakob noch einmal durch eine besondere Vision darüber belehrt werden müsse, daß Levi in Israel Priester sein
werde (9:3b), nachdem vorher bereits Isaak, ohne Zweifel im Beisein des
Jakob, seinen Enkel gesegnet habe (9:2). Diese Annahme ist aber unberechtigt[107]. Das ganze Kap. 9 ist − mit Ausnahme von einigen Glossen −
echt:

a. Das Hin- und Herziehen wird vom Oxforder Fragment Kol. a1ff = V.4ff
bestätigt: Levi hat eine Vision, in der er wahrscheinlich als Priester eingesetzt wird (V.4−7). Sie[108] ziehen dann zu Isaak, der Levi segnet (V.8). Jakob hat eine Vision, die ihn darüber belehrt, daß Levi Priester sein werde
(V.9f). Sie müssen jetzt Isaak verlassen haben, denn nach V.10 befinden
sie sich nochmals in Bethel. Dann verläßt die ganze Familie Bethel und
wohnt in der Burg Abrahams in Hebron zusammen mit Isaak (V.11). Isaak
segnet sie alle (V.12). Erst jetzt erfährt Isaak, daß Levi Priester ist und
fängt an, ihn das Gesetz der Priesterschaft zu lehren (V.13ff).

Auch in dieser Version ist von zwei Reisen die Rede, alle beide wahrscheinlich von Bethel aus[109]. Levi wird während des ersten Besuchs bei
Isaak nicht zum Priester geweiht. Isaak weiß nicht, daß Levi Priester ist,
ehe es ihm während des zweiten Aufenthalts erzählt wird. Diese Darstellung entspricht dem Verlauf in TL. Schnapp hat zu Unrecht 9:2 als eine
Priesterinstallation verstanden, obwohl es sich nur um einen Segen handelt; s. unten zum Text! In Jub Kap. 31 wird nur von einer Reise nach

---

[106] *Testamente* 19f.

[107] Schon Baljon *ThSt* 4 (1886) 219 mißt diesen Argumenten wenig Gewicht bei.

[108] Charles *Comm* 229 übersetzt in V.8 „and *I* went to my father Isaac...". Doch ist die
Form עלנא natürlich 1.P.Pl. („wir"). Ob an die ganze Familie, oder eher an Jakob, Levi und
Juda gedacht ist (so TL 9:1; Jub 31:5ff), läßt sich nicht entscheiden.

[109] Otzen *GamPseud* 7,716 läßt die erste Reise in Sichem anfangen. Der aramäische Text
erlaubt diese Folgerung kaum. Sichem ist zwar der letzte Ort, der vor diesem Hin- und Herziehen erwähnt wird (Cambr. Kol. b V.3), doch ist ein großer Teil des Textes zwischen Cambr.
Kol. b und Oxf. Kol. a verlorengegangen, und dort wurde vielleicht von einer Reise nach
Bethel (= TL 7:4) erzählt. V.10: ...בבית אל ואשלמית להקרבה קורבנוהי בבית אל spricht dafür,
daß Bethel Ausgangsort der ersten Reise war.

Hebron erzählt. Jub 31:27 erklärt uns, warum Isaak sich weigerte, nach Bethel zu fahren = TL 9:2[110]. Wir müssen hinzufügen, daß Schnapp die aramäischen Fragmente nicht gekannt hat. Er konnte somit nicht wissen, daß der Verfasser eine bekannte Tradition wiedergibt. Die kurzgefaßte Form ist wie gewöhnlich davon bedingt, daß die Adressaten mit der Tradition vertraut waren.

b. Die Zeitangabe in 9:1 wird verständlicher, wenn man sie mit 7:4 verknüpft. Die erste Reise findet dann zwei Tage nach der Ankunft in Bethel statt, nicht zwei Tage nach der Vision! Auch in Jub 31:3ff findet die Reise *kurz* nach der Ankunft in Bethel statt. Der jetzige Text (8:1 + 9:1) setzt ein Intervall von 72 Tagen voraus.

Wir folgern, daß 9:1−3 echt sind. In diesem Abschnitt liegt jedoch eine kleine Zufügung vor. In 9:2 wird auf die beiden unechten Visionen verwiesen. Diese Bemerkung läßt sich leicht aus dem Kontext lösen.

Ein anderer Versuch, die Visionen mit der Grundschrift zu verbinden, findet sich in 9:6: „... , wie (es) mir der Engel, zeigte."[111] Es bleibt unklar, was hier gemeint ist. In Kap. 8 ist nicht von einem Engel, sondern von sieben Männern (Engeln) die Rede. Die Belehrung Isaaks hat keine Parallele in den beiden Visionen.

Becker meint, daß die Funde der aramäischen Fragmente Schnapps Position unmöglich gemacht habe: „Auch in diesem Falle ist Schnapps Erkenntnis, daß TL 8 nur sehr locker und störend im Kontext steht, so weit richtig, nur daß eine alte vor der Niederschrift der TP liegende traditionsgeschichtliche Schichtung vorliegt und keine literarisch nach der Abfassung der TP vorgenommene Bearbeitung."[112] Dies ist ein Fehlschluß. TL läßt sich nicht auf Grund der vorliegenden aramäischen Fragmente rekonstruieren. Sie beweisen nur, daß diese Tradition bekannt war. Sie beweisen dagegen nicht, daß sich der Verfasser der TP ihrer bedient hat. Ein Interpolator kann ebensogut zu dieser Tradition gegriffen haben. Traditionsgeschichtliche Betrachtungen dürfen nicht die konkrete literarkritische Arbeit mit dem Text ersetzen.

In bezug auf den Inhalt von Kap. 8 verweisen wir auf die Literatur[113]. Wir konzentrieren unsere Aufmerksamkeit auf eventuelle christliche Bearbeitungen. Sie lassen sich in 8:14−15 nachweisen[114], doch müssen wir innerhalb der Rahmen dieser Arbeit auf Einzelheiten verzichten. Wir stellen nur fest, daß der Kontext ursprünglich von der Dreiteilung der Priester-

---

[110] Diese Auskunft findet sich in den aramäischen Fragmenten nicht.

[111] Vgl. Schnapp *Testamente* 20.

[112] *Untersuchungen* 270 (als typischer Repräsentant zitiert).

[113] S. vor allem Becker *Untersuchungen* 270ff; Haupt *Levi* 49ff.

[114] Zum Problem, vgl.: Becker *Untersuchungen* 277ff; Haupt *Levi* 62ff (V.14−15 = eine spätere prohasmonäische Schicht); Hultgård *L'eschatologie* I,296ff.

schaft in Hohepriestertum, Priestertum und Levitentum gehandelt haben wird. Der christliche Interpolator hat 8:14−15 so geändert, daß sie jetzt als eine Prophetie vom *munus triplex* Christi erscheinen.

Zu Kap. 9 verweisen wir auf den Durchgang der Parallelen oben.

Kap. 10 ist eine Interpolation[115]. Das Kapitel unterbricht den Zusammenhang. Das Leben des Levi wird in zeitlicher Abfolge in Kap. 9 + Kap. 11−12 dargestellt. 9:10 wird z.B. in 11:1ff mit dem Bericht von der Heirat des Stammvaters aufgenommen. Kap. 10 ist ein typisch sekundäres SER-Stück. Hier steht nicht mehr Levi im Blickfeld, sondern seine „Söhne". Kap. 10 fällt somit kontextuell und thematisch aus dem Zusammenhang. Einige klammern Kap. 10 aus, weil es keine Parallele in den aramäischen Texten habe[116], was aber kein gutes Argument ist. Die aramäischen Texte sind kein Fazit, nach dem wir das ursprüngliche TL rekonstruieren können.

Es ist möglich, daß 10:1 echt ist. Schnapp meint, daß der Interpolator hier eine oft in den Testamenten wiederkehrende Redensart nachgeahmt habe[117]. Der Vers könnte sich jedoch auf die Belehrung in 9:6−14 beziehen[118]. Ein sicheres Urteil läßt sich in diesem Fall kaum fällen. 10:2ff enthalten dagegen einige typisch sekundäre Züge. Die Erwähnung von Jerusalem in 10:3.5 fällt besonders auf. Sie paßt nicht im Munde des Stammvaters; vgl. III,1. In 10:5 ist dieser Verweis zwar weniger verdächtig, weil er als eine Prophetie formuliert ist, doch ist 10:5 an sich problematisch. Man hat bezweifelt, daß dieser Vers wirklich im Zusammenhang zu Hause ist[119]. Richtig ist dabei, daß 10:5 nicht ganz zu 10:4 passen will. Unter den SER-Stücken wäre er ohne Parallele. Dem Element „Restitution" ent-

---

[115] Vgl.: Schnapp *Testamente* 21f; Baljon *ThSt* 4 (1886) 219; Bousset *ZNW* 1 (1900) 188f (mit Ausnahme von V.5); Charles *Text* XLVIf; *Comm* LVIIff; 48; Bickermann *JBL* 69 (1950) 249; Becker *Untersuchungen* 280f (mit Ausnahme von V.5); Philonenko *Interpolations* 5f; Otzen *GamPseud* 7,717; Haupt *Levi* 76; 100f. *Vgl. Anm. 119*. Nach Hultgård *L'eschatologie* II,101; 116 ist Kap. 10 keine Interpolation. Es sei aber während der Textüberlieferung deplaziert worden und gehöre eigentlich zum Komplex Kap. 14−17; vgl. v.Nordheim *Lehre* I,19 (oder aber habe Kap. 8 Verhaltensanweisungen verdrängt).

[116] So: Becker *Untersuchungen* 280; Haupt *Levi* 76; Otzen *GamPseud* 7,717.

[117] *Testamente* 21; vgl. Baljon *ThSt* 4 (1886) 219.

[118] 13:1 sei dann eine notwendige Wiederholung, weil Kap. 11−12 zwischen Kap. 9 und Kap. 13 hinzutreten.

[119] Bousset *ZNW* 1 (1900) 189 meint, daß 10:5 (mit Ausnahme des redaktionellen γάρ) der ursprüngliche Abschluß von Kap. 9 sei; vgl. Becker *Untersuchungen* 281; *Komm* 54f. Anders Haupt *Levi* 101. Becker betont u.a., daß die priesterliche Unterweisung in 9:14 merkwürdig abschlußlos dastehe. Wenn 10:1 echt ist, stimmt das jedoch nicht. (Mit Ausgangspunkt in Beckers Prämissen, vgl. Anm. 116, ließe sich anführen, daß die aramäischen Fragmente keinen Kultort nennen. Wir halten zwar dieses Argument für unmöglich. Becker sollte es aber bedenken; vgl. Anm. 116.)

spricht er kaum[120]. Man darf vermuten, daß 10:5 den ursprünglichen Schluß des SER-Stückes zerstört hat, so daß 10:2—4 jetzt mit dem Gericht endet. 10:5 ersetzt das fehlende Element. Vielleicht hat 10:5 ursprünglich Perfektum („hat gewählt"), nicht Futurum („wird wählen") gehabt[121]. Die Prophetie in 10:5 kann jedenfalls 10:3 nicht retten, denn die Erklärung in 10:5 kommt viel zu spät. In 10:5 ist übrigens der Verweis auf das Buch Henoch ein wohlbekannter sekundärer Zug; vgl. II,2. Der Hinweis auf den Tempel in 10:3 ist auch typisch, doch handelt es sich hier um eine christliche Zufügung; s. unten.

Im allgemeinen sind die SER-Stücke nicht an die Nachkommen des Stammvaters gerichtet, sondern an das ganze Volk; vgl. III,2. Hier ist die Lage ein wenig unklar. Die Deutung auf antipriesterliche Polemik ist nicht ausgeschlossen. Wahrscheinlich hat die christliche Bearbeitung den Text verdunkelt. Die christlichen Interpolationen sind nämlich sehr deutlich in 10:2—3[122]. Der Ausdruck „Heiland der Welt" und die Weissagung, der Vorhang des Tempels werde zerrissen werden, lassen keinen Zweifel über die christliche Provenienz herrschen.

Die These M. de Jonges, Kap. 10 sei eine verkürzte und überarbeitete christliche Version von Kap. 14—15[123], läßt sich nicht aufrechterhalten. Da beide Abschnitte zu derselben Gattung gehören, sind die Übereinstimmungen im Rahmen der SER-Stücke verständlich. Die Parallele zwischen 14:2 und 10:2 beruht auf christlicher Interpolation – dabei können sie sich gegenseitig beeinflußt haben[124]. Der Grundbestand in 10:2—4 ist ohne Zweifel jüdisch, obwohl er sich nur schwer wiederherstellen läßt[125].

Das ursprüngliche Testament setzt mit Kap. 11—13 fort. Zum Inhalt verweisen wir auf den Durchgang der Parallelen oben. Kap. 13 bringt die Paränese und ist der Kern des Testamentes[126]. In diesem Fall hat der Verfasser auf vorliegende Traditionen bauen können, während die Paränese im allgemeinen sein eigener Beitrag ist. In welchem Grad er sie redigiert und bearbeitet hat, läßt sich nicht mehr entscheiden.

---

[120] So Haupt *Levi* 100f. Er meint, daß nur der Quellenbeweis (das Buch Henoch) sekundär sei und neben dem Bezug in V.1 (auf die Väter) störe. (Dieses Argument fällt jedoch fort, wenn 10:1 zu 9:6—14 gerechnet wird.)

[121] Zu den Textvarianten, vgl. *Editio Maior* 37 und Charles *Text* 49. Becker *Komm* 55 übersetzt mit Perfektum und kommentiert: „Die futurische Verbform (vgl. G—be) ist Angleichung an 10:1—4, ...". Futurum haben: Charles *Comm* 49; Schnapp *APAT* II,468; Hollander/M. de Jonge *Comm* 159; Kee *OTP* I,792; Hultgård *L'eschatologie* II,274; usw. Rießler *Schrifttum* 1166 hat Präsens. Otzen *GamPseud* 7,717 umschreibt mit modalem Hilfsverb.

[122] Vgl. z.B.: Becker *Untersuchungen* 281f; Haupt *Levi* 100f; M. de Jonge *Testaments* 41f; 123; *NT* 4 (1960) 222; Otzen *GamPseud* 7,717; Hultgård *L'eschatologie* I,93ff (nur 10:2); usw.

[123] *Testaments* 40ff. Zur Ablehnung, vgl. Becker *Untersuchungen* 93; Haupt *Levi* LXII Anm. 15 (und jetzt M. de Jonge *FS Cazelles* 522 Anm. 28).

[124] So Haupt *Levi* LXII Anm. 15.

[125] Vgl. die Folgerung in Becker *Untersuchungen* 282.

[126] Bousset *ZNW* 1 (1900) 193 hält Kap. 13 für sekundär(!).

Der letzte Hauptteil, Kap. 14—18, besteht aus Weissagungen. Dieser Teil ist sehr kompliziert und enthält viele Probleme, die wir nur oberflächlich behandeln können. Für uns steht vor allem die Frage nach der Echtheit zentral. Kap. 14—18 sind Gegenstand eingehender literarkritischer Analysen gewesen und die Lösungsvorschläge weichen erheblich voneinander ab[127]. Wir halten sämtliche Kapitel für sekundär und gehen jetzt daran, diese These zu beweisen. Wir untersuchen die Einzelabschnitte (14:1—15:4; 16:1—5; 17:1—9; 17:10—11; 18:1—14) der Reihe nach.

14:1—15:4 machen das zweite SER-Stück in TL aus; vgl. oben zu Kap. 10 und unten zu Kap. 16. Der Aufbau ist klar:

1. Einleitung: 14:1a
2. Sünde und Abfall: 14:1b—8
3. Gericht: 15:1—3
4. Restitution: 15:4

Ein Verweis auf die Umkehr fehlt.

Zwei Beobachtungen drängen sich auf: erstens ist die Schilderung des Abfalls auffällig umfangreich im Vergleich mit den anderen SER-Stücken (vgl. TL 16:1b—2; TJud 23:1b—2; TD 5:5, die zu den umfangreichsten gehören), und zweitens springt die krasse Priesterpolemik dieses Abschnittes in die Augen[128]. Gerade diese Polemik war einer der Hauptgründe dafür, daß Bousset und Charles Kap. 14—15 für sekundär hielten[129], denn sie steht nicht im Einklang mit der Verherrlichung von Levi an anderen Stellen der TP. Wir betrachten diese Glorifikation jedenfalls als sekundär und können uns somit nicht auf die Argumentation von Bousset und Charles stützen. Der auffällige Angriff auf die Priesterschaft muß jedoch erklärt werden. Wir haben mehrmals gesehen, daß die SER-Stücke nicht an den einzelnen Stamm gerichtet sind, sondern an das ganze Volk. Wenn Kap. 14—15 von den Nachkommen des Levi handeln würden, stünden wir hier vor einer Ausnahme. Die Folgerung zwingt sich auf: 14:2—8 sind ein späte-

---

[127] Die Extreme bilden Schnapp *Testamente* 29ff, der sämtliche Kapitel disqualifiziert, und M. de Jonge *Testaments* 38ff, der anscheinend alle akzeptiert. Baljon *ThSt* 4 (1886) 225f und Philonenko *Interpolations* 5f (mit Ausnahme von 17:10—11) folgen Schnapp. Andere halten nur Teile für sekundär: Bousset *ZNW* 1 (1900) 188ff klammert Kap. 14—16 aus; Charles *Text* XLVIf; *Comm* LVIIff; 53f; 60f fügt 17:1—9 hinzu. Bickerman *JBL* 69 (1950) 248f hält Kap. 16—17 für unecht, während Otzen *GamPseud* 7,718; 721 Kap. 16 und 17:10—11 disqualifiziert. Hultgård *L'eschatologie* I,268ff; II,117ff hält nur 18:2—14 für einen Einschub. v.Nordheim *Lehre* I,20ff äußert sich explizit negativ zu 17:10—11, rechnet aber offenbar mit anderen Änderungen und Zufügungen. Becker *Untersuchungen* 283ff hält nur den Komplex Kap. 14—15 („Grundstock") für *ursprünglich*, während Haupt *Levi* 90ff; 101ff; 105f; 106f 14:1 + 15:1—4 („Grundbestand") zur „Grundschicht" rechnet. (In *BEI* 851ff scheint Philonenko jetzt alle Kapitel für echt zu halten.)

[128] Zur Priesterpolemik im Alten Testament und im Judentum, vgl. die Belege in Becker *Komm* 57.

[129] S. Anm. 127!

rer Einschub[130]. Dadurch erklären sich der Umfang und die Eigenart von 14:2−8. Dieser Abschnitt läßt sich leicht aus dem Kontext lösen; der Restbestand, 14:1 + 15:1−4, bekommt einen strafferen Aufbau und handelt, wie die übrigen SER-Stücke, vom ganzen Volk. Der Satz „und über euch werden sich eure Brüder schämen" in 14:1 („β") ist eine ergänzende Bemerkung, die 14:2−8 vor Augen hat[131]. Nach der Beseitigung von 14:2−8 verstehen wir, warum das Element „Gericht" schon in 14:1*fin* auftaucht[132]. 15:1ff folgten ursprünglich direkt auf 14:1, und die Reihenfolge der Elemente war somit nicht auffällig.

Gegen die Echtheit von 14:1 + 15:1−4 sprechen, daß sie ein SER-Stück ausmachen (s. IV,5B), daß sie nicht zu den Söhnen Levis gesprochen sind (vgl. III,3), und daß sie nichts mit dem Thema des TL zu tun haben. Der Inhalt verrät sie an mehreren Punkten. Der Verweis auf eine Schrift Henochs in 14:1 hält die Testamentfiktion nicht ein. Der Sterbende benötigt keiner Autorität neben sich selbst; vgl. II,2. Der Verweis liegt allerdings nur in „β" vor[133]. In 15:1 ist der Gebrauch von ναός ein typischer Fehler. Die Grundschrift sagt immer οἶκος; vgl. III,1. Im vorliegenden Text ist dieser Fehler nicht zu schlimm, denn er spricht vom Tempel, „den der Herr erwählen wird"[134]. Das ist wahrscheinlich eine Korrektur. Ursprünglich hieß es eher: „Darum wird der Tempel, den der Herr erwählt hat,...". Vgl. 10:5.

In 14:2−8 finden sich ähnliche Fehler. Die Verwendung von „Hohenpriestern" in 14:2 ist weniger glücklich, doch ist sie vielleicht christlich; vgl. unten. Der Verweis auf die „Jungfrauen *Jerusalems*" in 14:6 paßt nicht im Munde des Stammvaters (vgl. III,1), doch liegt er nur in Mss bg vor[135].

Nach der Meinung mancher sind Kap. 14−15 echt, weil sie an der üblichen Stelle innerhalb des Aufbaus der Testamente stehen, an der sich auch sonst Weissagungen befinden[136]. Dieses Argument ist offenbar falsch[137].

---

[130] Vgl. Haupt *Levi* 95ff. (Er klammert zwar auch 15:2b und evtl. 15:3 aus.) Kritisch dazu: M. de Jonge *FS Cazelles* 517.

[131] Vgl.: Becker *Untersuchungen* 43; *Komm* 57; Haupt *Levi* 95.

[132] Becker *Untersuchungen* 301 findet das auffällig (weil er nicht gesehen hat, daß 14:2−8 ein späterer Einschub sind).

[133] Ob „β" erweitere – so z.B.: Becker *Untersuchungen* 43; 174f; Haupt *Levi* 93 – oder α gekürzt habe – so z.B.: M. de Jonge *Testaments* 84; 152 Anm. 220; Hultgård *L'eschatologie* I,83 Anm. 2 – läßt sich kaum entscheiden.

[134] Zu den Textvarianten, vgl. *Editio Maior* 43; Charles *Text* 57f. Becker *Komm* 58 übersetzt hier mit Futurum, während er in 10:5 Perfektum wählt; vgl. Anm. 121.

[135] Becker *Untersuchungen* 303f argumentiert für α; vgl. *Komm* 57.

[136] Vgl.: Bickermann *JBL* 69 (1950) 249; Becker *Untersuchungen* 300; Haupt *Levi* 90.

[137] Beseitigt man Kap. 14−15, steht Kap. 16 ebenfalls an „richtiger" Stelle. Also muß man dafür argumentieren, daß Kap. 14−15 echt sind, insbesondere wenn man andere Abschnitte dieses Komplexes für sekundär hält; vgl. Anm. 127. Becker *Untersuchungen* 300 nimmt diese Aufgabe zu leicht. Nach ihm passen Kap. 14−15 (im Gegensatz zu 16:1−19:3) in zwei Bezie-

Kap. 14 ist christlich bearbeitet worden[138]. In 14:1 ist ἐπ᾽ αὐτόν in α ein Verweis auf Christus. "β" kennt ihn nicht. Er ist wahrscheinlich aus 14:2b, der beinahe gleichförmig und deutlich christlich ist, eingedrungen. Es bleibt unklar, wie umfassend die Bearbeitung von 14:2 ist[139]. Folgt man einem Minimumprinzip[140], braucht man nur den Relativsatz einzuklammern[141].

Kap. 16 gehört ebenfalls zu den SER-Stücken; vgl. IV,5B. Auch hier liegt das übliche Schema vor (vgl. unten), doch muß es wiederhergestellt werden. Daß 16:3 eine christliche Interpolation ist[142], benötigt keiner Argumentation. Sie hat ihrerseits dazu geführt, daß ein ursprüngliches διὰ τοῦτο in 16:4 in δι᾽ αὐτόν geändert worden ist. Mss eg haben den älteren Text bewahrt. Nach den meisten Mss ist das Unglück von der Ablehnung Christi verursacht. Das paßt freilich nur zu V.3. Um das Bild der christlichen Bearbeitung zu vervollständigen, erwähnen wir ebenfalls „durch Glauben und Wasser" in 16:5.

Die Zeitangabe „siebzig Wochen" in 16:1 ist wahrscheinlich sekundär[143]. Sie ist ganz singulär in den SER-Stücken, die eher einen Verweis auf „die letzten Zeiten" enthalten; vgl. TL 10:2; 14:1; TJud 18:1; TIs 6:1; TD 5:4 usw. Man darf vermuten, daß die vorliegende Zeitangabe eine dem gewöhnlichen Typus entsprechende verdrängt hat. Warum das gerade hier geschehen ist, bleibt unklar. Jedenfalls scheint sie auf Dan 9:24ff (vgl. Jerm 25:1; 29:10) zurückzugreifen.

Der Aufbau des SER-Stückes ist demnach:

1. Einleitung: 16:1a

Forts.

hungen formal zur Testamentsituation, nämlich stilistisch und in bezug auf die Stellung im Zusammenhang des TL. Unsere Analyse zeigt, daß sie nicht passen. Beckers Auffassung ist von „Schemazwang" bestimmt. Jedes Testament müße eine Zukunftsansage enthalten; vgl. II,2. Nachdem Becker schon Kap. 16ff disqualifiziert hatte, waren nur Kap. 14−15 übrig.

[138] Vgl. zum Problem: Schnapp *Testamente* 32f; Charles *Text* 55; *Comm* 55; Becker *Untersuchungen* 302; Haupt *Levi* 97; Otzen *GamPseud* 7,720; M. de Jonge *NT* 4 (1960) 221; Hultgård *L'eschatologie* I,97; Bousset *ZNW* 1 (1900) 169; Hollander/M. de Jonge *Comm* 169f; M. de Jonge *FS Cazelles* 516f.

[139] Einige halten den ganzen Vers für christlich; vgl. z.B.: Schnapp, Becker, Otzen in Anm. 138.

[140] Das ist prinzipiell ein guter Ausgangspunkt. Viele der christlichen Bearbeitungen bestehen aus kleinen Zufügungen; vgl. IV,5A. Doch gibt es auch große Kompositionen, wie z.B.: TJud Kap. 24; TL Kap. 18; vgl. IV,5A. Jeder Fall muß also für sich behandelt werden.

[141] So z.B.: Bousset, Charles, Haupt (zögernd) in Anm. 138.

[142] Zu dieser und den anderen christlichen Interpolationen in Kap. 16, vgl.: Becker *Untersuchungen* 284ff; Haupt *Levi* 102f; Schnapp *Testamente* 34; *APAT* II,470; Bousset *ZNW* 1 (1900) 169f; M. de Jonge *NT* 4 (1960) 220f; Otzen *GamPseud* 7,720f; Charles *Text* 59; *Comm* 59f. Hultgård *L'eschatologie* I,102ff; *Croyances* 44ff meint, daß 16:3 jüdisch sei, u.a. weil ἀνάστημα kein Äquivalent zu ἀνάστασις sei. Die meisten Kommentatoren sind sich dieses Problems bewußt. Doch: „Sachlich ist Jesu Auferstehung gemeint", Becker *Komm* 58. S. auch Hollander/M. de Jonge *Comm* 171f.

[143] So Haupt *Levi* 101.

2. Sünde und Abfall: 16:1b−2
3. Gericht: 16:4−5a
4. Restitution: 16:5b
Das Element „Umkehr" fehlt.

Einige disqualifizieren Kap. 16, weil es eine unnötige Dublette zu Kap. 14−15 sei[144]. Das ist ein unmögliches Argument; vgl. unsere Argumentation in TR. Man hätte eher erwartet, daß diejenigen, die für die Echtheit von Kap. 14−15 (evtl. deren „Grundstock") argumentieren, auch für Kap. 16 plädieren würden. Denn man darf im Prinzip damit rechnen, daß alle SER-Stücke von ein- und derselben Hand stammen; vgl. IV,5B. Die einzige Ausnahme von dieser Regel bildet TN Kap. 4. Dort läßt sich aber exegetisch nachweisen, daß das zweite Stück eine spätere Zufügung ist. Hier trifft diese Erklärung nicht zu.

Unsere Disqualifikation von Kap. 16 stützt sich auf andere Argumente. Nachdem wir schon Kap. 14−15 beseitigt haben, läßt sich Kap. 16 nicht mit Kap. 13 verknüpfen. Es ist unthematisch und verrät sich inhaltlich. Es handelt, wie Kap. 14−15, nicht von den Söhnen Levis, sondern vom Volk[145] (vgl. III,2). Es betreibt scheinbar Priesterpolemik. Bei näherem Zusehen entdeckt man aber, daß diese Priesterpolemik sich auf 16:1b beschränkt. Sie hat sonst ihre Gültigkeit nur auf Grund des Kontextes. Der Inhalt in 16:2ff ist nicht für die Priester spezifisch, und stünde das Stück in einem anderen Testament, hätte man hier kaum an die Priester gedacht. In 16:1 ist der Verweis auf eine Schrift Henochs allzu typisch; vgl. II,2. Er liegt zwar nur in "β" vor[146]. In 16:4 ist an den Tempel gedacht, doch hat der Interpolator den Ausdruck ναός vermieden. Er benutzt statt dessen τὰ ἅγια, das auch in der Grundschrift brauchbar ist. Die Bemerkung, daß das Heiligtum öde (und) bis auf den Boden (befleckt) sein werde, zeigt, daß der Tempel gemeint ist.

Warum hat der Interpolator zwei SER-Stücke aufeinanderfolgen lassen? Diese Frage läßt sich kaum beantworten und wird auch dann nicht einfacher, wenn man mit zwei Händen in Kap. 14−15 bzw. Kap. 16 operiert. Vgl. zum Problem TAs Kap. 7 und TN Kap. 4.

Kap. 17 fällt in zwei Teile: 17:1−9 und 17:10−11. 17:1−9 bieten eine nach Jubiläen periodisierte Geschichte des Priestertums. Der Abschnitt ist inhaltlich schwer verständlich, weil die Angaben viel zu karg und geschichtlich nichtssagend sind. Die sechste Periode wird in 17:7 nur erwähnt. Historische Angaben fehlen völlig. Die Auskünfte über das dritte,

---

[144] So z.B.: Haupt *Levi* 103; Becker *Untersuchungen* 284; Otzen *GamPseud* 7,718.

[145] Vgl. Becker *Untersuchungen* 284; Otzen *StTh* 7 (1953) 148. Anders: Hultgård *L'eschatologie* I,101.

[146] Er wird als sekundär gerechnet von: Becker *Untersuchungen* 175; Haupt *Levi* 101. Zum Problem, vgl. Anm. 133.

vierte und fünfte Jubiläum (V.4—6) lassen keine sicheren Folgerungen zu. Nur das erste, zweite und siebte Jubiläum werden ein wenig ausführlicher geschildert. Die Angaben lassen sich jedoch verschieden interpretieren. Die Hauptdeutung sieht in V.2—3 einen Hinweis auf Levi und Aaron[147]. V.8—9 deutet man dann entweder auf die Zeit des Antiochus Epiphanes[148] oder eventuell auf die Eroberung Jerusalems durch Pompejus im Jahr 63 v. Chr.[149] Nach dieser Deutung umfassen die sieben Jubiläen die ganze Geschichte des Priestertums. Diese Interpretation ist nicht unproblematisch: nach TL Kap. 9 ist Levi nicht der erste Priester. Vor allem vermißt man einen Hinweis auf den Tempel Salomos und auf Sadoq. 17:9 bezieht sich am natürlichsten auf das babylonische Exil. Eine andere Exposition ist von Dupont-Sommer verfochten worden[150]. Er denkt an die sieben hasmonäischen Priesterfürsten von Judas Makkabäus bis Aristobul II. 17:8 deutet er auf den Totschlag des Lehrers der Gerechtigkeit, 17:9 auf die Eroberung Jerusalems im Jahr 63 v. Chr. Seine Auslegung von 17:8 ist schwach und unbillig. Die Stärke seiner Deutung ist, daß er nur einen Priester in jeder Periode auftreten läßt. Das stimmt mit dem Text überein. Aber vielleicht hebt der Autor dieses Textes nur eine besonders wichtige Person hervor? Eine Schwäche haftet beiden Lösungen an: sie nehmen den Begriff „Jubiläum" nicht ernst. Sieben Jubiläen entsprechen 350 Jahren. Nimmt man diese Zahl buchstäblich, empfiehlt sich eine Deutung auf die Geschichte des nachexilischen Priestertums. Der erste Priester wäre dann Josua (vgl. Sach Kap. 1—6; Hagg Kap. 2), 17:8 bezöge sich auf die Ereignisse um 165 v. Chr. Wenn 17:9 sich auf das babylonische Exil bezieht, stellt er sich dieser Lösung in den Weg. Oder gehört 17:9 zu 17:10f? S. unten!

Becker hat gute Argumente gegen die Echtheit von 17:1—9 angeführt[151]: die Darstellung verläßt die Testamentsituation. Abgesehen von 17:1 herrscht der Stil der dritten Person Singular oder Plural vor. Die Söhne des Levi sind also nicht angeredet. 17:1 nimmt auf 16:1 Bezug, also auf ein Kapitel, das selbst ein Nachtrag ist; vgl. oben. Übrigens hat Kap. 16 keine Darstellung der siebzig Wochen gegeben! (Becker listet auch ein anderes und unsicheres Argument auf: wenn der erste Priester in 17:2 Levi ist, kündigt Levi in fingierter Prophetie sein eigenes Auftreten an.) Man darf somit

---

[147] Vgl.: Becker *Untersuchungen* 288ff; Rießler *Schrifttum* 1336; Charles *Comm* 61; Otzen *GamPseud* 7,721 (evtl. Moses für Levi). M. de Jonge *Testaments* 41; 140 Anm. 19 lehnt die Deutung auf Levi ab und schlägt Moses vor. Bousset *ZNW* 1 (1900) 196 denkt an die Geschichte des aaronitischen Priestertums; vgl. Otzen *StTh* 7 (1953) 147 (s. aber oben).

[148] So z.B.: Becker und Otzen in Anm. 147. *Becker aber nur zu V.8; zu V.9 vgl. Anm. 149!* S. auch Hultgård *L'eschatologie* I,107 (= V.8).

[149] So Becker zu V.9; vgl. Anm. 148. S. auch Dupont-Sommer in Anm. 150.

[150] *Semitica* 4 (1951/1952) 33ff; vgl. *Jewish Sect* Kap. 3. S. weiter: Philonenko *BEI* LXXX; 852ff.

[151] *Untersuchungen* 287f.

vermuten, daß 17:1−9 auf Grund seines Themas, d.h. der Geschichte des Priestertums, nachträglich in TL eingearbeitet worden sind[152].

Scheinbar passen 17:10−11 gut zu 17:1−9. Nach 17:9 besteht die Strafe in Zerstörung des Landes und Gefangenschaft. In 17:10 wird dann von der Rückkehr des Volkes und dem Aufbau des Tempels erzählt. Das bedeutet, daß 17:10−11 den Vers 17:9 als eine Prophetie vom babylonischen Exil verstanden haben; vgl. oben. Doch ist dieser Anschluß problematisch: man bemerkt vor allem, daß 17:10−11 mit einer anderen Periodisierung operieren. 17:1−9 sprechen von Jubiläen, 17:10−11 aber von Wochen. Es handelt sich in 17:10f wahrscheinlich um ein versprengtes Fragment einer „Sieben-Wochen-Apokalypse"[153], von der nur Reste der fünften und siebten Woche bewahrt sind.

Eine alternative Einteilung von Kap. 17 ist möglich: 17:1−8 und 17:9−11[154]. In diesem Fall würde V.9, der den Begriff „Jubiläum" nicht enthält, nur künstlich mit einem „darum" an V.8 anknüpfen. Die Schwäche dieser Alternative ist, daß 17:1−9 + Kap. 18 anscheinend nach dem SER-Schema komponiert sind[155]. 17:1−8 entsprechen dem Element der Sünde, wenn auch die Verderbtheit erst mit den letzten Jubiläen einsetzt. In 17:9 folgt dann das Element des Gerichtes, während 18:1ff das Element der Restitution repräsentieren. 18:1ff folgten also ursprünglich nicht auf 17:11, obwohl die Anknüpfung jetzt plausibel ist[156].

Viele betrachten 17:2(b−)c als einen christlichen Zusatz[157]. Man läßt das Verb ἀναστήσεται auf die Auferstehung Christi Bezug nehmen. Diese Deutung ist nicht zwingend, und andere halten den ganzen Vers für jüdisch[158].

Kap. 18 gehört zu den kompliziertesten und umstrittensten Texten in den TP. Die meisten Forscher vertreten ihre eigene Auslegung, wenn auch einige Züge gemein sind. Wir verzichten auf einen Durchgang des großen Materials, verweisen aber auf die Untersuchungen von Becker[159], Haupt[160] und Hultgård[161]. Einige Forscher halten Kap. 18 für eine christliche Kom-

---

[152] So Becker *Untersuchungen* 288.

[153] Nach α handelt es sich um eine „Siebzig-Wochen-Apokalypse". Haupt *Levi* 106; LXIV Anm. 43 neigt zu α. Der Verdacht einer inneren Anpassung liegt jedoch nahe.

[154] So Hultgård *L'eschatologie* II,118ff.

[155] Vgl. Becker *Untersuchungen* 289f; Otzen *GamPseud* 7,721.

[156] Hultgård *Croyances* 122f; *L'eschatologie* I,268f verknüpft 18:1 mit 17:11.

[157] So z.B.: Otzen *GamPseud* 7,721; Schnapp *Testamente* 35f; Rießler *Schrifttum* 1169; M. de Jonge *Testaments* 140 Anm. 9; Haupt *Levi* LXIV Anm. 41; vgl. Bousset, Charles, Becker in Anm. 158.

[158] So Hultgård *L'eschatologie* II,120. Bousset *ZNW* 1 (1900) 170; Becker *Untersuchungen* 288 Anm. 1; Charles *Comm* 61 halten auch diese Auslegung für möglich.

[159] *Untersuchungen* 289ff.

[160] *Levi* 106ff.

[161] *Croyances* 111ff; *L'eschatologie* I,268ff. (Das ganze Kap. sei jüdisch!)

position, in der jüdischer Stoff verarbeitet worden sei[162]. Andere betrachten das Stück als primär jüdisch, rechnen aber mit kleineren oder größeren christlichen Bearbeitungen[163]. Noch andere halten das Stück für essenisch[164]. Man operiert auch mit mehreren Schichten. V.10–14 werden von einigen als eine selbständige Einheit aufgefaßt[165]. Es hat keinen Sinn, mit einer neuen Theorie beizutragen. Wir begrenzen uns in erster Linie darauf, den sekundären Charakter von Kap. 18 nachzuweisen. Wir stellen nur summarisch fest, daß der Text ohne Zweifel einen jüdischen Hintergrund hat. Doch sind die christlichen Bearbeitungen so groß, daß sich das ganze Kapitel in seiner jetzigen Form als eine christliche Komposition betrachten läßt.

Gegen die Echtheit von Kap. 18 sprechen folgende Argumente[166]: Es nimmt nicht auf die Testamentsituation Bezug. Wie in 17:1–9 herrscht auch hier der Stil der dritten Person Plural oder Singular. Die einzige Ausnahme findet sich in 18:14: κἀγὼ χαρήσομαι. Diese Wörter lassen sich leicht aus dem Kontext heben, wo sie den zweigliedrigen Parallelismus zerstören[167]. In 18:14 paßt Levi nicht in der Reihe der drei Erzväter oder unter den „Heiligen". Kap. 18 ist also keine Rede des Levi an seine Nachkommen.

Unsere thematischen Untersuchungen versehen uns mit weiteren Argumenten: In 18:2 begegnet der Begriff κρίσις als eschatologischer Terminus; vgl. III,4 und oben zu 1:1. Die sekundäre Gerichtsvorstellung kommt auch in 18:12 vor, wenn auch der technische Terminus κρίσις fehlt; vgl. nochmals III,4. In 18:6 findet sich das verdächtige Wort ναός. Es handelt sich zwar um den himmlischen Tempel, aber der Begriff ist typisch für die interpolierten Stücke; vgl. III,1 und oben zu 10:3.5; 15:1. Der Gebrauch von πνεύματα in der Bedeutung „Dämonen" ist charakteristisch für die sekundären Abschnitte; vgl. III,3.

19:1–3 ist umstritten. Der Abschnitt wird von einigen als ein sicherer Zusatz[168], von anderen als echt betrachtet[169]. Wir neigen zur ersteren Auf-

---

[162] Vgl.: M. de Jonge *Testaments* 90; *NT* 4 (1960) 205ff; Chevallier *L'ésprit* 125ff; Grelot *Venue du Messie* 38ff; Higgins *NTS* 13 (1966/1967) 224f.

[163] Kleinere Bearbeitungen: Schnapp *Testamente* 36ff; Bousset *ZNW* 1 (1900) 172; Charles *Comm* 62ff; v.d.Woude *Vorstellungen* 210ff. Größere Bearbeitungen: Becker *Untersuchungen* 291ff; Haupt *Levi* 107ff; Otzen *GamPseud* 7,722f.

[164] So: Dupont-Sommer *Semitica* 4 (1951/1952) 53; Philonenko *Interpolations* 27; *BEI* 854ff.

[165] Vgl.: Becker *Untersuchungen* 297ff; Otzen *GamPseud* 7,722f; Haupt *Levi* 109f (= christlicher Hymnus, während Becker und Otzen αὐτός auf Gott deuten.)

[166] Vgl. Becker *Untersuchungen* 290.

[167] S. schon Bousset *ZNW* 1 (1900) 172 Anm. 11.

[168] So: Schnapp *Testamente* 30f; Becker *Untersuchungen* 283f; v.Nordheim *Lehre* I,22; Haupt *Levi* 122.

[169] So: M. de Jonge *Testaments* 112; Hultgård *L'eschatologie* II,121f; Slingerland *JBL* 103 (1984) 531ff.

fassung, halten aber jedenfalls 19:1 für ursprünglich. 19:1 ist nämlich die typische Schlußmahnung (vgl. II,1). 19:2−3 fallen dagegen aus dem Rahmen. Dieser „Bundesschluß", der sein literarisches Vorbild in Jos Kap. 24 hat, steht isoliert und ist analogielos. Er hat mit Levi und seinen Nachkommen nichts zu tun, ist vielmehr ganz allgemein gehalten. Der Stilbruch fällt auf. Nach der *lectio difficilor,* Mss abef + A, ist der Abschnitt in der ersten Person Plural gehalten. Man hätte die dritte Person Plural erwartet, und die restlichen griechischen Textzeugen haben deshalb abgeändert. V.4f setzen stilgemäß fort und knüpfen gut an 19:1 an. Die Anknüpfung an 19:3 ist weniger gut, weil am Ende von V.3 die „Söhne" reden. Der Vorschlag, hinter dem „wir" verberge sich der Autor der TP[170], ist ein Verlegenheitsausweg.

Der Abschluß umfaßt 19:4−5. Von den üblichen Elementen vermißt man nur den Bestattungswunsch; vgl. die Synopse in II,1.

Damit ist die Analyse von TL beendet. Folgende Abschnitte haben sich als sekundär erwiesen.

2:3−6:2:	Levis erste Vision. Sie ist zusammengesetzt aus: 2:3−6>4:2−6>5:1−7>6:1−2; 2:7−10.12; 3:1−4; 3:5−4:1(?).
8:1−19:	Levis zweite Vision
10:2−4:	Ein SER-Stück
Kap. 14−18:	Verschiedene Weissagungen
14:1+15:1−4:	Ein SER-Stück
14:2−8:	Priesterpolemik
16:1−5:	Ein SER-Stück
17:1−9:	Geschichte des Priestertums
18:1−14:	Der neue Priester
17:10−11:	Fragment einer „Sieben-Wochen-Apokalypse"
19:2−3:	„Bundesschluß"

Einige Glossen liegen in der Überschrift in 1:1 und in 9:2.6 vor. S. auch 2:11: fragmentarisches Levi-Juda-Stück (oder christlich?). Christliche Bearbeitungen liegen in Kap. 4; 8; 10; 14; 16; 18 vor. Zur Abgrenzung vgl. den Text. S. auch 17:2(b−)c und 2:11(?).

Vom ursprünglichen TL sind erhalten: 1:1a.2−2:2; 6:3−7:4; 9:1−14 (abgesehen von einigen Glossen in 9:2.6); 10:1; 11:1−13:9; 19:1; 19:4−5. Man darf vermuten, daß die umfangreichen Interpolationen Teile des TL zerstört haben, obwohl der Restbestand sich noch zusammenhängend lesen läßt. Man vermißt vor allem eine umfassendere Paränese. Die Lebensgeschichte ist dagegen gut bewahrt.

---

[170] So: M. de Jonge, Slingerland in Anm. 169 (verschieden aufgefaßt).

TEIL III

THEMATISCHE UNTERSUCHUNGEN

1. Anachronismen

In der Grundschrift, d.h. *in den ethisch-didaktischen Abschnitten,* finden sich viele Anachronismen. Der Verfasser setzt voraus, daß Ordnungen, Institutionen, Sitten usw. seiner Gegenwart schon in der Patriarchenzeit Realitäten waren. Diese Anachronismen beruhen auf falschen Vorstellungen von der Vergangenheit. Sie sind natürlich kein Sonderzug in den TP, sondern begegnen in mehreren alten Schriften. Der Verfasser hat sie also mit seinen Zeitgenossen gemein. Überblickt man diese Anachronismen, entdeckt man aber zugleich, daß die Testamentfiktion konsequent eingehalten wird. Der Verfasser versetzt sich in die Zeit der Stammväter und betrachtet die Situation mit deren Augen. Seinen fiktiven Standort verläßt er niemals. Er erwähnt nur Verhältnisse, die seine Leser in der Patriarchenzeit erwarten würden, aber niemals Verhalten, die erwiesenermaßen erst in späterer Zeit entstanden und die die Stammväter deshalb nicht kennen könnten.

In den Interpolationen, d.h. *in den prophetisch-apokalyptischen Abschnitten,* liegen ebenfalls Anachronismen vor. Viele davon sind ganz unschuldig, andere wiederum verraten, daß die Interpolatoren die Fiktion der Schrift nicht beachten. Sie lassen die Patriarchen Verhältnisse erwähnen, die zu deren Zeit nicht existierten und in ihrem Mund keinen Sinn haben würden. Diese Unaufmerksamkeit überrascht nicht. Die Interpolatoren bearbeiten die Grundschrift mit ganz bestimmten Absichten und achten deshalb weniger als der Verfasser auf die innere Logik und Konsistenz der Schrift.

Der Verfasser der Grundschrift zerstört nie die Illusion, daß die Stammväter ihre Söhne anreden, und erwähnt nur Verhältnisse, die sich innerhalb des von ihm und seinen Lesern gedachten Horizontes der Patriarchenzeit befinden. Die Interpolatoren lassen dagegen die Patriarchen von späteren Ereignissen in der Geschichte Israels weissagen, ohne zu bedenken, daß sie für die fiktiven Adressaten unverständlich wären.

Wir gehen jetzt daran, diese These zu beweisen.

B. Die ethisch-didaktischen Abschnitte

In der Grundschrift treten Anachronismen häufig auf. Typisch ist der Gebrauch von νόμος (TR 3:8; TL 9:6.7; 13:1 usw.) und verwandte Begriffe wie ἐντολή/ἐντολαὶ θεοῦ (TJud 13:1.7; 14:6 usw.) oder δικαιώματα κυρίου (TJud 13:1). Der Verfasser spricht aber niemals vom Gesetz des Mose. Deshalb gibt es keine Verweise auf das alttestamentliche Gesetz oder direkte Zitate[1]. Die Patriarchen ermahnen nichtsdestoweniger ihre Söhne, nach dem Gesetz des Herrn zu wandeln, seine Satzungen zu befolgen und den Geboten zu gehorchen. Der Verfasser setzt nämlich voraus, daß das Gesetz älter als Sinai sei. Die Stammväter hätten es gekannt und es liege sogar in schriftlicher Form vor[2]. In TR 4:1[3] ermahnt Ruben seine Nachkommen, sich der γράμματα zu befleißigen. Gemeint ist nicht „Literatur" oder „heilige Bücher"[4], sondern gerade das Gesetz Gottes. Das wird von TL 13:2 bestätigt. Levi gebietet seinen Söhnen, daß sie ihre Kinder das Lesen lehren, damit sie das Gesetz Gottes ununterbrochen lesen können; vgl. IV,2. TA 2:9f und 4:5[5] vergleichen Menschen mit verschiedenen unreinen und reinen Tieren. Das erinnert an die Vorschriften in Lev 11:6; Dtn 14:7 bzw. Dtn 14:5. Der Verfasser verweist aber nicht auf diese Gebote, sondern erwähnt in 2:10 die „Tafeln des Himmels"[6], auf denen Gott von reinen und unreinen Tieren gesprochen hat. Dieselbe Vorstellung, das Gesetz sei auf himmlische Tafeln niedergeschrieben, findet sich z.B. in Jub 3:10; 4:5; 6:17 usw. Der Verfasser bedient sich also einer bekannten Vorstellung und hält seinen fiktiven Standort geschickt aufrecht. TP rechnet damit, daß es schon zur Zeit der Patriarchen Priester und ein Haus Gottes gegeben habe. TIs 2:5 erzählt, daß Rahel die Liebesäpfel im Haus Gottes aufstellte und sie dem Priester, der in jener Zeit amtierte, brachte; vgl. Dtn 26:3. Die Bezeichnung „Haus Gottes" findet sich im Alten Testament schon lange vor dem Bau des Tempels; vgl. 1.Sam 1:7.24 usw. Der Verfasser knüpft an diese Vorstellung an. Er vermeidet den Ausdruck ναός, der an den späteren Tempel (= היכל) denken läßt[7] und benutzt statt dessen

---

[1] Die Quelle des Verfassers sind natürlich an mehreren Stellen die Bücher des Mose, obwohl er innerhalb der Rahmen seiner Fiktion auf andere Quellen verweist.

[2] Die Schrift war schon in der Zeit Henochs bekannt; s. Jub 4:17.

[3] Vgl. zu diesem Text IV,2H; Slingerland *JBL* 105 (1986) 42f.

[4] So Hollander/M. de Jonge *Comm* 99.

[5] Zur Echtheit von TAs 2:9f und 4:5, s. II,10.

[6] α liest naiver „die Tafeln des Gesetzes". Für α argumentieren: Charles *Comm* 165; Rießler *Schrifttum* 1228; Becker *Komm* 115; Kee *OTP* I.817. Wir folgen der Lesart in "β" A; vgl.: Eppel *Piétisme* 41 mit Anm. 6; Schnapp *APAT* II.495; Otzen *GamPseud* 7.767; M. de Jonge *Textausgabe* 64; *Editio Maior* 138; Hollander/M. de Jonge *Comm* 345; 348; v.Nordheim *Lehre* I.64 Anm. 151.
Zu den himmlischen Tafel allgemein, vgl. Bietenhard *Die himmlische Welt* 231ff.

[7] היכל findet sich jedoch schon in 1.Sam 1:9; 3:3.

οἶκος (בית). Übrigens war schon Melchisedek Priester des höchsten Gottes (vgl. Gen 14:18ff), so hier baut unser Text auf alte Traditionen. Man beachte, daß Levi nicht der erste Priester in den TP ist, sondern in einem Traditionszusammenhang steht; vgl. TL, bes. Kap. 9 und IV,2. Nach TL 9:6ff lehrt Isaak Levi das Gesetz des Herrn und die Satzungen des Priestertums. Er lernt Ordnungen, die sich tatsächlich im Gesetz des Mose finden. Der Verfasser führt diese Lehre aber nicht auf das Alte Testament, sondern auf Isaak zurück. (Er hat sie selbst von seinen Ahnen gelernt; vgl. die Parallelen zu TL.) In TIs 3:6 erzählt Issachar, er habe alle Früchte (des Feldes) und alle Erstlinge (des Viehs) durch den Priester dem Herrn gebracht. Erstlingsopfer gehören zu den Satzungen, die Levi lernt; vgl. TL 9:14. Nach TL 9:4 verzehntet Jakob durch Levi alles dem Herrn. Auch hier gibt es alte Parallelen; vgl. Gen 14:20; 28:22.

Die TP operieren auch mit Propheten; vgl. TD 2:3; TJud 18:5. In Gen 20:7 wird aber schon Abraham ein Prophet genannt.

An einigen Stellen hält der Verfasser scheinbar die Fiktion nicht ein. Bei näherem Zusehen zeigt sich, daß sie ganz harmlos sind. In TL 9:1 sagt Isaak, Levi solle sich baden, bevor er in τὰ ἅγια eintrete. Τὰ ἅγια entspricht aber in diesem Fall dem hebräischen Wort מקדש. Das ist im Alten Testament die übliche Bezeichnung für die Stiftshütte[8]. Der Verfasser hat sich das Haus Gottes in TIs 2:5 als ein Zelt vorgestellt.

Eine andere interessante Stelle ist TL 11:3: „Ich sah über ihn (d.h. Gersom), daß er nicht ἐν (τῇ) πρώτῃ τάξει war." Damit ist wahrscheinlich an die Dreiteilung der Priesterschaft in Hohepriester, Priester und Leviten gedacht, und der Sinn ist entweder, daß Gersom vom Hohepriestertum oder, noch schlimmer, vom priesterlichen Dienst überhaupt ausgeschlossen sei[9]. Man merkt sich aber, daß der Verfasser jede Erwähnung von einer Dreiteilung der Priesterschaft meidet, weil sie erst Jahrhunderte nach der Patriarchenzeit entstand.

Harmlos ist ebenfalls der Gebrauch von „Israel" als Bezeichnung des Landes oder des Volkes in TR 1:10; TJud 12:8; TSeb 4:12; TG 2:5. Es handelt sich um einen Ausdruck, der im Alten Testament wohlbekannt ist; vgl. Gen 34:7; Dtn 22:21; s. auch Gen 49:7.

Zusammenfassung: Es gibt in der Grundschrift viele Anachronismen, aber keiner ist von der Art, daß er den wirklichen Standort des Verfassers

---

[8] Derselbe Ausdruck kommt auch in TL 9:9 vor. Die meisten übersetzen ihn mit „Heiligtum"; vgl. z.B.: Charles *Comm* 48 (oder: „holy things"); Hultgård *L'eschatologie* II,106; Otzen *GamPseud* 7,716; Kee *OTP* I,792; usw. Andere haben „das Heilige"; vgl. z.B. Rießler *Schrifttum* 1165; Becker *Komm* 54; usw. Hollander/M. de Jonge *Comm* 155 übersetzen: „the holy things" (vgl. Charles).

[9] Zur Auslegung, vgl. Haupt *Levi* 78; XLVII Anm. 60; 61; Hollander/M. de Jonge *Comm* 163.

verrät[10]. Unter den Zeitgenossen des Verfassers würde kaum jemand auf seine Darstellung der Patriarchenzeit reagieren, weil er sie so beschreibt, wie jeder sie sich vorstellte.

C. Die prophetisch-apokalyptischen Abschnitte

In den sekundären Abschnitten finden wir viele derselben Anachronismen wie in der Grundschrift, z.B.: νόμος (TR 6:8; TL 14:4; 16:2 usw.), ἐντολή (TL 14:6.7; TJud 23:5 usw.) und δικαίωμα (TL 14:4). Der Verweis auf die „Worte der Propheten" in TL 16:2 darf auch passieren, obwohl er sich sicher auf die alttestamentlichen prophetischen Bücher bezieht[11].

Die Bemerkung Jakobs in TN 7:2, die Visionen Naphtalis müßten zu ihrer Zeit erfüllt werden, nachdem Israel viel erduldet habe, fällt auf den ersten Blick auf. Der oben erwähnte Gebrauch von Israel macht sie jedoch annehmbar; s. weiter: TR 6:8.11[12]; TSim 6:2 usw.

Andere Texte verraten aber den Standort der Interpolatoren. An vielen Stellen setzen die sekundären Abschnitte das Priestertum und den Tempeldienst der nachpatriarchalischen Zeit voraus. Die gewöhnlichste Erklärung, es handle sich um Weissagungen, zeugt von Verlegenheit und ist nur in begrenztem Grad anwendbar. Die Schwäche dieser Erklärung wird deutlich, wenn man sich in die Situation der fiktiven Adressaten versetzt und die Aussagen von ihrer Warte aus hört. Die Erwähnung der späteren Institutionen treten dann ganz unvermittelt auf. Die Stammväter besprechen sie nämlich als etwas Wohlbekanntes, was wir im folgenden mit zahlreichen Beispielen veranschaulichen werden.

Schon der Gebrauch von ἀρχιερεύς ist ungünstig. Er taucht zwar vor allem in christlich bearbeiteten Perikopen auf, vgl. TR 6:8; TSim 7:2; TL 14:2 (Pl.), aber auch in TL 8:17 („β"–af)[13]. Die Grundschrift entgeht dem Terminus völlig, obwohl sie Priester kennt. Noch schlimmer ist die an mehreren Stellen vorkommende Erwähnung des Tempels (ναός): TL 10:3; 15:1; TJud 23:3; (TSeb 9:8[14]); TB 9:2.3.4; vgl. TL 5:1 („β"); 18:6. Die meisten dieser Texte sind allerdings christlich bearbeitet. TL 10:3 (christlich)

---

[10] Der Verweis auf den Hippodrom in TJos 20:3 ist ein späterer Einschub, der unter Einfluß von Gen 48:7LXX steht; vgl.: Charles *Comm* 196; Becker *Untersuchungen* 168; Philonenko *BEI* 934. (Eine neue Erklärung in Hultgård *L'eschatologie* II,68ff.)

[11] Zur Auslegung, vgl.: Steck *Israel* 152 Anm. 6; Haupt *Levi* 102; Becker *Untersuchungen* 285 Anm. 5. Der Parallelismus („Gesetz") legt diese Exposition nahe. Anders: Hollander/ M. de Jonge *Comm* 172.

[12] Zu Israel und Juda in TR 6:11, vgl. den Kommentar zur Stelle in II,3 mit Anm. 37; 38.

[13] Die Erwähnung von Schriftgelehrten in TL 8:17 darf passieren, weil auch die Grundschrift mit einem geschriebenen Gesetz operiert. Daneben handelt es sich in TL 8:17 um eine (fingierte) Prophetie.

[14] Vgl. den Kommentar zur Stelle in II,6.

und TJud 23:3 setzen den Tempel als eine bekannte Größe voraus. Levi weissagt unproblematisch von der Zerstörung des Tempelvorhangs, Juda von einer Brandschatzung des Tempels. Die Patriarchen haben also nicht nötig, zuerst von seinem Bau zu erzählen. TL 10:3 hat eine Parallele in TB 9:4 (christlich), wo ebenfalls prophezeit wird, der Vorhang des Tempels werde zerrissen werden. Christlich ist auch TB 9:3. Jesus werde in den ersten Tempel hineingehen. Wahrscheinlich ist an seinen Unterricht im jüdischen Tempel gedacht[15]. Jüdisch ist dagegen die Prophetie in TB 9:2, der Tempel werde im Anteil der Benjaminiten sein; vgl. Dtn 33:12. Das kann man noch als eine Weissagung erklären. Fatal ist indessen die Fortsetzung: „Und der letzte (Tempel) wird herrlicher sein als der erste"; vgl. Hagg 2:9. Der Interpolator setzt den Wiederaufbau des Tempels nach der babylonischen Gefangenschaft voraus, hat aber vergessen, vom Schicksal des ersten Tempels zu berichten. Das zeugt von einem unreflektierten Verhalten zur Fiktion der Schrift.

TL 15:1 spricht vom Tempel, den der Herr erwählen *wird*. Ursprünglich war vielleicht vom Tempel, den der Herr erwählt *hat*, die Rede[16]. Ναός kommt auch in TL 5:1 ("β") und 18:6 (christlich) vor. An beiden Stellen handelt es sich zwar um den himmlischen Tempel. Er setzt jedoch ein irdisches Abbild voraus.

Vom Tempel wird auch in TL 16:4 gesprochen, obwohl hier τὰ ἅγια angewandt wird. Die Bemerkung, dieses Heiligtum werde öde (und) bis auf den Boden (befleckt) werden, zeigt, daß es sich um den Tempel in Jerusalem handelt.

Die Erwähnung Jerusalems gehört zu den unglücklichsten Fehlern; vgl. TL 10:3.5; 14:6; TSeb 9:8; TD 5:12.13; TN 5:1. Im Alten Testament findet sich freilich der Ortsname Salem schon in Gen 14:18, und wir wissen, daß es sich hier um das spätere Jerusalem handelt. Der Name Jerusalem kommt aber niemals in der Patriarchenzeit vor. In TL Kap. 10 wird Jerusalem zweimal erwähnt. Dabei ist 10:5 weniger verdächtig, weil der Vers als eine Prophetie formuliert ist. In 10:3 wird Jerusalem jedoch als eine bekannte Größe eingeführt. Die Weissagung in 10:5 kommt also viel zu spät, um 10:3 zu retten. (Man hat übrigens bezweifelt, daß 10:5 zu 10:1(2)−4 gehört; vgl. TL.) Eine doppelte Erwähnung findet sich auch in TD 5:12.13. Diese Verse müssen getrennt behandelt werden, denn 5:10b−12 ist eine selbständige christliche Apokalypse; vgl. TD. 5:12 weissagt vom *neuen* Je-

---

[15] Vgl. zur Auslegung Hollander/M. de Jonge *Comm* 436. War in 9:2 vom vorexilischen und nachexilischen Tempel die Rede (gegen Hollander/M. de Jonge *Comm* 435, die an den jüdischen Tempel allgemein und einen zukünftigen Tempel denken), so hat der christliche Interpolator den jüdischen und den himmlischen Tempel im Sinn; vgl. Hebr Kap. 8−9; s. auch TL 5:1 ("β"); 18:6 (christlich).

[16] Vgl. den Kommentar zur Stelle in II,14 (mit Anm. 134).

rusalem. Das ist ein typisch christlicher Ausdruck, vgl. z.B. Apk 3:12; 21:2. Der christliche Bearbeiter setzt also ein altes Jerusalem voraus, das durch das neue ersetzt wird. Die andere Stelle (5:13) prophezeit, Jerusalem werde nicht länger Verwüstung erdulden, noch werde Israel in Gefangenschaft bleiben. Vom Exil haben wir schon in 5:8 gehört. Von dieser Stadt und ihrer Verwüstung ist aber im Kontext keine Rede. Der Interpolator hat sich also den Kenntnissen der Leser angepaßt.

TN 5:1 ist interessant. Wir lesen dort, daß Naphtali einen Traum auf dem Ölberg[17], gegen Osten von Jerusalem, hatte. Hier begnügt der Interpolator sich nicht mit *einem* anachronistischen Ortsnamen, sondern fügt noch einen zweiten hinzu. Die Söhne Naphtalis hätten diese Lokalisierung nicht begreifen können.

Unsicher ist die Erwähnung der Jungfrauen Jerusalems in TL 14:6, da sie sich nur in den Mss bg findet. Die alternative Lesart gibt Israel. Entscheidet man sich für die erstere Alternative[18], liegt hier ein typischer Anachronismus der falschen Art vor.

Jerusalem wird auch in TSeb 9:8 erwähnt. Die Textprobleme sind hier sehr kompliziert, und der ursprüngliche Text läßt sich kaum mehr wiederherstellen.

Ein anderer zweifelhafter Ortsname ist Jamnia in TN 6:1. Diese Stadt begegnet erst in (Josua 15:11 = Jabneel oder) 2.Chr 26:6. In der Patriarchenzeit existierte sie nicht.

In TD 5:8 begegnet ein Fehler anderer Art. Dan weissagt dort: „Darum werdet ihr mit ihnen in Gefangenschaft geführt werden. Und dort werdet ihr alle Plagen Ägyptens und alle Übeltaten der Völker auf euch nehmen (müssen)." Der Ausdruck „alle Plagen Ägyptens" ist nicht eindeutig. Er bezieht sich entweder auf die Plagen, die unter Moses über Ägypten kamen (vgl. Ex Kap. 7ff), oder auf die Plagen, die Israel während seines Aufenthaltes in Ägypten erdulden mußte. Dan weissagt also, das Volk werde (in der babylonischen Gefangenschaft) derartige Plagen erleben. Im Munde des Patriarchen paßt diese Aussage nicht, denn sie nimmt auf Verhältnisse Bezug, die erst Jahrhunderte nach seinem Tod entstanden. Für die fiktiven Adressaten wäre die Anspielung auf die Plagen Ägyptens unverständlich, für die Leser erweckt sie unmittelbar Assoziationen.

In TB 9:2 prophezeit Benjamin von der Sammlung Israels, hat aber vergessen, zuerst von der Zerstreuung des Volkes zu reden.

Als einzige Stelle spricht TSeb 3:4 vom Gesetz des Mose. Der Verweis findet sich zwar nur in α, während "β" vom Gesetz des Henoch redet. Der

---

[17] Vgl. den Kommentar zur Stelle in II,12 mit Anm. 64.
[18] Hollander/M. de Jonge *Comm* wagen nicht, eine Entscheidung zu fällen. Becker *Untersuchungen* 303f; *Komm* 57 zieht sogar α vor.

Verdacht liegt nahe, "β" habe den Text verbessert, weil die Erwähnung von Moses ein offenbarer Anachronismus sei[19].

An einigen Stellen setzen die Interpolatoren die Stammesverhältnisse ihrer eigenen Zeit voraus. Die Drohung in TAs 7:6 bedeutet möglicherweise, daß die Stämme Gad und Dan nicht mehr existierten[20]. Eine ähnliche Auslegung ist wahrscheinlich in TR 6:6; vgl. auch TD 7:3.

Zusammenfassung: Es gibt in den interpolierten Abschnitten viele Anachronismen, die den Standort der Interpolatoren verraten. Sie sehen die Situation nicht mit den Augen der Stammväter und vergessen die zugrundeliegende Fiktion. Es ist denkbar, daß auch die Leser auf sie reagieren würden, wie man auf die Anachronismen der Mosebücher u.ä. reagierte.

D. Folgerung

Einige der hier erwähnten Unterschiede darf man der Art des Stoffes zuschreiben. Gerade in *vaticinia ex eventu* darf man falsche Anachronismen erwarten, weil ein Autor dann weniger behutsam ist. hTN zeigt jedoch, daß dies keine Regel ist. Es hat Anachronismen vermieden. Unsere Pointe ist, daß die von uns postulierte Grundschrift keinen Fehler macht, während sie in den verdächtigen Texten häufig sind. Das dürfte kaum ein Zufall sein.

---

[19] Vgl. den Kommentar zur Stelle in II,6 mit Anm. 7.
[20] Vgl. den Kommentar zur Stelle in II,10 mit Anm. 27.

2. Individuen und Kollektive

A. Die ethisch-didaktischen Abschnitte

In den ethisch-didaktischen Abschnitten (d.h. in der Grundschrift) werden die Patriarchen und ihre Nachkommen immer als Individuen dargestellt[1]. Wir hören vom Leben des einzelnen, seinen Sünden und Tugenden, seinen guten und schwachen Seiten. In der Paränese wird die Illusion von einem alten Mann, der seine Söhne ermahnt und ihnen gebietet, niemals zerstört. Der Verfasser hält die literarische Fiktion mit souveräner Beherrschung ein. Die Perspektiven sind stets individualistisch, und wir haben nie den Eindruck, daß die Stammväter mehr als Personen bezeichnen sollten. Sie repräsentieren niemals Stämme oder Institutionen, sondern sind moralische Typen. Die Lebensdarstellungen sind nicht als Kritik oder Lob der Stämme gemeint. Die Mängel oder Vorzüge der Patriarchen sind nicht als Charakteristika der jeweiligen Geschlechter aufzufassen. Diese Deutung taucht erst in den Interpolationen auf; vgl. unten.

Die Grundschrift läßt die Stammväter verschiedene Stände repräsentieren. Levi ist Priester (TL 9:6ff), Juda König (TJud 1:6; 12:4; 15:3), Issachar Landmann (TIs 3:1ff; 5:3ff), Sebulon Fischer und Seemann (TSeb 5:5; 6:1ff) und Naphtali Bote (TN 2:1). Daß die Patriarchen in Verbindung mit bestimmten Berufen gesetzt werden, heißt nicht, daß der Verfasser aus dem Rahmen seiner Fiktion fällt. Sie werden deutlich als Personen geschildert, und der Autor baut in der Tat nur auf alttestamentliche oder haggadische Vorstellungen; vgl. z.B. Gen Kap. 49; Jub Kap. 31f. Im Einklang mit der Genesistradition werden die Jakobssöhne deshalb im allgemeinen als Hirten dargestellt; vgl. TR 4:1; TSim 2:9; 4:6; TJud 8:1; 12:1; TSeb 1:3; 6:8; TG 1:3ff.

Das Hauptinteresse ist auf die Patriarchen konzentriert. Von ihren Nachkommen brauchen wir nicht viel zu sagen. Sie treten in den Hintergrund und spielen die Rolle als passive Zuhörer. Sie sind natürlich als Individuen gezeichnet.

---

[1] Vgl. Leivestad *NTT* 55 (1954) 116ff.

B. Die prophetisch-apokalyptischen Abschnitte

In den prophetisch-apokalyptischen Abschnitten bezeichnen die Patriarchennamen oft Stämme. Das ist besonders in den Levi-Juda-Stücken der Fall; vgl. TR 6:5−8.10−12; TSim 5:4−6; 7:1−2; TJud 21:1−4a; TIs 5:7−8a; TD 5:4b; 5:10a; TN 8:2−3; TG 8:1; TJos 19:11(−12?)[2]. Daß diese Perikopen nicht von den Stammvätern, sondern von den Stämmen/Institutionen handeln, benötigt keiner Argumentation, da darüber keine Uneinigkeit herrscht. Einige Beispiele zur Illustration sind aber berechtigt.

In TR 6:5ff wäre die Verheißung vom dauernden Priestertum des Levi und Königtum des Juda (bis zur Vollendung der Zeiten) sinnlos, wenn sie sich auf die Personen Levi und Juda bezöge. Mit „Levi" ist hier der Stamm/das Priestertum gemeint. (Der vornehmste Repräsentant, der Hohepriester, steht eventuell im Blickfeld.) Der Wechsel Levi/die Söhne Levis (6:5) ist logisch. Für „Juda" ist die Situation komplizierter. Juda kann nicht den ganzen Stamm darstellen, sondern höchstens die Dynastie (das Haus Davids). Wahrscheinlich ist an den zu jeder Zeit regierenden König gedacht. In TR 6:11 haben einige Forscher, wegen der Zusammenstellung mit Israel, sogar Juda auf das Südreich gedeutet[3]. Das ist kaum richtig. Der Sinn ist, daß Levi das Volk (Israel) und das Königshaus (Juda) segnen wird[4].

TSim 7:1 lautet: „Und jetzt meine Kinder, gehorcht *Levi und Juda* und erhebt euch nicht gegen diese beiden Stämme (α: Geschlechter). Hier werden also Levi und Juda mit dem Begriff „Stamm" („Geschlecht") ausgetauscht.

Nach TD 5:4 werden die Daniten Levi erzürnen und sich gegen Juda auflehnen. (Nach dem jetzigen Kontext wird dieser Aufruhr in den letzten Tagen stattfinden[5].) Eine Deutung auf die Jakobssöhne Levi und Juda ist hier ausgeschlossen. Schon die traditionelle Chronologie stellt sich ihr in den Weg[6].

Die SER-Stücke, TL 10:2−4; 14:1 + 15:1−4; 16:1−5; TJud 23:1−5; TIs 6:1−4; TSeb 9:5−8; TD 5:4a.5.8f.13; TN 4:1−3; 4:4−5; TG 8:2; TAs

---

[2] Zur Abgrenzung, vgl. die Analysen der Testamente; s. auch IV,5C.

[3] Vgl. den Kommentar zur Stelle in II,3 mit Anm. 37; 38.

[4] Das Problem besteht darin, daß Juda und Levi mehrdeutig sind. Juda ist erstens der Sohn Jakobs, symbolisiert zweitens den Stamm und drittens das Königtum. Viertens ist Juda außerdem das Südreich. Levi ist erstens der Sohn Jakobs, symbolisiert zweitens den Stamm und drittens das Priestertum. Dagegen bezeichnet Levi kein Territorium. In der Grundschrift ist immer die erste Bedeutung gemeint. In den Interpolationen fließen die Grenzen zwischen der zweiten und dritten Bedeutung.

[5] Jedoch gehören TD 5:4a und TD 5:4b nicht zusammen. Vgl. die Analyse des Textes in II,7 mit Anm. 5.

[6] S. den Kommentar zur Stelle in II,7 mit Anm. 16 und vor allem II,5 Anm. 25.

7:2−3; 7:5−7; TB 9:1−2[7], richten sich scheinbar an die Nachkommen der einzelnen Patriarchen. Das ist nur ein Schein. Sie haben nicht bestimmte Stämme vor Augen, sondern handeln vom *ganzen Volk*[8]. Sie wollen in prophetischer Form das Schicksal der Nation voraussagen. Dieser Mangel an konkreten Adressaten bedeutet einen Bruch mit der Fiktion der Schrift. Weil er auf diese Fiktion nicht achtet, macht der Interpolator Fehler, die seinen Standort verraten[9]. Ein charakteristisches Beispiel findet sich in TSeb 9:5ff. Der Stammvater weissagt dort, daß „ihr euch spalten werdet in Israel und zwei Königtümern folgen werdet". Der Stamm Sebulon wurde aber nicht geteilt und folgte nicht zwei Königen. Gemeint ist die Spaltung in zwei Reiche 922 v. Chr.[10] Die SER-Stücke lassen sich also auch nicht dadurch retten, daß man sie auf spätere Generationen deutet.

In den SER-Stücken bezeichnen die Patriarchennamen an einigen Stellen Stämme. In TAs 7:6 prophezeit Asser, daß seine Nachkommen wie Gad und Dan, seine Brüder(!), zerstreut würden. Zur Zeit des Interpolators existierten die Stämme Gad und Dan wahrscheinlich nicht[11].

Aus diesen Beispielen darf man freilich nicht folgern, daß die Stammväter in den sekundären Abschnitten niemals als Individuen auftreten. In den Auferstehungsperikopen in TJud 24:1ff; TSeb 10:2; TB 10:6ff sind sie offenbar als Personen gedacht. Dasselbe gilt für Levi in TL 2:3−6:2; Kap. 8. (In TL 15:4; 18:14; TJud 25:1; TAs 7:7; TB 10:6 usw. werden die Erzväter [Abraham, Isaak und Jakob] als Individuen dargestellt.) Jedoch ist diese Verwendung nicht der typischste und augenfälligste Gebrauch.

TN Kap. 5−6 stehen in einer Mittelstellung. Diese Kapitel sind mit den Levi-Juda-Stücken und den SER-Stücken verwandt und weisen viele derselben Motive auf, z.B. die Glorifikation von Levi und Juda, das Schicksal Israels. Sie handeln also von den Stämmen/Institutionen und dem Volk. Die Akteure werden aber als Personen geschildert; vgl. hTN.

Untersucht man das Vorkommen vom Begriff φυλή in den TP, entdeckt man, daß er sich fünfmal in den prophetisch-apokalyptischen Texten findet (vgl. TSim 7:1; TSeb 10:2; TD 5:10; TAs 7:6; TB 9:1), aber nur einmal in den ethisch-didaktischen Teilen (vgl. TJud 15:3). Das Synonym σκῆπτρον ergibt ein ähnliches Resultat. In den prophetisch-apokalyptischen Stücken findet es sich fünfmal (vgl. TJud 24:5; 25:1; TN 5:8; 8:3; TB 10:7), in den ethisch-didaktischen Abschnitten nur einmal (vgl. TD 1:9). Diese Unter-

---

[7] Zur Abrenzung, vgl. die Analysen der Testamente; s. auch IV,5B.

[8] Vgl. z.B.: Aschermann *Formen* 14 Anm. 12; Becker *Untersuchungen* 177; Haupt *Levi* 95; 97; Hultgård *L'eschatologie* I,192 (er meint allerdings ibid. 86, daß TL und TJud Ausnahmen seien); usw. Man beachte, daß TL 14:2−8 kein ursprünglicher Teil des SER-Stückes in TL Kap. 14−15 sind; vgl. die Analyse in II,14 mit Anm. 130.

[9] S. allgemein III,1, der mehrere Beispiele liefert.

[10] Vgl. den Kommentar zur Stelle in II,6 mit Anm. 30.

[11] Vgl. den Kommentar zur Stelle in II,10 mit Anm. 27.

schiede werden noch signifikanter, wenn man den Umfang der zwei Haupt-
teile berücksichtigt. Das einmalige Vorkommen der beiden synonymen
Begriffe in der Grundschrift entkräftet nicht unsere Behauptung, daß die
Perspektive dort individualistisch ist. Die Patriarchen werden natürlich als
Stammväter der Stämme betrachtet. In den interpolierten Texten ist das
Vorkommen erheblich größer, weil sie einen kollektivistischen Einfallswin-
kel haben. Das Gewicht liegt hier auf den Stämmen und dem Volk Israel.
Die in TSim 7:1 vorkommende Identifizierung von Stammvätern und
Stämmen wäre in der Grundschrift undenkbar.

C. Folgerung

Wir folgern, daß die TP aus zwei Schichten zusammengesetzt sind. Die
Grundschrift hat ein individualistisches Gepräge, während die sekundären
Abschnitte primär kollektiv orientiert sind[12]. Im hebräischen Denken ist
der Übergang von Individuum zu Kollektivum nicht groß und die beiden
Begriffe stehen oft unvermittelt nebeneinander. Unsere Pointe ist aber,
daß sie *nicht* nebeneinander stehen, sondern auf verschiedene Schichten
verteilt sind. Die Art des Stoffes kann dieses Phänomen nicht hinreichend
erklären. Viel näher liegt die Vermutung, daß hier mehrere Hände beteiligt sind.

---

[12] Vgl. Leivestad *NTT* 55 (1954) 116f.

3. Der Begriff πνεῦμα

A. Einleitung

Der Begriff πνεῦμα kommt in den TP mehr als 80 Mal vor[1]. Wir hören von einer Reihe verschiedener Geister, und sie werden im allgemeinen als böse charakterisiert. Sie werden πνεύματα τῆς πλάνης, πνεύματα τοῦ Βελιάρ, πνεύματα πονηρά, πνεύματα ἀκάθαρτα o.ä. genannt oder als πνεῦμα τοῦ ζήλου, πνεῦμα τοῦ μίσους, πνεῦμα τῆς πορνείας o.ä. spezifiziert. Die Natur dieser Geister ist umstritten. Einige Forscher fassen sie persönlich auf[2], andere dagegen unpersönlich[3]. Noch andere meinen, daß man beide Anwendungen finde[4]. Statt „persönlich" und „unpersönlich" spricht man oft von einem „dämonologischen" und einem „psychologischen" Gebrauch.

Πνεῦμα/רוח[5] kann überirdische Wesen, sowohl Engel als auch Dämonen, bezeichnen[5]. Wenn man die Geister der TP persönlich auffaßt, stellt

---

[1] S. Charles *Text* 318; *Editio Maior* 241.

[2] Charles *Comm* XCVIII sagt: „The book represents a very developed demonology, ...". Vgl. ibid. 3f. Strack-Billerbeck *Komm* Exk. 21 IV,1 502ff meinen, daß es sich überall in den TP um Dämonen handle, obwohl es πνεῦμα heiße. Den Beweis liefere δαίμων in TJud 23:1; s. ibid. 504. Noack *Satanás und Soterias* 46 stimmt Charles und Strack/Billerbeck zu. Eine dämonologische Auslegung vertreten ferner: Aschermann *Formen* 43; 48 (mit einiger Modifikation); Langton *Essentials of Demonology* 141 (trotz einiger Gegenvorstellungen; s. ibid. 112). Foerster *ThWNT* II,14 setzt πνεῦμα = δαίμων, rechnet aber auch mit einem spiritualisierenden Moment, ibid. 15. Man vergleiche auch: Volz *Eschatologie* 80; Schreiner *Apokalyptik* 42; A. Meyer *Der Jakobusbrief* 185.

[3] So Moore *Judaism* I,191: „These spirits have no concrete reality, and are hardly more than personifications of the prompting man feels in himself...". Er polemisiert gegen Charles: „To call this sort of thing 'a vast demonology' (Charles) is a misnomer." Ibid. Anm. 1.

[4] Eppel *Piétisme* 85: „Les démons [sic!] sont encore moins individualisés que les anges et éschappent à une classification rigoureuse. ... En fait, les Testaments oscillent entre une notion personelle et impersonelle des démons. Déjà le terme habituel πνεύματα au lieu de δαίμονες, ... montre qu'il ne s'agit pas de démons au sens propre du mot." Eine Sonderuntersuchung des Begriffes bietet Munch *ActOr* 13 (1935) 257ff. Er konkludiert mit einer doppelten Pneumavorstellung in den TP und rechnet den psychologischen (unpersönlichen) Gebrauch als primär, den dämonologischen (persönlichen) als sekundär. Ihm folgt Leivestad *NTT* 55 (1954) 113ff. Schweizer *ThWNT* VI,389 Anm. 339 betont auch den Doppelgebrauch, hält aber, im Gegensatz zu Munch, den dämonologischen für primär, den psychologischen für sekundär. Otzen *StTh* 7 (1953) 143 Anm. 1 lehnt Noacks Auffassung (s. Anm. 2) ab. Der Begriff lasse sich nicht an allen Stellen dämonologisch erklären.

[5] Belege in: *ThWNT* VI,373f; II,14. Vgl. zum Neuen Testament: Bauer *Wörterbuch* 1340 (b und)c. Vgl. zu den Qumrantexten: Böcher *Dualismus* 33ff; Anderson *JSS* 7 (1962) 297ff.

man sie sich als Dämonen vor. Mit dem Ausdruck „psychologisch" betont man, daß es sich nicht um Mächte außerhalb des Menschen handelt, sondern um unpersönliche Kräfte im Menschen. Πνεῦμα/רוח bedeutet dann „Sinn, Gesinnung, geistige Verfassung"[6] oder „aktive, aber unpersönliche Energien, die Leidenschaften und Laster inspirieren"[7].

Wir meinen, daß beide Anwendungen vorliegen, stellen aber zugleich die These auf, daß sie im wesentlichen auf zwei verschiedene Schichten zurückgehen. Der psychologische Gebrauch ist den ethisch-didaktischen Stücken eigen, während der dämonologische in den prophetisch-apokalyptischen Abschnitten vorliegt. Dieser Unterschied läßt sich als ein literarkritisches Indiz verwerten[8].

Methodisch empfiehlt es sich, mit den prophetisch-apokalyptischen Texten anzufangen, weil der Kontrast zwischen dem dämonologischen und dem psychologischen Gebrauch dann deutlicher wird.

B. Die prophetisch-apokalyptischen Abschnitte

In den prophetisch-apokalyptischen Stücken bedeutet πνεῦμα in der großen Mehrzahl der Stellen „Dämon" und läßt sich problemlos durch diesen Begriff ersetzen. In der Tat findet sich δαίμων ganz singulär in TJud 23:1[9]. Diese Ausnahme läßt sich schwer erklären, denn ansonst scheinen die von uns postulierten Interpolatoren an den vorliegenden Begriff angeknüpft zu haben. Man beachte übrigens, daß πνεῦμα im allgemeinen im Plural gebraucht wird, während Singular in den ethisch-didaktischen Stücken vorherrschend ist. Das ist mit dem Ausgangspunkt in unserer These leicht verständlich. Man erwartet gerade, daß ein dämonologischer Gebrauch von mehreren Geistern redet, während eine psychologische Anwendung nicht von mehreren Geistern des Hasses o.ä., sondern von dem einen Geist des Hasses spricht, da es sich ja um eine Gesinnung handelt. Absolute Regeln lassen sich freilich nicht aufstellen.

Die Dämonen haben drei Funktionen: 1. Sie versuchen und verführen; 2. sie strafen und plagen; 3. sie klagen an. Die Geister in den prophetisch-

---

Forts.

Das Alte Testament hat eigene Wörter für „Dämonen", und רוח bezeichnet höchst spärlich – wenn überhaupt; vgl. Treves *RQ* 3 (1961) 449 – überirdische Mächte; vgl. Hiob 4:15; 1.Kön 22:21f.

[6] Definition nach Köhler/Baumgartner *Lexicon* 878 Nr. 7; vgl. Gesenius *Handwörterbuch* 749 Nr. 3; und ferner: Eichrodt *Theologie* 2/3,85ff (und 97ff); Munch *ActOr* 13 (1935) 263.

[7] Eppel *Piétisme* 85.

[8] Das wird auch von Munch *ActOr* 13 (1935) 263 und Leivestad *NTT* 55 (1954) 113ff angedeutet.

[9] Strack/Billerbeck *Komm* Exk 21 IV,1 504 lassen diese Stelle den Gebrauch des πνεῦμα-Begriffes definieren; vgl. Anm. 2 oben. Das empfiehlt sich methodisch nicht, denn warum kommt δαίμων nur hier vor?

apokalyptischen Stücken sind vor allem als Verführer und Strafengel/Straf-dämonen gedacht.

Ihre Aufgabe als Verführer kommt schon in der Formulierung πνεύματα τῆς πλάνης zum Ausdruck; vgl. TSim 6:6; TL 3:3; TSeb 9:7[10]; (9:8[11]); TD 5:5[12]. Von diesen Texten lassen sich zwar TSeb 9:7 („…, denn sie sind Fleisch, und die Geister der Verführung führen sie bei ihren Taten in die Irre") und TD 5:5 („…, während die Geister der Verführung in euch wirken"[13]) als poetische Ausdrucksweisen verstehen. In den anderen Peri-kopen ist das aber nicht möglich: nach TSim 6:6 werden alle Geister der Verführung dem Zertreten anheimgegeben werden, und die Menschen werden über die bösen Geister herrschen; vgl. TSeb 9:8 und den christli-chen Text in TL 18:12[14]. (Die Vorstellung ist in der Apokalyptik wohlbe-kannt; vgl. 1.Hen 10:6; AssMos 10:1; Lk 10:17ff usw.) In TL 3:3 hören wir, daß es Engel gibt, die am Tag des Gerichts Vergeltung an den Geistern der Verführung und an Beliar üben werden. Der Kampf gegen Beliar und seine Geister ist an diesen Stellen Teil des eschatologischen Weltdramas. Der mythische Rahmen sichert in diesem Fall die dämonologische Auslegung[15]. Im übrigen warnen TSeb 9:7 und TD 5:5 uns vor allzu schnellen Schlüssen. Man muß den Kontext sorgfältig beachten. Obwohl ein sicheres Urteil nicht gefällt werden kann, halten wir freilich die dämonologische Ausle-gung für wahrscheinlicher in TSeb 9:7 und TD 5:5. Die in TD 5:6 erwähn-ten Geister der Bosheit[16] und des Übermuts bereiten größere Probleme[17]. Wegen des zweiten Glieds legt sich eine psychologische Interpretation hier nahe.

Komplizierter ist TJud 25:3: …καὶ οὐκ ἔσται ἔτι πνεῦμα πλάνης τοῦ Βε-λιάρ, ὅτι ἐμβληθήσεται ἐν τῷ πυρὶ εἰς τὸν αἰῶνα (καὶ ἐπέκεινα). Τοῦ Βε-λιάρ ist nach dem nächstliegenden Verständnis Genitiv der Herkunft oder Zugehörigkeit, und das Verbum ἐμβληθήσεται bezieht sich wohl auf Be-liar, nicht auf πνεῦμα πλάνης[18]. Gemeint ist also: wenn Beliar in den feuri-

---

[10] So nach dem Text in "β". Nach α irren die Menschen selbst in ihren bösen Taten. Wahr-scheinlich ist der Satz ein sekundärer, erklärender Zusatz; vgl. den Kommentar zur Stelle in II,6 mit Anm. 32.

[11] So nach dem christlichen Text in Mss bdgklm; vgl. den Kommentar zur Stelle in II,6 mit Anm. 33.

[12] α hat „Geister der Bosheit". Das ist Einfluß aus V.6, wo lfchij den richtigen Text (πονη-ρία statt πορνεία) haben; vgl. Becker *Untersuchungen* 351 Anm. 1 (mit dem Fehler αA, statt βA); *Komm* 95.

[13] (S. Anm. 12.) Ist der ganze Satz vielleicht nur redaktionelle Überleitung zu V.6f? Vgl. Becker *Untersuchungen* 351 Anm. 1 (Ende).

[14] Vgl. unsere Analyse von TL Kap. 18 in II,14.

[15] Vgl. Eppel *Piétisme* 85; Berggren *De onda andarna* 78.

[16] So nach α; vgl. Anm. 12.

[17] Vgl. zum Text: II,7 Anm. 6.

[18] Gegen: Otzen *GamPseud* 7,737 („den"); Hollander/M. de Jonge *Comm* 229 („it"). Wie wir: Charles *Comm* 98; Kee *OTP* I,802; M. de Jonge *AOT* 550. Die deutschen Übersetzungen

gen Pfuhl geworfen wird, wird es keinen Geist der Verführung mehr geben, weil alle Dämonen zusammen mit ihm ins Feuer geworfen werden[19]. „Geist der Verführung" läßt sich aber auch abstrakter verstehen: wenn Beliar ins Feuer geworfen wird, nimmt jede Verführung ihr Ende, weil er ihr Ursprung ist. Schließlich kann man τοῦ Βελιάρ explikativ auffassen: „Geist der Verführung, nämlich Beliar".

Die strafende Funktion liegt in TL 3:2f und TAs 6:4ff zugrunde. Τὰ πνεύματα τῶν ἐπαγωγῶν in TL 3:2 sind Strafengel[20]. Sie befinden sich (zusammen mit ihren Strafmitteln Feuer, Schnee und Eis) im zweiten Himmel[21] und werden am Tag des Gerichts Vergeltung an den Menschen üben; vgl. III,4. Im dritten Himmel[22] befinden sich Mächte, die eine entsprechende Vergeltung an den Geistern der Verführung und an ihrem Herrscher, Beliar, üben werden; vgl. III,4.

TAs 6:4ff setzen voraus, daß die Seele des Menschen den Tod überlebt und sofort belohnt oder gestraft wird. Der Engel des Herrn – auch der Engel des Friedens genannt[23] – begegnet dem Gerechten. Die ungerechte Seele wird dagegen vom bösen Geist gequält, dem sie auch in Begierden und bösen Werken gedient hat. Dieser böse Geist wird in 6:4 der Engel Beliars genannt. Der Engel Beliars ist hier wohl als ein Werkzeug Gottes gesehen; vgl. übrigens III,4.5.

Die Funktion als Ankläger findet sich vielleicht in TL 5:6, doch ist der Text unsicher[24]. Der *angelus interpres* verrät hier seine Identität und sagt, daß er der Engel sei, der für Israel eintrete, damit Gott(?!)[25] es nicht zerschlage. Er begründet diese Aussage mit einem Verweis auf den ständigen Angriff jedes bösen Geistes. Der Angriff der Geister besteht wahrscheinlich darin, daß sie die Sünde Israels aufdecken.

Über die dämonologische Auslegung von TD 6:1 dürfte kein Zweifel herrschen. Der Text warnt vor Satan und seinen Geistern und fordert die Daniten auf, Gott zu fürchten und sich ihm und seinem Engel zu nahen. Schwierig ist dagegen TL 4:1: …,καὶ τῶν ἀοράτων πνευμάτων τηκομέ-

---

Forts.

sind natürlich zweideutig. Strack/Billerbeck *Komm* Exk. 29 IV,2 803 deutet das Verbum auf Beliar.

[19] Vgl. Langton *Essentials of Demonology* 126.

[20] Vgl. Böcher *Dualismus* 47; Eppel *Piétisme* 86. Zum Nomen ἐπαγωγή vgl. Eppel ibid. 63 Anm. 4; Hollander/M. de Jonge *Comm* 137. Charles *Text* 308; *Editio Maior* 222 geben fehlerhaft ἐπαγωγός an.

[21] Man muß in TL Kap. 3 dem Text in "β" folgen; vgl. unsere Analyse in II,14 mit Anm. 91; 92; 93.

[22] S. Anm. 21.

[23] Näheres dazu in Hollander/M. de Jonge *Comm* 356.

[24] Vgl. Charles *Text* 38; *Comm* 38ff; *Editio Maior* 30.
Zur Auslegung: Hollander/M. de Jonge *Comm* 145: „(every evil spirit attacks it:) clearly with the purpose to make it sin."

[25] Vgl. Hollander/M. de Jonge *Comm* 145.

νων,.... Wegen des Verbums τήκεσθαι („schmelzen") ist die Deutung von πνεύματα auf überirdische Wesen[26] problematisch. Deshalb hat man die alternativen Erklärungen „Winde"[27] oder „Elemente"[28] vorgeschlagen. Die übliche Exposition wird vielleicht angenehmer, wenn man die Bedeutung des Verbs abschwächt und es mit „auflösen", „verschwinden" o.ä. wiedergibt?[29] Im Hintergrund scheint jedenfalls die Vorstellung vom Weltbrand zu stehen[30].

Überblicken wir dieses Material, finden wir, daß πνεῦμα in der großen Mehrzahl der Stellen dämonologisch gebraucht ist[31]. Eine psychologische Exposition legt sich nur in TD 5:6 nahe, ist aber nicht einwandfrei. Neben dieser Stelle machen wir auf TL 2:3; 18:7.11 aufmerksam. Diese Texte sind eindeutig psychologisch. An der ersten Stelle wird gesagt, daß der Geist der Einsicht des Herrn über Levi kam. In der christlichen Komposition TL Kap. 18[32] hören wir in V.7, daß der Geist der Einsicht und der Heiligung auf ihm (d.h. Christus) im Wasser ruhen wird. Nach V.11 wird der Geist der Heiligung auf den Heiligen im neuen Paradies ruhen.

Noch einige Stellen, TR 2:3−3:2; TJos 7:2.4, seien hier erwähnt. Sie sind zwar nicht prophetisch-apokalyptisch, gehören aber zu den interpolierten Abschnitten[33].

Die (überwiegend) neutral-anthropologische Pneumaliste in TR 2:3ff ist unter stoischem Einfluß entstanden. Daß der Verfasser der Grundschrift für diese Liste nicht verantwortlich ist, halten wir für bewiesen. Der Terminologie hätte er sich doch wohl bedienen können? Noch leichter könnte man ihm TJos 7:2 zutrauen. Dort steht πόνος καρδίας beinahe synonym mit στεναγμοὶ τοῦ πνεύματος. Gemeint ist, daß die Frau Potiphars psychisch deprimiert war. In dieselbe Richtung weist 7:4. Dort heißt es, daß der Geist Beliars sie beunruhigte, wobei Beliar nur als eine abstrakte Qualifizierung angesehen werden darf; vgl. unten.

* * *

Als eine Gruppe für sich, außerhalb der Klassifizierung „dämonologisch" oder „psychologisch", stehen die Aussagen über den Geist Gottes in TB

---

[26] So: Munch ActOr 13 (1935) 259; Hultgård L'eschatologie II,160; usw.

[27] So: Hollander/M. de Jonge Comm 136; 140.

[28] So: Haupt Levi 46.

[29] Vgl. Otzen GamPseud 7,712 („opløses" = aufgelöst werden); Kee OTP I,789 („vanish"); M. de Jonge AOT 528 („waste away").

[30] S. Becker Komm 49.

[31] Vgl. zu vielen Einzelstellen: Eppel Piétisme 85f; Leivestad NTT 55 (1954) 115f; Munch ActOr 13 (1935) 259f; Berggren De onda andarna 78; Hultgård L'eschatologie II,160.

[32] Vgl. unsere Analyse zu TL Kap. 18 in II,14.

[33] Vgl. unsere Analysen in II,3 (= TR) und II,8 (= TJos).

9:4 und TJud 24:2. Beide Aussagen sind christlich[34]. In TB 9:4 hören wir, daß der Geist Gottes zu den Heiden übergehen wird wie ausgegossenes Feuer. Der Text spielt auf das Pfingstgeschehen an; vgl. Acta Kap. 2. TJud 24:2 prophezeit, daß der Himmel über dem Messias (=Christus) geöffnet werden wird, ἐκχέαι πνεύματος εὐλογίαν πατρὸς ἁγίου; vgl. Mt 3:16Par. Der Messias[35] wird dann den Geist der Gnade über die Gläubigen ausgießen.

C. Die ethisch-didaktischen Abschnitte

In den ethisch-didaktischen Stücken kommt πνεῦμα fast ausschließlich in einem psychologischen Sinn vor. Als typisches Beispiel wählen wir die Aussagen über τὸ πνεῦμα τοῦ μίσους in TG. Nachdem Joseph seine Brüder verleumdet hatte (1:5f), zürnte ihm Gad (1:6). Er erzählt, daß der Geist des Hasses in ihm sei, und daß er Joseph weder hören noch sehen wolle (1:8f). In der Paränese warnt er vor dem Geist des Hasses, weil er böse sei und in die Irre führe (3:1). Wir hören ferner, daß der Geist des Hasses zusammen mit Satan wirke (4:7), und daß er den Verstand und die Seele Gads verfinstert habe, so daß er seinen Bruder töten wolle (6:2).

Dieser Geist des Hasses ist kein Dämon. Diese Ausdrucksart rührt von der hebräischen Vorliebe für Personifizierung und aktive Formen her[36]. Der Verfasser will keine Macht, die von außen kommt und Gad in Besitz nimmt, schildern. Er will nur Gads eigenen Haß hervorheben. Von Besessenheit ist hier keine Rede[37].

Da πνεῦμα hier ein psychologischer Begriff ist[38], ist ein Unterschied zwischen πνεῦμα τοῦ μίσους und τὸ μῖσος nicht festzustellen. Die beiden Begriffe alternieren deshalb frei, ohne den Sinn zu ändern. Vergleicht man 3:3 mit 6:2; 4:1 und 6:1 mit 3:1, springt dieser Wechsel sofort in die Augen. Direkte Übergänge vom einen Begriff zum anderen liegen in 3:1ff und 4:5ff vor; s. auch 1:8f. Daß es sich um einen psychologischen Begriff handelt, ergibt sich ebenfalls aus der Schilderung in 5:3ff.

Wir besitzen hier den Schlüssel zum Verständnis anderer Ausdrücke derselben Art. In TR 3:3; 5:3 hören wir vom Geist der Hurerei. 3:3 erklärt,

---

[34] Vgl. unsere Analysen in II,11 (= TB) und II,13 (= TJud).

[35] So z.B. Becker *Komm* 76. Möglich ist auch: Gott.

[36] S. Munch *ActOr* 13 (1935) 259. In derselben Weise werden auch andere Abstrakta in jüdischen Texten dargestellt; vgl. z.B. die Weisheit in Prov Kap. 8, und ferner SapSal Kap. 10. Andere Abstrakta: die Wahrheit 3.Esra 4:35ff; (die Liebe 1.Kor Kap. 13). In den TP: der Haß TG Kap. 4f; die Reue TG 5:7f; die Habsucht TJud 18:3ff; usw.

[37] Gegen Aschermann *Formen* 52; vgl. Anm. 1 oben.

[38] Vgl. neben Munch (Anm. 36): Eppel *Piétisme* 85 Anm. 10; Otzen *GamPseud* 7,763 (mit einigem Vorbehalt).

daß er auf der Natur und den Sinnen beruhe. Er entspricht somit einer sündigen Neigung. Kap. 4 spricht ganz charakteristisch nicht mehr vom Geist der Hurerei, sondern ganz allgemein von Hurerei, die die Seele verderbe, den Verstand und die Erkenntnis in die Irre führe und von Gott trenne (4:6). In 5:3 und 5:5 wechseln die Begriffe ohne Bedeutungsunterschied. 5:3 weiß zu erzählen, daß die Frauen dem Geist der Hurerei eher unterlägen als der Mann. 5:3f zeigt deutlich, daß es sich nicht um einen Dämon handelt, sondern um einen Prozeß im Inneren des Menschen. Der Verweis auf Joseph in 4:8ff zeigt, daß man seine Gedanken von jeder Hurerei reinigen kann. Der Patriarch ermahnt in 6:1ff seine Nachkommen, sich vor jeder Frau zu hüten und empfiehlt ihnen, nicht mit ihnen umzugehen.

Hurerei ist das Thema des TR. Der Geist der Hurerei taucht aber auch an anderen Stellen auf: TL 9:9; TJud 13:3; 14:2. Nach TL 9:10 kann man ihm dadurch entgehen, daß man eine Frau nimmt, wenn man jung ist. Das ließe sich aber kaum mit einer dämonologischen Erklärung vereinbaren. In TJud Kap. 13 warnt der Kontext gerade vor Begierden und Erwägungen der Gedanken. Nach TJud 14:2 bedient sich der Geist der Hurerei des Weines wie eines Dieners und erweckt dadurch τὰς ἡδονὰς τοῦ νοός. Der vorangehende Vers macht aber den Wein an sich dafür verantwortlich. In TJud 15:2 und 18:3 findet sich die übliche Variation des Begriffes mit Hurerei statt Geist der Hurerei. Die persönliche Verantwortung kommt in diesen Stellen wie gewöhnlich zum Ausdruck. Wer der Hurerei zum Opfer fällt, kann nur sich selbst dafür tadeln.

In derselben Weise erklären wir τὸ πνεῦμα τοῦ ζήλου in TSim 2:7 und TD 1:6. TSim 2:6f betonen, daß Simeon selbst für seine Eifersucht auf Joseph verantwortlich war, hebt aber zugleich hervor, daß der Herrscher der Verführung, d.h. Beliar, seinen Verstand verfinsterte, indem er den Geist der Eifersucht sandte[39]. Das klingt dämonologisch, setzt aber keine wirkliche Besessenheit voraus. Die Grundschrift sieht ganz natürlich eine enge Verbindung zwischen Beliar und dem bösen Trieb im Menschen; vgl. z.B. TR 4:11. Beliar ist der große Versucher und Verführer. Daß er den Geist der Eifersucht sendet, ist ein bildlicher und dramatischer Ausdruck dafür, daß er uns zu Eifersucht reizt. Der Geist der Eifersucht ist also ganz unpersönlich. Dasselbe gilt dann in TD 1:6.

In TSim wechselt ζῆλος mit φθόνος. Wir hören deshalb auch von einem πνεῦμα τοῦ φθόνου in TSim 3:1[40] und 4:7. Der zu erwartende Wechsel von Geist des Neides und Neid läßt sich auch hier beobachten, und wir finden direkte Übergänge in 3:1ff und 4:5ff.

---

[39] Becker *Komm* 41 bevorzugt ganz unnötig die Lesart in α „..., denn der Herrscher der Verführung *und* der Geist der Eifersucht verfinsterte meinen Verstand,...". Vgl. aber idem *Untersuchungen* 328 mit Anm. 1.

[40] Berggren *De onda andarna* 78 faßt ihn unpersönlich auf.

TD richtet sich gegen Haß, und an drei Stellen begegnet ein πνεῦμα τοῦ θυμοῦ: 1:8; 2:1.4. Er alterniert mit θυμός, und die Begriffe lösen einander ab in 2:1f. In 2:1 steht Geist der Lüge und des Zorns parallel mit Wahrheit und Langmut. Man vergleiche damit 6:8: „..., und werft Zorn und jede Lüge weg und liebt die Wahrheit und die Langmut" (vgl. 5:1). Nach 2:4 wirft der Geist des Zorns das Netz der Verführung um den von Zorn Verblindeten und verfinstert seine Augen. Nach 2:2 bedeutet der Zorn selbst Blindheit. Wir verweisen ferner auf die Wirkungen des Zorns in Kap. 3; vgl. die Schilderung des Geistes des Neides in TSim 4:8f. Die psychologische Deutung drängt sich also unwiderstehlich auf[41]. TD Kap. 4 benutzt eine Reihe von alttestamentlichen, psychologischen Begriffen, die diese Erklärung unterbauen. Sie zeigen, daß es sich um die menschliche Gesinnung handelt: διαβούλιον, ψυχή, νοῦς (καρδία). TD 3:5f bietet einen direkten Beweis dafür, daß die psychologische Auslegung richtig ist: „...,denn *der Zorn* hilft ihm allezeit durch Ungesetzlichkeit. *Dieser Geist* wandelt immer mit der Lüge auf der Rechten Satans, ...". Die Sprache ist mythologisch gefärbt. Die Bedeutung ist aber deutlich entmythologisiert. Wir lenken den Blick ebenfalls auf TD 4:5, wo αὐτὸ τὸ πνεῦμα sich auf das vorangehende Verb θροεῖσθαι bezieht, das in diesem Zusammenhang „sich ängstigen" o.ä. heißen muß[42].

An einigen Stellen liegt eine zweifache Bestimmung zu πνεῦμα vor. In TJud 13:3 finden wir πνεῦμα τοῦ ζήλου[43] καὶ τῆς πορνείας; vgl. oben. TD, das sich primär gegen Zorn richtet, warnt auch vor Lüge und faßt in 2:1 beide Begriffe im Geist der Lüge und des Zorns zusammen. TD 1:6 kennt einen Geist der Lüge und der Prahlerei, während TSim 3:1 von dem Geist/ den Geistern[44] der Verführung und des Neides spricht. Sie müssen psychologisch aufgefaßt werden[45]. (Der Gebrauch von πνεῦμα im Singular stützt diese Annahme.)

---

[41] So: Munch *ActOr* 13 (1935) 263; Schweizer *ThWNT* VI,389 Anm. 339.

[42] Vgl. zum Verbum: Bauer *Wörterbuch* 719: „in innere Bewegung versetzt werden" und daher in den neutestamentlichen Beispielen 2.Thess 2:2; Mt 24:6; Mk 13:7; Lk 24,37 var.leg.: „erschreckt werden, sich in Schrecken setzen lassen"; vgl. Becker *Komm* 94, usw. Hoheslied 5:4 zeigt aber, daß auch andere Formen für innere Bewegung mit diesem Verb ausgedrückt werden können. Nach Munch *ActOr* 13 (1935) 263 bezieht sich αὐτὸ τὸ πνεῦμα auf den Zorn; vgl. Aschermann *Formen* 82. Das ist im Kontext nicht aktuell, denn in V.4b ist der Zorn ja Wirkung. Nach Hollander/M. de Jonge *Comm* 284 handelt es sich um „man's spirit". (Es empfiehlt sich dann eher, αὐτὸ τὸ πνεῦμα in αὐτό und τὸ πνεῦμα zu zerlegen und αὐτό als das Subjekt des Satzes aufzufassen.)

[43] Ζῆλος bedeutet hier nicht „Neid, Eifersucht" (gegen Hollander/M. de Jonge *Comm* 206; 208 [„jealousy"], u.a.), sondern eher „Eifer" im Sinn von „Leidenschaft"; vgl. Otzen *Gam-Pseud* 7,730; Rießler *Schrifttum* 1185 („Geist der Lüste"); Becker *Komm* 70.

[44] Für Mehrzahl = „β" entscheiden sich: Rießler *Schrifttum* 1156; Schnapp *APAT* II,463; M. de Jonge *Textausgabe* 7; *Editio Maior* 16; Hollander/M. de Jonge *Comm* 114; 117; u.a. Für Einzahl = α entscheiden sich: Charles *Comm* 19; Becker *Komm* 42; Kee *OTP* I,786; u.a.

[45] Vgl. Eppel *Piétisme* 86 mit Anm. 4.

Diese Verwendung des Pneumabegriffes ist ganz unmythologisch. πνεῦμα bezeichnet keinen Dämon, sondern eine menschliche Gesinnung, Disposition o.ä. Im Alten Testament begegnet רוח ebenfalls oft als ein psychologischer Begriff[46]. Viele der Ausdrücke der TP finden sich dort. Wir erwähnen: πνεῦμα τῆς πορνείας (in LXX ohne Artikel) = רוח זנונים in Hos 4:12; 5:4; πνεῦμα τοῦ ζήλου (= LXX: πνεῦμα ζηλώσεως) = רוח קנאה in Num 5:14. Πνεῦμα τοῦ θυμοῦ entspräche רוח אפים. Der Ausdruck liegt in Ex 15:8 und 2.Sam 22:16 vor, aber mit der Bedeutung „zorniger Atem"; vgl. dagegen die Version der LXX von Jes 27:8. Zu πνεῦμα τοῦ ψεύδους verweisen wir auf רוח שקר (LXX: πνεῦμα ψευδές). In den Qumrantexten finden wir רוח זנות (1QS 4:10) und רוח קנאה (1QH 2:15)[47].

An anderen Stellen werden die Geister als böse Geister, Geister der Verführung und Geister Beliars bezeichnet. Wir werden bald sehen, daß es sich auch hier um psychologische Termini handelt. Die Geister werden fünfmal böse Geister genannt: TSim 3:5; 4:9bis; TJud 16:1; TAs 1:9. TJud 16:1 zeigt deutlich, wie der Begriff gebraucht wird: „Beachtet nun, meine Kinder, die Grenze des Weines. Denn in ihm sind vier böse Geister, nämlich: die Begierde, die Lust, die Ausschweifigkeit und der schändliche Gewinn."[48] Die Geister entsprechen vier Lastern und sind somit unpersönlich[49]. Man vergleiche damit die Aussage in TJud 14:1f, nach der der Geist der Hurerei sich des Weines bedient. Die TP fordern trotzdem keine totale Abstinenz, sondern Mäßigkeit; vgl. IV,2. Die Idealgestalt Issachar hat auch Wein getrunken. Er hat sich aber vor jeder ἀποπλάνησις gehütet und somit die Grenzen des Weingenusses beachtet; vgl. TIs 7:3.

Wir haben gesehen, daß TSim vor dem Geist des Neides warnt. In 3:4f wird er ein böser Geist genannt: „...Da erkannte ich, daß die Erlösung von Neid durch Gottesfurcht geschieht. Denn wenn einer sich zum Herrn wendet, so eilt der böse Geist[50] von ihm fort und der Sinn wird leicht." In TSim 4:9 kommt der Begriff zweimal vor, einmal im Plural und einmal im Singular. Mit den bösen Geistern in der ersten Hälfte des Verses sind nagende Gedanken und Vorstellungen gemeint, die vom Neid verursacht sind. In

---

[46] Die nachfolgenden Beispielen dürfen nicht dämonologisch ausgelegt werden wie z.B. Aschermann Formen 48 mit Anm. 11 dies tut.

[47] Zum psychologischen Gebrauch von רוח in den Qumrantexten allgemein, vgl. Anderson JSS 7 (1962) 293ff.

[48] Die meisten Kommentare übersetzen mit Genitiv; vgl. z.B.: Becker Komm 72; Otzen GamPseud 7,732; Hollander/M. de Jonge Comm 213. (Rießler Schrifttum 1186 ergänzt „Geister"). A übersetzt sachlich richtig mit Nominativen. So auch Kee OTP I,799; vgl. ebenfalls Wibbing Tugend- und Lasterkataloge 32; M. de Jonge AOT 545f.

[49] Vgl. Eppel Piétisme 86 mit Anm. 1.

[50] Von Böcher Dualismus 34 Anm. 105 sogar auf Beliar gedeutet!

der zweiten Hälfte des Verses muß man den Text in "β" zugrunde legen[51]. Der Sinn ist: wenn der Neid einen Menschen ergriffen hat, spiegelt sich dies in seinem Aussehen wider. Das Äußere und das Innere des Menschen sind im Einklang[52]. Der nachfolgende Verweis auf Joseph in 5:1 bezeugt, daß diese Erklärung richtig ist und bestätigt die Wahl der Lesart. Joseph war anmutig von Gestalt und schön von Angesicht, weil nichts Böses in ihm wohnte. In ihm wohnte der Geist Gottes, TSim 4:4. TSim 5:1b bietet die Auffassung des Verfassers in Sentenzform: „Denn das Angesicht gibt von der Verwirrung des Geistes Kenntnis." Hier bedeutet „Geist" den inneren Menschen.

Der augenfällige Wechsel von Mehrzahl zu Einzahl in TSim 4:9 zeigt deutlich, daß hier von Dämonen keine Rede ist.

In TAs kommt der dualistische Grundcharakter der TP stärker als in jedem anderen Testament zum Ausdruck. In 1:3ff hören wir von den beiden Neigungen im Menschen (τὰ δύο διαβούλια, יצר טוב und יצר הרע). Der Mensch befindet sich in einem lebenslangen Kampf zwischen dem Guten und dem Bösen und steht entweder unter der Herrschaft Gottes oder der Herrschaft Beliars. Läßt man den schlechten Willen siegen, wird man ganz von Beliar beherrscht, und sogar die guten Taten wandeln sich in Bosheit um. Der Grund ist: ὁ θησαυρὸς τοῦ διαβουλίου[53] πονηροῦ πνεύματος πεπλήρωται (1:9). Das bedeutet, daß der Wille vom bösen Trieb regiert wird. Eine dämonologische Deutung kommt hier nicht in Frage[54]. Vgl. zum Gedankengang, IV,2C.

Der Ausdruck πνεῦμα/πνεύματα τῆς πλάνης kommt ebenfalls häufig vor: TR 2:1−2 + 3:3−6; TJud 14:8; 20:1ff; TAs 6:2; TIs 4:4; TN 3:3. Es empfiehlt sich, mit TR 2:1−2 + 3:3−6[55] anzufangen, weil der Sinn dort besonders klar ist. TR 2:1−2 sprechen von den sieben Geistern der Verführung. Aus TR 3:3−6 ergibt sich, daß sie sieben Laster sind. Den Schlüssel zum richtigen Verständnis liefert 3:6: „Der siebte (ist der) *Geist des Unrechts*, ... Denn *das Unrecht* wirkt mit den *übrigen Geistern* zusammen ..." Πνεῦμα ἀδικίας wird durch ἀδικία ersetzt, und das Unrecht ist selbst einer

---

[51] So mit Recht: M. de Jonge *Textausgabe* 8; *Editio Maior* 19; Hollander *SCS* 5,99 Anm. 285; Schnapp *APAT* II,464.

[52] Vgl.: Hollander *SCS* 5,76; 99 mit Anm. 285; *Ethical Model* 56; Hollander/M. de Jonge *Comm* 120.

[53] Die Mss beaf und A fügen ἰοῦ hinzu. Diese Lesart wird von Hollander/M. de Jonge *Comm* 342 verteidigt. Sie meinen, das Wort „has been left out in dchj either by accident (haplography) or in order to make the whole phrase somewhat easier to read." Näher liegt die Vermutung Beckers in *Komm* 114: „Entweder liegt sekundärer Einfluß aus TG 5:1 vor, oder ἰοῦ entstand durch Doppelschreibung des Endes aus διαβουλίου."

[54] Böcher *Dualismus* 77 klassifiziert die Stelle sachlich richtig unter der Vorstellung der beiden Geister.

[55] Zur Abgrenzung vgl. II,3 mit Anm. 7−14.

der Geister der Verführung. Die Stelle muß also psychologisch gedeutet werden[56], nicht dämonologisch[57]. Vgl. übrigens IV,2C.

In derselben Weise deuten wir TJud 14:8, der sich gegen Mißbrauch von Wein wendet. Trinkt man zuviel, läßt der Wein den Geist der Verführung in den Verstand eindringen[58]. Die schon besprochenen Stellen 14:2 und 16:1 werfen Licht auf diesen Text und zeigen, daß eine dämonologische Auslegung ausgeschlossen ist. Man beachte, daß 14:8 von dem einen Geist der Verführung redet, während 16:1 vier Geister im Wein erwähnt.

In TAs 6:2 muß man den Text in Mss bdg und A zugrunde legen[59]: „Hasset die Geister der Verführung, die gegen die Menschen kämpfen." Dieser Satz gehört nicht zusammen mit 6:2a, sondern bildet zusammen mit 6:3 die typische Schlußmahnung[60]. Der persönliche Klang ist kein Argument für ein dämonologisches Verständnis[61], denn er ist für diesen Gebrauch des Begriffes typisch und ist in vielen der schon besprochenen Stellen belegt. Der Übergang zu einer dämonologischen Verwendung kommt erst in 6:4ff, und zwar in einem sekundären Abschnitt[62].

Der Kontext mit seiner Häufung von psychologischen Begriffen zeigt, daß die Geister der Verführung in TI 4:4 ebenfalls psychologisch erklärt werden müssen.

In TJud 20:1ff hören wir von den beiden Geistern, die um den Menschen kämpfen, dem Geist der Wahrheit und dem Geist der Verführung. Das ist eine ganz unmythologische Darstellung vom guten und vom bösen Trieb im Menschen[63]. Diese Stelle gehört also sachlich mit TAs 1:3ff zusammen; s. ferner 1QS 3:13ff. Daß der Mensch selbst seine Wahl für das Gute oder das Böse trifft, kommt in V.2 zum Ausdruck: es gibt auch einen Geist „der Einsicht des Verstandes", der die Entscheidungen des Menschen bestimmt.

In TN 3:3 drängt sich dagegen eine dämonologische Auslegung unwider-

---

[56] Vgl. Eppel *Piétisme* 85; Berggren *De onda andarna* 77 (zögernd); Wibbing *Tugend- und Lasterkataloge* 32. Treves *RQ* 3 (1961) 452 bemerkt: „These seven spirits are inclinations to various sins and are seated in various organs of the human body."

[57] Obwohl Böcher *Dualismus* 35 die Geister mit Lastern gleichstellt, identifiziert er sie ibid. 48 mit den δαίμονες πλάνης in TJud 23:1! In der Tat läßt Böchers Auffassung der Geister der TP sich schwer greifen; man vergleiche *Dualismus* 30; 36; 88; *Dämonenfurcht* passim; 146.

[58] Καὶ ποιεῖ nach νοῦν in Ms b ist Dittographie; vgl. Hollander/M. de Jonge *Comm* 209.

[59] Der große Einschub aus Röm 1:32 in TAs 6:2a hat auch zu Änderungen in V.2b geführt; vgl. zu diesem Problem III,4 mit Anm. 23.

[60] Vgl. den Aufbau der Testamente in II,1.

[61] Gegen: Otzen *StTh* 7 (1953) 143 mit Anm. 1; Hultgård *L'eschatologie* II,160.

[62] Vgl. die Besprechung in II,10; III,4; III,5.

[63] Vgl. z.B.: Böcher *Dualismus* 73; Baltzer *Bundesformular* 157 Anm. 1; Otzen *StTh* 7 (1953) 137; 143 Anm. 1; *GamPseud* 7,733; Sinker *Testamenta* 118; u.a. S. weiter IV,2C.

stehlich auf[64]. Es heißt dort, daß die Völker Hölzern und Steinen gehorchten/nachfolgten, den Geistern der Verführung. Fremde Götter werden im Alten Testament „Hölzer und Steine" genannt; vgl. Dtn 4:28; 28:36; Ez 20:32 u.a. Sie wurden später als Dämonen aufgefaßt. Es handelt sich um eine typische *Glosse*, die wahrscheinlich in TJud 23:1 ihren Ausgangspunkt hat[65].

Der Ausdruck „der Geist/die Geister Beliars" mutet auf den ersten Blick dämonologisch an. Bei näherem Zusehen entdeckt man, daß er psychologisch gebraucht wird. TD 1:7f ist instruktiv: „Und einer von den Geistern Beliars unterstützte mich: 'Nimm das Schwert, und mit ihm töte Joseph, dann wird dich dein Vater lieben, wenn er (d.h. Joseph) gestorben ist'. Dieses war der Geist des Zornes, der mich überzeugen wollte."

In diesem Text wird „einer der Geister Beliars" mit dem Geist des Zornes identifiziert. Der Geist des Zornes ist aber ein psychologischer Terminus und entspricht dem Zorn Dans; s. oben.

Diese eindeutige Stelle muß die Auslegung von TIs 7:7 bestimmen. Der Patriarch hebt in 7:1ff sein mustergültiges Leben hervor und fordert seine Nachkommen auf, ihn nachzuahmen. Wenn sie das tun, wird jeder Geist Beliars vor ihnen fliehen. Keine Tat böser Menschen wird über sie herrschen, und sie werden alle wilden Tiere bezwingen. Nochmals klingt die Sprache dämonologisch[66], doch hat sie sich mehrmals als ein unzulängliches Argument erwiesen; vgl. z.B. TSim 3:5; 4:7f; TD 1:7f. Gemeint ist hier, daß auch der Kampf auf der inneren Ebene siegreich werden wird.

TB 6:1 ist schwieriger. Wir hören, daß das διαβούλιον des guten Mannes nicht ἐν χειρὶ πλάνης πνεύματος Βελιάρ ist. Die Bedeutung wird leider vom mehrdeutigen Genitiv πλάνης πνεύματος Βελιάρ verdunkelt[67]. Der Text ist ein Gegenpol zu TAs 1:3ff. Der Sinn ist: der Gute wird nicht vom Bösen beherrscht.

TB 3:3−4 sind problematisch. Es heißt in V.4b: „Denn wer Gott fürchtet und seinen Nächsten liebt, kann vom Geist Beliars nicht geplagt werden, weil er von der Furcht Gottes beschirmt wird." Diese Formulierung fällt

---

[64] Vgl. Eppel *Piétisme* 85; Munch *ActOr* 13 (1935) 259f; Berggren *De onda andarna* 78; Hultgård *L'eschatologie* II,160.

[65] Man beachte, daß die ethisch-didaktischen Stücke sonst immer πνεῦμα/πνεύματα τῆς πλάνης sagen. In TN 3:3 haben wir dagegen πνεύματα πλάνης und in TJud 23:1 δαίμονες πλάνης, beide Male ohne den bestimmten Artikel.

[66] Vgl. die Deutung von: Berggren *De onda andarna* 78 (mit Vorbehalt); Hultgård *L'eschatologie* II,160.

[67] Es heißt sonst πνεῦμα τοῦ Βελιάρ, und die Wortstellung ist problematisch. Man kann entweder πνεύματος Βελιάρ als Genitiv der Herkunft zu πλάνη auffassen („in der Hand der Verführung, die vom Geist Beliars stammt"), oder Βελιάρ allein als Genitiv der Herkunft zu πλάνη πνεύματος betrachten („in der Hand des Geistes der Verführung, die von Beliar stammt"). Schließlich läßt sich Beliar explikativ verstehen („in der Hand des Geistes der Verführung, nämlich Beliar". In diesem Fall wäre πνεῦμα dämonologisch gebraucht).

auf, wird aber verständlich, wenn wir den vorangehenden Satz in Betracht nehmen: „Wieviele Menschen wollten ihn (d.h. Joseph) töten, aber Gott beschützte ihn." Der Geist Beliars bezeichnet also in V.3 – dort sogar im Plural gebraucht – den menschlichen Haß gegen den unschuldigen Joseph. Gegen solche Übergriffe sind alle Frommen geschützt. Die Textüberlieferung zeigt, daß man diese Stelle dämonologisch ausgelegt hat, denn die meisten Mss lesen in V.4 ὑπὸ τοῦ ἀερίου πνεύματος Βελιάρ. Das ist eine interpretierende Auffüllung[68], die wahrscheinlich von Eph 2:2 stammt.

Neben diesen Hauptgruppen sind noch einige Einzelstellen zu besprechen. In TB 5:2 lesen wir, daß die unreinen Geister von den Guten fliehen werden. Diese unreinen Geister unterscheiden sich offenbar nicht von z.B. den bösen Geistern; vgl. TSim 3:5. TG 4:7 erwähnt den Geist der Liebe als einen Gegensatz zum Geist des Hasses[69]; s. oben unter dem Geist des Hasses.

In TB 4:5 bedeutet „die Gnade eines guten Geistes" eine gute Gesinnung; vgl. die Fortsetzung in 5:1.

TN 2:2, TG 5:9 und TSim 5:1 stehen für sich und benutzen πνεῦμα als einen anthropologischen Begriff. TN 2:2 betont die vollkommene Einheit von Körper und Geist („Seele"); vgl. IV,2C. In TG 5:9 bezeichnet πνεῦμα den Lebensgeist („das Leben"). Zu TSim 5:1 s. oben unter den bösen Geistern.

* * *

Die Aussagen über den Geist Gottes haben wir in den prophetisch-apokalyptischen Abschnitten als eine dritte Hauptgruppe klassifiziert. Er findet sich in den ethisch-didaktischen Stücken an zwei Stellen: TSim 4:4 und TB 8:2.

Joseph war ein guter Mann und in ihm wohnte der Geist Gottes (TSim 4:4). Der Geist Gottes wohnt ebenfalls in allen, die einen reinen Sinn haben (TB 8:2). Dieser Gebrauch des Ausdruckes läßt sich kaum von seiner psychologischen Verwendung unterscheiden. Der Geist Gottes bildet einen Gegensatz zum Geist Beliars. In den prophetisch-apokalyptischen Abschnitten hat der Geist Gottes einen anderen Bedeutungsinhalt; die Belegstellen (TJud 24:2; TB 9:4) sind außerdem christlich.

---

[68] Gegen: M. de Jonge *Textausgabe* 80; *Editio Maior* 169; Schnapp *APAT* II,503; Hollander *SCS* 5,78; 100 Anm. 310; *Ethical Model* 68; 127 Anm. 23; Hollander/M. de Jonge *Comm* 417; 419.
Richtig: Becker *Untersuchungen* 246 mit Anm. 3; *Komm* 132; Aschermann *Formen* 34; Rießler *Schrifttum* 1245; Charles *Text* 217; *Comm* 201; Kee *OTP* I,825.

[69] Psychologische Deutung bei: Otzen *GamPseud* 7,763 (mit Vorbehalt).

D. Folgerung

In den ethisch-didaktischen Stücken kommt πνεῦμα fast ausschließlich in einem psychologischen Sinn vor, der an den hebräischen Gebrauch von רוח anknüpft. Eine dämonologische Verwendung findet sich nur in TN 3:3. Der Verdacht einer Interpolation legt sich hier nahe. (Dasselbe gilt für die interpretierende Auffüllung in TB 3:4, die zwar nicht in alle Texte Eingang gefunden hat; s. Mss cl.) In den prophetisch-apokalyptischen Abschnitten ist die Situation umgekehrt. Der dämonologische Gebrauch dominiert, und der psychologische tritt völlig in den Hintergrund.

Die Grundschrift scheint πνεῦμα nicht als einen dämonologischen Terminus gebraucht zu haben. Das bedeutet kaum, daß der Verfasser nicht mit Dämonen gerechnet hat, sondern nur, daß πνεῦμα für einen psychologischen Gebrauch reserviert wird. Man darf jedenfalls folgern, daß der Glaube an Dämonen in der Grundschrift keine große Rolle spielt. Daß die Beliargestalt persönlich gedacht ist, ist kaum zu bezweifeln, obwohl Beliar sowohl im Alten Testament als auch in den Qumrantexten als ein unpersönlicher, abstrakter Begriff gebraucht werden kann[70]; vgl. z.B. Ps 101:3; 1QH 2:16; 4:13f. (Es handelt sich in diesen Beispielen um menschliche Handlungen und Pläne, und „Beliar" qualifiziert sie als negative Größen.) Wenn auch Beliar eine Person ist, folgt daraus nicht ohne weiteres, daß seine Geister Dämonen sind. Man muß die Texte zu Wort kommen und sie ihren Gebrauch des πνεῦμα-Begriffes selbst definieren lassen.

Unsere Auffassung des πνεῦμα-Begriffes in den ethisch-didaktischen Stücken als eines psychologischen Begriffes wird davon bestätigt, daß der Kampf gegen die bösen Geister ein Kampf gegen die Sünde auf einer ganz persönlichen Ebene ist[71]. Die geeigneten Kampfmittel sind Gebet, Fasten, Einhaltung der Gebote, Gottesfurcht usw. Die persönliche Verantwortung steht für den Verfasser fest, auch wenn er mit Versuchungen rechnet. Satan kann die Schwachheit eines Menschen ausnützen und ihn verblenden; vgl. TSim 2:7; TJud 19:4. Die Versuchungen werden aber auch sündigen Neigungen zugeschrieben; vgl. z.B. TJud 18:2f.6; TL 13:7; TD 2:2; TG 3:3. Beliar ist tatsächlich niemals Subjekt des Verbums πλανᾶν, während man dagegen von Lüsten, Lastern und allerlei äußeren Faktoren verführt werden kann; vgl. TR 4:6; 5:3; TJud 14:1.5; 17:1; TG 3:1 u.m. Die Sünde wird oft als ἄγνοια charakterisiert; vgl. TR 1:6; TJud 19:3; TSeb 1:5; TG 5:7; s. ferner das Verb ἀγνοεῖν in TJud 19:4. Der Handelnde ist aber immer der Mensch selber, und nur er ist für seine Handlungen verantwortlich.

---

[70] Im Alten Testament ist Beliar überwiegend abstrakt gebraucht; vgl. Gesenius *Handwörterbuch* 100f; vgl. doch Otzen *DTT* 36 (1973) 6. In den Qumrantexten liegt sowohl eine abstrakte Verwendung als auch ein Gebrauch als *nomen proprium* vor; vgl. Huppenbauer *ThZ* 15 (1959) 81ff; Otzen *DTT* 36 (1973) 12ff.

[71] Man vergleiche zum nachfolgenden: Leivestad *NTT* 55 (1954) 114ff.

Es ist typisch, daß die Mahnungen und die Verheißungen niemals ein eschatologisches Ziel haben, sondern ganz diesseitig sind; vgl. III,4. Der Kampf gegen die Geister wird nicht mit dem kommenden Heil oder Gericht motiviert. Es handelt sich um einen dauernden Kampf gegen die Sünde, der nur dann erfolgreich wird, wenn man immer wieder sich selbst besiegt. In den prophetisch-apokalyptischen Abschnitten ist dieser Kampf ganz anders gestaltet. Es handelt sich dort um ein eschatologisches Drama, das mit dem endgültigen Sieg über Satan und seine Trabanten endet.

Die Geister in den ethisch-didaktischen Stücken haben also nichts mit Besessenheit zu tun, und Munch macht ganz richtig darauf aufmerksam, daß wir niemals von Exorzismus hören[72].

Der wechselnde Gebrauch des πνεῦμα-Begriffes läßt sich als ein literarkritisches Indiz verwerten. Unsere Hauptthese, daß die ethisch-didaktischen Stücke und die prophetisch-apokalyptischen Abschnitte auf verschiedene Hände zurückgehen, wird dadurch unterbaut. Dabei sind wir uns des unterschiedlichen Charakters dieser beiden Hauptteile bewußt und sehen, daß der psychologische Gebrauch im ersteren, der dämonologische dagegen im letzteren zu Hause ist. Daß ein Verfasser denselben Begriff auf mehrere Weise anwenden kann, ist auch wohlbekannt[73]. Unsere Pointe besteht aber darin, daß die beiden Verwendungen so konsequent verteilt sind und sich kaum überschneiden. Im Mahnungsteil ist der dämonologische Gebrauch, abgesehen von den verdächtigen Stellen TN 3:3 und TB 3:4, unbekannt. Den beiden Hauptteilen ist nur die Terminologie gemein, während die Verwendungen auseinanderfallen.

Der unterschiedliche Gebrauch der Pneumavorstellung gewinnt an Wert, wenn man ihn im Zusammenhang mit anderen Themata wie Gericht und Vergeltung sieht. Dies werden wir sogleich in III,4 beobachten können: der psychologische Pneumabegriff korrespondiert mit einer diesseitigen Vergeltung, der dämonologische mit eschatologischen Gerichtsmotiven.

---

[72] *ActOr* 13 (1935) 261.

[73] Ein wechselnder Gebrauch von רוח kommt z.B. in 1QS 3:13ff vor. (Gegen die Exegese Wernberg-Møllers in *RQ* 3 (1961) 413ff. Er verneint, daß רוח hier auch Engel/Dämonen bezeichnen kann, und führt eine psychologische Auslegung durch.) Vgl. weiter: Betz *Der Paraklet*, wo Betz zeigen will, wie der Paraklet sowohl als Person als auch als Kraft erscheinen kann.

4. Diesseitige Vergeltung und jenseitiges Gericht

A. Die ethisch-didaktischen Abschnitte

Die ethisch-didaktischen Abschnitte sind von der Vorstellung einer diesseitigen Vergeltung beherrscht. Jede Handlung eines Menschen, sei sie gut oder übel, wird in diesem Leben belohnt oder gestraft.

TL 13:6 ist ein geeigneter Ausgangspunkt zur Illustration dieser These:

„Und säet in euren Herzen Gutes,
so werdet ihr es in eurem Leben finden.
Wenn ihr Böses säet,
werdet ihr alle Unruhe und Trübsal ernten.“

Das Bild vom Säen und Ernten ist wohlbekannt; vgl. Gal 6:7f[1]. Die Formulierung „in eurem Leben" zeigt, daß Belohnung und Strafe ganz diesseitig sind. Der Gedankengang ist von der alten israelitischen Lebensanschauung geprägt, daß das Heil das Resultat guter Handlungen ist, während dem Bösen das Unglück folgt. In den TP ist Gott der Bürge dieser Vergeltung: „Habt nun Erbarmen in eurem Inneren[2]. Denn wie jemand mit seinen Nächsten handelt, so wird der Herr auch ihm tun", TSeb 5:3. Dieses Prinzip des *ius talionis* ist im Kulturkreis der TP weitverbreitet; vgl. Jub 4:31; Mt 7:2. TL 13:6 und TSeb 5:3 illustrieren die Hauptpunkte der Vergeltungslehre der Grundschrift. Sie lassen sich mit mehreren Beispielen konkretisieren.

Nach dem zweistrophigen, antithetischen Gedicht in TN 8:4.6[3] schaffen die Taten des einzelnen eine Sphäre von Segen oder Fluch. Wer das Gute tut, wird von Menschen, Engeln und Gott geliebt. Der Teufel flieht von ihm, und die wilden Tiere fürchten ihn. Wer das Gute *nicht* tut, wird von Menschen, Engeln und Gott gehaßt. Er wird das Werkzeug des Teufels, und die wilden Tiere beherrschen ihn. Diese Kontraste werden wir jetzt getrennt behandeln. Dabei beginnen wir mit der Belohnung.

In TSeb 5:1ff gebietet Sebulon seinen Söhnen, sie sollen Barmherzigkeit

---

[1] Mehrere Beispiele in Hollander/M. de Jonge *Comm* 166. Das doppelte Bild in TL 13:6 (positiv *und* negativ) ist selten. Im allgemeinen wird nur *ein* Aspekt betont.

[2] Wörtlich: „in euren Eingeweiden"; vgl. V.4.

[3] Vgl. unsere Analyse in II,12 mit Anm. 70.

gegenüber sowohl Menschen als auch unvernünftigen Tieren üben. Wegen seines Erbarmens habe der Herr ihn gesegnet. Gott habe ihn vor Krankheit geschützt (5:3), und während andere auf dem Meer Not gelitten hätten, sei er selbst ohne Schaden geblieben (5:5).

In TIs 5:1ff ermahnt Issachar seine Söhne, sich Lauterkeit zu erwerben und in Arglosigkeit zu wandeln. Das heißt konkret, den Herrn und den Nächsten zu lieben und sich des Schwachen und Armen zu erbarmen. Dann werde der Herr sie durch die Erstlinge der Feldfrüchte segnen, so wie er alle Heiligen von Abel bis jetzt gesegnet habe (5:4).

An vielen Stellen wird in ziemlich stereotypen Formulierungen betont, daß wilde Tiere und „böse Geister"[4] nichts gegen den Guten und Gottesfürchtigen vermögen; vgl. TSim 3:5; 4:7; TIs 4:4; 7:7; TB 3:5; 5:2f.

Schutz vor dem Bösen erreicht man vor allem durch das Studium und die Einhaltung des Gesetzes; vgl. z.B. TJud 26:1; TD 5:1f; TR 3:9. Das schönste Beispiel liefert TL Kap. 13. Das ganze Kapitel bietet eine zusammenhängende Reihe von Verheißungen. Den Höhepunkt bringt V.9: „Wer Gutes lehrt und tut, wird Throngefährte der Könige sein, wie auch Joseph, unser Bruder."

Diese Vergeltung ist ganz und gar diesseitig. Man findet zwar oft Futurumsformen, doch sind sie nicht eschatologisch, sondern logisch gemeint. Der Sinn ist: „Wenn ihr dies oder jenes tut, wird die Konsequenz so und so." TL Kap. 13 ist eine ausgezeichnete Illustration[5].

In der Paränese ist Joseph das große Vorbild[6]. TR 4:8 hebt seine Standhaftigkeit gegen Hurerei hervor. Das Resultat blieb nicht aus. Er fand „Gnade" vor Gott und Menschen. Diese Gnade ist ebenso konkret wie die Begriffe „Segen" und „Fluch" in TN 8:4.6[7]. In diesem Fall rettete Gott ihn von jedem „schlimmen verborgenen Tod". Vom Tod hat Gott ihn mehrmals errettet; vgl. TSim 2:7f; TD 1:9; TG 2:5. TSim 4:4f verweisen auf Josephs Mitleid und Barmherzigkeit. Er habe seine Brüder geliebt und des-

---

[4] Vgl. zu diesem Begriff III,3.

[5] In TL 13:5 muß im Nachsatz das Objekt „Gerechtigkeit" ergänzt werden. Daraus folgt aber nicht, daß hier von einer jenseitigen Vergeltung gesprochen wird. (Gegen: Eppel *Piétisme* 144; Otzen *GamPseud* 7,718; 764; Kohler *JewEnc* 12,115; Charles *Comm* 52; Rießler *Schrifttum* 1167; usw.) TL 13:5 entspricht sachlich TSeb 5:3. Hätte der Verfasser ἐλεημοσύνη statt δικαιοσύνη gebraucht – die beiden Begriffe wechseln oft in spätjüdischen und christlichen Texten –, hätte kaum jemand an eine jenseitige Vergeltung gedacht. Gemeint ist also „Lohn vom Himmel", denn „im Himmel" ist nicht lokal, sondern bedeutet „bei Gott"; vgl. zum Gedanken auch Matt 6:12.
Die von Charles *Text* 53; *Comm* 52 und Perles *BOLZ* 2 (1908) 12 angenommene Textkorruption – ihre Vorschläge weichen zwar voneinander ab –, sei nur erwähnt. Sie hat nur wenige Zustimmung erfahren; vgl. zum Problem auch Haupt *Levi* 89.

[6] Das wird in vielen Arbeiten betont. Wir verweisen vor allem auf Hollander *SCS* 5,47ff und *Ethical Model*, verzichten aber auf eine Diskussion seiner Thesen.

[7] Vgl. z.B.: TSim 4:5f; TJud 2:1; TJos 11:6; 12:3.

halb habe Gott ihn gesegnet. Wenn die Söhne Simeons ihn nachahmen, werde Gott sie in derselben Weise belohnen. In TB 5:5 ist er Paradigma des leidenden Gerechten, der nach vielen Prüfungen seinen Lohn empfängt; zur Problemstellung vgl. unten. TJos ist an sich der beste Beweis dafür, daß Gott seine Diener schützt. Wenn die Söhne Josephs in den Geboten des Herrn wandeln, werde Gott sie erhöhen und für allezeit segnen. Joseph verweist auf sich selbst als eine lebendige Garantie dieser Verheißung. Seine hohe Stellung im Dienst des Pharao und seine Ehe mit der Tochter des Priesters von Heliopolis (18:3) seien kein Zufall. Gott habe ihm auch Schönheit gegeben (18:4), vgl. TSim 5:1, und diese Schönheit und Kraft habe er bis ins hohe Alter beibehalten (18:4). Wir erinnern zuletzt nochmals an TL 13:9.

Trotz aller Rede von der Belohnung der Gerechten dominiert der Strafgedanke. Die Drohungen sind an einigen Stellen sehr stark. Nach TD 2:1 droht Dan seinen Söhnen damit, daß sie zugrunde gehen werden, wenn sie sich selbst nicht vor dem Geist der Lüge und des Zorns bewahren. Onan und Er mußten ihre Bosheit mit dem Leben büßen, TJud 10:1ff. (S. auch TJud 11:5, wo der Text freilich unsicher ist. Nach α starb die Frau Judas durch die Schlechtigkeit ihrer Söhne, nach "β" durch ihre eigene Schlechtigkeit. Juda verlor seine Söhne wegen seiner Geldgier, TJud 19:2. Die Strafe traf ihn indirekt.) TR 4:6 sagt, daß Hurerei junge Männer vor ihrer Zeit in den Hades hinabführe. TJud 16:3 warnt vor Übertretung der Gebote Gottes, weil man sonst vor seiner Zeit umkommen werde. Das Grauen der Sünde tritt in diesen zwei Beispielen im Ausdruck οὐκ ἐν καιρῷ αὐτῶν[8] o.ä. offen an den Tag. Die Übertreter sterben in jungem Alter, bevor ihr Leben seinen natürlichen Abschluß erreicht hat. Ruben entgeht diesem Schicksal mit knapper Not, weil sein Vater für ihn eintritt (TR 1:7; vgl. TG 5:9). Kain ist ein anderes Schreckensbeispiel. Wegen des Brudermordes an Abel brachte der Herr nach jeweils hundert Jahren eine Strafe über ihn, und zuletzt wurde er vernichtet (TB 7:3f). Nach TB 7:5 werden alle, die Kain in Neid und Bruderhaß gleichen, mit gleicher Strafe bestraft. TB 2:4 erzählt, daß der Ismaelit, der Joseph schlug, von einem Löwen getötet wurde.

Diese dramatischen Episoden sind jedoch Ausnahmen. Im allgemeinen werden die Sünder mit Krankheiten gestraft. Sebulon wurde wegen seiner Barmherzigkeit mit Gesundheit gesegnet. Seine Brüder waren aber krank (TSeb 5:2), und ihre Söhne starben beinahe[9], weil sie kein Erbarmen gegen Joseph übten (TSeb 5:4). Nach der Missetat in Sichem wurde Levi ebenfalls krank (TL 6:7[10]). An mehreren Stellen kommt das Talionprinzip deut-

---

[8] Der hebräische Ausdruck בלא עתם liegt zugrunde; vgl. Charles *Comm* 10.

[9] Der Text hat Imperfektum, wird aber in vielen Übersetzungen als ein Aorist übersetzt.

[10] Vgl. den Kommentar zur Stelle in II,14 mit Anm. 77.

lich zu Wort. In TG 5:10 wird die negative Seite betont: „Denn womit ein Mensch ungesetzlich handelt, daran wird er auch gestraft"; vgl. SapSal 11:16; Jub 4:31; 2.Makk 5:10; 15:32ff. Versehen und Strafe entsprechen einander. In den TP bedeutet dies primär, daß dasjenige Organ, mit dem die sündige Lust oder Handlung verbunden ist, krank wird. Gad haßte seinen Bruder Joseph, und Gott brachte eine Lebererkrankung über ihn (TG 5:9.11[11]). Die Leber ist nämlich Sitz des Zornes, Neides, Hasses usw; vgl. TR 3:4; TSim 2:4.7; TN 2:8 u.m. Nach dem Beischlaf mit der Nebenfrau seines Vaters wurde Ruben mit einer großen Plage an seinen Lenden geschlagen (TR 1:6f). Simeons rechte Hand war sieben Monate lang halb verdorrt, weil sie an Joseph legen wollte (TSim 2:12[12]). Nach TG 5:11 entsprach die Dauer der Strafe der Zeit, während der sich Gad feindlich gegen Joseph verhielt. Ein Prinzip ist dies allerdings nicht. Es stimmt nicht im Falle Rubens und Simeons[13], geschweige denn im Falle Kains.

Das Gewissen wird in TR 4:3 als strafende Instanz beschrieben. Das Herz hat Gewissensfunktion in TJud 2:5; TG 5:3[14].

Die Beispiele zeigen, daß Lohn und Strafe diesseitig sind. Dem Gerechten und dem Ungerechten wird nach Verdienst in diesem Leben vergolten. Das ist ein einfaches Schema, das nicht immer im Einklang mit der Wirklichkeit ist. Oft leben gerade die Gottlosen glücklich, während die Frommen geplagt werden. Diese Anfechtung hat u.a. in Hiob, Qohelet und Ps 73 literarische Niederschläge gefunden. Für den Verfasser der TP repräsentiert sie kein großes Problem. Sein Glaube an das Talionprinzip ist offenbar viel zu stark[15]. Nichtsdestoweniger taucht die Frage an einigen Stellen auf: auch die Gottesfürchtigen können betroffen werden. Joseph ist das typische Beispiel des leidenden Gerechten. In seiner Lösung des Problems in TB 5:5 verweist der Verfasser auf ihn: „Und wenn er (d.h. der Gerechte) für kurze Zeit erniedrigt wird, so erscheint er nach nicht langer Zeit strahlender, wie Joseph, mein Bruder, gewesen ist." Sein Unheil wird also nie lange dauern. Umgekehrt nimmt auch das Glück des Gottlosen sein Ende. Der Autor rät in TG 7:4, den ὅρος des Herrn abzuwarten. Gemeint ist, daß Gott ein Ende für das Ungerecht gesetzt hat[16].

TG 7:4 wirft Licht auf die Stelle TB 4:1, die oft mißverstanden worden ist. Der Text lautet: Ἴδετε, τέκνα (μου), τοῦ ἀγαθοῦ ἀνδρὸς τὸ τέλος. Τέλος = „Ende" bedeutet hier nicht „Tod" und braucht nicht in ἔλεος =

---

[11] Nach Kohler *JewEnc* 12,117: „disease of the heart".
[12] Vgl. den Kommentar zur Stelle in II,4 mit Anm. 4.
[13] Zu Simeon, s. auch TSim 4:1ff.
[14] Parallelen und Literatur zum Thema in Becker *Komm* 36.
[15] Vgl. Eppel *Piétisme* 137.
[16] Charles *Text* 169; *Comm* 158 meint, daß ὅρος dem hebräischen Wort מועד (das heiße hier eine von Gott bestimmte Frist) entspreche. Näher liegt ein Vergleich mit אחרית in Ps 73:17.

„Erbarmen" geändert zu werden[17]. Der gute Mann ist Joseph, und der Sinn ist, daß Gott ihn nach der Erniedrigung erhöht hat[18]; vgl. TB 5:5. Eine gute Parallele findet sich in Jak 5:11:„ ... Ihr habt von der Ausdauer des Hiob gehört, καὶ τὸ τέλος κυρίου εἴδετε, ...". Τὸ τέλος κυρίου bezieht sich nicht auf den Tod Jesu, sondern bedeutet, daß Gott das Schicksal Hiobs wandte[19].

In den paränetischen Abschnitten kommen verschiedene Begriffe für „Strafe" und „Gericht" vor: ἐκδίκησις, κολάζειν, κόλασις, κρίμα, κρίνειν und κρίσις. Wir werden sie der Reihe nach untersuchen. Nach unserer These ist keiner dieser Begriffe eschatologisch gebraucht, was wir konkret nachweisen müssen. Die aktuellen Belegstellen begrenzen sich auf diejenigen, die Gott als Subjekt haben. Texte, die von menschlichen Relationen handeln, sind dagegen ohne Belang.

1. ᾽Εκδίκησις: TG 6:7 und TJos 20:1. Das Thema in TG 6:3−7 ist Buße und Reue; vgl. II,5; IV,2. Gad ermahnt seine Söhne, nicht nur dem Bußfertigen, sondern auch dem Unbußfertigen zu vergeben. Er beendet seine Mahnung mit den Worten „und überlaß Gott die Vergeltung"; vgl. Dtn 32:35; Röm 12:19. Man soll sich also nicht rächen, denn Gott werde die Sünder strafen. Der Kontext und das diesseitige Talionprinzip schließen eine eschatologische Deutung aus. In TJos 20:1 prophezeit der Patriarch von den Plagen des Volkes[20] in Ägypten, sagt aber zugleich, daß Gott für sie Rache nehmen werde. Diese Rache wird deutlich in Verbindung mit dem Auszug aus Ägypten gesetzt.

2. Κρίμα: TG 7:3 (Pl.). Der Text ist unsicher[21]. Eine eschatologische Deutung kommt nicht in Frage. Die Aufforderung „erforsche die Gerichte des Herrn" setzt ja gerade voraus, daß sie sich *hic et nunc* nachprüfen lassen; vgl. TG 7:4 oben und TG 7:5 unten.

3. Κρίνειν: TG 5:11; TB 7:4.5. TG 5:11 haben wir schon oben im Zusammenhang mit dem Talionprinzip untersucht. TB 7:3f erzählt von den schrecklichen Plagen, die Kain wegen seines Brudermordes ertragen mußte. TB 7:5 setzt diese Linie fort. Alle, die Kain in Neid und Bruderhaß gleichen, werden mit gleicher Strafe bestraft. Diese Regel hat für alle Zeit ihre Gültigkeit.

---

[17] Das tun dagegen: Schnapp *Testamente* 81; Charles *Text* 219; *Comm* 203 (vorbehaltender); Becker *Untersuchungen* 248 mit Anm. 3; *Komm* 133. Diese Konjektur stimmt mit A (welchen Text Schnapp nicht gekannt hat) überein. Zu Charles und Becker, vgl. Anm. 18.

[18] So auch: Hollander/M. de Jonge *Comm* 422; Hollander *Ethical Model* 69f. Becker und Charles in Anm. 17 kennen ebenfalls diese Deutung; s. weiter: Hultgård *L'eschatologie* I,263 Anm. 2 (evtl.: eschatologisch).

[19] Mehrere Parallelen in Dibelius/Greeven *Der Brief des Jakobus* 227.

[20] Man beachte, daß in TJos nicht nur die Söhne Josephs, sondern auch seine Brüder Adressaten sind; vgl. 1:1f.

[21] Vgl.: Charles *Text* 169; *Editio Maior* 132f; Hollander/M. de Jonge *Comm* 331; 332.

4. Κρίσις findet sich nur in einigen Mss zu TB 7:5; vgl. unter 3.

5. Κολάζειν: TG 5:10; TAs 6:2. TG 5:10 haben wir schon oben im Zusammenhang mit dem Talionprinzip behandelt. TAs 6:2 lautet nach den meisten Textzeugen: „Denn die Zweigesichtigen werden zweifach bestraft: Weil sie sowohl das Böse (selbst) tun, als sich auch mit denen freuen, die (es) tun." Das könnte bedeuten, daß sie sowohl diesseits als auch jenseits bestraft werden. Diese Deutung paßt nun weniger gut zur nachfolgenden Begründung. Charles meinte deshalb, daß κολάζειν auf einer falschen Übersetzung des hebräischen Grundtextes beruhe[22]. Er postulierte ein zugrundeliegendes Verb אשם, das sowohl „eine Schuld haben" als auch „eine Schuld büßen" bedeutet. Gemeint sei dann, daß sie doppelt sündigen oder eine doppelte Schuld haben, weil sie nicht nur selbst das Böse tun, sondern auch denen zustimmen, die böse handeln; vgl. Röm 1:32. Noch näher legt sich der Verdacht, daß die ganze Begründung (...: weil ... tun) sekundär und gerade aus Röm 1:32 eingedrungen ist, zumal sie auch in Mss bgl fehlt[23]. Obwohl wir die Begründung ausklammern, geben wir der eschatologischen Auslegung trotzdem nicht freien Lauf. Sie hat im vorliegenden Kontext keinen Anhalt.

6. Κόλασις: TR 5:5; TG 7:5; TB 7:5. TB 7:5 ist unter 3. behandelt worden. Die beiden anderen Stellen fordern eine eingehende Besprechung, da sie von einer ewigen Bestrafung reden.

Der unsichere Text in TG 7:5 spiegelt sich in den Übersetzungen, die stark voneinander abweichen[24]. Jede Auslegung bleibt tentativ. In 7:4 wird von Reichen gesprochen, die durch böse Taten wohlhabend geworden sind. Ihre Lage ist jedoch nicht beneidenswert: „Das Ende des Herrn wartet ab!" Dieses „Ende" wird in 7:5 geschildert. Der Vers stellt wahrscheinlich drei Alternativen auf:

1. Gott läßt den Reichen von Unglücken (κακά) getroffen werden und beraubt ihn dadurch seines Reichtums.
2. Der Reiche kehrt um, und Gott vergibt ihm.
3. Der Reiche bleibt unbußfertig, und Gott τηρεῖ εἰς αἰῶνα τὴν κόλασιν.

Mit der „ewigen Strafe" in 3. ist keine ewige Höllenstrafe gemeint. Der Verfasser denkt daran, daß das Leben des unbußfertigen Reichen ein Ende mit Schrecken nimmt. Er hat dann keine Möglichkeit mehr, seine Sünde zu büßen. Die göttliche Strafe bleibt unabwendbar und ewig. Das Motiv

---

[22] *Text* 178; *Comm* 168.

[23] Für Mss bgl argumentieren z.B.: Hollander/M. de Jonge *Comm* 353; Otzen *GamPseud* 7,769; M. de Jonge *Testaments* 19.
Anders z.B.: Charles *Text* 178f; *Comm* 168; Becker *Komm* 116; Kee *OTP* I,818.

[24] Die Übersetzung von Hollander/M. de Jonge *Comm* 332 trifft wahrscheinlich den Sinn am besten. Zum Text: *Editio Maior* 133; Charles *Text* 169f.

ist bekannt und findet sich z.B. auch bei Paulus; vgl. Röm 2:5; 2.Thess 1:5ff. In der neutestamentlichen Zeit hat man natürlich eine jenseitige Strafe in der Unterwelt oder Hölle im Sinn. Dieselbe Vorstellung findet sich aber auch in Texten, die nicht mit einem Leben nach dem Tod rechnen. Ein instruktives Beispiel ist Ps 73. Der Psalmist versuchte vergebens zu verstehen, warum es den Frevlern so gut geht, bis er ins Heiligtum Gottes eintrat und begriff, wie sie *enden*. Dann erkannte er, daß Gott sie auf schlüpfrigen Grund stellt und sie in Täuschung und Trug stürzt. Dann sah er, daß sie plötzlich zunichte werden und ein schreckliches Ende nehmen. Sie werden wie ein Traum, der verblaßt und vergessen wird; vgl. V. 17−20. Der Begriff „ewige Strafe" liegt zwar nicht vor, wäre aber möglich gewesen, weil er nur bedeutet, daß das Urteil definitiv und unwiderruflich ist. Es offenbart sich *z.B.* in einem grausamen Tod.

Derselbe Gedanke begegnet in TR 5:5. Wir hören dort von trügerischen Frauen, die εἰς κόλασιν τοῦ αἰῶνος aufbewahrt sind. Gemeint ist, daß sie eine Sünde begangen haben, die sich nicht sühnen läßt. Deshalb werden sie einmal ihre verdiente und unabwendbare Strafe empfangen. Das auffällige Perfektum τετήρηται (Sg.) zeugt von derselben Erfahrung, die auch den Dichter von Ps 73 beruhigt hat: früher oder später kommt die Vergeltung. Der Gottlose wird nicht ruhig und friedlich entschlafen. Daß dies tatsächlich ein Postulat und keine echte Erfahrung ist, ist weniger wichtig. Vielleicht spielt die volkstümliche Vorstellung von Gespenstern, die in ihrem Grab keine Ruhe finden, eine gewisse Rolle. Jedenfalls ist die irrationelle Furcht davor, ohne Vergebung zu sterben, lange vor dem Auferstehungsglauben wirksam gewesen.

Welche Vorstellungen der Verfasser von einem Leben nach dem Tod gehabt hat, wissen wir nicht, und für unsere Problemstellung sind sie ohne Belang. Wesentlich ist vor allem, daß er keine eschatologische Perspektive in apokalyptischem Sinn verficht[25]. Seine Moralisierung ist von einem individualistischen und viereckigen Talionprinzip bestimmt: die Tugend wird belohnt, die Sünde wird bestraft. Weil die menschliche Erfahrung dies nicht ohne weiteres bestätigt, muß er eine ewige, unwiderrufliche Strafe postulieren, die mit dem Tod des Sünders verbunden wird.

---

[25] Es bleibt unverständlich, warum z.B. Otzen den ganzen Abschnitt TG 7:1−7 eschatologisch auslegt; vgl. *GamPseud* 7,764; s. übrigens Anm. 5 oben.

B. Die prophetisch-apokalyptischen Abschnitte

Die prophetisch-apokalyptischen Abschnitte sind von der Vorstellung einer jenseitigen Vergeltung beherrscht. Diese Belohnung oder Bestrafung findet im Jüngsten Gericht statt. Dieser Glaube ist mit der Auferstehungsvorstellung eng verknüpft; vgl. III,5.

TB 10:8 kennt, wie auch Dan 12, eine Auferstehung der Guten und Bösen[26]. Diese Auferstehung ist zugleich ein Gericht, denn die einen stehen zur Herrlichkeit auf, die anderen zur Entehrung; vgl. Dan 12:2. Die Begriffe werden leider nicht erklärt. Der Text setzt offenbar die Weiterexistenz der Sünder nach dem Gericht voraus.

TJud 25:5c spricht von der Trauer der Frevler und der Klage der Sünder. Der Kontext ist eine Auferstehungsperikope. Der Jammer der Gottlosen bedeutet, daß sie für ihre Bosheit bestraft werden. Einige halten freilich die Zeile für einen Einschub[27]. Auch wenn dies der Fall wäre, liegt der Gerichtsgedanke immerhin indirekt in 25:4 vor. Wenn nämlich nur einige zum Leben aufgeweckt werden, ist das an sich auch ein Gericht[28]. Die Gerechten werden allerdings nicht in negativer Bedeutung gerichtet. Für sie bedeutet das Gericht eine Belohnung.

TSeb 10:3[29] sagt, daß die Gottlosen vernichtet würden: „Über die Gottlosen jedoch wird der Herr ewiges Feuer bringen und sie vertilgen für immer." Der Kontext ist nochmals eine Auferstehungsperikope.

In der Himmelvision in TL Kap. 3[30] ist das Gericht eines der Themata. Nach 3:2 sind Feuer, Schnee und Eis zubereitet für den Tag der Vergeltung, die von Strafengeln ausgeführt wird; vgl. III,3. Zum Feuer, s. TSeb 10:3.

Die Vorstellungen sind kaum einheitlich und wahrscheinlich sind mehrere Hände beteiligt.

Das Gericht trifft auch die Dämonen. Im TSim 6:6 lesen wir: „Dann werden alle Geister der Verführung zum Zertreten gegeben werden, und die Menschen werden über die bösen Geister herrschen." Die Passivform in V.6a ist eine übliche Umschreibung für Gott. Wir finden eine Parallele in TL 18:12: „Und Beliar wird von ihm gebunden werden, und er wird seinen Kindern Macht geben, auf die bösen Geister zu treten." Da dieser Text christlich ist[31], darf man vermuten, daß Messias = Christus das Subjekt

---

[26] Nach Dan 12:2 werden zwar nur „viele" erwachen. TB 10:8 ist dagegen universalistisch; vgl. III,5.

[27] So Charles *Text* 104; *Comm* 98f; Becker *Untersuchungen* 324; *Komm* 78; Philonenko *BEI* 875.

[28] Vgl. Nickelsburg *Resurrection* 35.

[29] Zu diesem Text als sekundär, vgl. II,6 mit Anm. 36; 37; 38.

[30] Vgl. die Analyse des Kapitels in II,14.

[31] Vgl. die Analyse in II,14.

ist[32]. Man vergleiche Luk 10:19 und den sekundären Text in TSeb 9:8[33]. In TL 18:12 wird der Fürst der Dämonen, Beliar, besonders hervorgehoben. Ansonst ist der Vers mit TSim 6:6 eng verwandt. Beide Stellen setzen anscheinend voraus, daß die Dämonen nach dem Gericht weiterexistieren, obwohl sie keine Macht mehr haben.

Eine ganz andere Vorstellung findet sich in TJud 25:3. Dort wird gesagt, daß Beliar (und seine Dämonen!?[34]) ins Feuer geworfen würde (würden). Die Aussage erinnert an TSeb 10:3. Dort wird aber das Schicksal der Dämonen, hier das Geschick der Menschen nicht erwähnt.

Die Vorstellungen sind nicht einheitlich. Ob die Dämonen, zwar völlig entkräftet, nach dem Gericht am Leben gelassen oder für immer vernichtet werden, macht einen großen Unterschied.

Neben dem individuellen Gericht findet sich ein kollektiver Gerichtsgedanke in TB 10:8ff. Nach V.8f wird Gott Israel als erstes richten, wegen seiner Ungerechtigkeit, und dann die übrigen Völker. Nach V.10 wird er sein Volk, Israel, durch die Auserwählten der Völker zurechtweisen. Der Kontext ist auch hier eine Auferstehungsperikope, die in ihrer jetzigen Form stark christlich bearbeitet ist[35].

Wir gehen jetzt daran, verschiedene Begriffe für „Strafe" und „Gericht" zu untersuchen. Die prophetisch-apokalyptischen Abschnitte haben einige Termini mit den ethisch-didaktischen Stücken gemein: ἐκδίκησις, κόλασις, κρίνειν, κρίσις. Es fehlen: κρίμα und κολάζειν. Umgekehrt treten δικαιοκρισία, ἐκδικεῖν und βασανίζειν hinzu. Alle Ausdrücke beziehen sich nicht automatisch auf ein zukünftiges Gericht. Die prophetisch(-apokalyptischen) Texte kennen ebenso ein diesseitiges Gericht. Das ist z.B. der Fall in den SER-Stücken, wenn auch die Strafe – mit Ausgangspunkt in der Testamentfiktion – zukünftig ist. Uns interessiert vor allem der technische Gebrauch des Begriffes als ein eschatologisches Gericht in apokalyptischem Sinn.

1. Δικαιοκρισία: TL 3:2; 15:2. Der Rahmen in TL 3:2 ist deutlich eschatologisch; s. oben. Gottes Gericht wird als gerecht charakterisiert. In 15:2 handelt es sich um ein SER-Stück. Gemeint ist die Katastrophe im Jahre 587 v. Chr.

2. Ἐκδίκησις: TR 6:6; TL 3:2.3; 18:1; TD 5:10b. Im Levi-Juda-Stück

---

[32] Gott ist Subjekt laut: Bousset *ZNW* 1 (1900) 172f; Beasley-Murray *JThS* 48 (1947) 4f; v.d.Woude *Vorstellungen* 211; Becker *Untersuchungen* 297f; *Komm* 61; Otzen *GamPseud* 7,723; Leivestad *Christ the Conqueror* 13f; usw.
Messias ist Subjekt laut: Charles *Comm* 66; Volz *Eschatologie* 204; Jeremias *ThWNT* V,764 Anm. 16; M. de Jonge *Testaments* 90; Hultgård *L'eschatologie* I,282ff; *Croyances* 141ff; Haupt *Levi* 109; usw. Das bedeutet für M. de Jonge und Haupt: Christus.
[33] Vgl. die Analyse von TSeb 9:5ff in II,6.
[34] Vgl. zur Auslegung III,3B mit Anm. 19.
[35] Vgl. die Analyse in II,11 mit Anm. 30; 31.

TR 6:6ff prophezeit Ruben vom Aufruhr seiner Söhne gegen die Söhne Levis. Er werde ihnen nicht gelingen, weil Gott für sie (d.h. die Söhne Levis) die Rache ausführen werde. Diese Rache ist also „zukünftig", wenn auch diesseitig. In TL 18:1 hören wir von der Bestrafung der abgefallenen Priesterschaft. Diese Strafe geht deutlich dem eschatologischen Gerichtsakt voraus. An den übrigen drei Stellen ist der Kontext dagegen eschatologisch. In TL 3:2 lesen wir von den Geistern, die zur Vergeltung an den Gesetzlosen/Menschen dienen; s. oben. Nach 3:3 gibt es andere Mächte, die aufgestellt sind, Vergeltung zu üben an Beliar und den Geistern des Irrtums. TD 5:10b erklärt, daß Christus[36] Krieg gegen Beliar führen und den Vätern siegreiche Rache geben werde.

3. 'Εκδικεῖν findet sich nur in TJud 23:3, d.h. in einem SER-Stück. Der Vers listet verschiedene Strafen auf und erwähnt u.a. das „Schwert, das Rache übt". Der Kontext ist „zukünftig", wenn auch diesseitig.

4. Κόλασις kommt nur in TL 4:1 vor. Der Rahmen ist deutlich eschatologisch und enthält andere Begriffe für „Gericht" und „richten"; vgl. 5. und 6. Das Wort wird nicht näher bestimmt, und es bleibt somit unklar, worin diese Bestrafung besteht.

5. Das Verbum κρίνειν begegnet in TL 4:1; TJud 24:6; TB 10:8.9, jedesmal in eschatologischer Bedeutung. In TL 4:1 hören wir, daß die Menschen in ihren Ungerechtigkeiten verharren und deshalb gerichtet werden werden; s. auch 6. Nach TJud 24:6 ist eine der Aufgaben des Messias = Christus[37], „zu richten und zu retten alle, die den Herrn anrufen". Im jetzigen Kontext geht dieser messianische Gerichtsakt der Auferstehung in Kap. 25 voran. TB 10:8.9 haben wir schon oben behandelt. Das Gericht ist hier sowohl individuell als auch kollektiv.

6. Κρίσις kommt an mehreren Stellen vor: TL 1:1; 3:2f; 4:1; 18:2[38]. Sie finden sich also alle in TL, und alle werden in eschatologisch-apokalyptischem Sinn gebraucht. Wichtig ist der Ausdruck „Tag des Gerichts" in TL 1:1[39]; 3:2[40].3. Das Gericht in Kap. 3 trifft sowohl Menschen als auch Dämonen; vgl. oben unter 1. und 2. TL 4:1 sagt, daß Gott Gericht über alle Menschen halten werde. Dann werden verschiedene eschatologisch-apokalyptische Zeichen erwähnt, die eintreffen werden; vgl. oben unter 4. und 5. Nach TL 18:2 wird der Messias = Christus[41] Gericht auf Erden halten.

7. Βασανίζειν findet sich nur in TAs 6:5. Der Abschnitt 6:4−6 setzt vor-

---

[36] Der Text ist christlich; vgl. den Kommentar zur Stelle in II,7 mit Anm. 11; 14.

[37] Der Text ist christlich; vgl. die Analyse von TJud Kap. 24 in II,13.

[38] TL 8:4, „Stab des Gerichts", ist anderer Art. Gemeint ist, daß die Richter aus Levi kommen werden.

[39] TL 1:1b ist Einschub; vgl. den Kommentar zur Stelle in II,14 mit Anm. 72; 73.

[40] Nur in α.

[41] S. oben Anm. 31; 32.

aus, daß jeder Mensch nach dem Tod gerichtet wird. Der Böse wird von einem Engel Beliars gequält, der Gute vom Engel des Friedens ins ewige Leben geführt[42]. Man vergleiche III,3 und III,5.

C. Folgerung

Wir folgern, daß die TP zwei ganz verschiedene Vergeltungsvorstellungen enthalten. Die ethisch-didaktischen Teile kennen nur eine diesseitige Vergeltung. Der Gedankengang ist vom Talionprinzip beherrscht. In der Paränese wird niemals mit jenseitigen Strafen gedroht. In den prophetisch-apokalyptischen Abschnitten ist die Vorstellung eines eschatologischen Gerichts vorherrschend. Die Ausnahmen in den SER- und Levi-Juda-Stücken haben wenig mit dem Vergeltungsdogma der ethisch-didaktischen Teile zu tun.

Die beiden Vorstellungen schließen einander natürlich nicht aus. Unsere Pointe ist aber die konsequente Verteilung der Vorstellungen auf zwei Schichten. Die Art des Stoffes liefert keine hinreichende Erklärung dieses Phänomens, denn in den Mahnungen hätte man doch Verweise auf ein jenseitiges Gericht erwarten können. Viel näher legt sich die alternative Erklärung, daß die zwei Hauptteile der TP verschiedene Provenienz haben.

---

[42] Der Abschnitt ist insofern mit der Vorstellung der Grundschrift verwandt, als er auf die Lebensausgänge der Menschen verweist. Das Vergeltungsdogma ist auch hier das tragende Motiv, nicht die Jenseitsvorstellungen. Die Terminologie würde aber in der Grundschrift nicht passen. Man sollte erwägen, ob 6:4a echt und Ausgangspunkt des Einschubs sein könnte.

5. Tod und Auferstehung

A. Die ethisch-didaktischen Abschnitte

Den ethisch-didaktischen Teilen liegen alttestamentliche Vorstellungen vom Tod[1] zugrunde. Sie setzen keine Auferstehung der Toten voraus.

In den meisten Testamenten steht die Erwähnung von Hebron zentral[2]. In der Höhle von Machpela lagen Abraham (Gen 25:7ff), Isaak (Gen 35:27ff) und Jakob (Gen 50:12ff) begraben. Sie war die private Grabstelle der Familie. Die sterbenden Patriarchen wollen mit ihren Vätern vereint werden, und die Söhne werden deshalb beauftragt, sie nach Hebron zu bringen. Dieser Bestattungswunsch schwebt auch dort, wo er nicht explizit erwähnt wird, im Hintergrund.

Die alte Vorstellung, daß der Tote zu seinen Vätern versammelt wird, kommt an einigen Stellen vor, und schimmert an anderen durch, wenn auch der Ausdruck an sich fehlt. Die Sprache erinnert an die LXX. Dort finden sich Wendungen wie κοιμᾶται μετὰ τῶν πατέρων αὐτῶν (Gen 47:30; Dtn 31:16; 1.Kön 2:10 usw.) oder προστίθηται πρὸς τοὺς πατέρας (πρὸς τὸν λαόν, πρὸς τὸ γένος) αὐτοῦ (Ri 2:10; Gen 25:8.17 usw.). Die hebräischen Ausdrücke lauten: שכב עם אבותיו und נאסף אל עמיו. Man vergleiche TSim 8:1: „Und Simeon ... entschlief zu seinen Vätern ..." und TL 19:4: „Und ... Levi ... wurde zu seinen Vätern versammelt, ..." Dieser Gedanke kommt mit verschiedenen Formulierungen zum Ausdruck. Es heißt, daß die Patriarchen bei ihren Vätern begraben werden, TJud 26:4; TSeb 10:7; TAs 8:2 (TJos 20:6 Ms c), und selbst ihren Söhnen darüber Anweisung geben, TJud 26:3; TIs 7:8; TN 9:1; TD 6:11; TG 8:3. TL 19:5 und TD 7:2 betonen, daß Abraham, Isaak und Jakob in Hebron begraben waren. Nach TR 7:2 begruben sie Ruben in der Höhle, in der sein Vater (seine Väter) lag(en). Gemeint ist, daß die Gebeine der Verstor-

---

[1] Vgl. z.B. Eichrodt *Theologie* 2/3,143ff.
[2] Der Name fehlt in TD; vgl. aber 7:2, wo offenbar Hebron gemeint ist. In TJos 20:6 liegt es nur in Ms c vor; vgl. die Diskussion in II,8.

benen in einem Sarg (TR 7:2; TSim 8:2; TL 19:5; TSeb 10:6; TB 12:2 "β"[3])
nach Hebron gebracht werden.

Dieses Vorstellungsbild ist altisraelitisch. Dazu gehört auch das Bild
vom Tod als einem Schlaf; vgl. Ps 76:6; Hiob 3:13; Dan 12:2 u.m. In Jerm
51:39.57 begegnet die Wendung ישן שנת עולם, „einen ewigen Schlaf
schlafen"; vgl. den Septuagintatext (= 28:39): ... καὶ ὑπνώσωσιν ὕπνον
αἰώνιον; vgl. Sir 46:19 (griechischer Text). Derselbe Ausdruck findet sich
in TIs 7:9[4]; vgl. TD 7:1 "β". Noch üblicher ist die Formulierung ἐκοιμήθη
ὕπνῳ καλῷ o.ä.; vgl. TSeb 10:6; TAs 8:1; TJos 20:4; s. weiter TD 7:1 Ms
c; TB 12:1 Ms c[5]. Der Tod ist kein Übel, sondern eine wohlverdiente Ruhe
nach einem guten und langen Leben. Deshalb sagt TSeb 10:4 treffend: „Ich
eile nun zu meiner Ruhe, wie auch meine Väter." Nach TG 8:4 entschlief
Gad in Frieden; vgl. Gen 15:15. Im Alten Testament wird der Tod oft als
eine Ruhe charakterisiert; vgl. z.B. Hiob 17:16; 2.Kön 23:18; Dan 12:3 u.a.
Man beachte auch die Kombination von Ruhe und Schlaf in Hiob 3:13.

Zusammenfassung: In den ethisch-didaktischen Teilen wird der Tod ganz
und gar mit alttestamentlichen Ausdrücken und Formulierungen beschrieben. Keiner der Texte zeugt von einem Auferstehungsglauben. TSeb
10:2−3 machen nur scheinbar eine Ausnahme aus, denn dieser Abschnitt
ist sekundär[6]. Die Frage, ob der Verfasser mit einer Art Weiterexistenz im
Grab gerechnet hat, läßt sich nicht beantworten. Für unsere Problemstellung ist diese Frage jedenfalls belanglos. Wesentlich ist nur, daß er keine
Auferstehung der Toten erwartet.

B. Die prophetisch-apokalyptischen Abschnitte

Auferstehungsaussagen liegen nur in den prophetisch-apokalyptischen
Teilen vor.

Eine Gruppe von Texten handelt von den Patriarchen und anderen Hel-

---

[3] TR 7:2 und TL 19:5: σορός = Gen 50:26; TSim 8:2 und TSeb 10:6: θήκη; TB 12:2: πα-
ραθήκη. Vielleicht liegt an allen Stellen hebräisches ארון zugrunde; so Baltzer *Bundesformular* 148 Anm. 3. Kritisch dazu: Becker *Untersuchungen* 170f. Man beachte aber, daß
Becker ein griechisches Original der TP verteidigt; s. IV,4.

[4] Wenn auch α und "β" erheblich voneinander abweichen, haben doch alle beide die Formulierung „einen ewigen Schlaf".

[5] Charles *Text* XXXIII; 130; 142; 182; 213; 232; *Comm* XLVII; 122; 134; 171; 196; 217
vermutet eine Verwechslung von שינה = ὕπνος und שיבה = γῆρας und liest ἐν γήρει καλῷ
statt ὕπνῳ καλῷ. Das entspräche der hebräischen Wendung בשיבה טובה; vgl. z.B. Gen
15:15; hTN 1:1. Charles stützt sich in erster Linie auf TIs 7:9 und TR 12:2 "β".
Seine Hypothese ist nicht berechtigt; vgl. zur Kritik: Schürer *ThLZ* 33 (1908) 509; Burkitt
JThS 10 (1909) 139f; Eppel *Piétisme* 108 Anm. 2; Becker *Untersuchungen* 170; Thomas
BZNW 36 (1969) 132 Anm. 147; u.a. Positiv ist dagegen Otzen *GamPseud* 7,748.

[6] Vgl. II,6 mit Anm. 36; 37; 38.

den der Vergangenheit. In TSim 6:7 prophezeit Simeon von seiner Auferstehung: „Dann werde ich mit Frohlocken auferstehen…" TSeb 10:2−3 erweitern den Kreis: „Denn ich werde wieder in eurer Mitte auferstehen wie ein Fürst in der Mitte seiner Söhne…, so viele das Gesetz des Herrn beachtet haben und die Gebote Sebulons, ihres Vaters". Der Ausdruck „in eurer Mitte" ist, wie die Fortsetzung zeigt, nicht geographisch gemeint, sondern setzt die Auferstehung der Patriarchensöhne (= die Israeliten) voraus. Doch beschränkt sich diese Auferstehung auf die Gerechten[7]. TJud 25:1 erwähnt Abraham, Isaak, Jakob und ihre zwölf Söhne, die nochmals als Herrscher der zwölf Stämme gedacht sind. Das bedeutet sicher, daß die „Söhne" an der Auferstehung beteiligt werden. Nach TJud 25:4 werden alle Gerechten zum Leben aufgeweckt werden. Da dieser Text jüdisch ist, ist wahrscheinlich nur an fromme Israeliten gedacht, vgl. TSeb 10:2. TB 10:6−8 setzen eine universelle Auferstehung voraus. Hier werden zuerst Henoch, Noah, Sem[8], die drei Erzväter, Abraham, Isaak und Jakob (V.6), die zwölf Stammväter (V.7) und ihre Söhne (V.6: „Dann werdet ihr sehen…") genannt. Dann folgt in V.8 die Verheißung, daß alle auferstehen werden, „die einen zur Herrlichkeit, die anderen zur Entehrung".

Von diesen Texten rechnet nur der Abschnitt TB 10:6−8 mit einer universellen Auferstehung, die anderen denken wahrscheinlich nur an gerechte Israeliten. Das ist deutlich der Fall in TJud 25:4 und TSeb 10:2. Die in TB 10:6−8 bezeugte Auflistung verschiedener Gruppen bezieht sich wohl darauf, daß die Auferstehung in Etappen geschieht; vgl. Apk 20:4.

Neben diesen Perikopen seien die christlichen Texte TL 18:14 und TD 5:12 erwähnt[9]. Der Begriff „Auferstehung" fehlt zwar in diesen Versen. Der erwähnte eschatologische Jubel legt jedoch diese Deutung nahe[10], denn er kommt auch in den jüdischen Texten vor; vgl. TSim 6:7; TJud 25:4; TSeb 10:2; TB 10:6; s. unten. Man beachte übrigens, daß TL 18:14 Abraham, Isaak und Jakob erwähnt.

Die Auferstehung bedeutet, daß die Toten zu einem neuen Leben auf der Erde aufgeweckt werden[11]. Das hängt mit der Vorstellung zusammen,

---

[7] Vgl. Hollander/M. de Jonge *Comm* 275.

[8] Statt „Sem" lesen cglNGr „Seth". Vgl. zu dieser sekundären Variante Charles *Comm* 213; Becker *Komm* 137. In Ms c fehlt übrigens Noah.

[9] Zur christlichen Provenienz dieser Abschnitte vgl. die Analysen der Texte in II,14 und II,7.

[10] Vgl.: Volz *Eschatologie* 242; Stemberger *Leib der Auferstehung* 67; Buitkamp *Auferstehungsvorstellungen* 19; M. de Jonge *Testaments* 156 Anm. 282; Hollander/M. de Jonge *Comm* 61; 125; 182; usw.

[11] So z.B.: Stemberger *Leib der Auferstehung* 66f; 71; Charles *Comm* XCVIII; 24; 97; 213; Moore *Judaism* II,308; Rießler *Schrifttum* 1337 (zu TJud Kap. 25); 1338 (zu TB Kap. 10); u.a.
Gegen diese Auffassung polemisiert Cavallin *Life After Death* 53. Er verweist auf TB 10:6 und meint, daß „zur Rechten" (d.h. Gottes) „the heavenly and transcendent character of this

daß die Wohnung Gottes unter den Menschen sein werde; vgl. TSim 6:5; TSeb 9:8; TAs 7:3. Derselbe Gedanke findet sich in den christlichen Zufügungen; vgl. TL 18:10–14; TD 5:12.

Die Auferstehungsaussagen gehören zu den älteren Interpolationen: sie sind überraschend nüchtern. Sie schildern nicht, wie die Auferstehung sich artet und erzählen nichts vom Zwischenzustand. Sie liefern keine panegyrische Beschreibung der Herrlichkeit des neuen Lebens, sondern begnügen sich mit verschiedenen Ausdrücken für Jubel und Freude: TSim 6:7: ἐν εὐφροσύνῃ; TJud 25:4: ἐν χαρᾷ; TSeb 10:2: εὐφραίνεσθαι; TB 10:6: ἐν ἀγαλλιάσει; vgl. TL 18:14; TD 5:12. Diese zurückhaltende Darstellung zeugt davon, daß der Auferstehungsglaube zur Zeit dieser Interpolationen verhältnismäßig jung war, und man nur wenig über das neue paradiesische Leben phantasiert hatte. Andererseits scheinen einige der Texte mit Dan 12 vertraut zu sein[12]. Eine Datierung nach 165 v. Chr. ist somit gefordert. Der Terminus *ante quem* läßt sich aber schwer bestimmen.

Die jüdischen Texte rühren kaum von ein- und derselben Hand her. Vor allem weicht der Abschnitt TB 10:6–8 von den anderen ab. Nickelsburg weist darauf hin, daß TB 10:6–8 typologisch jünger als TJud Kap. 25 sind[13]. In TB ist die Auferstehung universell[14], in TJud beschränkt sie sich auf die Frommen (d.h. auf fromme Israeliten). In TB fehlt das Urteil über Beliar, das nach Nickelsburg „to the primitive stage of the judgment scene form" gehört[15]. Die Liste der Heroen ist in TB erweitert worden. Im Gegensatz zu TJud hat TB nicht diejenigen, „die um des Herrn willen starben" (TJud 25:4c) vor Augen. Die Märtyrer stehen also nicht im Blickfeld in TB. Diese Momente zeigen gesammelt, daß TB jünger ist, und daß die beiden Abschnitte nicht von *einem* Verfasser stammen.

Ganz für sich steht die Perikope TAs 6:4ff. Dort ist von einer Auferstehung keine Rede. Vielmehr setzt der Text die Unsterblichkeit der Seele voraus. Die Seele wird sofort nach dem Tod entweder gequält oder getröstet[16]. Das Vergeltungsdogma ist das tragende Motiv, nicht die

---

Forts.

resurrection" zum Ausdruck bringe. Eine „himmlische Auferstehung" wäre höchst ungewöhnlich im Judentum. Die Wendung „zur Rechten" eignet sich schlecht als geographische Bestimmung. TB 10:6ff sind übrigens nicht repräsentativ für die anderen Abschnitte.

[12] Vgl.: Cavallin *Life After Death* 54; Charles *Comm* 214; Becker *Komm* 137; Otzen *GamPseud* 7,788; Hultgård *L'eschatologie* I,233; usw. Die auffälligsten Übereinstimmungen sind der doppelte Ausgang sowie die Formulierung „die einen zur Herrlichkeit, die anderen zur Entehrung" in TB 10:8; s. weiter εἰς ζωήν in TJud 25:1; vgl. TJud 25:4 Mss dmchij.

[13] *Resurrection* 142. Anders: Hultgård *L'eschatologie* I,260.

[14] Nach Hultgård *L'eschatologie* I,233; 260 umfaßt sie nur die Israeliten. TB 10:9 deutet er auf die Nationen zur Zeit der Auferstehung.

[15] Nickelsburg *Resurrection* 142.

[16] Wegen der Parallele mit „quälen" ist die Lesart „trösten", „Trost zusprechen", vorzuziehen (gegen Charles *Comm* 169; Becker *Komm* 116).

Jenseitsvorstellungen[17]. Doch setzt dieser Text im Gegensatz zu den Auferstehungsperikopen kein Gericht in apokalyptischem Sinn voraus. TAs 6:4ff läßt sich kaum mit dem Auferstehungsglauben in Einklang bringen[18]. Der Verdacht fremden Einflusses liegt vielen Forschern nach nahe – kaum zu Recht[19].

C. Folgerung

Wir folgern, daß die TP zwei verschiedene Schichten aufweisen. In den ethisch-didaktischen Teilen, die wir für die Grundschrift halten, findet sich keine Spur von einem Auferstehungsglauben.

Der Verfasser lebt in der altisraelitischen Tradition und kennt weder die Skepsis des Buches Qohelet noch das verzweifelte Pathos, womit die Märtyrer der Makkabäerzeit ihr Leben beendeten. Diese Folgerung stimmt gut mit der in III,4A aufgezeigten Auffassung von einer diesseitigen Vergeltung überein.

Der Auferstehungsglaube gehört seinerseits mit der in III,4B skizzierten Vorstellung eines eschatologischen Gerichts zusammen. Es ist kein Zufall, daß wir Auferstehungsaussagen und Gerichtsdrohungen nebeneinander finden, denn sie bilden ein organisches Ganzes.

Es ist gut denkbar, daß ein Verfasser sich der typisch alttestamentlichen Formulierung bedienen und zugleich an eine zukünftige Auferstehung glauben kann. Sie schließen einander natürlich nicht automatisch aus. Unsere Pointe besteht darin, daß sie gar nicht unvermittelt nebeneinander stehen, sondern gerade in verschiedenen Schichten zu Hause sind. Es fällt vor allem auf, daß der Auferstehungsglaube und das eschatologische Gericht niemals als Argumente für einen richtigen ethischen Wandel dienen. Sie tauchen nicht in den Mahnungen, sondern nur in den verdächtigen prophetisch-apokalyptischen Abschnitten auf. Die Folgerung, daß die Auferstehungsperikopen unecht sind, drängt sich unwiderstehlich auf[20].

---

[17] Vgl. III,4 Anm. 42.

[18] Stemberger *Leib der Auferstehung* 69 Anm. 24; Hultgård *L'eschatologie* I,261ff harmonisieren. Kritisch dazu: Cavallin *Life After Death* 55; Becker *Untersuchungen* 368; 405; Eppel *Piétisme* 108f; Nickelsburg *Resurrection* 161f.

[19] Nickelsburg *Resurrection* 162 macht auf eine mögliche Parallele in Platons *Phaidon* 107d–108c aufmerksam. Eppel *Piétisme* 109 betont die Übereinstimmungen mit iranischen Auffassungen. Becker *Untersuchungen* 368 spricht von einer hellenistisch-neuplatonischen Unsterblichkeitslehre; vgl. Cavallin *Life After Death* 55. Die Übereinstimmung mit Luk 16:19ff macht jedoch einen jüdischen Hintergrund wahrscheinlich.

[20] Becker *Untersuchungen* 326; 405 rechnet ebenfalls alle Auferstehungsaussagen als sekundär. Seine „Grundschrift" läßt sich allerdings nicht mit unserem „Original" vergleichen; vgl. I,3.

6. Levi, Juda und Joseph

A. *Einleitung*

Wer sich mit den TP beschäftigt, entdeckt unmittelbar, daß Levi, Juda und Joseph die Hauptrollen spielen[1]. Eine Übersicht über das Auftreten der zwölf Söhne kann diesen Eindruck nur erhärten. Sieht man von den eigenen Testamenten ab, werden Levi, Juda und Joseph 27, 28 bzw. 61 Mal erwähnt[2]. Für die übrigen Brüder ergeben sich folgende Zahlen: Ruben 13; Simeon 9; Issachar 2; Sebulon 1; Dan 7; Naphtali 1; Gad 9; Asser 2 und Benjamin 2.

Joseph kommt also mehr als doppelt so oft wie Levi und Juda vor. Die letzteren nehmen ihrerseits eine sichere zweite Stelle ein. Von den anderen Brüdern treten nur Ruben, Simeon, Dan und Gad verhältnismäßig häufig auf. Issachar, Sebulon, Naphtali, Asser und Benjamin treten dagegen völlig in den Hintergrund.

Die drei Hauptpersonen finden sich in beinahe allen Testamenten. Levi fehlt nur in TSeb, TAs und TB[3]. Juda begegnet nicht in TAs und TB[4]. Joseph wird nicht erwähnt in TIs und TAs. Alle drei fehlen also in TAs. Das ist sicher von der Eigenart dieses Testament bedingt. Die anderen Ausnahmen sind schwieriger zu erklären[5]. Eine Übersicht über das Vorkommen der anderen Brüder ergibt: Ruben: TSim, TL, TJud, TIs, TSeb, TG; Simeon: TL, TJud, TSeb[6]; Issachar: TJud; Sebulon: TJud; Dan: TR, TJud, TSeb, TAs; Naphtali: TJud; Gad: TR, TJud, TIs, TSeb, TAs; Asser: TR, TJud; Benjamin: TJud.

Zu dieser Liste fügen wir einige Stellen hinzu, wo die Namen der Patriarchen nicht erwähnt werden, sondern nur gesagt wird, daß alle oder die mei-

---

[1] Vgl. Rengstorf in *La littérature juive* (ed. v.Unnik) 33ff. Er entdeckt jedoch nicht die verschiedene Bedeutung, die die drei Stammväter in den ungleichen Schichten haben, und zieht somit nicht dieselben Schlüsse wie wir.

[2] Nach dem Index of Words in *Editio Maior* 207ff; s. auch Charles' Index in *Text* 299ff. Die Mss weichen an einigen Stellen voneinander ab. Für unsere Problemstellung ist es belanglos, für diese oder jene Lesart zu argumentieren, da nicht das Vorkommen der Namen, sondern die Bedeutung der Patriarchen interessant ist.

[3] In Ms c jedoch in TB 11:2.

[4] In Ms c jedoch in TB 11:2.

[5] Vgl. Rengstorf in *La littérature juive* (ed. v.Unnik) 37 mit Anm. 1.

[6] Mss gldeaf lesen „Simeon" in TG 2:3. Richtig ist „Juda"; vgl. II,5 mit Anm. 3 (Ende).

sten der Brüder anwesend waren; vgl. TSeb 1:4ff; TJos 1:1f u.a. Das Fazit lautet jedenfalls, daß die übrigen Brüder nur Statisten sind. Issachar, Sebulon, Naphtali und Benjamin treten nur in TJud 25:1f (und dort zusammen mit allen Stammvätern) auf. Asser ist darüber hinaus auch am Sterbebett Rubens (zusammen mit Juda und Gad) anwesend, TR 1:4. Ruben, Simeon, Dan und Gad sind freilich bedeutsamer, weil sie als Kriegshelden dargestellt werden (TL Kap. 6; TJud Kap. 5ff) und beim Verkauf Josephs zentrale Rollen spielen (TSeb). Mit Levi, Juda und Joseph können sie sich jedoch nicht messen. In der Tat zeigt schon der Umfang der Testamente von Levi, Juda und Joseph ihre Sonderstellung.

Eine nähere Untersuchung des Materials führt zu einer interessanten Entdeckung: Levi und Juda treten in erster Linie in den prophetisch-apokalyptischen Abschnitten auf, während Aussagen über Joseph im großen und ganzen in den ethisch-didaktischen Teilen zu Hause sind. Der nachfolgende Durchgang der relevanten Stellen wird das Verhältnis veranschaulichen. Wir inkludieren in dieser Übersicht Formulierungen wie „die Söhne Levis", „die Söhne Judas" u.ä. In den prophetisch-apokalyptischen Abschnitten liegt nämlich oft ein kollektiver Gebrauch der Eigennamen vor. „Levi" wechselt somit häufig mit „den Söhnen Levis" usw.; vgl. III, 2.

B. Levi

a. Die prophetisch-apokalyptischen Texte

Eine besonders wichtige Gruppe machen die Levi-Juda-Stücke aus. Es handelt sich um TR 6:5−8; 6:10−12; TSim 5:4−6; 7:1−2; TJud 21:1−4a; TIs 5:7−8a; TD 5:4a; 5:10a; TN 8:2−3; TG 8:1; TJos 19:11(−12?)[7]. In den Levi-Juda-Stücken werden die beiden Stämme Levi (= das Priestertum) und Juda (= der Königsstamm[8]) glorifiziert. Von ihnen hat aber Levi den Vorrang. Die anderen Stämme sollen sich ihnen unterwerfen und gehorchen, und es wird ihnen auferlegt, sie zu lieben und ehren. Levi und Juda sind Werkzeuge Gottes, und aus ihnen wird dem Volk das Heil Gottes aufgehen. Nähere Einzelheiten finden sich in IV,5C.

Die Visionen in TN 5:1ff sind mit den Levi-Juda-Stücken (und den SER-Stücken) eng verwandt. Sie betonen die Führerrolle Levis und Judas und geben Levi den Vorrang; vgl. II,12.

Die Auferstehungsperikope in TJud 25:1−2 setzt diese Linie fort. Nach V.1 werden Levi und Juda als erster bzw. zweiter auferstehen. Die anderen

---

[7] Zur Abgrenzung, vgl. die Einzeltestamente; s. übrigens IV,5. Zu den Levi-Juda-Stücken gehört auch TL 2:11; s. unten unter Juda.

[8] Oder genauer: die Dynastie (das Haus des David), evtl. der zu jeder Zeit regierende König; vgl. III,2 mit Anm. 4.

Brüder folgen dann der Reihe nach (wobei Joseph zwar als dritter aufgerechnet und nur sechs (sieben)[9] Stammväter mit Namen erwähnt werden). Nach V.2 werden die Patriarchen von verschiedenen Mächten/Elementen gesegnet. Dabei wird Levi von Gott selbst und Juda von seinem höchsten Repräsentanten, dem Engel des Angesichts, gesegnet.

Die Tendenz in diesen Texten ist also dieselbe, die wir in den beiden Visionen in TL selbst finden; vgl. Kap. 2ff; 8.

Der „Anti-Levi-Juda-Text" in TD 5:6f steht ganz für sich und gehört offenbar zu einer besonderen Interpolationsschicht[10]. Der gewaltsame Angriff auf Levi ist in den prophetisch-apokalyptischen Abschnitten ohne Analogie.

Der christliche Text in TB 11:2 Ms c sei nur erwähnt[11].

b. Die ethisch-didaktischen Texte

Hier kommt nur TJud Kap. 5 in Frage. Juda erzählt von der Eroberung von Aretan, und berichtet, daß er und Gad von der Ostseite vorstießen, während Ruben und Levi vom Westen angriffen. Von einer Vorrangstellung Levis ist hier keine Rede[12]. Er ist nur einer unter vielen Brüdern und wird nach Ruben erwähnt.

C. Juda

a. Die prophetisch-apokalyptischen Texte

Es handelt sich um viele derselben Abschnitte, die wir schon oben im Zusammenhang mit Levi besprochen haben, nämlich die Levi-Juda-Stücke, die Visionen in TN Kap. 5ff und die Auferstehungsperikope in TJud 25:1f. In diesen Texten hat Juda Rang und Würde als zweiter nach Levi. Zu den Levi-Juda-Stücken gehört auch das kleine Fragment in TL 2:11, das man oft als christlich betrachtet hat. Eindeutig christlich ist es aber nicht[13].

Die negative Darstellung von Juda in TD 5:6f (vgl. Levi) hat freilich Entsprechungen in TJud selbst; vgl. 17:3; 22:5ff[14].

Juda tritt auch in einigen Texten auf, die in ihrer jetzigen Fassung deutlich christlich sind: nach TL 8:14 wird ein König aus Juda aufstehen und

---

[9] Sieben Namen in Ms e; vgl. II,13 Anm. 65.
[10] Vgl. die Analyse von TD 5:4ff in II,7.
[11] Vgl. die Analyse von TB Kap. 11 in II,11.
[12] Darauf hat schon Schnapp *Testamente* 45 aufmerksam gemacht.
[13] Vgl. den Kommentar zur Stelle in II,14.
[14] Vgl. die Besprechung der Texte in II,13.

ein neues Priestertum schaffen[15]. Nach TJos 19:8 wird eine Jungfrau aus Juda geboren. Aus ihr geht ein Lamm hervor[16]. Zu TB 11:2 Ms c, vgl. oben.

b. Die ethisch-didaktischen Texte

An drei Stellen wird Juda für den Verkauf von Joseph verantwortlich gemacht; vgl. TSim 2:9ff; TSeb 4:2; TG 2:3[17]. Lobenswert kann man dies nicht nennen. Nach TR 1:4 war Juda (zusammen mit Gad und Asser) am Sterbebett Rubens anwesend. TL 9:1 erzählt, daß Jakob, Levi und Juda zu Isaak zogen. Schließlich berichtet TG 1:6.9, daß die Söhne Zilpas und Bilhas das gute Vieh schlachteten, ohne daß Juda und Ruben darüber informiert waren[18]. Von einer Sonderwürde Judas ist in diesen Texten keine Rede.

D. Joseph

a. Die prophetisch-apokalyptischen Texte

Joseph wird einmal in einem Levi-Juda-Stück erwähnt. In TR 6:7 heißt es: „Denn Levi gab der Herr die Herrschaft und Juda mit ihm. Und mir und Dan und Joseph Regenten zu sein."[19] Er wird hier unter die Führer des Volkes gerechnet. In TJud 25:1 ist er dritter in der Auferstehung, in TJud 25:2 aber nur siebter unter den Patriarchen. Seine Würde ist somit nicht eindeutig.

In den Visionen in TN Kap. 5ff spielt Joseph eine zentrale, wenn auch dunkle Rolle. Wir müssen hier auf Einzelheiten verzichten[20].

(Zu diesen Texten fügen wir TSim 8:2ff und TSeb 3:4ff hinzu. Sie gehören zwar nicht zu den prophetisch-apokalyptischen Abschnitten, sind aber nach unserer Analyse sekundär[21]. Im ersten Text handelt es sich um eine Sondertradition über die Gebeine Josephs, im zweiten um einen merkwürdigen Midrasch auf Grund von Dtn 25:5ff.)

---

[15] Vgl. den Kommentar zur Stelle in II,14.
[16] Vgl. den Kommentar zur Stelle in II,8.
[17] S. Anm. 6 oben.
[18] Gegen die herkömmliche Übersetzung; vgl. II,5 mit Anm. 2.
[19] Vgl. den Kommentar zur Stelle in II,3 mit Anm. 28; 29.
[20] S. aber die umfassende Analyse in II,12.
[21] Vgl. die Besprechung der Texte in II,4 mit Anm. 25 (= TSim 8:2b−4; 9:1b) und II,6 mit Anm. 4; 8 (= TSeb 3:4ff).

b. Die ethisch-didaktischen Texte

Die große Mehrzahl der Verweise auf Joseph kommt in den ethisch-didaktischen Stücken vor. In einer Gruppe von Texten ist Joseph ethisches Ideal: TR 4:8f; TSim 4:4; TL 13:9; TSeb 8:4f; TD 1:4; TB 3:1.6. Deshalb habe Gott ihn belohnt und vor allem Bösen geschützt: TR 4:10; TSim 4:5; 5:1; TB 3:3; 5:5. Seine Nachahmer werden in derselben Weise belohnt werden. Das Verhalten der Brüder Joseph gegenüber wird in vielen Testamenten geschildert (und dient als Ausgangspunkt der Paränese): Simeon war eifersüchtig auf Joseph (TSim 2:6ff) und wollte ihn töten. Ihn zu töten, war auch die Absicht Dans und er freute sich über seinen Verkauf (TD 1:4ff). Gad bekennt ebenfalls, daß er seinen Bruder haßte und ihn häufig töten wollte (TG 1:4−3:3; 6:2). Das den TP zugrundeliegende Talionschema fordert, daß sie wegen ihrer Bosheit gestraft werden (TSim 2:12f; 4:3; TG 5:11). Auch die Söhne vieler Patriarchen wurden krank und starben beinahe[22], weil sie kein Erbarmen übten. Die Begebenheiten beim Verkauf Josephs spielen ferner eine zentrale Rolle in TSeb Kap. 2−4. Sebulon war einer der wenigen Brüder, der ihn verteidigte und gegen die Tötungsabsicht der Majorität kämpfte.

Ein Synchronismus zum Todesjahr Josephs findet sich in TR 1:2; TSim 1:1; TSeb 1:1. Er besagt jedoch nichts über die Bedeutung Josephs, sondern ist davon bedingt, daß Joseph als erster starb. Sein eigener Tod wird in TL 12:7 mit Levis Lebensalter synchronisiert.

Andere Stellen (TB 1:4; 2:1; 10:1; TN 1:8 u.m.) lassen sich schwer zusammenfassen und bieten uns Infomationen, die nicht besonders interessant sind. Wesentlich ist vor allem, daß seine Person als ein roter Faden in fast allen Testamenten auftaucht.

E. *Zusammenfassung und Folgerung*

Diese Übersicht bestätigt unsere Behauptung[23]: Levi und Juda spielen die Hauptrollen in den prophetisch-apokalyptischen Abschnitten, treten dagegen in den ethisch-didaktischen Stücken in den Hintergrund. Für Joseph läßt sich das umgekehrte Verhältnis feststellen.

Levis Rolle fällt besonders auf. Wenn man seine Position in den prophetisch-apokalyptischen Abschnitten bedenkt, muß es verwundern, daß er im Vermahnungsteil nur ein einziges Mal erwähnt wird. Die Glorifikation, die in den Levi-Juda-Stücken, den Visionen in TN und TJud 25:1ff begegnet, läßt sich mit diesem Schweigen kaum vereinbaren. In der Tat wird Levi

[22] TSeb 5:4; vgl. dazu III.4 Anm. 9.
[23] Vgl. Leivestad *NTT* 55 (1954) 117f.

in der Lebensdarstellung in TL sehr kritisch geschätzt. Sein Angriff auf Sichem wird als eine Sünde betrachtet; vgl. TL.

In den ethisch-didaktischen Teilen wird Juda häufiger als Levi erwähnt. Im Anschluß an Gen 37:26f wird er für den Verkauf von Joseph verantwortlich gemacht, der zwar als eine Rettungsaktion dargestellt wird, weil er verhinderte, daß Joseph getötet wurde.

In seinem eigenen Testament wird er als eine lasterhafte Person geschildert, wenn auch der Verfasser versucht, ihn zu entschuldigen und zu entlasten; vgl. 11:3f; 12:3.10.

Josephs Rang und Würde in den prophetisch-apokalyptischen Abschnitten ist, wie schon bemerkt, nicht eindeutig. Er hat keine eschatologische Funktion und Bedeutung. Das fällt vor allem in TN auf, denn hTN zeigt, daß er in den ursprünglichen Visionen stark kritisiert wurde. Das ist in TN völlig abgestreift worden; vgl. TN. (Es sei erwähnt, daß TB 3:8, welcher Vers zwar in einem paränetischen Kontext vorliegt, christlich ist[24].)

In den ethisch-didaktischen Teilen ist Joseph der große Held. Er tritt als nachahmenswertes Ideal auf. (Nur in TG Kap. 1 liegt ein kleiner, negativer Vorwurf vor; s. d.) Die Josephsgestalt hält die Testamente zusammen. Das Verhalten der Brüder gegenüber Joseph, sein Verkauf und der Aufenthalt in Ägypten kehren immer wieder zurück. Die Feindschaft der Brüder ist Ausgangspunkt vieler Themata geworden: der Neid Simeons, der Zorn Dans, der Haß Gads, aber auch die Barmherzigkeit Sebulons. Joseph bildet ferner ein Gegenstück zu Ruben.

Wir folgern, daß die prophetisch-apokalyptischen Abschnitte und die ethisch-didaktischen Teile auch in dieser Beziehung stark voneinander abweichen. Wir meinen, daß die Hervorhebung von Levi und Juda in den prophetisch-apokalyptischen Teilen sekundär ist. Kritische Aussagen, wie TD 5:6f, sprechen nicht gegen diese Annahme, weil sie zu einer noch späteren Schicht gehören. Für unsere Auffassung spricht eine andere Beobachtung, die wir schon in III,2 behandelt haben: in den prophetisch-apokalyptischen Abschnitten treten Levi und Juda oft als Kollektive auf. Im Vermahnungsteil sind sie deutlich Einzelpersonen.

Die Verhältnisse in den TP sind eigenartig: die prophetisch-apokalyptischen Abschnitte, die von Levi-Juda und Joseph handeln, lassen sich leicht aus dem Buch nehmen. Die Komposition wird dabei nur straffer und einheitlicher. Das zeugt von einer sekundären Bearbeitung.

---

[24] Vgl. die Diskussion der Stelle in II,11 mit Anm. 11.

TEIL IV

AUSWERTUNG DER ANALYSEN

1. Der Stoff der Grundschrift

Der Stoff der Grundschrift ist in II,3–14 eingehend analysiert worden. Eine Zusammenfassung der Ergebnisse drängt sich jetzt auf. Dabei empfiehlt es sich, die Rahmen, die Rückblicke und die Mahnungen getrennt zu behandeln. Das Element der Weissagung fällt dagegen praktisch aus, da nur die Prophetie in TJos Kap. 20 ursprünglich ist. Vorerst sei aber ein Blick auf die Abfolge der Testamente geworfen.

A. Abfolge der Testamente

Die Stammväter reden in dieser Reihenfolge: Ruben, Simeon, Levi, Juda, Issachar, Sebulon, Dan, Naphtali, Gad, Asser, Joseph und Benjamin. Diese Abfolge ist nicht nach dem Geburtsdatum der Patriarchen geordnet, denn sie entspricht nicht den Listen in Gen 29:32ff; 35:16ff[1] oder Jub 28:11ff; 32:33[2]. Nicht die Chronologie, sondern die Abstammung der Stammväter hat die Reihenfolge bestimmt: 1–6 sind die Söhne Leas, 7–8 Bilhas, 9–10 Zilpas und 11–12 Rahels. Die TP legen dasselbe Ordnungsprinzip wie Gen 35:22ff zugrunde, wollen also nicht die traditionelle Chronologie bestreiten. In der Tat findet sich im Alten Testament eine Fülle von verschiedenen Listen der Patriarchen. Man vergleiche nur die zwei bekanntesten, Gen Kap. 49 und Dtn Kap. 33.

Einige Punkte fordern einen Kommentar:

Wenn der Verfasser Issachar den fünften Sohn Jakobs nennt, hat er sich

---

[1] Ruben, Simeon, Levi, Juda, Dan, Naphtali, Gad, Asser, Issachar, Sebulon, Joseph und Benjamin (nach dem Geburtsdatum geordnet).

[2] Ruben, Simeon, Levi, Dan, Juda, Naphtali, Gad, Issachar, Asser, Joseph, Sebulon und Benjamin (nach dem Geburtsdatum geordnet). Im Vergleich mit Gen stellt Jub Juda/Dan, Asser/Issachar und Sebulon/Joseph um, behält aber trotzdem bei der Auflistung der Söhne dieselbe Reihenfolge wie in Gen bei. Die Chronologie des Jub ist offenbar falsch. So läßt sich z.B. das Geburtsdatum Dans (9.6.2127) nicht mit dem Geburtsdatum Judas (15.3.2129) vereinbaren, da Dan doch laut 28:17 *nach* Juda geboren wurde. Die Versuche von Rönsch *Buch der Jubiläen* 330f und Charles *Book of Jubilees* 170f, die Zahlen des Jub zu korrigieren, überzeugen nicht. Sie wollen z.B. in Jub 28:24 7 = ז statt 6 = ו lesen, d.h. daß Joseph im Jahr 2135 nach der Schöpfung geboren wäre. Diese Korrektur steht aber nicht im Einklang mit Jub 34:10; 45:1; 46:3, die eher voraussetzen, daß Joseph im Jahr 2132 geboren war. Der Verdacht liegt nahe, daß der Systematisierungseifer des Jub es an einigen Stellen in Konflikt mit älteren Traditionen gebracht hat.

nur ungenau ausgedrückt. Dan ist der fünfte Sohn Jakobs[3], Issachar aber der fünfte Sohn Leas. Nach TG 1:2 ist Gad der neunte Sohn Jakobs. Das stimmt mit dem Aufbau der TP überein, steht aber nicht im Einklang mit den Geburtserzählungen in Gen und Jub. Deshalb korrigiert Ms b diese Auskunft und nennt ihn folgerichtig den siebten Sohn Jakobs. Die beiden restlichen Aussagen dieser Art, TSim 2:2 und TJud 1:3 – Simeon und Juda als zweiter bzw. vierter Sohn Jakobs – stimmen sowohl mit dem Ordnungsprinzip der TP als auch mit dem Geburtsdatum der Stammväter überein[4].

B. Die Rahmen

Wir wenden uns jetzt den Rahmen zu. Über die verschiedenen Formelemente, die die Rahmen ausmachen, ist in I,1.2 genügend gesagt worden. Sie gehören zur Gattung und sind nicht vom Verfasser erfunden worden. Wir stellen nur die Altersangaben, die übrigens auch im Mittelteil vorkommen können[5], zur Debatte. Im Alten Testament wird nur das Alter Josephs und Levis in Gen 50:22.26 bzw. Ex 6:16 mitgeteilt. Die TP geben dagegen Auskünfte über die Lebensjahre sämtlicher Brüder – mit der Ausnahme von Joseph. Ms c sagt zwar in TJos 20:6, daß Joseph 110 Jahre alt wurde, doch müssen wir bei unserem Urteil bleiben, daß diese Version sekundär ist[6]. Die Altersangaben sind nicht vom Verfasser erdichtet, sondern stammen aus der Tradition. Sie lassen sich teilweise auf Grund entsprechender Angaben in Jub nachprüfen, und Jub zeigt, daß die Tradition ziemlich fest gewesen ist. Der Gebrauch von Jub ist freilich nicht unproblematisch, denn es gibt nur das Geburtsjahr und Datum (28:11ff; 32:33), nicht aber das Todesjahr der Patriarchen an. Da die TP an einigen Stellen einen Synchronismus nach dem Todesjahr Josephs bieten, ist ein Vergleich jedoch in vielen Fällen möglich. Wir setzen dann voraus, daß die Lebenszeit Josephs 110 Jahre betrug (= Gen 50:22.26; Jub 46:3.8), obwohl dies nur von Ms c gesagt wird. Aus diesem Vergleich mit Jub ergibt sich, daß die Auskünfte der TP im großen und ganzen bestätigt werden, wenn auch mit kleinen Differenzen. Einige typische Beispiele seien erwähnt: Laut TSeb 1:1 wurde Sebulon 114 Jahre alt und starb 2 Jahre nach Joseph. Er war folglich 2 Jahre vor Joseph geboren. Nach Jub 28:23f wurden sie aber in demselben

---

[3] Nach Jub doch der vierte; s. aber Anm. 2.
[4] So nach Gen; vgl. aber zu Jub Anm. 2.
[5] Im Anfangsrahmen: TR, TSeb, TD, TN, TG, TAs.
Im Schlußrahmen: TL, TJud, (TJos?).
An beiden Stellen: TSim, TB.
Im Mittelteil: TIs (7:1).
[6] Vgl. die Analyse in II,8.

Jahr geboren[7]. Nach TR 1:1 starb Ruben ebenfalls 2 Jahre nach Joseph im Alter von 125 Jahren. Das stimmt nicht ganz zur Chronologie des Jub, denn nach Jub 28:11 wurde Ruben 2122 Jahre nach der Schöpfung geboren, Joseph dagegen im Jahr 2134, Jub 28:24. Die Nettodifferenz ist freilich nur ein Jahr. Andererseits war Ruben etwa 11 Jahre älter als Sebulon. Nach Jub 28:11.23 war der Unterschied beinahe 12 Jahre[8]. TSim 1:1 deckt sich dagegen völlig mit den Angaben in Jub 28:13.24. Laut TSim 1:1 starb Simeon im selben Jahr wie Joseph, 120 Jahre alt. Er war also ungefähr ein Dezennium älter als Joseph[9]. Nach TL 12:7 starb Joseph im 118. Jahr Levis. Levi war somit etwa 7−8 Jahre älter als Joseph. Diese Angabe ist mit Jub 28:14.24 vereinbar[10]. Dina war nach Jub 30:2 12 Jahre alt, als sie von Sichem vergewaltigt wurde. Sie war nach Jub 28:23 die Zwillingsschwester Sebulons, und Sebulon war nach den obigen Angaben 5−6 Jahre jünger als Levi. Levi war somit 17−18 Jahre alt, als er Sichem tötete und für seine Schwester Dina Rache nahm. TL 12:5 sagt, daß Levi zu jener Zeit 18 Jahre alt war, TL 2:2 dagegen gibt die Angabe „etwa 20 Jahre alt"[11]. Nach Jub 28:14.23 wurde Sebulon etwa $7\frac{1}{2}$ Jahre nach Levi geboren[12]. Diese Angabe paßt also gut zu TL 2:2, aber weniger gut zu TL 12:5. Benjamin starb nach TB 1:1; 12:2 in seinem 125. Jahr[13] und war nach TB 1:4 12 Jahre nach Joseph geboren. Der Altersunterschied der Brüder war aber nach Jub 28:24; 32:33 etwa 9 Jahre[14]. M. de Jonge hat übrigens darauf aufmerksam gemacht, daß TB 1:4 nicht mit der Tradition in TP 12:2−3 "β" vereinbar ist[15]. Doch ist die Version von "β" in diesem Fall kaum ursprünglich[16].

Diese Beispiele genügen, um zu zeigen, daß der Verfasser seine Auskünfte der Tradition entlehnt. Daß die Altersangaben ein wenig von den Zahlen des Jub abweichen, zeugt davon, daß verschiedene Traditionen im Umlauf waren. Es hat deshalb keinen Sinn, nach Priorität zu fragen.

Zu den chronologischen Angaben der TP allgemein sei auf M. de Jonge verwiesen[17].

[7] Sebulon: 7.7.2134; Joseph: 1.4.2134; vgl. Anm. 2.

[8] Ruben: 14.9.2122; Sebulon: 7.7.2134.

[9] Simeon: 21.10.2124; Joseph: 1.4.2134.

[10] Levi: 1.1.2127; Joseph: 1.4.2134 = 7 $\frac{1}{4}$ Jahre.

[11] 18 Jahre alt stimmt mit der Angabe des Cambridger Fragmentes Kol. d15 = V.78 überein.

[12] Levi: 1.1.2127; Sebulon: 7.7.2134.

[13] Ms b liest in 1:1 125; vgl. aber 12:2. Ms l hat 120 an beiden Stellen.

[14] Joseph: 1.4.2134; Benjamin: 11.8.2143.

[15] *Testaments* 115; 161 Anm. 354.

[16] Vgl. die Analyse in II,11.

[17] *Testaments* 113ff.

C. Die Rückblicke

Der Umfang des Rückblickes variiert stark. Für einige der Stammväter hat der Verfasser viel Material zur Verfügung gehabt, für andere nur wenig oder gar nichts. Die Gegenpole bilden TJud und TAs. Der Rückblick in TJud ist umfangreich und vielseitig. Hier hat der Verfasser über so reichen Stoff verfügt, daß er auch Material mitgenommen hat, das in der nachfolgenden Paränese nicht berücksichtigt wird. In TAs fehlt umgekehrt eine eigentliche Lebensdarstellung. Sie wird durch einen Lehrvortrag über die zwei Wege ersetzt. Der Mangel an relevantem Stoff ist hier offenbar.

Die Erzählungen sind im allgemeinen wohlbekannt:

Ruben erzählt von seinem unkeuschen Verhalten zur Nebenfrau seines Vaters, Bilha.

Levi berichtet von der Rache an Sichem.

Juda kreist teils um sein Privatleben und gibt uns Auskünfte über seine unglückliche Ehe mit der Kanaanäerin Batschua und die Episode mit der Schwiegertochter Thamar, erzählt aber auch von den Kriegen gegen die Kanaanäer und seinen Onkel Esau.

Joseph berichtet von seinem Aufenthalt in Ägypten. Der Stoff ist allerdings nicht aus Gen bekannt.

In *TIs* ist ein großer Teil des Rückblickes nicht dem Patriarchen, sondern den Frauen Jakobs, Lea und Rahel, sowie der Erzählung von den Liebesäpfeln gewidmet.

In vielen Testamenten bilden das Verhalten der Brüder gegen Joseph und sein Verkauf den Kern. Die Brüder berichten im allgemeinen von ihrem Neid, Zorn und Haß ihrem Bruder gegenüber. Dies ist der Fall in *TSim, TD und TG*. Dagegen war *Sebulon* positiv gesinnt.

In *TB* macht die Josephsgeschichte ebenfalls einen erheblichen Teil des Rückblickes aus. Es fällt aber auf, daß er doch nicht vom Verhalten Benjamins gegen seinen Bruder handelt. TB gibt übrigens auch eine Erzählung von der Kindheit Benjamins, die aber nicht den Ausgangspunkt der Paränese bildet.

In *TAs* und *TN* kann man nicht von einer Lebensdarstellung reden.

Aus diesem Überblick sehen wir, daß der Verkauf von Joseph und der Haß oder die Liebe der Brüder ihm gegenüber eine wesentliche Rolle spielen. Dabei ist dieser Stoff verschieden angewandt worden, um Mahnungen unterschiedlicher Art zu erlauben. Er dient als Illustration der Gefahren des Neides (TSim), des Zornes und der Lüge (TD) und des Hasses (TG). Es sagt sich von selbst, daß diese Aspekte nicht immer scharf auseinandergehalten werden können. Umgekehrt wird dasselbe Material in TSeb positiv verwertet, und zwar als Illustration der Güte und Barmherzigkeit Sebulons, während es in TB die Gesinnung Josephs seinen Brüdern gegenüber bezeugt.

Die Frage drängt sich jetzt auf, ob der Verfasser in diesen Testamenten seinen Stoff erdichtet hat, oder ob er aus der Tradition geschöpft hat. Daß die Genesiserzählung in irgendeiner Weise zugrunde liegt, ist unbestritten, aber wie groß ist der Beitrag des Verfassers?

Wir erinnern sofort daran, daß gute Erzähler populär waren. Die Zuhörer haben einen Erzähler, der eine alte Erzählung neu berichten oder sogar neue Erzählungen erdichten konnte, hoch geschätzt. Von den haggadischen Stücken, die wir in den TP und verwandter Literatur finden, gilt aber, daß sie selten die Erfindung eines Erzählers sind, sondern das Resultat eines langen Prozesses.

Näher legt sich deshalb die Vermutung, daß der Verfasser aus vorliegender haggadischer Tradition schöpft[18]. Dafür sprechen vor allem TL und TJud. Dort begegnen Traditionen, die aus anderen Quellen, freilich in unterschiedlicher Form, bekannt sind. Die Erzählungen, die um die Josephsgeschichte kreisen, sind wahrscheinlich Traditionen, die entweder keinen anderen Niederschlag gefunden haben oder Sondertraditionen des Milieus der TP sind. Daß Traditionen von der Gesinnung der Brüder vorgelegen haben, ist jedenfalls nicht ausgeschlossen. Man darf vermuten, daß eine spätere Zeit neugierig nach den weniger bekannten Brüdern gefragt hat. Sie hat ganz natürlich mehr als Gen wissen wollen. Dabei kann der Stoff kürzeren Notizen der Gen entnommen sein. Simeon wird jedoch in Gen 34:25ff; 49:5ff als ein Gewalttäter dargestellt, und in bezug auf Gad und Dan haben vielleicht Namensdeutungen ihren Beitrag geleistet. Gad ist möglicherweise mit der Wurzel גדד, und Dan mit Niph'al von דין in Verbindung gesetzt worden; vgl. Gen 49:16ff, die uns verstehen lassen, daß diese Brüder kriegerisch waren. Umgekehrt zeichnet Gen 49:13 ein Bild von Sebulon als einem friedlichen und friedfertigen Mann. Der Ausgangspunkt braucht nicht größer als so gewesen zu sein. Daß der Verfasser selbst Gen in dieser Weise gebraucht hat, ist zwar möglich; dagegen spricht aber ein anderes Bedenken. Wenn nämlich der Verfasser die Lebensdarstellungen in TSim, TD, TG, TSeb und TB erdichtet hat, warum hat er sich nicht derselben dichterischen Freiheit in TN und TAs bedient und dadurch allen Testamenten ein- und dieselbe Struktur gegeben? Und warum hat er sich nicht darum bemüht, die Rückblicke auf die Vergangenheit zu variieren und sie thematisch deutlicher voneinander abzuheben? Uns scheint nur eine Antwort möglich: er hat diese Erzählungen nicht erdichtet, sondern sie vorgefunden. In bezug auf TN und TAs standen keine geeigneten Traditionen zur Verfügung, doch hat er keine Lebensdarstellung erdichtet, son-

---

[18] Vgl. Otzen *GamPseud* 7,679.

dern anderes Material benutzt. In der Tat ist der Verfasser kein guter Erzähler, denn keine der Erzählungen der TP ist wohlgestaltet. Seine Stärke liegt anderswo, nämlich auf dem Gebiet der Paränese.

Betonen wir zugleich, daß es sich nicht um eine sklavische Wiedergabe der Traditionen handelt, sondern um eine bewußte Auswahl mit dem Kriterium, daß dieses oder jenes haggadische Stück für die Paränese gebräuchlich sein sollte. Die Rückblicke wollen ja kein vollständiges *curriculum vitae* der Stammväter geben. Sie heben eher einen (oder mehrere) Aspekt(e) hervor, die in den Mahnungen Verwendung finden können. Der Verfasser schreibt somit nicht ab, sondern bearbeitet seinen Stoff. Das kommt deutlich in (TJud und) TL zum Ausdruck. Der Kern der genannten Testamente besteht also aus authentischen Traditionen, die der Verfasser selbständig gestaltet und eventuell mit Reden und Ausschmückungen bereichert hat. In dieser Hinsicht unterscheidet er sich wenig von z.B. modernen Sammlern von Märchen. Sie haben ihre Märchen nicht gedichtet, aber doch geformt.

Man sagt im allgemeinen, der Ausgangspunkt des Verfassers liege im Alten Testament. Diese Annahme ist insofern richtig, als viel von seinem Stoff aus dem Alten Testament bekannt ist. Es gibt aber viele Abschnitte, die dort keine Parallele haben, sondern aus bewahrten oder verlorenen Haggaden stammen. Daß der Verfasser das Alte Testament gekannt hat – vom Anachronismus dieser Bezeichnung sehen wir dann ab –, ist nicht zu leugnen. Man sollte sich aber davor hüten, eine zu mechanische Anwendung davon zu postulieren. Das Alte Testament muß zur Zeit der Grundschrift eine ziemlich fixierte Größe gewesen sein. Das gilt besonders für die haggadischen Stücke, die hier in Frage kommen, wenn auch die Funde in Qumran uns zeigen, daß die Texte nicht völlig festgelegt waren. Die Traditionen haben zugleich ein selbständiges Leben geführt und Niederschläge in anderen Quellen gefunden. Ein typisches Beispiel liefert das Buch der Jubiläen. Es zeigt, daß die schriftliche Fixierung einer Tradition, wie sie im Alten Testament vorliegt, nicht das Ende des mündlichen Traditionsprozesses bedeutete. In dieselbe Richtung weist das Genesis-Apokryphon. Ein- und derselben Tradition wurde immer wieder neues Ausformen gegeben. Das „Daß" der Erzählungen war gemein, das „Wie" konnte sich ganz verschieden gestalten. Der Ausgangspunkt unseres Verfassers war nicht das schriftlich fixierte Alte Testament, sondern die haggadischen Weiterführungen der Traditionen. Das ergibt sich am einfachsten aus dem Tatbestand, daß viele Einzelzüge dem Alten Testament fremd sind. Man vergleiche z.B. TJud Kap. 3–7, die ihren „Ausgangspunkt" in *einem* Vers, Gen 48:22, haben. Der Parallelstoff in Jub 34:1–9 und Midrasch Wajjissa'u zeigt, daß sich der Verfasser wohlbekannter Traditionen bediente. Näheres dazu unten.

Da der Verfasser nicht direkt auf das Alte Testament baut, überrascht es nicht, daß wir Material finden, das gegen die biblische Überlieferung streitet. Die folgende Liste macht keinen Anspruch darauf, eine erschöpfende Darstellung dieses Themas zu geben, dient aber als eine gute Illustration:

1. Nach TG 2:3[19] verkauften Gad und Juda Joseph für 30 Goldstücke, während Gen 37:28 von 20 Silberstücken spricht[20]. Man hat darin einen Bezug auf den Bericht vom Verrat Judas in Mt 26:15; 27:9f gesehen[21], doch ist diese Annahme problematisch[22]. Es handelt sich eher um eine Sondertradition, die die Auskünfte in Gen berichtigen will. Gad und Juda empfingen 30 Goldstücke, behielten aber selbst 10 und sagten ihren Brüdern, der Kaufpreis sei 20 Goldstücke[23]. (Dieselbe Pointe taucht nochmals in TJos 16:4f auf.)

2. In bezug auf den Verkauf von Joseph weicht die Darstellung in mehreren Hinsichten von Gen ab:

Nach Gen 37:26ff waren alle Brüder, mit Ausnahme von Ruben (und Benjamin, der zu jung war), mitschuldig. TSim 2:9 schreibt Juda die zentrale Rolle zu. Er habe den Verkauf unternommen, während er ihn nach Gen 37:26 nur vorgeschlagen hat; vgl. übrigens 1. oben! TSim 2:9f sagen ausdrücklich, daß nicht nur Ruben, sondern auch Simeon beim Verkauf abwesend gewesen sei.

Nach Gen 37:17 fand der Verkauf *in Dothan* statt. Das ist aber nach TSim 2:9f ausgeschlossen, weil der abwesende Ruben *nach Dothan* aufgebrochen war.

Nach Gen 37:18ff hat Ruben den Plan seiner Brüder, Joseph zu töten, verhindert. TSeb erwähnt dieselbe Tradition (2:7), weiß aber zugleich zu berichten, daß Sebulon Mitleid mit Joseph gefühlt und auf seiner Seite gestanden habe.

3. TIs 3:1; 5:3ff u.a. geben uns den Eindruck, Abel sei ein Landmann, während er nach Gen 4:2 Schafhirt und sein Bruder Kain Ackerbauer ist. Entweder sind Hirte und Bauer als Berufe der Landbevölkerung verschmolzen[24](vgl. Prov 27:23ff), oder das Milieu des Verfassers hat Abel als einen Landmann dargestellt. (Boström spricht regelrecht von der Wandlung eines Ideals[25].)

4. TL 6:5 erzählt, daß alle Brüder am Blutbad in Sichem teilgenommen

---

[19] Vgl. zu diesem Text II,5 mit Anm. 3; 4; 5.

[20] Die LXX hat 20 Goldstücke.

[21] Vgl. z.B.: Charles *Comm* 151; M. de Jonge *NT* 4 (1960) 194f.

[22] S. Becker *Untersuchungen* 357f. Joseph gilt nicht ohne weiteres als Typos Christi, wenn auch z.B. TB 3:6f so gelesen worden sind. Mt spricht außerdem von *Silber*münzen.

[23] So schon Bickerman *JBL* 69 (1950) 259 mit Anm. 47.

[24] Vgl. IV,2I (Anm. 93).

[25] *Proverbiastudien* 79 Anm. 86.

hätten. In Gen 34:25ff (vgl. 49:5ff) töten Simeon und Levi allein die Einwohner Sichems, während die Brüder ihnen mit der Plünderung der Stadt helfen.

5. Während Gen 49:14f Issachar seine Unterwerfung unter die Kanaanäer vorhalten, lobt ihn TIs, weil er für die Großfamilie gearbeitet habe; vgl. TIs 3:1.6.

6. In der bekannten Thamarepisode liegt ein augenfälliger Unterschied vor. Nach Gen 38:18 gibt Juda Thamar seinen Siegelring, seine Schnur und seinen Stab als Pfand; vgl. Jub 41:11: Ring, Halskette und Stab. In TJud 12:4; 15:3 hören wir dagegen von Stab, Gürtel und Diadem.

7. Nach TB 7:3f wurde Kain sieben Strafen von Gott übergeben, während Gen 4:15 von einer siebenfachen Rache spricht. Nach TB 7:4 wurde Lamech mit sieben mal siebzig Übeln bestraft, während er nach Gen 4:24 siebenundsiebzigfach gerächt wird. Die Wurzel נקם wird anscheinend verschieden interpretiert.

8. Die Erklärung der Namen Naphtalis und Benjamins stimmt nicht mit den Paronomasien der Gen überein. Das Wortspiel in Gen 30:8 basiert auf Qal von der Wurzel פתל, TN 1:6 legt dagegen Niph'al zugrunde. Benjamin wird in Gen 35:18 als „Erfolgskind" verstanden, in TB 1:6 dagegen als „Sohn der Tage".

9. In Gen 38:2.12 ist die Frau Judas die *Tochter Schuas*, Bat-Schua, während Batschua in TJud 8:2; 10:6 usw. als ein Eigenname aufgefaßt wird; vgl. Jub 34:20: Bētasū'ēl; 41:7: Bēdsū'ēl.

10. TJud 10:1ff schreiben Batschua eine Rolle zu, die sich kaum mit Gen 38:6ff vereinbaren läßt; vgl. aber Jub 41:2.7.

11. TR 3:15 sagt, daß ein Engel die Sünde Rubens offenbart habe. Gen 35:22 sagt nur kurz, daß Jakob davon gehört habe. (In Jub 33:7 erzählt Bilha von der Episode.)

(12.) (Joseph wird nach TJos 20:6 [Ms c] in Hebron begraben. Jos 24:32 berichtet dagegen, daß sein Grab in Sichem sei[26].)

Diese Beispiele zeigen, daß das Alte Testament für den Verfasser der TP nicht den Status einer heiligen, unveränderlichen Schrift gehabt haben kann. Er hätte im entgegengesetzten Fall die alttestamentlichen Traditionen kaum bestreiten können. Dasselbe läßt sich übrigens auch für Jub, GenAp und viele Pseudepigraphen anführen.

Innerhalb des haggadischen Materials finden sich sowohl Erzählungen, die aus anderen Quellen bekannt sind, als auch unbekannte Traditionen. Wir werfen zuerst einen Blick auf die erstgenannte Gruppe und bemerken zunächst allgemein, daß die aktuellen Erzählungen niemals ganz identisch

---

[26] Diese Version ist höchstwahrscheinlich sekundär (vgl. die Analyse in II,8), zeugt aber von einer abweichenden Tradition.

sind. An einigen Stellen sind die Unterschiede gering und unbedeutend, an anderen handelt es sich um erhebliche Differenzen. Wir müssen auf Einzelheiten verzichten, verweisen aber auf unsere Analysen in II,3–14.

TR: Der Rückblick liegt in 1:6–10 + 3:9–4:5 vor. Ruben erzählt von seinem Verkehr mit Bilha, der Nebenfrau seines Vaters. Im Alten Testament begegnen nur zwei kurze Notizen in Gen 35:22 und 49:4. In Jub 33:1–9 findet sich dagegen ein umfangreicher Bericht. Obwohl TP und Jub in einem gemeinsamen Traditionsstrom stehen, lassen sich konkrete Unterschiede leicht nachweisen[27].

TJud: Dieses Testament enthält mehrere Lebensdarstellungen: Kap. 2; Kap. 3–7; Kap. 9; Kap. 8 + 12.

a. Die Kanaanäerkriege, TJud Kap. 3–7, werden ganz kurz in Gen 48:22 erwähnt. Dieser eine Vers ist während der Überlieferung stark gewachsen. Die umfangreichste Parallele liegt in Midrasch Wajjissa'u vor, und sie wirft Licht auf viele unklare Punkte in TJud. Die Divergenzen sind jedoch groß. Die kürzere Parallele in Jub 34:1–9 weicht noch mehr von den TP (und dem Midrasch) ab. Es handelt sich um eine gemeinsame mündliche Tradition mit individuellem Ausformen.

b. Kap. 8 + 10–12 sind privater Art. Kap. 8 entspricht Gen 38:1ff, weist aber erhebliche Differenzen auf. 10:1–11:5 stehen dicht an Gen 38:6–11 und Jub 41:1–7. Der wesentlichste Unterschied dem Alten Testament gegenüber besteht darin, daß Batschua sehr negativ geschätzt wird. Das ist auch in Jub der Fall. Die Thamarepisode in 12:1–10 findet sich in Gen 38:11ff; Jub 41:8–21. Jub steht hier dichter an Gen als TP; vgl. z.B. die drei genannten Pfänder (s. oben, Punkt 6).

c. Jakobs Kampf mit Esau, Kap. 9, ist dem Alten Testament unbekannt; Jub 37:1–38:14 weisen dagegen ein umfangreiches Parallelstück auf. Es sei aber bemerkt, daß TJud 9:4–6 keine Entsprechung in Jub haben. Umfangreichen Parallelstoff bietet auch Midrasch Wajjissa'u, jedoch sind die Übereinstimmungen nicht so hervortretend wie zu TJud Kap. 3–7.

Schließlich sei auf die Paronomasie in TJud 1:3 = Gen 29:35 verwiesen.

TL: Dieses Testament enthält viele bekannte Traditionen.

a. Die Sichemerzählung, TL 2:1–2 + 6:3–7:4, ist aus Gen 34:1ff; 49:5ff und Jub 30:1ff bekannt. Das Cambridger Fragment Kol. a+b ist leider so beschädigt, daß wir seine Version nicht mehr rekonstruieren können. Das ursprüngliche TL hat, wie das Alte Testament, diese Missetat stark verdammt. Jub paßt dagegen zur jetzigen Tendenz des TL.

b. Die Reise nach Hebron, Levis Einsetzung ins Priesteramt und die Belehrung Isaaks, TL 9:1ff, laufen mit dem Oxforder Fragment a14ff und

---

[27] Details in II,3 Anm. 4.

dem griechischen Fragment in Ms e V.11−61 parallel. In Jub finden wir die Reise nach Hebron und Isaaks Segen von Levi (und Juda) in Kap. 31, während Kap. 21 eine Belehrung Abrahams kennt, die der Priesterbelehrung in TL 9:6−14 entspricht.

c. Das genealogische Material in TL 11:1−12:7 hat nochmals Parallelen in den aramäischen Fragmenten, nämlich dem Cambridger Fragment c3ff, und im griechischen Fragment V.60−69. Viele Details finden sich zerstreut im Alten Testament und in Jub.

TJos: Der echte Rückblick liegt in 10:5ff vor. Er fängt mit dem Verkauf von Joseph an, handelt aber im wesentlichsten von seinem Aufenthalt in Ägypten. Er entspricht also sachlich Gen Kap. 37ff und Jub Kap. 34ff, doch ist der Stoff des TJos im großen und ganzen Sondertradition; vgl. unten. TJos 20:3 bezieht sich anscheinend auf eine Tradition, die auch in Jub 34:15f belegt ist. Die Erwähnung der Pferderennbahn, TJos 20:3, kennen wir aus Gen 48:7*LXX,* doch handelt es sich wahrscheinlich um einen späteren Einschub[28].

TIs: Der Rückblick auf die Vergangenheit umfaßt 1:2−3:8, aber nur Kap. 3 ist dem Leben Issachars gewidmet. 1:2−2:5 berichten die Erzählung von Lea, Rahel und den Liebesäpfeln. Von den Liebesäpfeln wird in Gen 30:14ff geredet, und der Dialogstoff in TIs Kap. 1−2 erinnert an Gen 29:15ff. Die Spekulation über die Zahl der Äpfel fehlt im Alten Testament, begegnet aber in Ber. Rabb. 72, wenn auch mit einer ganz anderen Pointe.

Die Darstellung des Lebens Issachars in Kap. 3 baut darauf, daß er Landmann war und setzt somit die Tradition in Gen 49:14f voraus. Diese Tradition ist aber anders verstanden als in Gen. Die Namensdeutung in TIs 1:2 = Gen 30:18.

In vielen Testamenten ist der Rückblick dem Verhalten der Brüder gegen Joseph gewidmet; vgl. *TSim, TD, TG, TSeb.* Zugrunde liegen die Traditionen, die wir aus Gen Kap. 37 und Jub Kap. 34 kennen, obwohl die TP vielen Sonderstoff aufweisen.

Der Kauf von Sandalen in TSeb 3:1−3 hat eine Parallele in Ps. Jon. zu Gen 37:28. Sebulon wird auch in Gen 49:13 und in rabbinischen Quellen als Seemann dargestellt.

Die Namenserklärung in TSim 2:2 = Gen 29:33. In bezug auf Sebulon entspricht TSeb 1:3 einem der Wortspiele in Gen 30:20.

TB: Die Lebensdarstellung handelt von dem Verkauf von Joseph an die Ismaeliten und ihrer Behandlung des Stammvaters. Die Midrasche kennen ähnliche, aber nicht identische Erzählungen.

Die Vorgeschichte des TB Kap. 1 baut auf traditionelles Material, vgl.

---

[28] Vgl. III,1 Anm. 10.

Gen Kap. 35 und Jub Kap. 32, wenn auch das Ausformen sowie Details dem TB eigen sind.

In den übrigen zwei Testamenten, *TN* und *TAs,* fehlt eine eigentliche Lebensgeschichte. In TN findet sich freilich ein längeres Vorspiel. Bilhas Geburt von Naphtali ist aus Gen 30:1ff und Jub 28:17ff bekannt. Die Bilhagenealogie, TN 1:9ff, hat nach Milik eine Parallele in einem Textfragment aus Qumran[29]. Der Text ist leider nicht veröffentlicht.

TN 2:1 erinnert an Gen 49:21.

Aus dieser Übersicht sehen wir, daß viele der Haggaden der TP Parallelen im Alten Testament, in Jub und anderen jüdischen Quellen haben. Das zeigt deutlich, daß der Verfasser auf bekannte Traditionen baut. Er hat auch Zugang zu Stoff gehabt, der nicht im Alten Testament, aber doch in anderen Quellen belegt ist. Andererseits läßt sich nachweisen, daß der Verfasser diese Traditionen nicht sklavisch und unreflektiert übernimmt. Er ändert, kürzt und bearbeitet. Ein gutes Beispiel liefert TJud, das deutlich davon zeugt, daß er seine Quellen gekürzt hat. Das war möglich, weil er für Adressaten schrieb, die mit diesen Traditionen vertraut waren.

Neben den aus anderen Quellen bekannten Stücken begegnen viele Sondertraditionen. Da der Verfasser sich sonst vorliegender Haggaden bedient, liegt die Vermutung nahe, daß es sich um bekannte Traditionen handelt, die aber außerhalb der TP keinen schriftlichen Niederschlag gefunden haben oder verlorengegangen sind. Unter diesen Stücken seien erwähnt:

TJos: Der größere Teil der zweiten Josephserzählung (10:5ff) ist weder im Alten Testament noch in anderen Quellen belegt. Der Bericht über den Kauf und Verkauf von Joseph, wie er hier vorliegt, und über den Prozeß Potiphars haben keine Parallele.

TB: Die späten Midrasche erzählen, daß die Ismaeliten Joseph schlecht behandelt hätten, bieten aber andere Episoden als TB 2:3ff.

TN: 1:7b−8 sind Sonderstoff, obwohl er auf bekannte Tatsachen baut.

TR 3:13 sagt, Bilha sei trunken gewesen und habe unbedeckt geschlafen, als Ruben zu ihr kam. Diese Details fehlen in Gen 35:22 und Jub 33:1ff.

TJud: In Kap. 2 finden sich mehrere Erzählungen davon, wie Juda wilde Tiere besiegt hat. Sie sind sonst nicht belegt. Unbekannt sind ferner die Notiz in TJud 11:3f, Batschua habe ihrem Sohn Sela eine kanaanäische Frau genommen, die Berauschung Judas in 12:3.6 und seine Reflexion in 12:7; s. auch 10:3.

TL 6:8ff bieten unbekannte Auskünfte über die vielen Missetaten der Sichemiten.

---

[29] *RB* 63 (1956) 407.

In einer Sonderstellung stehen die Rückblicke in *TSim, TD, TG,* und *TSeb.* Diese vier Brüder spielen eine viel aktivere Rolle in den TP als in den Parallelerzählungen in Gen und Jub.

Der Inhalt von *TSeb 5:4ff* ist sonst unbelegt, und nur TSeb stellt Sebulon als Fischer dar.

Die Krankheit Josephs in *TG 1:4ff* hat keine Parallele.

Daß viele Brüder in einen Sarg gelegt werden (TR 7:2; TSim 7:2; TL 19:5; TSeb 10:6; TB 12:2), ist neu gegenüber Gen. In Gen 50:26 wird dies nur von Joseph erzählt. (Ein entsprechender Bericht fehlt tatsächlich in TJos.)

D. Die Mahnungen

Die Paränese macht den zweiten Hauptteil der Abschiedsrede aus. Die Mahnungen bauen auf die Lebensdarstellungen – Ausnahmen bilden TN und TAS, in denen eine eigentliche Lebensgeschichte fehlt – und wollen irgendeine Tugend oder irgendein Laster illustrieren, in TJud und TD freilich mehrere Laster. Die Lebensdarstellung ist nur ein Ausgangspunkt, und die Verhaltensanweisungen beschränken sich nicht auf die konkrete(n) Episode(n) des Rückblickes. Wesentlich ist vor allem das Thema, ungeachtet dessen, ob es sich in der Lebensgeschichte belegen läßt oder nicht. TR kann dies veranschaulichen: in TR 5:3 stellt der Verfasser fest, daß Frauen eher als Männer dem Geist der Hurerei unterlägen. Diese Aussage läßt sich nicht mit dem konkreten Ausgangspunkt, dem Beischlaf Rubens mit Bilha, begründen, denn in TR 3:13f wird Bilha als äußerst passiv, ja unwissend dargestellt. Der Übergang zur Warnung vor Frauen im allgemeinen ist dadurch zustande gekommen, daß der Verfasser die Frau Potiphars als Prototyp aller Frauen auftreten läßt, TR 4:8ff.

Über die Form der Paränese braucht nicht viel gesagt zu werden. Die TP gehören zur weisheitlichen Literatur, aber im Gegensatz zur sentenzartigen Ausdrucksweise der älteren Chokmaliteratur begegnet in den TP ein breitfließender Stil. Die TP sind in dieser Hinsicht mit den jüngeren Teilen von Proverbia und den Büchern Hiob, Qohelet und Sirach vergleichbar. Andererseits bedient sich die Chokmaliteratur oft einer gebundenen, rhythmischen Form, gekennzeichnet vom *parallelismus membrorum.* Sie läßt sich deshalb im allgemeinen als Poesie charakterisieren. Das gilt auch für die jüngeren Texte, obwohl die Grenzen zwischen Poesie und Prosa hier fließender werden. Man bedenke z.B. das Buch Qohelet, wo es sich an vielen Stellen nur schwer entscheiden läßt, ob ein Abschnitt poetisch oder prosaisch ist. Innerhalb der Paränese der TP finden sich viele poetische Stücke – das geht aus der Textausgabe von Charles hervor –, doch besteht der größere Teil des Textes aus Prosa. Das ist sicher dadurch bedingt, daß die Paränese oft an „Abhandlungen" über ein Thema erinnert. Für diesen Zweck ist Prosa besser geeignet als Poesie. Zur Form sei ferner bemerkt: in den TP begegnen kürzere Stücke, die von einem gemeinsamen Thema zusammengehalten werden. Der innere Zusammenhang der Einzelstücke ist oft weniger klar, und ein Stück leitet nicht immer logisch zum nächsten über. Es genügt, daß die Stücke dasselbe Thema aufweisen und dieses von verschiedenen Seiten beleuchten.

Zu den verschiedenen Gattungen der Paränese sei auf die Untersuchungen von Aschermann verwiesen[30].

Die nachfolgende Liste gibt eine Übersicht über die in der Paränese behandelten Themata und ihren Ausgangspunkt.

TR: Hurerei (Rubens Beischlaf mit Bilha)
TSim: Neid (Simeons Eifersucht gegen Joseph)
TL: Gesetzesliebe (?)
TJud: Begierde, Trunkenheit, Geldgier, Hurerei (Judas Verhalten gegen Batschua und Thamar)
TIs: „Lauterkeit" (das Leben Issachars als Landmann)
TSeb: Barmherzigkeit (Sebulons Mitleid mit Joseph)
TD: Zorn und Lüge (Dans Verhalten gegen Joseph)
TN: Die natürliche Güte (die Natur als Bild des richtigen Lebenswandels)
TG: Haß (Gads Haß gegen Joseph)
TAs: Doppelgesichtigkeit (das Lehrgedicht in 1:3ff)
TJos: Bruderliebe (Josephs Liebe zu seinen Brüdern)
TB: Die reine Gesinnung (Josephs Verhalten gegen seine Brüder)

Wir sehen, daß die meisten Testamente nur ein Thema aufweisen. In TJud finden sich jedoch mehrere Themata, in TD zwei. In TJud ließ die Lebensgeschichte verschiedene Einfallswinkel zu, und der Stoff ist nicht einmal in vollem Maß ausgenutzt worden.

Die aufgelisteten Themata der Paränese entsprechen im großen und ganzen den Überschriften, die in vielen Mss begegnen[31]. Einige Abweichungen fordern Kommentare. In TJud wird z.B. angeführt, es handle von Tapferkeit usw. Das stimmt für den Rückblick, ist aber in den Mahnungen keine Pointe, da die großen Komplexe Kap. 2; 3–7; 9 keine Verwendung gefunden haben. Ein kurzer und oberflächlicher Hinweis liegt zwar in Kap. 13 vor.

---

[30] *Formen.*
[31] Vgl. Charles *Text* und *Editio Maior* in loc. Es sei bemerkt, daß die Mss oft voneinander abweichen. Wir gehen auf diese Frage nicht ein.

In der Überschrift von TL heißt es, es handle von dem Priestertum und der Überhebung. In der Paränese, Kap. 13, ist das nicht spürbar. Aus der Übersicht geht hervor, daß die Mahnungen sonst auf den Rückblick bauen. (Das ist auch in TN und TAs der Fall, obwohl sie keine wirkliche Lebensgeschichte haben. Sie nehmen Bezug auf den Teil, der sie ersetzt.) Der Verdacht legt sich deshalb nahe, daß Kap. 13 nur ein Rest der Paränese ist. Wahrscheinlich gab es auch Mahnungen, die ihren Ausgangspunkt in den Gewalttaten in Sichem nahmen. Andererseits ist die Paränese in Kap. 13 sicher echt, da Mahnungen dieser Art im Mund Levis zu erwarten sind. Sie haben überdies eine gewisse Basis in Kap. 9.

Die Überschrift in TR, „über die Gesinnung", ist eine unzutreffende Themaangabe. Es handelt von Hurerei.

Die Überschrift in TJos, „über die Enthaltsamkeit", bezieht sich auf den sekundären Rückblick in Kap. 3ff. Der echte Rückblick in 10:5ff gipfelt in Bruderliebe.

Die Tugenden und Laster sind offenbar nicht über einen bestimmten Leisten zugeschnitten. Die Zehn Gebote liegen nicht zugrunde, denn es fehlen, wenigstens direkt, konkrete Warnungen vor z.B. Diebstahl und Mord. Auch vermißt man eine Aufforderung, die Eltern zu ehren. Eine Liste mit zwölf verschiedenen Tugenden und Lastern läßt sich kaum aufstellen, denn viele der Verhaltensanweisungen sind eng verwandt, ja überschneiden einander sogar. Das ist deutlich der Fall in TIs und TAs, die eine positive bzw. eine negative Darstellung ein- und desselben Themas bieten. Issachar fordert seine Nachkommen zur „Einfalt" auf, während Asser seine Söhne vor „Doppelgesichtigkeit" warnt. Der inhaltliche Unterschied ist klein; vgl. IV,2E; s. zur Vorstellung auch TB Kap. 6. Die Themata in TSeb und TN, Barmherzigkeit bzw. natürliche Güte, lassen sich nur schwer voneinander unterscheiden. In TSim, TD und TG ist es dem Verfasser trotz großer Mühe nicht recht gelungen, die Mahnungen auseinanderzuhalten. Sie bringen ungeachtet der Aufspaltung in Neid, Zorn (und Lüge) und Haß doch alle drei die negative Gesinnung dieser Brüder Joseph gegenüber zum Ausdruck.

Die TP wollen also kaum ein „Lehrbuch der Ethik" sein, da viele Themata fehlen und die Überschneidungen zu deutlich sind. In der Tat werden die Mahnungen in TB zusammengefaßt. In letzter Instanz kommt es auf die Gesinnung an. TN sagt dasselbe in anderer Weise: die Menschen sollen ihrer Bestimmung treu bleiben, und diese Bestimmung ist gerade, ein guter Mensch zu sein. Issachar und Sebulon, und in noch höherem Grad Joseph, sind lebendige Illustrationen der richtigen Gesinnung, die sich vorzüglich in der Liebe zu Gott und Menschen manifestiert; vgl. IV,2D. Die TP wollen also kein Tugend- und Lasterkatalog im eigentlichen Sinn sein.

Daß man öfter Warnungen vor konkreten Sünden als Konkretisierungen des richtigen Lebenswandels findet, ist nicht zu leugnen. Der Grund ist sicher, daß sich diese Art von Paränese einfacher durchführen läßt. Die Josephsgestalt hält jedoch die Paränese zusammen und zeigt uns, wie man leben soll.

Auch im mahnenden Teil hat der Verfasser sich vorliegenden Materials und bekannter Traditionen bedient. Als Beispiele seien erwähnt:

TR: Die Pneumaliste in 2:1−2 + 3:3−6 war ein vorliegendes Stück, das der Verfasser mittels der Stichworte πορνεία/πνεῦμα τῆς πορνείας in seine Komposition einarbeitete. Die Erzählung von den Wächtern und den Frauen in 5:6f ist traditionelles Gut, das aus Jub 4:15.22; 5:1−11; 1.Hen Kap. 6−10; GenAp Kol. 2 bekannt ist. Der Ausgangspunkt dieser Tradition findet sich in Gen 6:1ff.

TG: 6:3b−7 sind oft mit den „Regeln zur Gemeindezucht" in Lk 17:3f; Mt 18:15ff; 1QS 5:23ff; 6:25ff; CD 9:2ff verglichen worden, gehen jedoch nicht von einem festen Gemeindebegriff aus, sondern sind auf das private Verhältnis der Juden untereinander zugeschnitten; vgl. Sir 19:13ff. Das Stück macht unmittelbar den Eindruck selbständiger Tradition.

TB: 7:2−5 muten wie ein Fremdkörper an und dürfen wahrscheinlich als ein übernommenes Traditionsstück betrachtet werden.

TL: Die Weisheitsrede in Kap. 13 hat eine Parallele im Cambridger Fragment e5−f23.

TAs: Der Lehrvortrag in 1:3ff ist wahrscheinlich entlehntes Gut. Das Stück wurde anstelle des fehlenden Rückblickes eingefügt.

Auch in *TIs 4:2−6; 7:2−6; TG 7:1−6; TB 4:2−5; 6:1−4; TJud 18:3−5* läßt sich die Annahme übernommenen Materials mehr oder minder überzeugend verteidigen.

Aus dieser Liste sehen wir, daß der Verfasser sowohl vorgefundene haggadische Traditionen als auch andere Traditionsstücke in seine Paränese inkorporiert hat. Sehen wir von dem haggadischen Stoff ab, läßt sich auf Grund von TL Kap. 13 beweisen, daß auch die typisch paränetischen Abschnitte Parallelen in vorliegenden Traditionen haben. Der Umfang entlehnten Gutes läßt sich zwar nicht feststellen. Daß der Verfasser sich auch im mahnenden Teil fremder Traditionen bedient hat, darf nicht dahingehend interpretiert werden, daß er ganz unselbständig gearbeitet habe. Die Paränese ist der eigentliche Beitrag des Verfassers, und sie zeugt deutlich von seiner Größe. Denn wie nur wenige hat er sich um einige zentrale Prinzipien gesammelt. Näheres dazu in IV,2J.

2. Die Vorstellungswelt und Ideologie der Grundschrift der Testamente der Zwölf Patriarchen

A. Kosmologie

Zur Kosmologie der TP läßt sich kaum mehr sagen, als daß sie die Dreiteilung des Kosmos in Himmel, Erde (alle beide passim) und Unterwelt/Hades (nur TR 4:8) voraussetzen[1]. Die Ansichten des Verfassers unterscheiden sich jedoch kaum von den traditionellen, alttestamentlichen Auffassungen[2].

B. Die übersinnliche Welt: Theologie, Angelologie, Dämonologie

a. Eine Theologie im engen Sinn, also Lehre von Gott, bieten die TP nicht. Die wenigen und knappen Aussagen, die in Betracht kommen[3], erlauben keine Systematisierung und lassen übrigens keine interessanten Folgerungen zu. Man darf vermuten, daß der Verfasser die alttestamentliche Gottesvorstellung[4] geteilt hat, zumal keine Stelle dagegen spricht. Die üblichen Gottesbezeichnungen sind θεός, κύριος und ὕψιστος, von denen die letztgenannte in den Hintergrund tritt[5]. Ein Unterschied im Gebrauch ist nicht festzustellen. Gott wird als „der Gott des Himmels", TR 1:6, und „der Herr, der Gott des Himmels (und der Erde[6])", TB 3:1, bezeichnet. Er ist der Gott der Väter, TR 4:10; TSim 2:8; TJud 19:3; TG 2:5, „der Gott der Hebräer", TJos 12:3 (zwar im Mund des Potiphar), und „der Gott des Friedens", TD 5:2[7].

---

[1] Mit einem anderen literarkritischen Ausgangspunkt wird das zur Verfügung stehende Material eventuell reicher; vgl. z.B. Böcher *Dualismus* 24.

[2] Vgl. z.B. Eichrodt *Theologie* 2/3,57ff.

[3] Einen anderen literarkritischen Ausgangspunkt haben z.B.: Eppel *Piétisme* 53ff; Macky *Importance* 37ff.

[4] Vgl. z.B. Eichrodt *Theologie* 1,110ff.

[5] Ὕψιστος findet sich in: TSim 2:5; TIs 2:5 ("β"); TN 2:3 (Ms b); TG 3:1; 5:4 (Mss bl); TAs 2:6; 5:4; TB 4:5 ("β" – Ms a). Die beiden anderen kommen passim vor.

[6] Der Zusatz findet sich in Mss dmc. Dieselbe Erweiterung kommt auch in Mss chj in TR 1:6 vor.

[7] Vgl. zu diesen Gottesbezeichnungen: Eppel *Piétisme* 53ff; Macky *Importance* 37ff. S. doch Anm. 3 oben.

b. Die Angelologie ist anscheinend ganz traditionell[8] und spielt keine große Rolle. Der Begriff ἄγγελος kommt in TR 3:15; 5:3; TSim 2:8;TJud 3:10; 10:2; 15:5; TIs 2:1; TN 8:4.6; TB 6:1 vor. Nur in TN 8:4.6 wird von mehreren Engeln gesprochen. An den übrigen Stellen begegnet der Singular. Mit *dem* Engel Gottes, ὁ ἄγγελος τοῦ θεοῦ, in TR 5:3; TJud 15:5, ist wahrscheinlich ein ganz bestimmter Engel gemeint, vielleicht der im Alten Testament bekannte „Engel Jahwes"[9]. Im Gegensatz dazu ist in TR 3:15 nur an irgendeinen Engel gedacht. Dort fehlt nämlich der Artikel. Wir hören auch von einem ἄγγελος δυνάμεως in TJud 3:10 und von ὁ ἄγγελος τῆς εἰρήνης in TB 6:1. (Man beachte nochmals den unterschiedlichen Gebrauch ohne bzw. mit Artikel.) Der letztgenannte Engel ist sicher Michael[10]. Von den Aufgaben der Engel werden drei erwähnt. Sie offenbaren „Geheimnisse", TR 3:15; 5:3; TIs 2:1, stützen die Frommen und helfen ihnen, TSim 2:8; TJud 3:10; TB 6:1, und töten ausnahmsweise einen Sünder, TJud 10:2. Keiner dieser Aufträge ist auffällig.

Die TP kennen ebenfalls den Mythos von den gefallenen Engeln, den Wächtern, TR 5:6f; TN 3:5; vgl. Jub 4:15.22; 1.Hen Kap. 6−10; GenAp Kol. 2. Den Ausgangspunkt bieten Gen 6:1ff. Die Darstellung in TR 5:6f ist eigenartig: die Wächter schlafen nicht mit den Frauen, erscheinen ihnen aber, während sie mit ihren Männern geschlechtlich verkehren und bewirken dadurch, daß die Frauen im Herzen nach ihren Erscheinungen begehren und Riesen gebären.

c. Von einer wirklichen Dämonologie ist in der Grundschrift keine Rede[11]. In der Tat fehlt der Begriff δαίμων völlig. Der Text kennt zwar den Fürsten der Dämonen, Beliar[12], der auch der Satan[13] und der Teufel[14] genannt wird. Es ist aber charakteristisch, daß er im Gegensatz zu Gott keinen Hofstaat an seiner Seite hat. Die sogenannten „Geister Beliars" sind, wie wir in III,3 gezeigt haben, nicht dämonologisch, sondern pneu-

---

[8] Vgl. z.B. Eichrodt *Theologie* 2/3,131ff. Die Darstellung der Angelologie bei Macky *Importance* 51ff; 104ff enthält gute Einzelheiten, die mangelhafte literarkritische Analyse verringert aber ihre Bedeutung. Dasselbe gilt für Eppel *Piétisme* 59ff; 68ff; 77ff.

[9] S. z.B. Eichrodt *Theologie* 2/3,7ff.

[10] Vgl.: Charles *Comm* 205; Otzen *GamPseud* 7,785. (Ihre Argumentation baut zwar teilweise auf sekundäre Stellen der TP.) Hollander/M. de Jonge *Comm* 356 (zu TAs 6:4) machen darauf aufmerksam, daß Gabriel in Johannis Evangelium Apocryphum Arabice 2:7 der Engel des Friedens genannt wird.

[11] Zu den Interpolationen vgl. III,3B. Zum Alten Testament vgl. Eichrodt *Theologie* 2/3,152ff.

[12] TR 4:7.11; 6:3; TIs 7:7; TD 1:7; 4:7; 5:1; TN 2:6; (3:1 Mss dmchij); TAs 1:8; 3:2; TJos 20:2; TB 3:3.4; 6:1.7; 7:1.2. Zu TN 3:1 s. Anm. 14 unten.

[13] TD 3:6; TG 4:7.

[14] TN 3:1 ("β" – Mss dm); 8:4.6; (TG 5:2 Mss gldmeaf; vgl. α: διαβολικόν). Zu TN 3:1 vgl. Anm. 12 oben. In TAs 3:2 ist mit α τὸ διαβούλιον zu lesen. „Daß der Mensch durch seine Taten den Teufel töten kann, wäre eine sonst nicht belegbare Vorstellung." Becker *Komm* 115. S. auch Charles *Comm* 166.

matologisch zu verstehen. Daraus folgt freilich nicht, daß der Verfasser nicht mit Dämonen gerechnet hat. Dagegen spricht schon das Vorkommen der Beliargestalt. Man darf aber den Schluß ziehen, daß der Glaube an Dämonen keine große Bedeutung für ihn hat. Deshalb haben sie, abgesehen von Beliar, in seiner Schrift keine Spur hinterlassen.

Vgl. übrigens den Dualismus in C.

C. Der Mensch und sein Dasein: Dualismus, Anthropologie, Pneumatologie, ethische Existenzbedingungen, Lebensauffassung

a. Der Dualismus ist ein wesentliches Merkmal der Theologie der TP[15]. Er läßt sich nur auf Grund eines richtigen Verständnisses der Pneumatologie begreifen und muß somit mit den in III,3 gewonnenen Ergebnissen *in mente* studiert werden.

Der Dualismus der Grundschrift läßt sich als ein mikrokosmischer Dualismus charakterisieren[16]. Es handelt sich um einen ethischen Dualismus. Das heißt, daß der Kampf zwischen dem Guten und dem Bösen im Inneren des Menschen gekämpft wird. Die vielen „Geister" der Grundschrift sind also nicht δαίμονες, sondern πνεύματα[17]. Sie sind psychologische Begriffe, die alle zum Ausdruck bringen, daß der Mensch in einem lebenslangen Kampf zwischen guten und bösen Neigungen steht. In letzter Instanz geht es um die Wahl von zwei Möglichkeiten, dem Guten oder dem Bösen. Die vielen πνεύματα lassen sich deshalb im Prinzip auf zwei reduzieren. Das ist der Fall in TJud Kap. 20, das mit dem πνεῦμα τῆς ἀληθείας und dem πνεῦμα τῆς πλάνης operiert. Derselbe Gedanke liegt im „Zwei-Wege-Schema" des TAs 1:3ff mit seiner Rede von den δύο διαβούλια usw. vor. Der spätere Rabbinismus hat für dieselbe Vorstellung die Ausdrücke יצר טוב und יצר הרע geprägt[18].

Der mikrokosmische Dualismus der TP erinnert, wie man oft gesehen hat[19], an 1QS 3:13ff. Ein Unterschied fällt sofort auf. In diesem Kerntext des 1QS begegnet nicht nur ein mikrokosmischer, sondern auch ein makrokosmischer Dualismus. Dieser ist kosmologisch, mythisch, d.h. er teilt die Welt in zwei scharf getrennte Teile, die von dem Fürsten des Lichts bzw. dem Engel der Finsternis samt ihren Engelheeren beherrscht sind, 1QS 3:19ff. Sie sind mythologische, nicht psychologische Größen. Ihre helfen-

---

[15] Vgl. z.B.: Otzen *StTh* 7 (1953) 135ff und in: *Hilsen til Noack* (eds. Hyldahl/Nielsen) 194ff; Böcher *Dualismus* 72ff; v.Nordheim *Lehre* I,66ff. Unser literarkritischer Ausgangspunkt ist zwar verschieden.

[16] Otzen *StTh* 7 (1953) 135ff; Böcher *Dualismus* 72f.

[17] Wir knüpfen hier an die Terminologie Otzens (zu 1QS) in *StTh* 7 (1953) 135 an.

[18] Näheres zu diesem Abschnitt in III,3C.

[19] Vgl.: Otzen *StTh* 7 (1953) 136f; Böcher *Dualismus* 73.

den רוחות sind δαίμονες, nicht πνεύματα. Der mikrokosmische und der makrokosmische Dualismus gehen in 1QS 3:13ff ineinander über und lassen sich nicht voneinander trennen. Es sei aber bemerkt, daß der makrokosmische Dualismus seinem innersten Wesen nach doch ethisch ist[20]. Der Dualismus des 1QS ist kein absoluter Dualismus, da er von Gott bestimmt ist, 1QS 3:18[21].

Der mikrokosmische Dualismus ist also den TP und 1QS 3:13ff gemein. Die TP wissen, wie auch 1QS, daß dieser Dualismus von Gott gewollt ist. Er hat den Menschen vor die beiden Möglichkeiten gestellt und ihm die Freiheit zu wählen gegeben. Gott hat den Söhnen der Menschen zwei ὁδούς, zwei διαβούλια, zwei πράξεις, zwei τρόπους und zwei τέλη gegeben, sagt TAs 1:3. Die Werke der Wahrheit und die Werke der Verirrung sind nach TJud 20:3 auf die Brust des Menschen geschrieben[22]. Nach TR 2:2 sind ihm sieben Geister bei der Schöpfung gegeben. Gemeint ist: von Gott. Eine spätere Hand, die das nicht erkannt hat, hat „von Beliar" hinzugefügt[23].

Der makrokosmische Dualismus liegt den TP fern[24]. Eine Teilung der Menschen in zwei scharf getrennte Gruppen, die z.B. für die Qumrantexte und die johanneischen Schriften typisch ist, fehlt völlig. Obwohl die TP natürlich gute und böse Menschen kennen, verteilen sie sie niemals auf zwei Lager, sondern sehen sie immer als Individuen. Diese Teilung der Menschheit in zwei Teile ist in den Qumrantexten und den johanneischen Schriften sicher historisch bedingt[25]. Sie sind aus einer Kampfsituation heraus gewachsen, die den TP fremd ist. Ein anderes, wesentliches Moment darf ebenfalls nicht übersehen werden: in der Grundschrift fehlt eine Eschatologie, und ein makrokosmischer Dualismus ist ohne irgendeine Eschatologie kaum denkbar. Wir räumen jedoch ein, daß die TP wenigstens einen Berührungspunkt mit dem makrokosmischen Dualismus aufweisen. Sie wissen, daß es eine widergöttliche Macht, Beliar genannt, gibt, die die Menschen versucht und sie zu Fall bringen will. Nur liegt dieser Dualismus in einer abgestreiften Form vor, die z.B. mit den Qumrantexten nicht vergleichbar ist. Daß dem Beliar kein Heer von Dämonen zur Verfügung steht, ist einem kosmisch-dualistisch orientierten Gedankengang kaum vorstellbar.

Der Dualismus der TP ist kein Versuch, das Böse zu erklären. Die TP

---

[20] Vgl. Otzen *StTh* 7 (1953) 135f.

[21] Vgl. Otzen *StTh* 7 (1953) 136.

[22] Vgl. zur Übersetzung des Verses: Rießler *Schrifttum* 1188; Otzen *GamPseud* 7,773f; Hollander/M. de Jonge *Comm* 219.

[23] Vgl. Becker *Komm* 33: „Es liegt Harmonisierung mit den dualistischen Stücken der Test XII vor. 2:3−3:8 sind nicht dualistisch." Das Glied fehlt in α.

[24] Vgl.: Otzen *StTh* 7 (1953) 136f; Böcher *Dualismus* 74.

[25] Vgl.: Otzen *StTh* 7 (1953) 140ff (zu den Qumrantexten); Böcher *Dualismus* 76 Anm. 24.

konstatieren, daß böse Mächte Gott entgegenwirken, spekulieren aber nicht über den Ursprung des Bösen. Sie reflektieren auch nicht darüber, daß TN 2:2ff; TR 2:2 und TAs 1:3ff eine deterministische und monistische Erklärung nahelegen. Die alttestamentliche Auffassung von Satan als einem Werkzeug Gottes, vor allem als Ankläger (Sach 3:1ff; Hiob 1:6ff; 2:1ff), und von Gott als Urheber des Bösen (Am 3:7; Jes 45:7) läßt sich jedoch nicht belegen und schwebt höchstens im Hintergrund. Die mythologische Vorstellung vom kosmischen Kampf zwischen Gott und Satan, die den Apokalypsen eigen ist, ist in der Grundschrift nicht zu Hause, taucht aber in den späteren Interpolationen mehrmals auf.

Die Pointe des ethischen Dualismus der TP ist nicht, den Ursprung und die Natur des Bösen zu erklären, sondern zum Kampf gegen das Böse zu ermahnen. Der Mensch steht vor einer Wahl und muß sich für Gott und das Gute oder für Beliar und das Böse entscheiden. *Tertium non datur*; vgl. z.B. TN 2:6; 3:1; TAs 1:3ff. Neigt der Mensch zum Bösen, beherrscht es ihn bald und verdirbt alle seine Taten, TAs 1:8f; vgl. TD 4:7. Der gute Mensch ist „eingesichtig", der böse „doppelgesichtig", sagt TAs; vgl. TB 4:5ff. Wer das Gute tut, Gott fürchtet und den Nächsten liebt, kann nicht vom Geist Beliars geplagt werden, sondern wird von der Furcht Gottes beschirmt; vgl. TB Kap. 3. Der Fromme kämpft also nicht allein, sondern wird vom Engel des Friedens geleitet, TB 6:1.

Polare Gegenpole sind typisch für das Vokabular eines ethischen Dualismus. In den TP begegnen häufig Begriffe wie Gutes/Böses, Wahrheit/Lüge, Licht/Finsternis usw. TAs 1:4 formuliert diesen Gegensatz als ein Prinzip: „Darum ist alles zweierlei: eines dem anderen gegenüber"; vgl. Sir 33(36):14ff. Das gibt den Texten einen stark dualistischen Klang, obwohl man von Fall zu Fall entscheiden muß, ob eine Aussage wirklich dualistisch gemeint ist; vgl. z.B. TN 2:7, wo dies u.E. keine Pointe ist.

b. Einen Schlüsseltext zum Verständnis der Anthropologie der Grundschrift liefern TN 2:2ff. Der alttestamentliche Schöpfungsbericht in Gen Kap. 1f liegt zugrunde. Das ergibt sich schon aus dem Bild des Töpfers und der ältesten(?) Wiederholung der εἰκών-Vorstellung in V.5. Die Verse 2−3 heben die vollkommene Harmonie von Körper und Seele (πνεῦμα = „Geist") hervor und sind ganz monistisch[26]. Sie setzen voraus, daß Körper und Seele eine Einheit bilden und kennen nicht die dichotomische Auffassung des Menschen mit ihrem Glauben an die Unsterblichkeit der Seele, die z.B. aus SapSal; 1.Hen; TestAbr; SyrBar u.a. bekannt ist; vgl. in den TP TAs 6:4ff. Eine andere Hauptpointe des Textes besteht darin, daß er die Einzigartigkeit jedes einzelnen Menschen unterstreicht. Keiner ist dem

---

[26] Vgl. II,12 Anm. 47.

anderen gleich. Jedes Individuum ist einzeln; vgl. V.7. Wie der Töpfer die Verwendung jedes einzelnen Gefäßes kennt, so kennt auch Gott das Potential jedes Menschen, das im Einklang mit seiner Bestimmung steht, V.4ff.

Diese Auffassung des Menschen stammt aus dem Alten Testament[27]. Körper und Seele machen ein Ganzes aus, nicht zwei scharf getrennte Teile. Dieses Verständnis ist eigentlich materialistisch, und folgerichtig werden verschiedene seelische Prozesse wie Gedanken, Affekte, Empfindungen u.ä. mit Organen des Körpers verbunden. Die Liste in TN 2:8 ist charakteristisch. Das Herz ist Sitz der Einsicht, die Leber des Zornes, die Galle der Bitterkeit, die Milz des Lachens und die Nieren der Verschlagenheit. Im selben Atemzug erwähnt der Verfasser die fünf Sinne[28] im Kopf, und sagt weiter, daß Gott dem Menschen die Haare zur schönen Erscheinung und Pracht, die Luftröhre zur Gesundheit[29] usw. gegeben habe. „Seelisches" und „Körperliches" stehen also nebeneinander; vgl. die Liste in hTN 10:6ff. Diese „somatische Psychologie" läßt sich auch anderswo in den TP belegen. In der Pneumaliste in TR 2:1−2 + 3:3ff finden sich drei Beispiele. TR 3:4 lokalisiert den „Geist des Streites" in der Leber und der Galle. Er umfaßt folglich (TN 2:8) Zorn und Bitterkeit. TR 3:3 erwähnt einen „Geist der Unersättlichkeit des Bauches". Der körperliche Hunger bildet sicher den Ausgangspunkt, wenn auch andere Formen von Unersättlichkeit im Vordergrund stehen. Nach TR 3:3 beruht der „Geist der Hurerei" auf der Natur und den Sinnen. Die übrigen „Geister" (der Gefallsucht und der Ziererei, des Hochmuts, der Lüge, des Unrechts) hat der Verfasser nicht in Verbindung mit bestimmten Organen gebracht, obwohl das doch möglich gewesen wäre.

Wir hören oft von der Leber im Zusammenhang mit Zorn und Unbarmherzigkeit; vgl. TSim 2:4.7; TG 5:9.11. Sie ist aber auch Sitz der entgegengesetzten, positiven Gefühle, TSeb 2:4; TG 2:1. Es handelt sich natürlich um zwei Aspekte derselben Sache. Wenn TSim 2:4 von Simeons Mangel an Mitleid mit Joseph spricht, nennt er die „Eingeweide" als dessen Sitz.

Die Wechselwirkung der körperlichen und der seelischen Eigenschaften kommt an einigen Stellen zum Ausdruck. Eine gute Illustration bietet TSim 2:5: „Denn auch die Tapferkeit ist den Menschen vom Höchsten ge-

---

[27] Vgl. zum Folgenden Eichrodt *Theologie* 2/3,84ff.

[28] Vgl. Hollander/M. de Jonge *Comm* 304.

[29] Der Text ist problematisch. Κάλαμος entspricht hebr. קנה und zeugt somit von einem Übersetzungsfehler. Das wird natürlich von den Vorkämpfern eines griechischen Originals bestritten. Vgl. zum Problem Becker *Untersuchungen* 111f Anm. 3. Die Übersetzung in Hollander/M. de Jonge *Comm* 301 „calamus for health" und die Annahme, „calamus" sei „a special reed with a strong aroma which could be used for medical purposes", sind ganz abwegig. In der Auflistung in TN 2:8 hat ein solcher „calamus" nichts zu tun. In *AOT* 568 zieht aber M. de Jonge die *Konjektur* 'windpipe' vor.

geben, *in Seelen und Körpern.*" Simeons körperliche Stärke korrespondierte mit seiner inneren Härte. Nun hat man zwar diesen Vers für eine Glosse gehalten[30], aber auch wenn dies der Fall wäre, hat der eventuelle Glossator die Auffassung des Verfassers getroffen, denn ein ähnlicher Gedanke liegt an anderen, sicher echten Stellen, vor. In TSim 5:1 wird die Schönheit Josephs damit erklärt, daß nichts Böses in ihm wohnte (vgl. TJos 20:6). Noch andere Beispiele liefern TSim 4:1f; 4:8ff.

c. Die Pneumatologie steht in engster Verbindung mit dem Dualismus und der Anthropologie. Der charakteristische Gebrauch des Pneumabegriffes ist der psychologische, den wir in III,3 eingehend behandelt haben. Die verschiedenen Geister repräsentieren des Menschen Neigungen, Affekte, Gesinnungen usw. Deshalb wechseln z.B. der Zorn und der Geist des Zornes frei in TD, und mit Ausgangspunkt in der obigen Anthropologie ist es nur logisch, daß beide, der Zorn (TN 2:8) und der Geist des Streites (TR 3:4), der also Zorn und Bitterkeit umfaßt, in der Leber lokalisiert werden. Im Prinzip lassen sich alle Äußerungen menschlicher Emotionen, Gedanken u.ä. als „Geister" darstellen. Deshalb ist die Zahl der Geister groß und ihre Namen sind variiert. Die große Mehrzahl der Geister wird freilich als böse charakterisiert. Von guten Geistern hören wir nur selten; vgl. aber den Geist der Liebe in TG 4:7 und den Geist der Wahrheit in TJud 20:1.5. Dies beruht auf der Art der Paränese, die sich zwar im doppelten Liebesgebot sammelt (s. D; J), aber in hohem Grad vor bestimmten Lastern warnt. Obwohl es nur selten belegt ist, wird jedoch vorausgesetzt, daß jeder böse Geist einen guten Geist als seinen Gegenpol hat. Neben dem Geist des Hasses tritt in TG 4:7 ein Geist der Liebe auf, neben dem Geist der Verführung kennen TJud 20:1ff einen Geist der Wahrheit. In dieselbe Richtung weisen die Prinzipaussage in TAs 1:3 und die Erwähnung der Leber als Sitz des Zornes/des Geistes des Streites und des Mitleids, TN 2:8; TR 3:4; TSeb 2:4. Die wenigen Aussagen über den Geist Gottes, der nach TSim 4:4; TB 8:2 in den Guten wohnt, lassen sich ebenfalls heranziehen, da der Geist Gottes als ein Gegensatz zum Geist Beliars betrachtet werden kann. Wer den Geist Gottes hat, hat keine Befleckung im Herzen (TB 8:2). Das äußert sich u.a. darin, daß er keiner Frau zum Ehebruch nachblickt (TB 8:2), und daß er, wie Joseph, dem Bösen Mitleid und Barmherzigkeit zeigt und ihn liebt (TSim 4:4). Daß der Geist Beliars sich in Einzelgeistern manifestiert, geht aus TD 1:7f hervor. Dort wird nämlich der Geist des Zornes einer der Geister Beliars genannt. Im Prinzip lassen sich wohl alle bösen Geister auf Beliar zurückführen und als Geister Beliars charakterisieren.

d. Auf Grund der obigen Darstellung sind auch die Existenzbedingungen

---

[30] Vgl. II,4 Anm. 3.

des Menschen als ethisches Wesen gegeben. Der Dualismus und die Pneumatologie bringen alle beide zum Ausdruck, daß sich der Mensch in einem lebenslangen Kampf zwischen dem Bösen und dem Guten befindet. Sie wollen also etwas über die Wahlsituation aussagen. Die Ethik der TP setzt die Freiheit des Willens voraus, obwohl der Text TN 2:2ff deterministisch klingt. Deshalb ist der Mensch selbst für seine Handlungen verantwortlich, auch wenn die Texte uns immer wieder zeigen, daß man von Versuchungen, egoistischer Blindheit usw. irregeleitet werden kann. Da der gute und der böse Trieb (TJud Kap. 20; TAs 1:3ff) ständig um die Herrschaft über den Menschen kämpfen, ist Fehltritten kaum zu entgehen. Die TP kennen keine Sündlosigkeit im strengen Sinn, sondern rechnen damit, daß alle gesündigt haben. TAs 1:6ff sagen, daß der Fromme alle seine Taten in Gerechtigkeit vollbringe, fügt aber dann hinzu: Und wenn er sündigt, bereut er sofort, wirft das Böse alsbald zu Boden und reißt die Sünde aus. TR 3:8 weiß, daß jeder junge Mann von den sieben Geistern, die gegen die Menschen „gegeben" sind (TR 2:1−2 + 3:3−6), übermannt werde, und TR 5:1 postuliert, daß alle Frauen böse seien. Daß gerade die Jugendzeit eine kritische Periode ist, zeigt sich am Beispiel Josephs, denn er, der die Idealgestalt der TP darstellt, war nach TG 1:3ff in seiner Jugend nicht ganz tadellos[31]. Sebulon, der sehr positiv geschildert wird, muß gestehen, daß er doch gesündigt habe, zwar nicht in Handlungen, sondern in Gedanken, TSeb 1:4. Einen Gesetzesbruch habe er nicht begangen, es sei denn die ἄγνοια[32], daß er seinem Vater nichts von dem, was mit Joseph geschehen war, erzählt habe. Wenn eine andere Idealgestalt, Issachar, in TIs 7:1 versichert, er habe keine Sünde zum Tod begangen, so bedeutet das nicht, daß er sündlos war, sondern nur, daß er keine unverzeihliche Sünde getan hat[33]. Das Fazit muß also lauten, daß auch die Frommen sündigen können. Doch handelt es sich um Einzelhandlungen und nicht um eine Gesamtrichtung des Lebens. Deshalb betonen TAs 1:6f zweimal die Schnelligkeit der Reue. Darin besteht der große Unterschied zwischen den Frommen und den Bösen. Die Bösen sind völlig von ihrer Bosheit beherrscht und somit für das Böse disponiert, TAs 1:8f.

Darf man also einerseits von der Allgemeinheit der Sünde reden, so setzen andererseits die wiederholten Warnungen vor Sünden voraus, daß die Menschen ihre Natur beherrschen und Sünden entgehen können. So sagt

---

[31] S. II,5.

[32] Der Begriff liegt auch in TR 1:6; TJud 19:3; TG 5:7 vor. Nach Becker *Untersuchungen* 182 Anm. 5 liegt das Gewicht nicht auf der Unkenntnis, sondern auf der Unbedachtheit, durch die versehentliche Sünde geschieht. Die Übersetzung von Hollander/M. de Jonge *Comm* 256 „stupid sin" ist weniger gut. (Besser ist „ignorance", ibid. 88; 91 usw.) Vgl. zur versehentlichen Sünde Num 15:27−29.

[33] Vgl. zur vorsätzlichen Sünde Num 15:30−31. Man sündigt „mit erhobener Hand".

z.B. Ruben in TR 4:4, er habe sich nach der Episode mit Bilha in acht genommen und nicht mehr gesündigt. Und TG 5:5 unterstreicht, daß der Gerechte nicht einmal in Gedanken einem Menschen Böses zufügen wolle. Das Gewissen[34] hilft dem Menschen, die richtige Wahl zu treffen, weil es den Sünder quält, TR 4:3. Eine entsprechende Funktion haben nach TJud 20:5 der Geist der Wahrheit und nach TG 5:3 das Herz.

Aus all diesem ergibt sich, daß die TP in einem alttestamentlichen Traditionsstrom stehen[35]. Im Alten Testament finden sich pessimistische Aussagen über die der menschlichen Natur anhaftende Sünde (Gen 6:5; 8:21; Ps 51:7 u.a.), und optimistische Worte, die nicht nur die Sündlosigkeit als ein erreichbares Ziel, sondern als eine Realität aufstellen (Gen 6:9; Hiob 1:1; Ps 18:21 u.a.). Im Spätjudentum und im Frühchristentum überwiegen die pessimistischen Aussagen: 1.Hen 81:5; 4.Esra 3:21f; 7:68; 8:35; Röm 3:23; 5:12 u.a; anders aber: Luk 1:6; 2:25.

e. Schließlich sei darauf hingewiesen, daß die monistische Anthropologie mit einer ganz diesseitigen Auffassung des Lebens verknüpft ist. Es fehlt jede Andeutung einer Eschatologie. Es ist zwar nicht ausgeschlossen, daß der Verfasser mit einem schattenhaften Dasein im Scheol gerechnet hat, doch läßt sich diese altisraelitische Vorstellung in den Texten nicht belegen. Für die Paränese spielt ein eventueller Glaube an ein Leben nach dem Tod keine Rolle. Der Verfasser droht nicht mit Strafe und verspricht keinen Lohn im Jenseitigen. Es herrscht im Gegenteil die synthetische Lebensauffassung, nach der jede Tat, sei sie böse oder gut, *hic et nunc* gestraft oder belohnt wird. Näheres dazu in III,4.5.

D. Die ethische Hauptforderung: das doppelte Liebesgebot[36]

An der Oberfläche handelt es sich in den TP um Tugend- und Lasterparänese. Bei näherem Zusehen entdeckt man, daß die ethische Forderung sich nicht in einer traditionellen, kasuistischen Paränese erschöpft. Sie sammelt sich vielmehr im doppelten Liebesgebot, und die Tugenden und Laster dienen als Illustrationen, die die richtige Liebe oder Mangel daran veranschaulichen.

Wenn wir uns jetzt dem Textmaterial zuwenden, sehen wir, daß das Liebesgebot verschieden gestaltet werden kann, und zwar nicht immer als doppeltes Liebesgebot. Daß die Liebe aber sowohl Gott als auch den

---

[34] Das „Gewissen" ist ein typisch griechischer Begriff, der scheinbar gegen die Annahme eines semitischen Originals spricht; vgl. aber IV,4.

[35] Vgl. zum Begriff der Sünde Eichrodt *Theologie* 2/3,264ff.

[36] Becker *Untersuchungen* 380ff widmet dem Liebesgebot eine eingehende Besprechung.

Nächsten zum Gegenstand hat, schwebt auch dort im Hintergrund, wo nur von der Liebe zu Gott oder nur von der Nächstenliebe die Rede ist.

Das Thema der Nächstenliebe klingt immer wieder an: TR 6:9; TSim 4:7; TSeb 8:5; TG 4:2; 6:1.3; 7:7. An anderen Stellen begegnet das doppelte Liebesgebot: TIs 5:2; TD 5:3; vgl. TIs 7:6 (= Issachars Beispiel); TSim 5:2. Noch andere Texte betonen die Liebe zu Gott, ohne den Nächsten zu erwähnen: TG 5:2. Er ist freilich in der Mahnung, den Haß auszustoßen, mitgedacht. Eine andere Kombination ist Furcht vor Gott und Nächstenliebe: TB 3:3.4. Damit verwandt ist die Formulierung in TJos 11:1, Gott zu fürchten und die Brüder zu lieben, wenn auch hier konkret an das Beispiel des Joseph seinen Brüdern gegenüber angeknüpft wird. Aus TB 3:5 sehen wir übrigens, daß die Liebe zu Gott sich eben in Nächstenliebe manifestiert. Gottesfurcht wird oft erwähnt: TL 13:1; TSeb 10:5; TJos 10:5 u.a. Es ist nur natürlich, daß die Liebe zu Gott ein Moment von Furcht enthält.

Das Liebesgebot kommt auch in anderen Formulierungen zum Ausdruck: die Stammväter ermahnen ihre Nachkommen, die Wahrheit gegenüber dem Nächsten zu üben, TR 6:9; TB 10:3, oder ihm die Wahrheit zu sagen, TD 5:2. Oder sie fordern sie auf, die Wahrheit zu lieben: TR 3:9; TD 2:1; 6:8. Die Wahrheit ist dann nicht als eine abstrakte Größe gedacht, sondern steht für den richtigen Lebenswandel dem Nächsten gegenüber. Das geht aus den Texten selbst hervor, denn die Wahrheit wird zusammen mit der Langmut, TD 2:1; 6:8, der Gerechtigkeit, TG 3:1, und den Geboten Gottes, TAs 5:4; TB 10:3, genannt. Mehrmals werden die Söhne ermahnt, Barmherzigkeit und Mitleid gegen den Nächsten zu üben, TSeb 5:1.3; TIs 5:2, nach dem Vorbild Josephs, TB 4:1f. So sollen sie der Güte und der Liebe anhängen, TB 8:1, in Langmut gegenseitig ihre Verfehlungen verbergen, TJos 17:2, und, auf Joseph achtend, nicht das Böse von ihren Brüdern „berechnen", TSeb 8:5. Wir sehen also, daß die Nächstenliebe immer wieder am Beispiel des Joseph dargestellt wird, weil er sie im Verhalten seinen Brüdern gegenüber – wenn wir von der Episode in TG 1:4ff absehen – verwirklicht hat. Das geht besonders deutlich aus der (zweiten) Lebensdarstellung in TJos 10:5ff hervor; vgl. aber auch TB passim und die Einzelstellen oben.

Aus dieser Übersicht ergibt sich, daß das Liebesgebot das Zentrum der Paränese bildet und als Hauptthema der TP angesehen werden darf[37]. Deshalb fällt es auf, daß die Agape in TL, TJud und TN an keiner Stelle zum eigentlichen Thema erhoben wird. Zur Zeit gibt es keine befriedigende Erklärung dieser Ausnahmen[38]. Das doppelte Liebesgebot ist dem Alten

---

[37] So vor allem Becker *Untersuchungen* 380ff; vgl. J unten.

[38] Becker *Untersuchungen* 384 will sie mit der Art der Stoffes erklären, überzeugt aber nicht.

Testament entnommen, obwohl die Gottesliebe und die Nächstenliebe dort niemals kombiniert werden. Die Grundlage findet sich in Dtn 6:5: „Darum sollst du den Herrn, deinen Gott, lieben mit ganzem Herzen, mit ganzer Seele und mit ganzer Kraft" und Lev in 19:18b: „Du sollst deinen Nächsten lieben wie dich selbst". Die TP bieten wahrscheinlich die älteste Kombination dieser Gebote.

Wie ist nun die Nächstenliebe konkret zu verstehen? Bezieht sie sich nur auf den Volksgenossen oder ist sie vielmehr universalistisch gemeint?[39] Legen wir die Texte selbst zugrunde, so dehnt sie sich anscheinend auf alle Menschen aus: TIs 7:6; TSeb 5:1; TB 4:2[40]. In diese Richtung weist auch die Beobachtung, daß die TP keine partikularistischen Elemente aufweisen. Das spezifisch Jüdische tritt deutlich in den Hintergrund; vgl. H unten. Andererseits sind die Abschiedsreden der Patriarchen eindeutig an die Söhne Israels gerichtet. Daß der Verfasser nicht beschränkt nationalistisch denkt, beweist nicht, daß seine Paränese ein universalistisches Ziel hat. Ein Universalismus in unserem Sinn des Wortes ist kaum nachweisbar, es sei denn, daß die Idealgestalt Joseph, dessen Tod nicht nur Israel, sondern das ganze Ägypten betrauerte (TJos 20:5), die Grenzen gesprengt habe. Dies ließe sich jedoch mit der Fiktion der Schrift erklären. Eine sichere Entscheidung läßt sich auf Grund des Materials kaum fällen, weil es keinen eindeutigen Schlüssel gibt. Wir lassen deshalb die Frage offen.

E. Die höchste Tugend: Ἁπλότης[41]

Zur Charakterisierung des richtigen Lebenswandels steht der Begriff der ἁπλότης zentral; vgl. TR 4:1; TSim 4:5; TL 13:1; TIs 3:2.4.6.7.8; 4:1.6; 5:1.8; 7:7; TB 6:7[42]. S. auch ἁπλοῦς in TIs 4:2. Das Wort läßt sich deutsch nur schwer übersetzen, denn die Übersetzung „Einfalt", „Lauterkeit" o.ä. gibt leicht einen falschen Eindruck. Der Inhalt des Begriffes läßt sich am besten erfassen, wenn man ihn in seinen Kontexten studiert.

Ἁπλότης ist ein Lebenswandel. Das geht bereits aus dem mehrmals vorkommenden Ausdruck „ἐν ἁπλότητι wandeln" hervor: TR 4:1; TSim 4:5; TL 13:1; TIs 3:2; 4:1.6; 5:8; 7:7. Man vergleiche auch TIs 5:1: „..., und erwerbt euch ἁπλότης und wandelt ἐν ἀκακίᾳ." Es handelt sich um eine Tugend, die sowohl Gesinnung als auch Handlungen umfaßt. Daß die Wendungen ἐν ἁπλότητι καρδίας (TR 4:1; TIs 3:8; 4:1; 7:7), ἐν ἁπλότητι

---

[39] Vgl. zum Problem F.M. Braun *RB* 67 (1960) 531 und besonders Becker *Untersuchungen* 380ff.

[40] Becker *Untersuchungen* 396 hält diese Stellen für sekundär; vgl. seine Analysen ibid. 343ff (TIs 7:1ff); 207f (TSeb 5:1ff); 245; 247f (TB 4:1ff).

[41] Zur Literatur vgl. II,9 Anm. 11.

[42] TIs 6:1 ist dagegen sekundär; vgl. II,9 mit Anm. 30.

ψυχῆς (α: καρδίας) (TSim 4:5) und ἐν ἁπλότητι ὀφθαλμῶν (TIs 3:4; vgl. TIs 4:6 ... καὶ πάντα ὁρᾶ ἐν ἁπλότητι...) die ἁπλότης nicht auf eine innere Eigenschaft beschränken, ergibt sich unmittelbar aus den Texten. Man findet, daß diese ἁπλότης des Herzens o.ä. gerade in konkreten Handlungen zum Ausdruck kommt. Es handelt sich um einen Wandel in der Furcht des Herrn (TR 4:1), ohne Neid und Eifersucht (TSim 4:5), gemäß dem ganzen Gesetz des Herrn (TL 13:1), ohne Verleumdung und Tadel anderer Menschen (TIs 3:4), in praktischer Solidarität mit Armen und Notleidenden (TIs 3:8), in Gottesliebe und Nächstenliebe (TIs 5:2; 7:5.6), in Arglosigkeit (TIs 5:1) usw. Die Betonung des „Herzens" hängt damit zusammen, daß der Verfasser erkannt hat, daß die Wurzel des Bösen im Inneren des Menschen ihren Sitz hat, vgl. TAs 1:3ff; s. auch Mk 7:20ff. So lassen sich Gesinnung und Handlungen nicht trennen, da die richtige Gesinnung sich in guten Handlungen äußert, und umgekehrt gute Handlungen von der richtigen Gesinnung zeugen.

Das Liebesgebot macht ein wesentliches Moment des ἁπλότης-Ideals aus, vgl. TIs 3:8; 5:1; 7:5.6 u.a, obwohl es auch andere Aspekte aufweist.

Umfassendere Darstellungen des Ideals finden sich in TIs Kap. 4; 7 und TB Kap. 6. TIs 4:2ff bringen eine negativ beschreibende Reihe[43] über den ἁπλοῦς. Sieht man von den positiven Aussagen in 4:3b und 4:6a ab, schildert sie, wie der ἁπλοῦς *nicht* ist. Die erste Hälfte (4:2–3) spricht von Wohlergehen und langem Leben, dem der ἁπλοῦς nicht nachjagt, die zweite (4:4–5) von der Unbewegtheit der Sinne durch böse Geister, Frauenschönheit, Eifer und Begierde. Abschließend folgt eine positive Aussage über den Wandel ἐν εὐθύτητι καὶ ἁπλότητι (4:6a[44])[45]. Im (negativen) Unschuldsbekenntnis[46] in TIs 7:1–6, das den Patriarchen als Vorbild darstellt, treten folgende Momente auf: Beherrschung der Triebe in bezug auf Sexualität (V.2), Weingenuß (V.3a) und „Statusjagd" (V.3b), Hilfsbereitschaft dem Nächsten gegenüber, in einem Wandel geprägt von Mitleid mit den Betrübten und Armen (V.5a), ohne Trug und Lüge (V.4). Die positive Zusammenfassung in V.5b–6 betont die persönliche Frömmigkeit und Wahrhaftigkeit und gipfelt im doppelten Liebesgebot[47]. In der darauffolgenden Mahnung und Verheißung (7:7) hören wir, daß Beliars Geister, böse Menschen und wilde Tiere gegen diejenigen, die ἐν ἁπλότητι wandeln, nichts vermögen, da sie den Gott des Himmels mit sich haben.

---

[43] Vgl. zu dieser Gattung II,9 Anm. 21.

[44] Die Textvarianten spielen für unsere Problemstellung keine Rolle; vgl. aber Becker *Untersuchungen* 33 Anm. 1; *Komm* 82.

[45] Wir erinnern daran, daß Becker (und Otzen) alle Rede von ἁπλότης in TIs 3:1–5:6 für sekundär halten; vgl. II,9 mit Anm. 12. Damit geht eine der Hauptpointen des TIs verloren. Unsere Zusammenfassung des Inhalts von TIs 4:2ff stammt aus Becker *Untersuchungen* 340.

[46] Vgl. zu dieser Gattung II,9 Anm. 32.

[47] Vgl. zu dieser Zusammenfassung Becker *Untersuchungen* 344.

Aus diesen Überblicken sehen wir, daß der Begriff umfassend und vielseitig ist und sich nur schwer auf einen Nenner setzen läßt. Es handelt sich schließlich in letzter Instanz um das reine Herz, das keinen Trug und keinen Zwiespalt kennt. Der Wandel wird dementsprechend wahrhaftig und treu.

Da das Vorkommen des Begriffes sich in TIs häuft, bekommt man den Eindruck, daß diese Tugend für den einfachen, fleißigen und vielleicht armen Bauern typisch ist, der sein Leben in Harmonie mit der Natur und im Einklang mit der ursprünglichen, gottgewollten Bestimmung des Menschen lebt. Nun sind die beiden Hauptbelege für das ἁπλότης-Ideal, TIs 4:2−6 und 7:2−6, möglicherweise übernommenes Gut[48], haben also von Haus aus keine eindeutige Beziehung zum Stand des Bauern. Wenn der Verfasser sie aber gerade in TIs eingefügt hat, muß er einen klaren Zusammenhang mit dem Leben des Bauern gesehen haben. In dieser Hinsicht ist er kein Einzelgänger, denn wir kennen auch andere Schriften, die die ἁπλότης in Verbindung mit dem Beruf des Bauern setzen[49]. Und doch kann diese Tugend nicht ohne weiteres mit dem idealen Leben des Bauernstandes gleichgestellt werden. Der Bauer Issachar ist zwar eine Idealgestalt, das Ideal κατ' ἐξοχήν ist aber der Hofbeamte Joseph, der fern vom Leben des Bauern lebt.

Es ist deshalb kein Wunder, daß die dritte Hauptstelle, die etwas Näheres über die ἁπλότης vermittelt, TB Kap. 6, von Joseph handelt. Er ist der Prototyp des guten Mannes[50], TB 3:1; vgl. TSim 4:4; TD 1:4. Die vielen Charakteristika des guten Mannes in TB 6:1ff haben in der Beschreibung des ἁπλοῦς in TIs 4:2ff und 7:2ff ihre Parallelen[51]. Hat der Verfasser früher vom Herz als dem tiefsten Grund der ἁπλότης geredet, so hebt er jetzt das διαβούλιον und die διάνοια des guten Mannes hervor. Das läuft auf dasselbe hinaus, denn mit diesen Wendungen lenkt er den Blick auf die Gesinnung als dem entscheidenden Faktor des richtigen und gerechten Wandels. Diesen Ton schlägt er schon in 6:1 an, wenn er darauf hinweist, daß der Sinn des guten Mannes nicht „ἐν χειρὶ πλάνης πνεύματος Βελιάρ" ist[52], sondern vom Engel des Friedens geleitet wird. Die Gesinnung ist also völlig vom Guten bestimmt. Sie ist nicht gespalten, διπλοῦς, sondern ἁπλοῦς. Das kommt in V.5−6 zum Ausdruck: der gute Mann hat nicht zwei Zungen, weder doppeltes Gesicht noch Gehör, denn er weiß, daß der Herr auf ihn achtet. Mit dem letzten Satz in V.7, „Aber von Beliar ist jedes Werk zwiespältig und hat keine ἁπλότης", kehren wir zum V.1 zurück.

---

[48] Vgl. II,9 mit Anm. 32. Über Vermutungen hinaus kommt man nicht.
[49] Literatur dazu in II,9 Anm. 16.
[50] Vgl. besonders Hollander *Ethical Model* 65ff.
[51] Näheres zu TB 6:1ff in Hollander *Ethical Model* 78ff.
[52] Diese Wendung ist problematisch; vgl. III,3C mit Anm. 67.

Wir sehen, daß der ἁπλότης-Begriff in engster Verbindung mit dem ethischen Dualismus steht, und daß TAs 1:3ff somit Licht auf den Begriff werfen. Zum Verständnis des ἁπλότης-Begriffes gehören also auch die dem TAs eigenen Ausdrücke μονοπρόσωπος und διπρόσωπος[53]. Μονοπρόσωπος entspricht ἁπλοῦς und äußert sich nach TAs darin, daß man der Güte allein anhängt (3:1), mit ganzer Kraft nach den Gesetzen Gottes wandelt (5:4) und der Wahrheit allein folgt (6:1). Daß διπρόσωπος den Gegensatz bildet, ist selbstverständlich und ergibt sich ohne weiteres aus 3:1f; 4:1; 6:2. (Es sei darauf aufmerksam gemacht, daß der Begriff in 2:2.3.5.7.8; 4:3 ein wenig abweichend gebraucht wird, wenn auch als Manifestation einer gespaltenen Gesinnung.)

F. Das fromme Leben[54]: Buße und Reue, Fürbitte, Gebetsleben, Fasten, Askese, Puritanismus

a. Viele der Stammväter werden als abschreckendes Beispiel dargestellt, und ihren Sünden folgt konsequent Buße und Reue – alle beide sind in den Begriffen μετάνοια und μετανοεῖν miteingeschlossen. Die Buße ist an einigen Stellen sehr streng. Ruben erzählt, daß er nach dem Beischlaf mit Bilha sieben Jahre lang Buße vor dem Herrn getan habe, TR 1:9, d.h. ein Jahr für jeden Monat der ihn getroffenen Plage, TR 1:8, ohne daß es sich hier um ein Prinzip handle[55]. Er habe weder Wein und starkes Getränk getrunken, noch Fleisch oder Leckerbissen gegessen, TR 1:10. Juda habe sich noch strenger kasteit. Er habe bis ins Alter weder Wein noch Fleisch zu sich genommen, auch keine Freude gesehen, TJud 15:4. In diesen Fällen stehen wir freilich vor groben Sünden, die ein außerordentliches Unternehmen fordern.

Ein typischeres Beispiel der Buße liegt in TSim 2:13 vor. Simeon berichtet dort, daß er unter Weinen den Herrn gebeten habe, ihn von der von seiner Sünde verursachten Krankheit zu heilen und von seiner sündigen Neigung zu reinigen. Der reuige Sünder hütet sich dann in der Fortsetzung davor, nochmals zu sündigen, TR 4:4. TG 5:3 betont, daß der Gerechte und Demütige (ταπεινός) sich scheue, Unrecht zu tun. Und doch kennen die TP keine Lehre von Sündlosigkeit; vgl. C, d. Vielmehr wissen sie, daß auch der Fromme sündigt. Es kennzeichnet aber den Frommen, daß er seine Sünde sofort erkenne, und die Sünde keine Wurzeln schlagen lasse,

---

[53] Vgl. dazu Hollander/M. de Jonge *Comm* 338ff.

[54] In Eppel *Piétisme* 143ff findet sich ein Kapitel über „La vie sainte", das noch lesbar ist, obwohl es auf falsche literarkritische Voraussetzungen baut.

[55] Ebensowenig entsprechen die Dauer der Sünde und die Dauer der Strafe einander, obwohl dies in TG 5:11 der Fall ist; vgl. dazu III,4A; s. auch F, d unten mit Anm. 63.

TAs 1:6f. Der Böse reagiere diametral entgegengesetzt und halte an der Sünde fest, TAs 1:8. TG 7:5 sagt, daß jedem Reichen, der Buße tut, Vergebung, dem Unbußfertigen dagegen Strafe zuteil werde[56]. TG 5:7f führen uns die wahre Buße vor Augen. Sie „tötet die Unwissenheit und verjagt die Finsternis und erleuchtet die Augen und bereitet der Seele Erkenntnis und leitet den Ratschluß (διαβούλιον) zum Heil. Und was er von Menschen nicht gelernt hat, weiß er durch die Reue."[57]

TG 6:3b−7 zeigen uns, wie der, gegen den jemand sündigt, sich zum Sünder verhalten soll[58]. Drei Möglichkeiten werden erwähnt:

1. Wenn der Sünder Buße tut und seine Schuld bekennt (ὁμολογεῖν), soll man ihm vergeben, V.3b.

2. Wenn er sein Vergehen leugnet (ἀρνεῖσθαι) und man trotzdem Zeichen von Reue spürt[59], soll man ihn nicht verstoßen. Die Buße werde später kommen, V.4.6.

3. Ist er dagegen unverschämt und beharrt auf der Bosheit, soll man ihm von Herzen vergeben, ihn aber zugleich in die Hand Gottes überlassen, V.7. Gott werde ihn dann bestrafen; vgl. III,4.

Die in V.5 eingeschobene Aussage empfiehlt, daß man während des Streites niemand über die Sache informiere, denn darauf bezieht sich das μυστήριον[60]. Die Aussage steht formal unter 2., nimmt aber auf alle drei Situationen Bezug.

Wir folgern zusammenfassend, daß TR 1:9f und TJud 15:4 extreme Zufälle schildern, während die typische Auffassung der TP von Buße und Reue in TG 5:3; 6:3bff; TAs 1:6f; TSim 2:13; TJud 19:2 gesucht werden muß. Sieht man von der Dauer der Buße ab, scheinen TR 1:9f und TJud 15:4 allerdings aktuelle Praxis zu bezeugen: die Reue zeigt sich in Enthaltung von Fleisch und Leckerbissen, Wein und starkem Getränk. Mit der ταπείνωσις ([τῆς] ψυχῆς "β") in TJud 19:2 ist vielleicht eine Art Selbstzüchtigung gemeint. Notwendig sind ferner Weinen und Flehen, TSim 2:13. Günstig ist auch die Fürbitte eines Gerechten. Das leitet zum nächsten Thema über.

b. Mehrere Stellen zeigen uns, daß die Fürbitte eines frommen Mannes einen wichtigen Teil des „Rituals der Buße" ausmacht. Nach TR 1:7; 4:4

---

[56] Es handelt sich in diesem Abschnitt um Reiche, die von bösen Taten wohlhabend geworden sind; vgl. III,4A. Zur Skepsis den Reichen gegenüber s. F, f und I.

[57] Der Text in V.8 nach "β" – af.

[58] Vgl. zu diesem Abschnitt II,5 (mit Anm. 12–16).

[59] Αἰδεῖσθαι, „sich schämen". Also (V.6): „Wenn er also (seine Sünde) leugnet und (doch) sich schämt, wenn er zurechtgewiesen wird,..."

[60] Vgl. Otzen GamPseud 7,764 (r). Der Vers wird im allgemeinen als sekundär ausgeklammert; vgl. II,5 Anm. 16.

und TG 5:9 hat die Fürbitte Jakobs verhindert, daß Gott Ruben bzw. Gad getötet hat. Auch hätten die Gebete Jakobs Juda geholfen, TJud 19:2.

Die Fürbitte kommt auch dort vor, wo wir nicht von der eventuellen Reue eines Sünders hören: Joseph empfiehlt seinen Nachkommen, für alle, die ihnen Böses zufügen wollen, durch Gutestun zu beten, TJos 18:2. Nach TB 3:6 hat er selbst Jakob gebeten, für seine Brüder einzutreten. Gad fordert seine Söhne auf, für den, der mehr Glück als sie hat, zu beten, damit er τελείως εὐοδοῦται, TG 7:1[61].

c. Über das eigene Gebetsleben hören wir seltener. Sehen wir von der typischen Situation der Buße in TSim 2:13 ab, kommen TSim 2:2; TB 1:4; 5:5 in Frage. TB 1:4 berichtet, wie Rahel mit Fasten zum Herrn um noch ein Kind gebetet hat. Sie wurde erhört und empfing Benjamin. Nach TSim 2:2 war Simeon ebenfalls das Resultat einer Erhörung. In TB 5:5 betet der Fromme um Rettung von seinem Feind[62]. Obwohl Gott nicht immer das Gebet sofort erhöre, werde die Erhörung doch nicht lange zögern.

d. Das Fasten gehört nach TSim 3:4; TJud 15:4; TR 1:10 mit der Buße zusammen, hat aber auch andere Funktionen. Rahel fastete zwölf Tage lang, um schwanger zu werden (TB 1:4), d.h. einen Tag für jedes Jahr ihrer Sterilität[63]. Aus TAs 2:8; 4:3 sehen wir, daß der Verfasser das Fasten hoch geschätzt hat, wenn es mit einem rechtschaffenen Leben verbunden ist (TAs 2:8). Allein ist es wertlos und kann Sünden nicht verbergen. Die These Eppels[64], die Askese der TP sei dualistisch, so daß das Fasten die Aufgabe habe, den Geist rein vom Körperlichen zu halten, läßt sich auf Grund der Textbelege nicht aufrechterhalten und wird mit Recht von Otzen abgewiesen[65].

Das Fasten, wie es in den TP geschildert wird, weist keine auffallenden Züge auf[66]. Diese Folgerung steht fest, obwohl das Material begrenzt ist und nur wenige Schlüsse zuläßt. TAs 2:8; 4:3 zeigen, daß es bereits einen Teil der Frömmigkeit ausmacht. Man darf jedoch vermuten, daß die Fastenpraxis noch nicht reguliert war. Man vergleiche damit die Praxis der Pharisäer, zweimal pro Woche zu fasten (Lk 18:12). Ein Moment der Satisfaktion schimmert durch; vgl. PsSal 3:8f.

e. Neben den schon erwähnten asketischen Zügen (Enthaltung von Fleisch

---

[61] Der Reichtum bringt nämlich Gefahren mit sich; vgl. F, f und I.

[62] Diese Deutung des Gebets scheint uns im Kontext den Vorzug zu haben. Nach Hollander/M. de Jonge *Comm* 425 bezieht es sich evtl. auf „a prayer for salvation from one's troubles".

[63] Es handelt sich nicht um ein Prinzip; vgl. F, a oben mit Anm. 55.

[64] S. *Piétisme* 172.

[65] *StTh* 7 (1953) 134.

[66] Zum Fasten allgemein vgl. Moore *Judaism* II,55ff; 257ff.

und Wein während der Buße oder in Synergie mit Gebeten und Fasten allgemein), fordert die Auffassung über den Weingenuß einige Kommentare. Da der Wein für Juda verhängnisvoll wurde, häufen sich die Belege in TJud. Die Gefahren werden veranschaulicht mit Judas unkeuschem Verhalten gegenüber seiner Schwiegertochter Thamar (12:1ff; 13:1ff; 14:4f) und seiner unglücklichen Ehe mit der Kanaaniterin Batschua (11:1ff; 13:3ff; 14:6; 16:4). Beide Begebenheiten wurden von seiner Trunkenheit verursacht und dienen als warnende Beispiele.

Kap. 14 fordert keine absolute Abstinenz, empfiehlt aber, sich nicht zu betrinken, 14:1. Da der Wein den Verstand verdrehe und Begierde errege, 14:1ff, sei ein einsichtsvolles Trinken erforderlich, 14:7. Solange man Scham bewahre, möge man trinken, 14:7. Wenn sie verschwindet, sei die Grenze überschritten, 14:8. Das habe Juda selbst erfahren, 14:4ff. Die psychologische Pneumatologie (Geist der Hurerei, 14:2, und Geist der Verirrung, 14:8) spielt eine wesentliche Rolle; vgl. III,3. Sie wird in 16:1 aufgenommen, doch sind die zwei Geister in Kap. 14 jetzt vier geworden und ihre Namen sind geändert. Das Motto in Kap. 16 ist dasselbe wie in Kap. 14, nämlich ein mäßiges Trinken, 16:2a=14:1. Wir hören nochmals von der Grenze des Weins, 16:1=14:8, und der Maßstab ist abermals die Scham, 16:2b=14:7. Die TP lassen also Weingenuß zu, wenn der Wein mit Verstand und Mäßigkeit und in guter Stimmung (TJud 16:2) getrunken wird, und weisen Mißbrauch und Berauschung ab. Problematisch bleibt dabei nur die Stelle TJud 16:3, die aber textkritisch unklar ist[67] und keine sicheren Schlüsse zuläßt. Wahrscheinlich setzt der Vers nur den Gedanken in V.2 fort: ist man nicht imstande, mit Verstand und Scham zu trinken, ist völlige Abstinenz nötig[68]. Totale Enthaltsamkeit ist ansonst keine Forderung. Wenn die Idealgestalt Issachar von sich sagt, er habe nicht Wein εἰς ἀποπλάνησιν getrunken (TIs 7:3), so bedeutet das gerade, daß er die Grenze beachtete. Es sei schließlich bemerkt, daß TL 9:14 ohne weiteres Weinanbau voraussetzt. Das Ideal der Rechabiten, die mit ihrer Ablehnung des Ackerbaus und Neigung zur Nomadenkultur jedem Weingenuß entsagten (Jerm 35:1ff), liegt also dem Verfasser der Grundschrift fern.

f. Die TP sind von einem puritanischen Lebenswandel geprägt, der mit dem oben besprochenen ἁπλότης-Ideal zusammenhängt; s. unter E. Gute Auskünfte darüber geben deshalb vor allem TIs Kap. 4 und TB Kap. 6; vgl. aber auch TJud 17:1; 19:1ff; 26:3 u.a. TIs 4:2 listet einige typische Züge auf: der Fromme begehrt nicht Gold, verlangt nicht nach zahlreicher Speise und will nicht unterschiedliche Kleidung. TB 6:2f variieren diese

---

[67] Vgl. zu den Textvarianten: Charles *Text* 91f; *Editio Maior* 69; Becker *Komm* 72; Hollander/M. de Jonge *Comm* 213. Alle Textvarianten sind korrupt.

[68] Vgl. die Konjektur in *Editio Maior* 69; Hollander/M. de Jonge *Comm* 213.

Themata: er blickt nicht leidenschaftlich auf das Vergängliche[69], sammelt nicht Reichtum aus Vergnügungssucht, ergötzt sich nicht durch Vergnügen[70] und sättigt sich nicht durch Leckereien. Die Warnung vor Reichtum findet sich auch anderswo: TJud 17:1; 19:1f (TN 3:1; TG 7:1ff). Juda verbittet sich sogar ein königliches Begräbnis (TJud 26:3). Diese Stellen stehen allerdings nicht ohne Konkurrenz da, denn mehrmals werden die Patriarchen als reich dargestellt; vgl. TJud 8:1; 9:8; TSim 4:5f. Die abenteuerliche Karriere Josephs hat ihm nicht nur die Tochter Potiphars, sondern auch 100 Talente Gold als Mitgift eingebracht (TJos 18:3). Trotz dieser Stellen darf man vermuten, daß das einfache Leben das Ideal des Verfassers repräsentiert. Die Ambivalenz dem Reichtum gegenüber ist typisch für die weisheitliche Literatur. Die Reichen und ihr Reichtum waren verdächtig (Prov 23:4f; 28:20; 30:8; Sir 5:1ff; 13:1ff; 27:1ff; 31:1ff), weil das Vermögen oft mit unlauteren Mitteln erworben war. Doch kennt man auch einen gerechten Reichtum, gewonnen durch Fleiß und Arbeit; vgl. Prov 10:16; 13:11; 15:6; Sir 10:27; 13:24.

G. Sexualität und Ehestand, Frauenbild

a. Das Judentum hat, mit wenigen Ausnahmen[71], den Ehestand hoch geschätzt, und die Ehe wird in den TP als etwas Selbstverständliches vorausgesetzt; vgl. TR 4:1; TL 9:10. Aus TL 11:1; 11:8 + 12:4; TIs 3:5; TR 1:8 sehen wir, daß die Stammväter sich in reifem Alter verheiratet haben. Levi war 28 Jahre alt, Amram (und seine Frau Jochebed) 30, Issachar 30 (Mss eafchij: 35) und Ruben mehr als 30 Jahre alt[72]. Dieses reife Alter ließe sich damit erklären, daß der Verfasser die Auskünfte in Genesis nachahmen wollte. Nach Gen 25:20; 26:34 waren beide, Isaak und Esau, zur Zeit des Ehevertrags 40 Jahre alt. Nach TR 4:1 legt sich aber eine andere Erklärung näher: die Ehe mag warten, bis Gott ihnen eine Gefährtin gibt. Sie sollen sich eher ihrer Arbeit und ihrem Studium der Schriften[73] widmen. Issachars späte Heirat wird damit begründet, daß er nicht an die Lust beim Weib gedacht habe, weil die schwere Arbeit seine Kraft verzehrt und der Schlaf ihn durch Übermüdung überwältigt habe. Der Sexualtrieb wurde

---

[69] Gemeint sind Reichtümer, Gold und Silber; vgl. Hollander/M. de Jonge *Comm* 427; Hollander *Ethical Model* 82.

[70] Hollander/M. de Jonge *Comm* 427; Hollander *Ethical Model* 83 deuten dieses „Vergnügen" auf Unkeuschheit.

[71] Zwei Ausnahmen bilden: eine Gruppe der Essener (Josephus *Bellum Judaicum* II,120f, und die Therapeuten (Philo *De vita contemplativa*).

[72] Er war zur Zeit seiner Missetat 30 Jahre alt (TR 1:8) und offenbar noch nicht verheiratet.

[73] Gemeint sind die heiligen Schriften, die Gesetzbücher des Mose (und andere Texte), die aber der literarischen Fiktion der Schrift gemäß nicht erwähnt werden können; vgl. TL 13:2. S. III,1A und H unten. Vgl. zur Auslegung: Hultgård *L'eschatologie* II,219f.

also durch harte Arbeit sublimiert. Das zeugt von einer Geringschätzung der Sexualität. Die gottgegebene Funktion der Ehe, Kinder zu zeugen (Gen 1:28), schätzt der Verfasser dagegen hoch. TIs Kap. 2 liefert ein instruktives Beispiel: Issachar erzählt, daß Gott Rahel mit zwei Kindern gesegnet habe, „denn er wußte, daß sie um Kinder willen mit Jakob zusammen sein wollte, aber nicht aus Lüsternheit" (V.3). Das Motiv ihrer freiwilligen Enthaltsamkeit (V.1) war also ihr Wunsch nach Kindern. Sie konnte sonst ja stets zusammen mit Jakob sein (TIs 1:14), verzichtete aber darauf, gerade um schwanger zu werden! Die Bosheit Onans und Ers in TJud Kap. 10 bestand nicht darin, daß sie nicht mit Thamar geschlechtlich verkehren wollten, sondern nach V.3("β").4f darin, daß sie keine Kinder von ihr wollten[74]. Dabei hat Onan auch das Gesetz der Leviratsehe (Dtn 25:5ff) übertreten, weil er wußte, daß die Nachkommen nicht ihm gehören, sondern den Namen Ers tragen würden. Es braucht kaum gesagt zu werden, daß Kinderlosigkeit als ein großes Unglück betrachtet wurde (TJud 19:2).

Det Verfasser hat *vielleicht* die Polygamie abgelehnt. Sie wird zwar in seiner Darstellung als eine Institution der Patriarchenzeit vorausgesetzt, doch lassen sich einige kritische Bemerkungen nachweisen. Rahel verneint in TIs 1:12, daß Lea die Frau Jakobs sei. Dies läßt sich freilich als eine Ablehnung der trugvollen Umstände der Ehe erklären, denn ohne diesen Trug hätte Jakob doch wohl nur eine Frau, Rahel, gehabt. Im Mund Rahels sind die Worte somit leicht verständlich. Wir verweisen ferner auf TIs 7:2, wo die Idealgestalt Issachar betont, daß er nur seine Frau erkannt habe. Das könnte ganz einfach bedeuten, daß er sich vor Hurerei gehütet habe, zeigt uns jedoch, daß er nur eine Frau gehabt hat. Ein sicheres Urteil läßt sich auf Grund des begrenzten Materials nicht fällen. Jedenfalls läßt sich nicht leugnen, daß der Verfasser dem Sexualleben kritisch gegenübersteht. Das beruht teils darauf, daß er die Gefahren der Sexualität sieht (Ruben und Juda!), teils darauf, daß er eine negative Auffassung von Frauen hat, was wiederum mit deren drohender Sexualität zusammenhängt. Diesen Gedankengang werden wir im folgenden näher entfalten.

b. Zentrale Texte zum Verständnis seiner Auffassung von Frauen bieten TR 3:9ff und 5:1ff. Darüber hinaus verweisen wir auf TR 4:8ff; TJud 12:3; 13:1ff; 15:5; 17:1; TIs 4:4; TB 8:2. Ein geeigneter Ausgangspunkt findet sich in TR 5:3, der in Form einer Offenbarung(!) behauptet, daß die Frauen dem Geist der Hurerei eher unterlägen als der Mann. Diese bastante Aussage scheint nicht im Einklang mit dem zu stehen, was der Verfasser uns über Ruben und Juda berichtet, doch führt er die Frau Potiphars, TR 4:8, und die Frauen und die Wächter, TR 5:6f, als Beweise an.

---

[74] In bezug auf Er ist diese Erklärung neu gegenüber Gen 38:6; vgl. jedoch Jub 41:1f. In bezug auf Onan stimmt sie mit Gen 38:9f überein; vgl. Jub 41:5.

Da die Frauen der Unzucht unterliegen, müssen die Männer vor ihnen gewarnt werden. Vor allem müssen sie sich vor weiblicher Schönheit (TR 3:10; 4:1; 5:1; TJud 12:3; 13:3.5; TIs 4:4) und Nacktheit, TR 3:12[75], hüten. Die Frauen wissen nämlich, daß sie keine Macht über den Mann haben, und deshalb setzen sie listig ihr (schönes) Aussehen ein, um den Mann zu verführen, TR 5:1.4. Gelingt es ihnen nicht, greifen sie zu List, TR 5:2, ja sogar zu Zauberei, TR 4:8 (Potiphars Frau und Joseph). Um ihr Ziel zu erreichen, erhöhen sie ihre Schönheit mit Schmuck, TR 5:3; TJud 12:3; 13:5, der deshalb verboten wird, TR 5:5. Eine besonders gefährliche Kombination sind weibliche Schönheit, Schmücken und Wein. Das hat Juda erfahren, TJud 12:3; 13:5. Nach der Offenbarung(!) in TJud 15:5 beherrschen die Frauen mittels der Sexualität sowohl Könige als auch Bettler, d.h. alle Männer.

Man kann sich dem Eindruck nicht entziehen, daß der Verfasser die Männer entlasten will. Sie seien nur Opfer ihrer sexuellen Lust, während die Frauen für deren Fall verantwortlich seien, TR 5:3. Sie seien nämlich böse von Natur, TR 5:1, und verführerisch, TR 5:3f.5; TJud 12:3. „Wollt ihr rein sein im Herzen, dann hütet eure Sinne vor jeder Frau", sagt TR 6:1b und knüpft damit an die unmittelbar vorangehende Warnung vor der Hurerei in 6:1a an. Gegen den Frommen vermögen sie dagegen nach TIs 4:4 und TB 8:2 nichts auszurichten. Davon zeugt das Beispiel Josephs in glänzender Weise, TR 4:8. Ruben empfiehlt seinen Nachkommen, sich weder mit Frauenangelegenheiten abzugeben, TR 3:10, vgl. 4:1, noch mit einer anderen Ehefrau allein zu verweilen, TR 3:10. Der entsprechende Befehl in TR 6:2, die Frauen sollen sich nicht mit Männern „verbinden", ist sicher als eine Hilfe für die Männer gedacht.

Wir sehen, daß der Verfasser in seiner Beurteilung der Frauen sozusagen ausschließlich um die Sexualität kreist. Jeder Verkehr von Männern und Frauen droht, in sexuellen Situationen zu enden. Man darf vermuten, daß diese Auffassung von Frauen teilweise die Lage zur Zeit des Verfassers widerspiegelt. Auf Grund der sozialen Verhältnisse waren Mann und Familie eine zentrale Hoffnung jeden jungen Mädchens. So haben sich einige sicher verschiedener Verführungskünste bedient, um sich einen Ehemann zu verschaffen. Zugleich spürt man aber eine sexualfeindliche Haltung. Deshalb tritt der Verfasser nicht stark für die Ehe ein. Sie sei vielmehr eine Notwendigkeit, um dem Schicksal eines Ruben zu entgehen, TR 4:1 (und erinnert in dieser Hinsicht an die Auffassung des Paulus in 1.Kor Kap. 7). Ein anderes und wichtiges Moment ist, daß Verkehr mit Frauen die Männer vom Studium des Gesetzes ablenkt.

---

[75] Man vergleiche z.B. 2.Sam 11:2 (David und Bathseba). TR 3:12 entspricht Jub 33:2.

Ein negatives Frauenbild[76] ist in jüdischer Literatur, vor allem in weisheitlichen Schriften, nicht ungewöhnlich. Man vergleiche z.B. Sir 9:1ff; 19:2; 25:13; Qoh 7:26.28; Prov 22:14; 23:27f; 23:33; Aboth 1:5 u.a. In Prov Kap. 1—9 wird häufig vor der „fremden Frau" gewarnt: 2:16ff; 5:3ff; 6:24ff; 7:5ff; 9:13ff. Es handelt sich hier vielleicht um die Frauen ausländischer Kaufmänner[77]. Wir räumen jedoch ein, daß die Texte auch die kluge Frau loben: Sir 7:19; 25:8; 40:18f.23; 36:24ff; Prov 31:10ff; 18:22; 19:14. Zum Ganzheitsbild gehören ferner die Bücher Ruth, Esther, Judith, die Erzählung von Deborah, Ri Kap. 4f usw. Diese positiven Beurteilungen haben in den TP keine Spur hinterlassen.

H. Das Verhalten zur „offiziellen" Religion

Wir haben in III,1 gesehen, daß der Verfasser der Grundschrift ein zuverlässiges Bild der Vergangenheit zeichnet. Dabei setzt er natürlich voraus, daß Verhältnisse seiner Gegenwart (z.B. Institutionen, Ordnungen, Sitten) schon in der Patriarchenzeit Realitäten waren. Die TP schildern die Vorzeit, geben uns aber zugleich einen Einblick in die ideologischen Vorstellungen des Verfassers. Freilich sei vor übereilten Schlüssen gewarnt. Daß der Verfasser Verhältnisse, die in der Patriarchenzeit unbekannt waren, nicht erwähnt, überrascht nicht. Es zeigt nur, wie bewußt er gearbeitet hat. Argumente *e silentio* auf diesem Gebiet sind unzulässig. Man sollte umgekehrt auf der Hut sein, wenn er Verhältnisse der fernen Vergangenheit, die in der alttestamentlichen Tradition und anderswo belegt sind, unbeachtet läßt.

Auf Grund dieser Überlegungen ist es verständlich, daß er niemals auf das Gesetz des Mose verweist. Das wäre innerhalb der literarischen Fiktion der Schrift unmöglich gewesen. Statt dessen spricht er folgerichtig von dem Gesetz Gottes oder den Geboten Gottes. In der Praxis meint er sicher die alttestamentlichen Gebote. Das ist deutlich der Fall in TAs 2:9f, die Lev 11:3ff entsprechen, aber auf die himmlischen Tafeln zurückgeführt werden[78]. Das geschriebene Gesetz wird ebenso in TR 4:1[79] und TL 13:1f[80] vorausgesetzt. Die Grundlage ist somit in der Thora zu suchen, wie sie zur Zeit des Verfassers und in seinem Milieu verstanden wurde. Göttliche Vorschriften ändert man nämlich nicht nach Gutdünken.

Die Zeiten ändern sich aber und damit auch die Auslegung der Gebote.

---

[76] Vgl. zu der Auffassung der Frauen und ihrer Stellung, J. Jeremias *Jerusalem zur Zeit Jesu*, Göttingen ²1958, 232ff.

[77] Boström *Proverbiastudien*.

[78] Vgl. zu diesem Text III,1B mit Anm. 6.

[79] S. Anm. 73 oben.

[80] S. Anm. 73 oben.

Obwohl die TP ein wenig von utopischen Vorstellungen der Patriarchenzeit gefärbt sind, spiegeln sie die fromme Praktizierung und Erklärung des Gesetzes zur Zeit der Grundschrift wider.

Wir wenden uns jetzt der Auffassung von Kultus und Priesterschaft zu. Da der Tempel unter Salomo gebaut wurde, kann der Verfasser, seiner literarischen Fiktion gemäß, ihn nicht erwähnen. Er tritt aber für den Tempeldienst ein, wenn er von dem Haus des Herrn, TIs 2:5, oder dem Heiligtum, TL 9:11, spricht. Er setzt ohne weiteres eine Priesterschaft voraus, TL Kap. 9; TIs 2:5; 3:6. Er vermeidet es aber, von der späteren Dreiteilung der Priesterschaft und der Institution eines Hohenpriesters zu reden; vgl. III,1. Sein Interesse am Kultus ist deutlich gering. Sieht man von TL Kap. 9 – wo Stoff dieser Art sozusagen obligatorisch ist – ab, zeigt er in der Tat ein bemerkenswertes Desinteresse. Die vielen kultischen Vorschriften in TL Kap. 9, die übrigens im Alten Testament ihre Parallelen haben[81], sind offenbar inkludiert, weil sie dort zu Hause sind. Äußerlich hält der Verfasser am Kultus fest, sein Herz ist aber anderswo.

Es fällt vor allem auf, daß er dem Sabbat und der Beschneidung, zwei der typischsten Kennzeichen des nachexilischen Judentums, kein Gewicht zumißt. Die Beschneidung wird nur in Verbindung mit der Sichemepisode erwähnt, d.h. in einem vorliegenden Traditionszusammenhang. Vom Sabbat ist überhaupt keine Rede. Da das Bundeszeichen der Beschneidung nach Gen Kap. 17 (P) bereits zur Zeit Abrahams praktiziert wurde, und der Sabbat nach P's Darstellung zur Schöpfungsordnung gehört, Gen 2:2f, hätte man nicht erwartet, daß sie völlig in den Hintergrund treten würden. Die Stammväter hätten ihre Bedeutung einschärfen können, ohne daß die Fiktion der Schrift aufgegeben wäre. Der Mangel an Erwähnung darf freilich nicht so ausgelegt werden, daß der Verfasser sie verworfen habe – dagegen spricht trotz allem TL 6:3 –, darf aber als ein Mangel an Enthusiasmus gewertet werden. Sie sind, wie der Kultus, traditionelle Größen, die der Verfasser nicht beanstandet, aber auch nicht hervorhebt.

Bei der Reorganisierung der jüdischen Nation unter Esra und Nehemia hat man eine reine, unbefleckte Rasse gefordert und fremde Völker abgewiesen; vgl. Esra 9:11ff; 10:10ff; Neh 10:30; 13:1ff. Dieselbe Tendenz findet sich in vielen spätjüdischen Schriften; vgl. z.B. JosAs 7:1.5; 8:5; Jub 20:4; 22:20; 25:1ff; 30:7; TestHiob 45:3; ParJerm Kap. 8 usw. In der Grundschrift der TP läßt sich eine prinzipiell negative Haltung nicht nachweisen. Die Distanz zu den Völkern in TL Kap. 6–7; TJud Kap. 3–7 ist durch traditionellen Stoff bedingt[82]. Wirklich völkerfeindlich sind TSim 6:3ff; TL 14:6; TD 5:5, doch handelt es sich hier um Interpolationen[83]. TL

---

[81] Näheres dazu in Hollander/M. de Jonge *Comm* 157f.
[82] Vgl. Becker *Untersuchungen* 395f; *Komm* 44f.
[83] Vgl. die Analysen in II,4 (= TSim), II,14 (= TL) und II,7 (= TD).

9:10 bezieht sich auf Priester, vgl. Lev 21:7.13−15, und darf nicht verallgemeinert werden. Judas Fehltritt bestand nicht darin, daß er eine heidnische Frau heiratete, sondern darin, daß sie *kanaanäisch* war, TJud 11:1; 13:7; 14:6; vgl. Gen 24:3f; 28:1. Es ist typisch, daß der Verfasser Joseph nicht kritisiert, obwohl er doch eine Ägypterin zu Frau nahm. Er läßt im Gegenteil Joseph sagen: „Denn siehe, ihr seht, daß ich wegen der Langmut die Tochter meines Herrn[84]/des Priesters von Hieropolis[85] mir zu Frau nahm. Und 100 Talente Gold sind mir mit ihr gegeben worden,..." (TJos 18:3). Von einer Polemik fehlt hier jede Spur. Der Verfasser betrachtet die Ehe Josephs als eine große Ehre. Für andere jüdische Texte war sie dagegen problematisch. Sie greifen oft zu der Erklärung, daß Josephs Frau Asenath gar nicht ägyptisch sei. Sie sei im Gegenteil die Tochter Dinas[86]. Nach JosAs Kap. 10ff wurde sie erst nach einer eigenartigen Bekehrung würdig.

Fassen wir die Ergebnisse zusammen, finden wir, daß die „offizielle" Religion keine große Rolle spielt. Der Verfasser lehnt sie zwar nicht ab, tritt aber auch nicht für sie ein. Sirachs überströmende Begeisterung für den Kultus, Sir Kap. 50, hat in der Grundschrift keine Parallele. Die typischen Merkmale des nachexilischen Judentums – Sabbat, Beschneidung und Distanz zu den Völkern – liegen dem Verfasser nicht am Herzen. Er hätte sie unter Beibehaltung der literarischen Fiktion in den Mund der Stammväter legen können. Da dies nicht geschehen ist, drängt sich die Folgerung auf, daß sie ihm weniger wesentlich waren.

I. *Repräsentiert die Grundschrift das Ackerbauideal?*

In vielen alttestamentlichen und spätjüdischen Schriften, vor allem weisheitlicher Art (z.B. Prov; Sir u.a), begegnet das eigenartige Ackerbauideal[87], das für den von den Vorfahren ererbten Beruf des Bauern propagiert und sich scharf gegen Kaufleute (Sir 26:29−27:3) sowie das Leben in Städten wendet. Das Leben des Bauern gilt als von Gott zugewiesen (Sir 7:15[88]; Jes 28:23ff; bes. V.26), und obwohl es mühsame Arbeit fordert und

---

[84] „β" – adg hat Pluralis („meiner Herren", Gen.). Sachlich ist jedoch Singularis („meines Herrn", Gen.; vgl. Mss dg) gemeint. Pluralis reflektiert vielleicht hebr. בעליו / אדניו, das im Bundesbuch, Ex Kap. 21ff, mehrmals für den Singular steht. Hollander/M. de Jonge *Comm* 406 denken an Potiphar und seine Frau (mit Vorbehalt).

[85] So Ms c. Diese Variante wird von Becker bevorzugt: „Ob β, A daran Anstoß nahmen, daß Joseph die Tochter eines heidnischen Priesters ehelichte?" *Komm* 128.

[86] Nämlich die Tochter Dinas mit Sichem! (Gen 34:1ff); vgl. Aptowitzer *HUCA* 1 (1924) 243ff. Daß ein kanaanäischer Vater besser als ägyptische Eltern war, ist schwer verständlich. Die Mutterschaft besaß zu jener Zeit kaum ein so großes Gewicht, daß man vom Vater absehen konnte.

[87] Vgl. besonders Boström *Proverbiastudien* 53ff; s. auch Causse *RHPhR* 7 (1927) 201ff.

[88] Vgl. zu diesem Text Boström *Proverbiastudien* 61 Anm. 28.

selten reich macht (Sir 29:21f), ist der Ertrag der Erde verdient (Prov 12:9ff; 28:19) und ehrlich erworben. Ganz anders verhält es sich dagegen mit den Kaufleuten und Händlern, die nur von Profitgier geleitet werden (Sir 26:29–27:3) und schnellgewonnenem Reichtum nachjagen. Da ihr Gut oft auf unehrlichen Mitteln (z.B. falschen Gewichten: Prov 11:1; 20:10) basiert, warnen die Texte vor Reichen und Reichtum (s. unter F, f). Zwar kennen sie auch einen ehrlich erworbenen Reichtum (s. unter F, f), doch ist er die Ausnahme. So wird das Ideal von Puritanismus, Mäßigkeit und Fleiß geprägt, zugleich aber von Solidarität und Liebe den Armen gegenüber (Prov 3:27f; 11:24; Sir 3:30f) und Fürsorge für die Tiere (Sir 7:22; Prov 27:23) und die Erde (Hiob 31:38ff[89]).

Wir lenken jetzt den Blick auf die TP. Läßt sich dieses Ideal auch dort nachweisen?[90] In diese Richtung weist die Aussage in TIs 5:3ff: (3) „Beugt euren Rücken zum Ackerbau und tut Feldarbeiten gemäß jeder Landwirtschaft und bringt Gaben dar dem Herrn mit Danksagung. (4) Denn durch die Erstlinge der Feldfrüchte wird dich[91] der Herr segnen, wie er alle Heiligen von Abel bis jetzt gesegnet hat. (5) Denn dir ist kein anderer Anteil beschieden als (nur der) der Fettigkeit des Bodens, dessen Erträge durch Mühen (eingebracht werden)" (nach Becker, *Komm* 82).

Der Verfasser hebt hier den Beruf des Bauern hervor, und sagt, er sei von Gott beschieden. Alle Heiligen von Abel bis *jetzt*[92] seien Bauern gewesen. Das stimmt zwar nicht mit Gen Kap. 4, wo Abel Hirte ist und Kain Landmann, überein, „doch scheinen Hirte und Bauer als Berufe der Landbevölkerung zu verschmelzen aufgrund des Gegensatzes zur städtischen Handelswelt", bemerkt Becker[93]. Man vergleiche Prov 27:23ff. Die religiöse Begründung dieses Textabschnittes steht im Einklang mit Sir 7:15; Jes 28:23ff. Auch andere Züge in den TP erinnern an das Ackerbauideal, wie z.B. der Puritanismus und die Aufforderung, sich der Armen und Notdürftigen anzunehmen. Wir verweisen ferner auf Einzelstellen wie TSeb 5:1 mit der Forderung, auch die unvernünftigen Tiere zu lieben und TIs 7:5, wo Issachar versichert, er habe keine Grenze aufgelöst, d.h. er habe die Grenzmarkierung, den Grenzstein nicht verrückt; vgl. Dtn 19:14; 27:17; Prov 22:28; 23:10; Hiob 24:2.

Es springt jedoch in die Augen, daß typische Züge des Ackerbauideals

---

[89] Die Erwähnung der bĕʿālīm der Erde in V.39 zeugt vom kanaanäischen Erbe des Ackerbauideals.

[90] So Boström und Causse; s. Anm. 87; (vgl. Becker *Untersuchungen* 379f).

[91] So Mss eaf. In Ms b ist σε durch Haplographie ausgefallen, denn das vorangehende Verb ist mit Mss bac εὐλόγησε zu lesen. Vgl. auch Mss bdef σοι in V.5. Vgl. zu den Textvarianten Charles *Text* 113; *Editio Maior* 86; Becker *Komm* 82; Hollander/M. de Jonge *Comm* 246.

[92] Ob mit diesem „Jetzt" die Zeit des Verfassers – so z.B. Becker *Untersuchungen* 379f – oder vielmehr die fiktive Zeit des Issachar gemeint ist, läßt sich kaum entscheiden.

[93] *Komm* 82.

sich sozusagen ausschließlich in TIs finden. In Anbetracht der Fiktion der Schrift ist dies leicht verständlich. Issachar ist der einzige, der als Bauer dargestellt wird. Die Idealisierung des Bauernstandes ist also gerade in TIs zu erwarten. Im übrigen fehlt sie völlig. Und noch mehr: Issachar wird zwar sehr positiv geschildert, doch gilt dasselbe auch für den Fischer und Seemann Sebulon. Nun ist aber weder Issachar noch Sebulon die Idealgestalt *par excellence*, sondern der Hofbeamte Joseph. Er lebt so fern wie überhaupt denkbar vom Ackerbau. Es fällt ferner auf, daß negative Aussagen über Kaufleute und das städtische Leben, die doch obligatorisch sind, wenn man ein Ackerbauideal verficht, nicht nachweisbar sind. So drängt sich die Folgerung auf, daß von einem Ackerbauideal in den TP nicht die Rede sein kann. Daß der Verfasser aber ein romantisches Bild vom frommen Bauern, der in Frieden mit Gott und dem Nächsten lebt, hat, ist denkbar und wahrscheinlich. Dies ist aber nicht mit einem regelrechten Ackerbauideal zu verwechseln.

J. Die ethische Größe und Eigenart der Grundschrift

Nach diesen vielen Einzelheiten bekommt man leicht den Eindruck, die TP seien nur eine Schrift unter vielen anderen. Deshalb lenken wir abschließend den Blick auf die ethische Größe und Eigenart der TP, die ihnen einen dauernden Wert geben und sie noch heute lesenswert machen.

Das Hauptanliegen der Schrift ist die Paränese. Dort begegnet die Botschaft des Verfassers, dort findet sich das Persönliche und Originale. Über den Verfasser selbst wissen wir, wie wir sehen werden (IV,3), nur wenig. Aus seiner Schrift geht aber hervor, daß wir vor einem Mann mit einem großen Programm und ungewöhnlichem ethischen Pathos stehen. In der Paränese ahnen wir die Konturen eines eigenartigen Verkünders, der nicht dadurch charakterisiert ist, daß man ihn zu irgendeinem unter vielen anderen Weisheitslehrern macht, weil sie doch nicht vergleichbar sind. Die ganz exzeptionelle Konzentration auf eine begrenzte Anzahl von ethischen Hauptprinzipien und die beinahe totale Abstreifung der rituellen Forderungen, die für die jüdische Identität so wesentlich sind, stehen in der spätjüdischen Literatur einmalig da. Die nächstliegende Parallele begegnet in christlichen Texten wie der Bergpredigt und dem Jakobusbrief. Die Moralverkündigung des Verfassers basiert auf dem doppelten Liebesgebot – auch wo es nicht direkt erwähnt wird – und seine Ethik ist in letzter Instanz eine echte Ethik der Gesinnung, die sich nicht mit den Handlungen zufriedengibt, sondern nach dem reinen Herzen und dem ungeteilten Sinn fragt und sogar fordert, daß man dem unbußfertigen Sünder vergibt. Der Verfasser hat erkannt, daß die Sünde nicht aus Einzeltaten besteht, sondern aus dem Inneren des Menschen hervorquillt, und daß sie sich nur bezwingen läßt, wenn der Wille nicht vom Bösen beherrscht wird.

Richtet man die Aufmerksamkeit auf diese Züge, so versteht sich von selbst, daß der Verfasser weit über seine Zeitgenossen hinausragt, und daß sich jeder Vergleich erübrigt. Es ist kein Wunder, daß die christlichen Bearbeiter diese Ethik unverändert übernommen haben, denn hier haben sie alle christlichen Ideale wiederfunden.

3. Das Milieu des Verfassers

Das Milieu des Verfassers läßt sich nur schwer bestimmen, da wir beinahe nichts vom Autor oder von seinen Adressaten wissen.

Wenn wir mit dem letzten Problem beginnen, so hat freilich Becker[1] den soziologischen Kreis der Angeredeten (seiner rekonstruierten Grundschrift) in der Landbevölkerung finden wollen, da die in der Schrift erwähnten Berufe zur Landbevölkerung paßten[2], großstädtische Beschäftigungen (wie z.B. der Beruf des Kaufmanns) fehlten, und in TIs Kap. 5–6 der Beruf des Landmanns als von Gott zugewiesen und besonders gesegnet dargestellt werde. Diese Argumentation trifft jedoch nicht zu. Die Stammväter werden nur im Einklang mit den vorliegenden Traditionen geschildert[3]. Außerdem hat sich die Annahme, die TP repräsentierten das Ackerbauideal, als falsch erwiesen; vgl. IV,2I. Der Gegensatz Landbevölkerung–Stadtbevölkerung ist übrigens nicht unproblematisch[4]. Gegen die These, die Angeredeten gehörten zur Landbevölkerung, läßt sich abschließend Sir 38:24ff anführen, denn diese Stelle zeigt, daß Bauern (und andere Berufe wie Handwerker und Künstler) keine Zeit für Studien haben.

Neuerdings hat Hultgård[5] auf die vorherrschend paränetisch-didaktische Absicht der TP verwiesen, die davon zeuge, daß Unterricht und Erbauung die primäre Funktion der Schrift sei. Wegen des allgemeinen Charakters dieses Unterrichts folgert er, daß die Adressaten gewöhnliche Juden seien,

---

[1] *Untersuchungen* 378ff.

[2] Becker erwähnt in *Untersuchungen* 378f: Hirte (passim), Jäger (TJud Kap. 2), Fischer (TSeb Kap. 6), Bote (TN 2:1) und vor allem Landmann (TIs passim). Priester und König schieden aus, da sie nicht allgemeine Berufe für Israeliten, sondern an stammesmäßige Erbfolge gebundene Ämter seien.

[3] Man vergleiche in bezug auf die in Anm. 2 angeführten Berufe u.a. folgende Texte: Hirte: Gen Kap. 37 und passim; Sebulon als Fischer: Gen 49:13 (er wohnt am Meer); Issachar als Landmann: Gen 49:14f. Jäger und Bote sind in den TP nicht selbständige Berufe, sondern von besonderen Eigenschaften Judas und Naphtalis (vgl. Gen 49:21) bedingt.

[4] In der Antike waren die Felder im allgemeinen um eine Stadt oder ein Dorf angelegt, und die Bauern bildeten somit keine Landbevölkerung in unserem Sinn des Wortes. Kaufmann ist nicht unbedingt eine großstädtische Beschäftigung. In Palästina z.B. handelte es sich eher um Krämer, die von Ort zu Ort zogen; man vergleiche das hebräische Wort sōḥēr, das von der Wurzel śḥr „umhergehen" abgeleitet ist.

[5] *L'eschatologie* II,214.

was auch von der Fiktion der Schrift, sie sei an die Söhne der zwölf Stammväter, also an das ganze jüdische Volk, gerichtet, bestätigt werde.

Daß der Verfasser seine Volksgenossen allgemein vor Augen habe, mutet recht natürlich an, wenn auch der Begriff „Adressaten" recht blaß wird. Für Hultgård spielt dieses Argument jedoch eine wesentliche Rolle, weil es ihm dadurch ermöglicht wird, den Hintergrund *der* Verfasser – er operiert mit einer kollektiven Verfasserschaft – zu bestimmen: unsere Schrift stamme aus den Kreisen der ḥăkāmīm. Da die Aufgabe des Unterrichts und der Deutung der Thora den sōfĕrīm/ḥăkāmīm obliege, und sie vorzüglich aus den Leviten rekrutiert wurden, folgert er, daß die Verfasser Leviten seien, zumal die Schrift die Levigestalt hervorhebe[6].

Letztere Annahme, die Verfasser – wir meinen: *der* Verfasser – seien Leviten, ist nicht zwingend und kaum berechtigt. Daß wir die Levi-Juda-Stücke für sekundär halten[7], läßt sich zwar nicht gegen Hultgård anführen, da er unsere Voraussetzung nicht teilt. Seine Deutung der Levigestalt auf die Leviten ist aber nicht stichhaltig[8]. Obwohl die Schreiber vorzüglich aus den Leviten rekrutiert wurden (2.Chr 17:8f; 34:13, 35:3; Neh 8:7.9), gab es übrigens auch Laienschriftgelehrte; vgl. 1.Chr 2:55. Einer Zuweisung des Verfassers zu der Gruppe der sōfĕrīm/ḥăkāmīm stimmen wir jedoch zu[9]. Schon die Gattung der Schrift zeigt, daß sie aus der weisheitlichen Belehrung stammt[10]. Der Inhalt mit seiner häufigen Hervorhebung des Gesetzes des Herrn o.ä.[11], Einzelstellen wie TR 4:1; TL 13:2[12] und der weisheitliche Wortschatz[13] weisen in dieselbe Richtung.

Diese Eingliederung der Schrift in die Schultradition der „Weisen" ist leider ganz vage, weil es so viele verschiedene „Schulen" gab[14]. Auf eine eingehende Besprechung dieser „Schulen" muß innerhalb der Rahmen dieser Arbeit verzichtet werden. Wir stellen nur kurz fest, daß die TP den Typus der Weisheit repräsentieren, der ein praktisches Ziel hat[15]. Sie wollen dem Leser bei der Bewältigung seines Lebens helfen. Die TP sind also in erster Linie mit Schriften wie Proverbia und Sirach verwandt. Ein detaillierter Vergleich mit diesen und anderen Schriften erübrigt sich jedoch. Es sagt sich von selbst, daß sich Übereinstimmungen leicht nachweisen lassen.

---

[6] *L'eschatologie* II,215ff.
[7] Vgl. die Zusammenfassung in IV,5C und die Einzelanalysen in II,3–14.
[8] Vgl. IV,5C.
[9] So auch Becker *Untersuchungen* 377.
[10] S. II,2.
[11] S. III,1A.
[12] S. IV,2G mit Anm. 73 und H mit Anm. 79; 80.
[13] S. Hultgård *L'eschatologie* II,220 Anm. 6.
[14] Vgl. z.B.: Hengel *Judentum und Hellenismus* 143ff; 295ff; 453ff; v.Rad *Weisheit* 28ff.
[15] Die TP weisen auch andere Formen von Kenntnissen auf; vgl. z.B. TR 5:6f; TN 2:2ff und die Haggada allgemein.

Sie sind alle auf Grund einer gemeinsamen Weisheitstradition mit einem praktischen Ziel verständlich. Die Eigenart der TP ist und bleibt ihre ethische Basis, nämlich das doppelte Liebesgebot und die Gesinnung als grundlegende Prinzipien der Ethik, die den Verfasser als einen Einzelgänger unter seinen Kollegen mit ihren kasuistischen Regeln macht; vgl. IV, 4J. Diese Eigenart stellt sich einer Eingliederung in eine der bekannten weisheitlichen „Schulen" in den Weg.

Eine Zuweisung der TP zu einer der großen jüdischen Parteien, wie den Essenern[16] oder den Pharisäern[17], ist, wenn unsere Datierung der Schrift um 200 v. Chr. (s. IV,6) richtig ist, bereits von vornherein ausgeschlossen. Wer dieser Voraussetzung nicht zustimmt, kann sich jedenfalls auf die vielen Argumente Beckers gegen eine essenische Provenienz[18] verlassen. Inhaltlich ließe sich die Grundschrift auch nicht als pharisäisch charakterisieren. In den Interpolationen begegnen zwar Vorstellungen, z.B. eschatologischer Art, die für den Pharisäismus typisch sind, aber nicht ausschließlich pharisäisch genannt werden können.

Näher liegt ein Vergleich mit den ḥāsīdīm, die zum ersten Mal am Anfang des makkabäischen Aufstandes, d.h. etwa 167/166 v. Chr., auftauchen, deren Wurzeln aber viel älter sein müssen. Legt man Hengels Schilderung der „Frommen" zugrunde[19], läßt sich der Verfasser der TP nur schwer in diese Gruppe eingliedern. Die TP legen ja kein Gewicht auf die Beobachtung des Sabbatsgebots, der Beschneidung, der Koschervorschriften o.ä.; vgl. IV,2H. Ein reguliertes Gebetsleben fehlt ebenfalls; vgl. IV, 2F. Das politische Desinteresse und der Mangel an Enthusiasmus für den Kultus sind dagegen gemein; vgl. IV,2H. Trotz der tiefgehenden Differenzen darf man jedoch vermuten, daß der Verfasser ein ḥāsīd war[20], denn einige der genannten Unterschiede sind Züge, die auf Grund der Krise unter Antiochus IV. aktualisiert wurden. Dazu kommt, daß die „Frommen" wohl kaum „eine fest umrissene jüdische Partei" waren[21], sondern eher

---

[16] Becker *Untersuchungen* 147ff erwähnt mehrere Repräsentanten dieser Ansicht.

[17] So z.B. Charles *Text* IX; *Comm* XV; LIVf. Er hält zwar den Verfasser für einen Pharisäer des frühen Typus, d.h. einen ḥāsīd. S. auch: Starcky *RB* 70 (1963) 490; Urrichio *VD* 26 (1948) 101.

[18] *Untersuchungen* 149ff. Dem zweiten Argument, ganze Teile der TP ließen sich sicher nicht ins Hebräische oder Aramäische zurückübersetzen, stimmen wir nur mit Vorbehalt zu; vgl. IV,4.

[19] *Judentum und Hellenismus* 319ff.

[20] So z.B.: Beasley-Murray *JThS* 48 (1947) 1; Harrelson *SCS* 5,29; zu Charles, vgl. Anm. 17 oben. S. auch Eppel *Piétisme* 178ff. Ihr Ausgangspunkt stimmt freilich nicht mit dem unsrigen überein.

[21] Gegen Hengel *Judentum und Hellenismus* 319.

eine Bewegung mit gewissen gemeinsamen Zügen und Interessen, aber vielen individuellen Formen, von denen die TP eine Form sind[22].

Wir gestehen, daß das Ergebnis dieser Erwägungen sehr karg ist. Ein zuverlässiges Bild des Verfassermilieus läßt sich, wenn man von bloßen Selbstverständlichkeiten absieht, nicht zeichnen. Auf Grund der Größe der Schrift läßt sich ein großer Mann erahnen, aber wegen der Fiktion der Schrift tritt er völlig in den Hintergrund. Nicht seine Person, sondern seine Belehrung ist wesentlich. Das ist vielleicht ein täuschendes Resultat, aber andere Folgerungen läßt die Schrift kaum zu.

---

[22] Der Begriff „fromm" ist textkritisch nur in TB 3:1; 5:4 gesichert. Es ist kaum ein Zufall, daß er zur Charakterisierung von Joseph dient.

4. Zur Frage der Ursprache

Über die Ursprache der TP herrscht keine Einigkeit. Die Alternativen sind freilich klar. Es kommt entweder ein griechisches oder ein semitisches Original in Frage[1]. Überblickt man die Positionen, entdeckt man, daß sich viele zum Problem geäußert, aber nur wenige eigene Beiträge geleistet haben. Wir werden uns deshalb auf einige typische Repräsentanten, die für ihre Auffassung selbständig argumentiert haben, beschränken.

Für ein griechisches Original hat in erster Linie Becker plädiert[2]. Nennenswert sind ferner die kürzeren Beiträge von Sinker[3], M. de Jonge[4], Kee[5], Hollander[6] und Hollander/M. de Jonge[7].

Für ein hebräisches Original hat Charles energisch argumentiert[8]. Perles schließt sich seiner Ansicht an, will ihn aber zugleich berichtigen[9]. Für ein aramäisches Original entschließt sich Hultgård[10]. Zu TJos liegt eine Untersuchung von Martin vor, nach der TJos auf einen semitischen Urtext zurückzuführen ist[11].

Wir halten die semitische Alternative für richtig. Die Wahl zwischen einem hebräischen und einem aramäischen Urtext lassen wir offen. Die beiden Sprachen sind so eng verwandt, daß man in einer griechischen Übersetzung kaum entscheiden kann, ob der zugrundeliegende Text hebräisch oder aramäisch abgefaßt war. Das Vorkommen aramäischer Texte im Alten Testament – dabei sind Dan 2:4b−7:28 besonders interessant, weil es sich hier im Gegensatz zu Esra 4:8−6:18; 7:12−26 nicht um die Wiedergabe aramäisch geschriebener Urkunden handelt, sondern um Originalkompositionen – und die Funde aramäischer Texte in Qumran,

---

[1] Es sei daran erinnert, daß der Umfang dieses Originals ganz verschieden bestimmt wird.
[2] *Untersuchungen* passim.
[3] *Testamenta* 31ff. (Sie seien evtl. nach dem Modell eines hebräischen Werkes gestaltet. Unsere TP seien aber griechisch abgefaßt.)
[4] *Testaments* 77f; 118; 163 Anm. 5; *NT* 4 (1960) 186; 206; *NTS* 26 (1979/1980) 516; *JBL* 99 (1980) 1f.
[5] *NTS* 24 (1977/1978) 259ff.
[6] *Ethical Model* passim.
[7] *Comm* 27ff et passim.
[8] *Text* XXIIIff et passim; *Comm* XLIIff et passim.
[9] *BOLZ* 2 (1908) 10ff; *OLZ* 10 (1927) 833f.
[10] *L'eschatologie* II,74ff; 164ff.
[11] *SCS* 5,105ff.

z.B. Fragmente vom ersten Buch Henoch[12], zeigen, daß Aramäisch eine aktuelle Alternative ist.

Gaster behauptete seinerseits[13], daß alles, was beim Volk irgendwie Anspruch auf Anerkennung machen wolle, in hebräischer Sprache geschrieben sein müsse, weil es die heilige Sprache sei. Die TP müßten folglich hebräisch abgefaßt sein, weil sie vorgäben, Worte der Stammväter zu vermitteln. Dabei hat Gaster nicht nur das Buch Daniel übersehen, sondern auch nicht auf die vielen Apokryphen und Pseudepigraphen geachtet, die griechisch abgefaßt worden sind[14], ohne daß dies weder die Verfasser noch die Leser beunruhigt hat. Die Frage nach der Ursprache läßt sich also nicht auf Grund solcher prinzipieller Überlegungen entscheiden. Auch darf man den Mss hij kein Gewicht beimessen, wenn sie sagen, der Text sei aus dem Hebräischen ins Griechische übertragen[15], da es sich doch wohl um eine logische Folgerung handelt. Das Problem läßt sich nur mittels konkreter, sprachlicher (und inhaltlicher) Argumentation abklären.

Für ein griechisches Original hat man vier Argumente angeführt[16]:

1. Die TP benutzten die LXX.
2. Man finde in den TP typisch griechische Wendungen und Begriffe, die kein hebräisches Äquivalent hätten.
3. Die Paränese der TP zeuge sprachlich und begrifflich von einem hellenistisch-kulturellen Hintergrund.
4. Die Sprache der TP sei zwar semitisierend, doch lasse sich nicht nachweisen, daß sie aus dem Semitischen ins Griechische übertragen seien.

Darauf läßt sich erwidern[17]:

1. Das klassische Beispiel dieser Behauptung ist die Charakterisierung von Issachar in TIs 3:1; 5:3−6 als einem Landmann, γεωργός, die als eindeutiger Rückgriff auf Gen 49:15 in der Version der LXX verwertet wird[18], weil der massoretische Text ihn einen עבד-מס nennt.

Dabei hat man die einfache Lösung übersehen, die wir in II,9 signalisiert haben: die Übereinstimmung mit der Wendung der LXX ist erst entstanden, als die TP vom Semitischen ins Griechische übersetzt wurden. Der Übersetzer hat die LXX gekannt und sich ihrer Wiedergabe bedient.

Dieses Paradebeispiel kann somit nicht die Beweislast tragen, weil man

---

[12] S. Milik *Books of Henoch*.

[13] *PSBA* 16 (1893/94) 41; vgl. Resch *ThStKr* 72 (1899) 234.

[14] Vgl. allgemein Denis *Introduction*.

[15] Vgl. Charles *Text* XIf; *Comm* XXIf; *Editio Maior* XIXf.

[16] S. Hultgård *L'eschatologie* II,165.

[17] Im folgenden wird auf Hultgårds Untersuchung in *L'eschatologie* II,165ff Bezug genommen.

[18] S.: M. de Jonge *Testaments* 77f; Becker *Untersuchungen* 339; *Komm* 80; Hollander/ M. de Jonge *Comm* 233; 240.

bei der Übersetzung von dem von uns angenommenen semitischen Original ins Griechische immer mit einer Anpassung an den Wortlaut der von den hellenistischen Juden benutzten LXX rechnen muß[19]. Jede Übereinstimmung mit der LXX ist somit leicht verständlich, und es überrascht eher, daß viele Stellen vom Sprachgebrauch der LXX abweichen[20].

2. In den TP finden sich viele griechische Wörter und Begriffe, die die Annahme eines semitischen Originals problematisch machen, weil sie angeblich kein semitisches Äquivalent hätten oder semitisch nicht nachahmbar seien. Der Verweis darauf, daß diese oder jene Vokabel bei hebräischer Textgrundlage keine Parallele in der LXX habe, spielt für Becker eine wesentliche Rolle[21]. Ehe wir einige seiner „Beweise" besprechen, seien einige prinzipielle Probleme erörtert.

Der Vergleich der Sprache der TP mit der Sprache der LXX ist im Prinzip berechtigt und wichtig, weil er eine wertvolle Hilfe bei der Rekonstruktion des semitischen Originals leistet. Nur muß man sich vor übereilten Schlüssen hüten und sich über die Begrenzungen dieses Vergleichs im klaren sein. Die hebräische Bibel repräsentiert nur einen Teil der hebräischen Literatur. Das hebräische Vokabular ist natürlich viel größer und reicher gewesen, als es das Alte Testament erkennen läßt. Man bedenke z.B. die Qumranschriften, Sirach und die nachchristliche Literatur (Mischna). Man darf also nicht damit argumentieren, daß Wendungen und Begriffe der TP keine Parallele in der LXX haben und daraus folgern, daß es kein hebräisches Äquivalent gebe. Vielleicht gäbe es eine Parallele, wenn die enorme außerkanonische Literatur ins Griechische übersetzt worden wäre. Man sollte auch bedenken, inwieweit der Verfasser der TP Lehnwörter gebraucht haben kann, denn bereits die jüngeren kanonischen Schriften benutzen Lehnwörter, wenn kein adäquater hebräischer Ausdruck vorliegt. In der späteren, außerkanonischen Literatur ist diese Tendenz zunehmend. Nur wenn es sich um solche Vorstellungen philosophischer, religiöser und ethischer Art handelt, die in Palästina völlig undenkbar wären, ließe sich die obige Argumentation anführen. Doch war Palästina im hellenistischen Zeitalter ein Land inmitten des Kulturstroms, und die gebildete Schicht des Volkes war mit dem Hellenismus vertraut[22]. Die Vorstellung, das Hebräische und das Aramäische seien für abstraktes, philosophisches Denken ungeeignet, ist leider weitverbreitet, aber unrichtig. Der philosophisch orientierte Priester Josephus – um nur ein Einzelbeispiel zu erwäh-

---

[19] Vgl. Hultgård *L'eschatologie* II.166.
[20] S. Hultgård *L'eschatologie* II.166 mit Anm. 2.
[21] *Untersuchungen* passim.
[22] Vgl. allgemein Hengel *Judentum und Hellenismus*.

nen – hat sein Werk Bellum Judaicum ursprünglich in Aramäisch abgefaßt; vgl. B.J. I,1–3. Das Original ist zwar verlorengegangen, so daß ein Vergleich des vorliegenden griechischen Textes mit dem Urtext ausgeschlossen ist, doch darf man vermuten, daß die griechische Version – denn um eine Version handelt es sich – nicht allzu verschieden vom Original ist. Das aramäische Original ließ sich also unschwer ins Griechische übertragen. Umgekehrt hat Delitzsch kein Problem damit gehabt, den griechischen Text des Neuen Testaments ins Hebräische zu übersetzen (1899). Dort finden sich viele der Ausdrücke, die nach den Kritikern kein hebräisches Äquivalent haben. Delitzsch hat aber das Alte Testament und die Terminologie der Rabbiner zugrunde gelegt.

Um Beckers Position zu illustrieren, sei jetzt eine Auswahl seiner Argumente und unsere Kommentare dazu gegeben. Man beachte, daß Becker viele der hier besprochenen Texte für sekundär hält. Für unsere Problemstellung ist dies ohne Belang. Stellen, die wir selbst als unecht betrachten, werden wir in der Fortsetzung mit einem * bezeichnen.

TR[23]: „Auch die vielen Verba composita (4,6.9.11; 5,2.3.6) sprechen gegen hebräische Abfassung, da das Hebräische keine Verba composita kennt."

Die LXX liefert den Gegenbeweis. Dort findet sich eine Fülle von Verba composita. Hebräisch liegt natürlich Verb + Präposition zugrunde. Unter Verweis auf Resch[24] behauptet Becker, daß ἐγρήγοροι typisch hellenistisch-jüdische Ausdrucksweise zur Bezeichnung der Engel in Gen Kap. 6 sei.

Resch zeigt im Gegenteil, daß ἐγρήγοροι die Übersetzung von עירים ist.

TSeb[25]: Zentrale Begriffe der Paränese, wie z.B. ἄλογα ζῷα (5:1) und ἀγαθῶς (6:5*)[26], seien griechisch. „ἄλογος läßt sich gar nicht ins Hebräische übertragen"[27]. Vgl. aber Delitzschs Übersetzung von ἄλογα ζῷα in 2.Pt 2:12: בהמות הסכלות. ἀγαθῶς ist in 6:5 kein paränetischer Begriff, sondern ein Adverbium modi!

Statt ἔχειν εὐσπλαγχνίαν (5:1; 8:1) und ἔχειν ἔλεος (5:2) müßten bei vorausgesetztem hebräischem Original ποιεῖν σπλαγχνίαν/ἔλεος stehen, denn ἔχειν habe kein hebräisches Äquivalent[28].

Doch handelt es sich hier um idiomatische Übersetzung. Man darf dem Übersetzer nicht die Fähigkeit absprechen, gutes Griechisch zu schreiben.

---

[23] *Untersuchungen* 193.
[24] *ThStKr* 72 (1899) 228f (*nicht* 288) Anm. 3.
[25] *Untersuchungen* 209f.
[26] Becker: 6:4 ist Druckfehler.
[27] *Untersuchungen* 209 Anm. 4.
[28] *Untersuchungen* 209 Anm. 3; 5.

Griechisch seien ferner z.B. ὑπόστασις (2:4) und εὐκαταφρόνητος (9:2*). Jedoch ist ὑπόστασις 2:4 kein philosophischer Begriff. In der LXX dient das Wort zur Wiedergabe verschiedener Vokabeln. Vgl. zu εὐκαταφρόνητος Jerm 30:9 und Dan 11:21 mit Qal bzw. Niph'al von בזה.

„Auch das α privativum in ἀθῷος (2:2) und ἀβλαβής (5:5) ist schwer ins Hebräische zu übertragen[29]. Das gilt noch mehr für die Konstruktion mit substantiviertem Infinitiv wie τὸ βάλλειν (4:1)."

In der LXX finden sich aber viele Beispiele von α privativum, darunter gerade ἀθῷος: vgl. αἷμα ἀθῷον= דם נקי 2.Kön 21:16; 24:4; Ps 94(93):21.

Die LXX kennt ebenfalls substantivierte Infinitive bei hebräischer Textgrundlage[30].

TJud[31]: „Auch Formulierungen wie χρυσοῦ πλῆθος ἄπειρον (13:4) ... sind schwer ins Semitische zu übertragen. Die Verwendung von αἰδῶ (14:7) weist auf dieselbe Schwierigkeit."

Vgl. aber zum ersten Ausdruck Allons Wiedergabe שפע זהב בלא חק[32], und zum zweiten Delitzschs Übersetzung von 1.Tim 2:9 בשת פנים.

Diese Beispiele genügen, denn es gilt hier nur zu zeigen, daß die Argumente Beckers eine kritische Sichtung kaum bestehen. Seine wiederholte Behauptung, diese oder jene Wendung lasse sich nicht oder nur schwer ins Hebräische/Semitische übertragen, ist nicht stichhaltig. Becker gebraucht offenbar den Begriff „Äquivalent" in zu engem Sinn. Daß z.B. ἔχειν kein hebräisches Äquivalent habe[33], ist nur richtig insofern, als es keine hebräische Vokabel gibt, die mit ἔχειν wiedergegeben wird. Der *Sinn* von ἔχειν läßt sich natürlich leicht ausdrücken.

Beckers Ausgangspunkt ist also prinzipiell verkehrt. Wir wollen aber einräumen, daß nicht alle seine Argumente sich so leicht wie die hier angegebenen widerlegen lassen. Die Zahl der problematischen Fälle läßt sich jedenfalls stark reduzieren. So hält z.B. Hultgård nur eine begrenzte Auswahl griechischer Begriffe, nämlich συνείδησις, ἄλογα (ζῷα), σωφροσύνη, ἐγκράτεια und ἀκολασία, für wirklich schwierig, weil exakte hebräische oder aramäische Parallelen sich nur schwer finden ließen, der Sinn typisch griechisch sei und die meisten der erwähnten Wörter sich in der LXX bei fehlender hebräischer Textgrundlage fänden[34]. Nimmt man aber mit Hultgård an, daß die griechischen TP keine buchstäbliche Übersetzung

---

[29] *Untersuchungen* 210. Noch andere Beispiele ibid. 209 Anm. 7.
[30] Vgl. Soisalon Soininen *Infinitive*.
[31] *Untersuchungen* 315.
[32] *Tarbiz* 12 (1941) 270.
[33] Vgl. *Untersuchungen* 209 Anm. 3; 241: „Auch das imperativische ἔχετε (11,1) ist nicht ins Hebräische übertragbar, da hier ein entsprechendes Verb fehlt." In TJos 11:1 steht aber ἔχετε zu φόβον, also φόβον ἔχετε = φοβεῖσθε. Die Übersetzung ist somit idiomatisch.
[34] *L'eschatologie* II,167f; vgl. zum zweiten Begriff oben unter TSeb.

sind, sondern eher „par endroits une adaptation d'un original sémitique"[35], fällt dieses Problem fort[36].

Das erste Buch Henoch kann diese Annahme erhärten[37]. Die vielen Textfragmente aus Qumran zeigen, daß es – d.h. seine Hauptteile mit Ausnahme der Bilderreden, Kap. 37–71[38] – semitisch (aramäisch) abgefaßt war. In den noch bewahrten Abschnitten der griechischen Version des Buches[39] begegnen aber im letzten Teil (Kap. 91ff) die Begriffe ἔντευξις (99:3; 103:14) und εἱμαρμένη (102:6), die alle beide deutlich den griechischen Gebrauch reflektieren. Im ersten Teil (Kap. 1–36) findet sich in 20:2 das ebenfalls auffällige Wort τάρταρος, das zwar auch in der LXX vorkommt (Hiob 40:20; 41:24; Prov 30:16), aber kein Äquivalent im massoretischen Text hat. In der Tat ist die LXX ein gutes Beispiel dafür, daß man sich bei der Übersetzung des hebräischen Textes ins Griechische dem Hellenismus angepaßt hat.

3. Die Terminologie, der Stil und der Aufbau der TP zeugen nach Becker, Kee, M. de Jonge und Hollander von einem hellenistischen Hintergrund, der ein semitisches Original unwahrscheinlich mache.

Unter den sachlichen Argumenten Beckers für eine Zuweisung der Schrift ins hellenistische Judentum spielt die These, der Stil der jüdisch-hellenistischen Synagogenpredigt lasse sich an mehreren Stellen nachweisen[40], eine zentrale Rolle. Diese Annahme bewährt sich jedoch nicht[41]. Neuerdings hat Hultgård[42] auf Parallelen zur Paränese der TP in semitischen Quellenstücken oder auf semitische Texte zurückgehende solche, wie Tob 4:1–21; Sir 4:20b–21; 9:8f; 31:25–29, sowie die aramäischen Fragmente zu TL V.84ff und 4Q 184 verwiesen.

Zum angeblichen Einfluß der Stoa (Kee[43]) oder des Hellenismus im all-

[35] *L'eschatologie* II,168.

[36] In dieser Weise erklären sich die vielen Begriffe für Tugend und Laster, wie εὐσέβεια, ἀσέβεια, σωφροσύνη, ἁπλότης, εὐθύτης, ἀγαθότης und andere Begriffe wie σύνεσις und συνείδησις, denen Kee *NTS* 24 (1977/1978) 259ff, ein so großes Gewicht beimißt, weil sie typisch griechische Begriffe seien und in stoischer und stoisch beeinflußter Literatur ihre Parallelen hätten; vgl. Hollander/M. de Jonge *Comm* 28f.

[37] Vgl. zum Folgenden Hultgård *L'eschatologie* II,168f.

[38] Die Bilderreden stehen ganz für sich. Sie fehlen völlig in Qumran, liegen nur in der äthiopischen Version des Buches vor, und lassen sich schwer zeitlich anbringen; vgl. allgemein: *GamPseud* 2,69ff; *OTP* I,5ff; *APOT* II,171; Milik *Books of Henoch* 89ff; *APAT* II,230ff; *AOT* 174f; LXVff; *JSHRZ* V,6,573f; usw.

[39] Vgl. z.B. Black *Apocalypsis Henochi*; und weiter Anm. 38.

[40] Vgl. z.B. *Untersuchungen* 193ff (TR 4:6–6:4); 216ff (TN 2:2–7.10; 3:1; 8:4.6 und 2:8f; 3:2–5; 8:7–10); 251f (TB 3:1; 4:1–6:7; 8:2f); 308ff (TJud Kap. 14 + 16 (Grundstock); 359f (TG 4:1–5:2).

[41] Vgl. unsere prinzipielle Ablehnung in II,3 mit Anm. 19–25; vgl. weiter: Otzen *GamPseud* 7,684f; Hultgård *L'eschatologie* II,169f.

[42] *L'eschatologie* II,170f.

[43] S. Anm. 5.

gemeinen (M. de Jonge[44], Hollander[45]) braucht nicht viel gesagt zu werden. Dieser Einfluß scheint uns trotz aller Einzelbelege nicht besonders auffällig zu sein. Und noch mehr: er schlösse jedenfalls eine palästinische Provenienz der TP nicht aus, weil der hellenistische Einfluß in Palästina schon um 200 v. Chr. bedeutend war[46].

Es sei schließlich bemerkt, daß z.B. der Einfluß des hellenistischen Romanstils in der ersten Lebensdarstellung in TJos 3:1–10:4 und das Vorkommen der stoisch konzipierten Geisterliste in TR 2:3–3:2.7 für unsere Position ohne Belang sind, da wir sie alle beide für sekundär halten[47].

4. Daß die TP Semitismen aufweisen, ist nicht zu leugnen und wird auch ohne weiteres von den Verteidigern eines griechischen Originals zugestanden[48]. Sie meinen aber, es zeige nur, daß diese oder jene Perikope auf ein semitisches Quellenstück zurückgehe[49], daß die TP unter Einfluß der Sprache der LXX stünden[50], oder – unter Voraussetzung einer jüdischen Grundschrift – daß es sich um semitisierendes Griechisch handle[51].

Das erste Argument scheitert daran, daß die Semitismen sich nicht auf diejenigen Textabschnitte begrenzen, wo man ein semitisches Quellenstück angenommen hat (TN, TJud, TL), sondern in allen Teilen der TP nachweisbar sind. Hultgård hat auf zahlreiche Semitismen in sowohl den Rahmen[52] als auch im Hauptkorpus[53] verwiesen. Dabei hat er die Arbeit von Charles[54] weitergeführt und verbessert, und die Argumente viel übersichtlicher und systematischer vorgeführt. Der Umfang der Semitismen macht ein griechisches Original unwahrscheinlich. Deshalb fällt das dritte Argument zu Boden. Denn obwohl man in einer griechisch abgefaßten jüdischen Schrift Semitismen erwarten würde, gibt es kaum eine Analogie zur hohen Frequenz der Semitismen der TP in anderen griechisch-jüdischen Schriften.

Das zweite Argument ist schon im vorangehenden genügend beantwortet worden.

Es sei abschließend bemerkt, daß das Vorkommen griechischer Idiome natürlich nicht gegen die Annahme eines semitischen Originals spricht, da

---

[44] S. Anm. 4; 7.
[45] S. Anm. 6; 7.
[46] Vgl. Anm. 22.
[47] Vgl. die Analysen in II,8 (= TJos) und II,3 (= TR).
[48] Vgl. z.B. Becker *Untersuchungen* passim.
[49] Vgl. z.B. M. de Jonge *Testaments* 163 Anm. 5.
[50] Vgl. oben unter Punkt 1. mit Anm. 18.
[51] So z.B. Becker *Untersuchungen* passim.
[52] *L'eschatologie* II,74ff.
[53] *L'eschatologie* II,173ff.
[54] Vgl. Anm. 8.

man dem Übersetzer nicht die Fähigkeit absprechen darf, sich idiomatisch auszudrücken.

Damit ist die Besprechung der Argumente für ein griechisches Original zu Ende gebracht[55]. Wir wenden uns jetzt der Argumentation für ein semitisches Original zu. Hultgård sammelt seine Argumente in sechs Punkte[56]:

1. Ausdrücke, die von einem semitischen Original zeugen.
2. Semitismen im Gebrauch der Präpositionen.
3. Konstruktionen und stilistische Züge, die typisch semitisch sind und griechisch nur selten vorkommen.
4. Beispiele davon, daß das Vokabular einen semitischen Hintergrund reflektiert.
5. Wendungen, die sich am besten als Fehlübersetzungen erklären.
6. Paronomasien und Wortspiele.

Betrachten wir jetzt diese Punkte der Reihe nach.

1.–2. Über die ersten zwei Punkte braucht nicht viel gesagt zu werden. Die Einzelbeispiele lassen sich isoliert als Zeugnisse eines semitisierenden Griechisch erklären. Ihre hohe Frequenz scheint uns aber eindeutig gegen diese Erklärung zu sprechen.

3. Unter diesem Punkt erwähnt Hultgård folgendes: Nominalsätze, emphatischer Gebrauch des Pronominalpronomens und Gebrauch des Demonstrativpronomens, Fehlen des bestimmten Artikels vor einem (oder mehreren) Genitiv(a) als Reflex semitischer Constructusverbindungen, Verba gefolgt von Nomina oder Partizipia derselben Wurzel, Parataxis, *parallelismus membrorum*, periphrastischer Gebrauch von εἶναι mit Partizipium. Einige dieser Konstruktionen und stilistischen Züge sind auch originalgriechisch möglich, andere lassen sich als semitisierendes Griechisch erklären. Nochmals fällt aber die Frequenz auf. Sie läßt sich am einfachsten mit der Annahme eines zugrundeliegenden semitischen Textes erklären.

4. Dem vierten Punkt messen wir wenig Gewicht zu, da der Einfluß der LXX eine alternative Erklärung bietet. Wendungen wie οἱ υἱοὶ τῶν ἀνθρώπων für „Menschen", und σκῆπτρον für „Stamm", wären zwar in einem originalgriechischen Text auffällig gewesen. In der LXX sind sie aber geläufig.

5. Charles präsentiert eine umfassende Liste als Beweis von Fehlübersetzung eines hebräischen Originals[57]. Die meisten seiner Beispiele

---

[55] Vgl. jedoch die Argumente in Anm. 74.
[56] *L'eschatologie* II,173ff; 74ff (= 1–3).
[57] *Text* XXVIIff; *Comm* XLVf. Hultgård *L'eschatologie* II,180 hält nur vier seiner Belege für wahrscheinlich (TL 2:8; TJud 9:3; TD 5:10; TJud 3:3) und fügt selbst vier neue Beispiele hinzu; s. aber auch Anm. 58; 59.

halten einer kritischen Prüfung nicht stand. Prinzipiell gilt aber, daß nicht die Quantität, sondern die Qualität der Belege wesentlich ist. Hier seien nur drei Beispiele angeführt:

TSim 6:5*: ... σώζων ἐν αὐτῷ τὸν Ἀδάμ. Ὁ Ἀδάμ. = האדם = die Menschheit[58].

TJud 20:4: ... ἐν στήθει ὀστέων αὐτοῦ... (Mss(b)defg) = בלב אצמו[59].

TN 2:8: ... κάλαμος = קנה = Luftröhre[60].

Die Liste ließe sich mit weniger überzeugenden Belegen erweitern. Es empfiehlt sich aber, unsichere Stellen zu meiden, weil sie die Glaubwürdigkeit der guten Beispiele gefährden.

6. Die Bedeutung der Paronomasien und Wortspiele ist umstritten. Charles erwähnt insgesamt siebzehn Beispiele, die von einem hebräischen Original zeugten[61], Becker lehnt sämtliche als Beweis ab[62]. Neuerdings hat Hultgård das Problem in voller Breite aufgenommen und Beckers Position bestritten[63]. Er begrenzt seine Untersuchung auf acht Stellen, die wir hier zugrunde legen. Vier (fünf) dieser Stellen, TSim 2:2; TJud 1:3; TIs 1:(2.)15; TSeb 1:3 stehen nach Becker[64] unter dem Verdacht, von der LXX beeinflußt zu sein; vgl. Gen 29:33.35; 30:18.20. Hultgård hat aber gezeigt, daß sie von der LXX unabhängig sind[65]. Die drei restlichen Stellen, TN 1:6.12; TB 1:6, sind wichtiger. Die Namenserklärungen in TN 1:6 und TB 1:6 weichen von den Erklärungen in Gen 30:8 bzw. 35:18 ab[66]. Es handelt sich also in beiden Fällen um Traditionen, die nicht der Bibel entlehnt sind. Das Wortspiel in TN 1:12 hat keine Parallele in der Bibel, läßt sich aber in einem Fragment aus Qumran nachweisen[67]. Die Möglichkeit dafür, daß an diesen drei Stellen semitische Quellenstücke verarbeitet worden seien, erlaubt keine definitive Folgerung über den Wert der Paronomasien, zumal Wortspiele sich auch bei Philo finden[68], obwohl er nur eine karge Kenntnis der heiligen Sprache besaß. Im Zusammenhang mit den übrigen Argumen-

---

[58] Vgl.: Charles *Text* 24; *Comm* 23; Gaster *PSBA* 16 (1893/1894) 39; Hultgård *L'eschatologie* II,273 mit Anm. 2; Rießler *Schrifttum* 1158; Otzen *GamPseud* 7,707.

[59] Vgl.: Charles *Text* XXIV; 96; *Comm* 90; Hultgård *L'eschatologie* II,176 (27a); Otzen *GamPseud* 7,734; Rießler *Schrifttum* 1188.

[60] Vgl.: Charles *Text* 148; *Comm* 139; Rießler *Schrifttum* 1209; Otzen *GamPseud* 7,756; s. auch IV,2 Anm. 29. Man beachte, daß auch Becker *Komm* 101, M. de Jonge *AOT* 568 und Kee *OTP* I,811 für diese Übersetzung entscheiden, zwar ohne ihre These einer griechischen Grundschrift aufzugeben.

[61] *Text* XXVIf; *Comm* XLV et in loc.

[62] *Untersuchungen* 204f.

[63] *L'eschatologie* II,182ff. S. auch ibid. 180, wo er drei andere Texte erwähnt. In TSeb 9:7; TN 4:3 liege ein Wortspiel auf תוב / שוב, in TSeb 2:2 auf רחם vor.

[64] *Untersuchungen* 204.

[65] *L'eschatologie* II,183f.

[66] Vgl. unsere Kommentare in II,12 (= TN 1:6) und II,11 (= TB 1:6).

[67] Vgl. die Besprechung der Stelle in II,12 mit Anm. 40–42.

[68] Vgl. schon Schürer *ThLZ* 33 (1908) 510.

ten für ein semitisches Original gewinnen die Wortspiele allerdings an Bedeutung. Wir betonen deshalb, daß nicht das einzelne Argument an sich, sondern die Summe der Argumente entscheidend ist. Und die Summe scheint uns eindeutig für ein semitisches Original zu sprechen.

Die obige Argumentation basiert auf einer qualitativen Methode. Die Schwäche dieser Methode besteht in der Subjektivität der Forscher. Wenn ein- und derselbe Text entweder auf ein griechisches oder auf ein semitisches Original zurückgeführt wird, kann dies nur darauf beruhen, daß die Maßstäbe nicht objektiv sind. Ein Versuch, dieser Subjektivität zu entgehen, liegt in den auf einer quantitativen Methode basierten Untersuchungen von Martin vor[69]. Der Ausgangspunkt seiner Untersuchungen ist, daß es syntaktisch nachweisbar sein dürfte, ob ein Text originalgriechisch ist oder ob er aus dem Semitischen ins Griechische übertragen worden ist. Es ist Martin gelungen, siebzehn syntaktische Elemente zu isolieren[70], die entweder seltener oder häufiger in Übersetzungen als in originalgriechischen Texten vorkommen. Wesentlich ist dabei nicht der Mangel bzw. das Vorkommen einer Konstruktion an sich, sondern nur deren relative Frequenz bzw. relativer Mangel. Das Ergebnis der Analyse eines Textes läßt sich in einer Frequenztabelle anbringen, deren theoretische Gegenpole, +17 und −17, typisch originalgriechische Texte bzw. typische Übersetzungen repräsentieren. In der Praxis werden einige der Kriteria fehlen. In Martins Untersuchungen weisen die originalgriechischen Texte +17 bis +15 auf[71], die Übersetzungen dagegen −4 bis −14[72]. Die Unterschiede sind also signifikant und trotz einigen Bedenkens[73] scheint diese quantitative Me-

---

[69] *Syntactical Evidence*; vgl. *SCS* 5,105ff.

[70] *Syntactical Evidence* 5ff; vgl. *SCS* 5,105f. Martins Kriterien sind:
„1−8: The relative infrequency of certain prepositions [nämlich im Vergleich mit ἐν: s. Text unten und Anm. 76].
9: The frequency of καί coordinating independent clauses in relation to the frequency of δέ.
10: Separation of the Greek article from its substantive.
11: The infrequency in translation Greek of dependent genitives preceding the word on which they depend.
12: The greater frequency of dependent genitive personal pronouns in Greek which is a translation of a Semitic language.
13: The greater frequency of genitive personal pronouns dependent upon anarthrous substantives in translation Greek.
14: The infrequency in translation Greek of attributive adjectives preceding the word they qualify.
15: The relative infrequency of attributive adjectives in translation Greek.
16: The frequency of adverbial participles.
17: The frequency of the dative case.“

[71] *Syntactical Evidence* 42.

[72] *Syntactical Evidence* 42.

[73] Man vermißt vor allem typisch jüdische Texte, die griechisch abgefaßt sind. (Jospehus, der einer der benutzten originalgriechischen Verfasser ist, ist nicht typisch.) Brieflich hat uns aber Martin mitgeteilt, daß er in einer erweiterten Untersuchung (*Syntax Criticism of the Synoptics* – wo und wann erschienen? *Non vidi*), u.a. auch 2.Makk berücksicht hat. Die Ergeb-

thode eine wichtige Ergänzung zur traditionellen Argumentation zu bieten[74].

Martin hat selbst eine Analyse von TJos unternommen[75]. Er folgert, daß TJos auf eine semitische Vorlage zurückgeht. Mit dem Ergebnis −6 gehört es deutlich zur Gruppe der Übersetzungen. Eine entsprechende Untersuchung wäre auch für die übrigen elf Testamente wünschenswert. Wegen der Textsituation wäre dies freilich eine komplizierte Aufgabe. Der Gebrauch der Präpositionen sowie ihre relative Frequenz im Vergleich mit ἐν −, die in Übersetzungen als Wiedergabe der vielfach gebrauchten hebräischen Präposition ב viel häufiger als jede andere Präposition vorkommt −, lassen sich jedenfalls einfach nachprüfen, da ihre Frequenz bei Charles, 'Text' 299ff, verzeichnet ist. Die Frequenz der Präpositionen bestätigt, daß die TP semitisch abgefaßt waren[76].

Forts.

nisse in *Syntactical Evidence* werden bestätigt „with only *minor* modifications of the chart p. 42 of *Syntactical Evidence* and p. 49. The other charts remain the same."

[74] Auf Grund der Untersuchungen Martins lassen sich einige der syntaktischen Einwände Beckers gegen die Annahme eines semitischen Originals entkräften. Als Beispiele seien erwähnt:
Untersuchungen 222 (zu TN): „Und syntaktisch ist κατὰ τὸ πολὺ αὐτοῦ ἔλεος (4:3) im Hebräischen nicht direkt nachzuformulieren, das αὐτοῦ müßte in einer angenommenen hebräischen st.-c. Verbindung nachgestellt sein." Aus Martin *Syntactical Evidence* 23ff geht hervor, daß vorangestellte Genitiva dieser Art in Übersetzungen zwar selten, aber nicht unmöglich sind. (Vgl. Anm. 70 Nr. 11.)
Untersuchungen 368 Anm. 2 (zu TAs): „Als unsemitisch hat ferner zu gelten: ..., das zwischen Artikel und substantiv eingeschobene Adjektiv (5:2) ..." Gemeint ist die Formulierung ἡ αἰώνιος ζωή.
Aus Martin *Syntactical Evidence* 21ff geht hervor, daß man in einigen LXX-Texten in ungefähr 4 % der Fälle Konstruktionen dieses Typus findet. (Vgl. Anm. 70 Nr. 10.)
[75] *SCS* 5,105ff.
[76]

ἐν ungefähr	600mal	% im Verh. zu ἐν	Martins Frequenzen
διά mit Gen.	49mal	8,166	6%−1%
διά insgesamt	103mal	17,0	18%−1%
εἰς	>200mal	>33,333	49%−1%
κατά mit Akk.	34mal	5,666	18%−1%
κατά insgesamt	52mal	8,666	19%−1%
περί insgesamt ca.	42mal	7,0	27%−1%
πρός mit Dat.	4mal	0,666	2,4%−1%
ὑπό mit Gen. ca.	25mal	4,166	7%−1%

Die Frequenzen von διά mit Genitiv und πρός mit Dativ weichen von Martins Frequenzen ab. Vgl. aber zum ersten Punkt die Bücher Numeri, Esther, Nahum und Jesaja, die ebenfalls mehr als 6% aufweisen; s. *Syntactical Evidence* 7; 8. Πρός mit Dativ kommt tatsächlich noch seltener als erwartet vor.
Da auch griechisch abgefaßte Texte in dieser Tabelle mitgenommen sind (z.B. die christlichen Interpolationen), muß man mit einer kleinen statistischen Fehlerakzeptanz rechnen.

5. Die verschiedenen Interpolationsschichten

Die Analysen in II,3–14 haben gezeigt, daß die TP von mehreren Händen bearbeitet worden sind. Die jetzige Form ist das Resultat eines allmählichen Wachstumsprozesses. Wir werden in IV,8 versuchen, diesem Wuchs zu folgen. Hier lenken wir den Blick auf die verschiedenen Interpolationsschichten und geben eine kurze Zusammenfassung zu jeder Stoffgruppe. Dies ist eine notwendige Vorarbeit, ehe wir uns der Datierung der Grundschrift (IV,6) und ihrem Ursprungsort (IV,7) zuwenden können. Wir dürfen von vornherein vermuten, daß die meisten dieser Interpolationen mit einer ganz bestimmten Absicht vorgenommen worden sind, obwohl wir nicht immer imstande sind, sie zu entdecken. Die Zufügungen repräsentieren also Tendenzen ungleicher Art. Dies läßt sich am besten aus den christlichen Einschüben ablesen, ist aber auch deutlich in den SER-Stücken und den Levi-Juda-Stücken.

A. Die christlichen Interpolationen

Wir beginnen mit dem letzten Stadium, nämlich der christlichen Schlußredaktion des Werkes. Als christlich haben sich folgende Abschnitte herausgestellt:

TR 6:8c (wohl: „bis zur Vollendung usw.").12b (= jedenfalls der mittlere Satz)

TSim 6:5b (jedenfalls: „wie ein Mensch").7c („denn Gott usw."); 7:2 (der Umfang ist umstritten)

TL 4:1 („bei dem Leiden des Höchsten").4.6 (die vorchristliche Form läßt sich in diesen Versen kaum wiederherstellen); 8:14–15 (in großem Grad); 10:2–3 (in großem Grad); 14:1 (nur in α: ἐπ' αὐτόν).2b (der Umfang ist umstritten); 16:3 (der ganze Vers).4 (die zwei ersten Worte in allen Mss außer Mss eg).5 („durch Glauben und Wasser"). Kap.18 hat einen jüdischen Grundstock, ist aber in seiner jetzigen Gestalt als eine christliche Komposition zu betrachten. Unsicher sind schließlich 2:11 und 17:2(b–)c; s.d.

TJud Kap. 24 ist in seiner jetzigen Form eine christliche Komposition. In 22:2 ist „und alle Völker" wohl ein christlicher Zusatz. 25:4b („und die um des Herrn willen Armen usw.") ist unsicher.

TIs 7:7e (συμπορευόμενον; nur einige Mss!)

TSeb 9:8 (der längere Text in Mss bdgklm).9 („bis zur Zeit der Vollendung")

TD 5:10b−12 („Und er selbst usw.").13 („in Erniedrigung usw."); 6:6 (der ganze Vers).7 (der ganze Vers).9b („damit euch der Heiland usw.")

TN 4:5b („ein Mensch usw."); 8:2 („Juda" statt „sie" = Levi und Juda).3 („durch seinen Stamm" [= Juda] statt „durch ihre Stämme" [= Levi und Juda]; „wohnend unter den Menschen"; und wohl: „und um Gerechte usw.")

TG 8:1 (nur in einigen Mss, die „Heiland" statt „Heil" lesen)

TAs 7:3 (der Umfang ist umstritten; christlich sind mit Sicherheit: „wie ein Mensch, mit Menschen essend und trinkend").4 („daß sie ihm nicht ungehorsam sind")

TJos 19:8 (der ursprüngliche Text läßt sich kaum wiederherstellen).11b („das Lamm Gottes usw."; vgl. aber A!).12 (der ganze Vers in seiner jetzigen Gestalt; vgl. aber A!)

TB 3:8 (der ganze Vers, sowohl in G als auch in A!); 9:2 („bis der Höchste usw.").3−5 (der ganze Abschnitt); 10:7 („den auf der Erde usw.").8 („weil Gott usw.").9 („so viele an ihn usw."); vgl. zu 10:7−9 den Text in A; 11:1−2a (G; vgl. aber A!).2b−5 (nur in "β"). Unsicher ist 10:5 („allen Völkern"; vgl. A!)

Aus dieser Übersicht[1] sehen wir, daß sichere christliche Aussagen nur bei Zukunftsankündigungen begegnen. (Eine Ausnahme bildet TIs 7:7e. Doch ist die christliche Bearbeitung hier nur in einige Mss eingedrungen.) Diese Tatsache bietet ein wuchtiges Argument gegen die These, die TP hätten einen christlichen Ursprung[2]. Im Vergleich mit z.B. Schriften wie Didache und Barnabas, deren christlicher Charakter nicht geleugnet werden kann, machen die TP ohne die oben aufgelisteten christlichen Aussagen einen deutlich jüdischen Eindruck[3]. Daß die Paränese der TP keine Spur von christlicher Bearbeitung aufweist, ist leicht verständlich. Sie ließ sich ohne Zufügungen übernehmen, weil die jüdische und die christliche Ethik doch im großen und ganzen gemein war. Das läßt sich ebenfalls aus z.B. Didache und Barnabas ablesen, deren Zwei-Wege-Schema (Did Kap. 1−6; Barn Kap. 18−20) eine (nur leicht bearbeitete) jüdische Provenienz hat.

---

[1] Vgl. Hultgård *L'eschatologie* II,237 Anm. 1.

[2] Der Hauptvertreter dieser These ist M. de Jonge, vor allem in seinen älteren Arbeiten. Heute läßt die „niederländische Schule" die Frage scheinbar offenstehen; vgl.: Hollander/ M. de Jonge *Comm* 83ff; Hollander *Ethical Model* 12ff; 49; 92; 96f. (Eine Liste über andere, die sich M. de Jonge angeschlossen haben, findet sich in Becker *Untersuchungen* 146f.)

[3] So Becker *Untersuchungen* 145. Ibid. 145f bietet er mehrere Argumente gegen einen christlichen Ursprung der TP.

Jervell nimmt an, die ältesten Interpolationen seien kurz und knapp gewesen, oft nur ein paar Worte oder einige kurze Sätze, während die späteren Abschreiber zwar auch kurze Hinzufügungen gemacht, darüber hinaus aber auch längere Abschnitte hinzugefügt hätten[4]. Richtig ist dabei, daß kurze Hinzufügungen, Glossen am Rand, in allen Stadien hinzugekommen sind. Dies läßt sich auf Grund der vorliegenden Mss leicht nachweisen, denn viele von ihnen weisen Kommentare wie z.B. περὶ τοῦ χριστοῦ o.ä. auf, entweder *in margine* oder eventuell *in textu*, wenn auch in verschiedenem Umfang[5]. Es handelt sich hier offenbar um späte Hinzufügungen, die deshalb auch nicht allen Mss gemein sind. Die Textüberlieferung kennt ebenfalls lange Einschübe, die aus einer späten Zeit stammen. Ein Beispiel liefert Ms e[6], das ein ganz irrelevantes Stück in TAs 7:2 bietet. Man bedenke auch die vielen Interpolationen der sogenannten ersten slawischen Rezension (S[1]) mit ihrer antijüdischen Tendenz[7].

Die oben aufgelisteten christlichen Einschübe lassen freilich keine sicheren Schlüsse über das Verhältnis zwischen Umfang und Alter einer Interpolation zu. Bearbeitungen, die sich in allen griechischen Handschriften durchgesetzt haben – von offenbaren Auslassungen sehen wir ab – und die zugleich von A bestätigt werden, sind wahrscheinlich alt, seien sie nun kurz oder lang. Wir dürfen also vermuten, daß längere Abschnitte wie z.B. TL Kap. 18, TJud Kap. 24 und TD 5:10−12 zu den ältesten christlichen Bearbeitungen gehören. Hier erweist sich somit die Annahme Jervells als verfehlt, während sie sich umgekehrt für Texte wie TSeb 9:8 (Mss bdgklm) und TB 11:2b−5 bewährt. Völlig einwandfreie Datierungskriterien lassen sich wohl kaum aufstellen, doch gibt es keine Grundlage dafür, lange Interpolationen als spät zu bezeichnen, nur weil sie lang sind.

Bevor wir dieses Thema verlassen, sei schließlich auf das technische Problem verwiesen: kurze Interpolationen lassen sich z.B. am Rand oder zwischen den Zeilen anbringen, während lange Einschübe eine technische Operation oder eine Neuausgabe einer Schrift fordern. Da die älteste unserer Handschriften, Ms b, aus dem zehnten Jahrhundert stammt, läßt sich zu dieser Problematik nichts Genaueres sagen.

Die christlichen Interpolationen sind Interpretationen[8], womit der Inter-

---

[4] *BZNW* 36 (1969) 57f. In bezug auf die Abgrenzung christlicher Interpolationen baut Jervell leider unkritisch auf die Analysen von Charles, ohne zu bedenken, daß eine Übernahme seiner Position heute einfach nicht möglich ist; vgl. die Kritik bei O'Connor *RB* 78 (1971) 629; Wiefel *ThLZ* 95 (1970) 908.

[5] Vgl. die Liste in Hultgård *L'eschatologie* II,31 Anm. 2. Einzelheiten zu den Mss finden sich auch in *Editio Maior* XIff.

[6] S. *Editio Maior* XVII.

[7] Vgl. Charles *Text* 257ff. (S bedarf einer kritischen Textausgabe; vgl. dazu Turdeanu *JSJ* 1 (1970) 148ff und neuerdings *Apocryphes slaves* 241ff.)

[8] S. Jervell *BZNW* 36 (1969) 30ff.

polator den Text verdeutlichen oder auch korrigieren will. Die Prophezeiungen der Stammväter haben sich mit dem Christusereignis erfüllt, und das erlaubt dem Bearbeiter, sie in einem neuen Licht zu lesen und notwendige Korrekturen vorzunehmen.

Zum einfachsten Typus dieser Deutungen gehören die oben erwähnten Glossen περὶ τοῦ χριστοῦ o.ä., die dem Leser zum richtigen Verständnis des Textes verhelfen wollen, selbst aber nichts Neues hinzufügen.

Der ursprüngliche Sinn läßt sich oft mit sehr knappen Mitteln ändern: in TG 8:1 z.B. haben viele Mss σωτηρία durch σωτήρ ersetzt, der natürlich Christus ist. In TIs 7:7e sagt Issachar: „...denn ihr habt den Gott des Himmels mit euch, die ihr in Lauterkeit des Herzens mit den Menschen wandelt (συμπορευόμενοι)." Einige Mss haben hier das Partizipium in συμπορευόμενον – also nur ι in ν – geändert, und spielen damit auf das Leben Jesu an. Da diese Veränderungen nur in einigen der Mss belegt sind, sind sie gewiß recht jung.

Alt ist dagegen die Hinzufügung „durch Glauben und Wasser" in TL 16:5. In diesem SER-Stück ist die Verheißung des zukünftigen Heils Israels mit einem Verweis auf die christliche Taufe erweitert worden.

Wir finden oft die Hinzufügung καὶ πάντα τὰ ἔθνη; vgl. z.B. TSim 7:2; TJud 22:2; TAs 7:3; TJos 19:11; TB 9:2. Der Interpolator betont damit, daß das Heil nicht nur Israel, sondern auch die Heidenvölker umfasse. Man darf vermuten, daß diese Einschübe zu den älteren Interpolationen gehören[9], obwohl eine genauere Datierung schwer ist.

Diese Beispiele reichen als Illustration der Interpolationstechnik aus.

Die Pseudepigraphen als Interpolationsliteratur zu lesen, ist eine vernachlässigte Forschungsaufgabe. Die meisten dieser Schriften sind aber gerade deshalb überliefert worden, weil sich die christliche Kirche ihrer bedient hat. In seinem Aufsatz 'Ein Interpolator interpretiert'[10] hat Jervell die christliche Bearbeitung der TP untersucht und einige der relevanten Fragen angedeutet, die die Interpolationsliteratur fordert. In der Zukunft muß seine Arbeit weitergeführt und müssen andere Texte berücksichtigt werden. Nur dadurch wird es uns gelingen, sichere Kriterien zur Abgrenzung der christlichen Interpolationen herzustellen. Die Situation in den TP ist freilich verhältnismäßig klar, jedoch liegt ein Konsensus über den Umfang der christlichen Bearbeitung nicht vor. In Hauptzügen ist allerdings große Einigkeit erreicht worden – zumindest überall dort, wo man mit einer jüdischen Grundschrift und einer christlichen Schlußredaktion rechnet.

Innerhalb der Rahmen unserer Arbeit müssen wir auf eine detaillierte

---

[9] So Jervell *BZNW* 36 (1969) 41ff; 57.
[10] *BZNW* 36 (1969) 30ff.

Untersuchung der christlichen Interpolationen verzichten. Hier soll nur die Christologie kurz besprochen werden, weil sie leicht der Gefahr zu starker Systematisierung und übereilter Schlüsse unterliegt. Die Interpolationstechnik führt nämlich oft zu christologischen Aussagen, die mißverständlich sind. Wenn der jüdische Text vom Kommen Gottes auf die Erde spricht, faßt der Interpolator diese Verheißung als eine Prophezeiung von der Inkarnation auf. Dadurch entstehen Texte, wo Gott und Christus scheinbar identifiziert werden, vgl. z.B. TSim 6:5.7; (TIs 7:7e, einige Mss); TSeb 9:8; TD 5:13, und wo man sogar von Patripassianismus geredet hat[11]; vgl. TL 4:1. Das ist kaum der Fall.

Für Christus werden verschiedene Bezeichnungen gebraucht. Er ist der Heiland der Welt, σωτὴρ τοῦ κόσμου; vgl. TL 10:2; 14:2; TB 3:8; s. auch TD 6:7; TG 8:1. Er wird ἀνήρ (TL 16:3), und ἄνθρωπος (TN 4:5), aber auch θεὸς καὶ ἄνθρωπος (TSim 7:2), genannt; vgl. TSim 6:5.7; (TIs 7:7e; einige Mss); TSeb 9:8, wo er „Gott" genannt wird. Er ist ein Mann, der das Gesetz des Höchsten erneuern wird, 16:3. Das spielt wahrscheinlich auf Matt Kap. 5−7 an. Die älteste Christologie hat nach Jervell[12] ein altertümliches Gepräge und zeugt von einer frühjudenchristlichen Provenienz. Es fragt sich aber, ob die Interpolationen wirklich so reflektiert sind, daß man eine durchdachte Christologie erwarten kann.

Ursprung und Alter der christlichen Interpolationen lassen sich nur schwer bestimmen. Jervell meint, daß die älteste christliche Bearbeitung schon am Ende des ersten Jahrhunderts stattgefunden habe[13]. Dies trifft vielleicht zu; nur bleibt die Frage bestehen, welche Interpolationen zu dieser Schicht gehörten. Es ist nämlich viel einfacher, die jüngste christliche Bearbeitung nachzuweisen als die älteste zu bestimmen. Hier steht noch eine schwierige Arbeit aus.

Legen wir die *Textausgabe* M. de Jonges, die sogenannte *Editio Minima*, zugrunde und zählen etwa 28−30 Zeilen pro Seite, umfassen die christlichen Interpolationen ungefähr $3\frac{1}{2}$−4 Seiten. Dabei sind die meisten ganz kurz, während z.B. TL Kap. 18 mehr als eine Seite umfaßt.

Neben den christlichen Einschüben finden sich mehrere große Gruppen, nämlich die SER-Stücke, die Levi-Juda-Stücke und eine weniger einheitliche Gruppe von eschatologischen und apokalyptischen Perikopen. Die restlichen Interpolationen verschiedenster Art werden in einem Abschnitt für sich behandelt.

---

[11] So z.B.: Schürer *Geschichte* III,342; Charles *Comm* XXXVIII; LXI.

[12] *BZNW* 36 (1969) 56f.

[13] *BZNW* 36 (1969) 54ff. Andere, wie Hultgård *L'eschatologie* II,228ff und Becker *Untersuchungen* 375f; *Komm* 23f, argumentieren für das zweite christliche Jahrhundert.

B. Die Sünde-Exil-Rückkehr-Stücke

Die SER-Stücke umfassen folgende Texte:

TL 10:2−4; 14:1 + 15:1−4; 16:1−5; TJud 23:1−5; TIs 6:1−4; TSeb 9:5−8 (mit 9:1−4; vgl. unter E); TD 5:4a.5.8f.13; TN 4:1−3; 4:4−5; TG 8:2 (fragmentarisch); TAs 7:2−3 (mit 7:1); 7:5−7 (mit 7:4); TB 9:1−2. Die Visionen in TN 5:1ff sind mit den SER-Stücken (und den Levi-Juda-Stücken) verwandt; s. auch TJos 19:1−2 + 19:8−10 (und TL 17:1−9 + 18:1ff).

Unserer Meinung nach muß diese Gruppe *primär* als eine *Einheit* betrachtet werden. Wir lehnen die Auffassung Beckers ab, daß einige der SER-Stücke ursprünglich seien, andere dagegen sekundär[14]. Man muß entweder alle Abschnitte oder aber überhaupt keinen disqualifizieren. Unsere Analysen haben hoffentlich gezeigt, daß alle sekundär sind.

Die Auffassung der SER-Stücke als eine Einheit ist freilich nicht einwandfrei. Problematisch ist vor allem die Doppelung in TN Kap. 4 und TAs Kap. 7; vgl. II,12 und II,10. Die einfachste Lösung dieses Problems wäre, mit einer christlichen Redaktion nach dem Schicksalsjahr 70 n. Chr. zu rechnen. Dafür könnte man sich scheinbar auf TSeb 9:9 berufen. Doch ist diese Hypothese mit mehreren Schwächen behaftet. Erstens muß erklärt werden, warum diese Doppelung gerade in TN und TAs stattgefunden habe, da keines dieser Testamente so wesentlich ist, daß man eine Redaktion dort erwarten würde. Zweitens spricht TSeb 9:9 gar nicht für diese Annahme, weil es dort keine Doppelung des SER-Schemas gibt. TSeb 9:9 bestätigt nur, wie die christlichen Interpolatoren gearbeitet haben. Sie haben nicht neue SER-Stücke geschaffen, sondern vorliegende SER-Stücke redigiert. In diesem Fall haben sie nicht nur in das SER-Stück (9:5−8) eingegriffen, sondern auch einen Zusatz nach dem SER-Stück (9:9) gemacht. Schließlich muten TN 4:4−5 und TAs 7:5−7 – abgesehen von den typisch christlichen Hinzufügungen – nicht besonders christlich an. Die Doppelung in TN und TAs läßt sich also kaum mit einer christlichen Redaktion erklären.

In der Tat treten die SER-Stücke nicht nach einem voraussagbaren System auf[15]. In TL liegen drei SER-Stücke vor; in TR, TSim und TJos fehlen sie völlig; s. jedoch TJos 19:1−2 + 19:8−10. Das Sonderbare in TN und TAs ist nicht, daß sie zwei SER-Stücke enthalten, sondern daß sie unmittelbar aufeinanderfolgen. Dasselbe ist aber auch der Fall in TL, wo dem zweiten SER-Stück in Kap. 14−15 (Grundstock) ein neues SER-Stück in Kap. 16 folgt. Eine gute Erklärung dieses Phänomens steht noch aus und läßt sich wohl kaum finden.

---

[14] Vgl. seine Analysen in *Untersuchungen* passim und die Zusammenfassung ibid. 373; 406.

[15] Vgl. dazu die in II,5 Anm. 29 angeführte Literatur.

Zum Aufbau der SER-Stücke verweisen wir auf die Literatur[16]. Vieles ist schon während der Analysen der Texte gesagt worden. Hier sollen nur einige Hauptpunkte erwähnt werden. Zusammenfassend gilt, daß die SER-Stücke vom deuteronomistischen Geschichtsbild beeinflußt sind, wenn auch mit dem Unterschied, daß dieses retrospektiv ist, die SER-Stücke dagegen fingierte Prophetien sind. In ihrer vollen Form enthalten sie fünf Momente:

1. Einleitung
2. Abfall (Sünde)
3. Strafe (Gericht)
4. Umkehr
5. Restitution (Heil)

Die Stücke liefern eine theologische Deutung der Geschichte und des Geschicks Israels. In prophetischer Form weissagen die Stammväter den Abfall des Volkes von Gott und die nachfolgende Bestrafung. Der Interpolator denkt offenbar an die Ereignisse, die zum Untergang des alten Israel und Judas in den Jahren 722 und 587 v. Chr. geführt hatten, und dabei insbesondere an den letztgenannten Vorfall. Das Exil wird mehrmals erwähnt; vgl. TL 10:4; 15:1; 16:5; TJud 23:3; TIs 6:2; TSeb 9:6; TD 5:8; TN 4:2; TAs 7:2.6; TB 9:1f. Wir hören ebenfalls von der Zerstörung des Tempels, vgl. TL 15:1; 16:4; TJud 23:3; TB 9:2, oder der Verwüstung des Landes oder Jerusalems; vgl. TL 10:3; TJud 23:3; TD 5:13; TAs 7:2. Schließlich wird auch von der Rückkehr gesprochen; vgl. TL 16:5; TJud 23:5; TIs 6:4; TSeb 9:7 ("β"); TD 5:9.13; TN 4:3; TAs 7:7; TB 9:2.

Es liegt in der Natur der Sache, daß die erwähnten Sünden in der Vergangenheit beheimatet und von einer ganz allgemeinen Art sind. Das Volk wird wegen Gottlosigkeit, Bosheit, Übertretung des Gesetzes, Ungehorsamkeit, abscheulicher Handlungen usw. angeklagt. Diese Stereotypie wird nur in TJud 23:1f gebrochen.

Im allgemeinen haben die in den SER-Stücken genannten Sünden und die Paränese eines Testaments nichts miteinander zu tun. Die SER-Stücke nehmen also nicht auf die Mahnungen Bezug. Nur in TIs Kap. 6 läßt sich ein derartiger Zusammenhang nachweisen, da die Sünde hier *u.a.* darin besteht, daß die Nachkommen Issachars sowohl ihre Aufrichtigkeit als auch ihre Feldbestellung aufgeben. Diese Ausnahme läßt sich nicht als ein Zeugnis einer bewußten Komposition verwerten, sondern bestätigt nur unsere Hauptthese, daß Lebensdarstellung/Mahnungen von einer anderen Hand als die Weissagungen stammen. Man hätte im umgekehrten Fall eine konsequente(re) Bezugnahme erwartet[17].

---

[16] Vgl. Anm. 15.
[17] Vgl. II,9 Anm. 31.

Daß die Sündenkataloge so wenig spezifiziert sind, ist sicher davon bedingt, daß sie die Übertretungen der Vergangenheit schildern wollen, während aktuelle Polemik sich kaum spüren läßt. Dieser Mangel an Polemik hat seine Ursache darin, daß die SER-Stücke nicht an die Nachkommen des einzelnen Stammvaters gerichtet sind, sondern an das ganze Volk; vgl. III,2. Sondergruppen im Volk stehen nicht, oder nur in begrenztem Grad, im Blickfeld. TL 14:2ff mit seiner Priesterpolemik haben sich als sekundär in ihrem Zusammenhang erwiesen; s. TL. In TL 16:1 liegt wohl eine negative Darstellung der Priesterschaft vor, doch handelt es sich hier höchstwahrscheinlich um eine Schilderung vorexilischer Verhältnisse. Ob TJud 23:1f einen Angriff auf gegenwärtige Laster enthalten, ist ebenfalls zweifelhaft. Eine polemische Spitze gegen Zeitgenossen haben die SER-Stücke nur insofern, als die Verhältnisse zur Zeit des Interpolators ebenso verkehrt waren wie in der Vorzeit. Es spielt also keine Rolle, daß die Patriarchen oft davon reden, was „am Ende der Zeiten" o.ä. passieren wird; vgl. TL 10:2; 14:1; TIs 6:1; TD 5:4; TSeb 9:5 (einige Mss); TG 8:2 („β"). Diese Aussagen müssen vom fiktiven Standort des Interpolators aus verstanden werden, und die „letzten Zeiten" beziehen sich dann auf die Geschichte des Königtums, während die Strafe das Exil meint. TSeb 9:5 verweist folgerichtig auf die Spaltung Israels in zwei Reiche im Jahre 922 v. Chr.[18]

Von wesentlicher Bedeutung sind die Stellen, wo die Stammväter sich auf fremde Quellen berufen. Sie können sich auch auf ihr eigenes Wissen stützen, vgl. TIs 6:1; TD 5:4; TG 8:2; TAs 7:2, aber öfter wird ihre Kenntnis der Zukunft mit einem Verweis auf verschiedene Quellen begründet. Häufigst ist der Verweis auf Schriften von Henoch; vgl. TL 10:5; 14:1 („β"); 16:1 („β"); TJud 18:1 („β"); TN 4:1; TB 9:1. TSeb 9:5 spricht von den „Schriften meiner Väter", TAs 7:5 („β") von den „Tafeln des Himmels".

Der Verweis auf Henoch tritt also häufiger in "β" als in α auf, ist aber jedenfalls an drei Stellen gemein. Ob "β" erweitert oder α gekürzt hat, läßt sich kaum mehr entscheiden[19]. Der Verweis auf Henoch ist wichtig aus zwei Gründen. Erstens liefert er eines der vielen Stützargumente, die uns erlauben, die SER-Stücke als interpoliert zu klassifizieren; vgl. II,2. Zweitens ermöglicht er eine einigermaßen zeitliche Einordnung der SER-Stücke, die sonst inhaltlich kaum eine nähere Datierung zulassen. Ihrem Inhalt nach könnten sie nämlich beinahe zu „jeder" Zeit geschrieben worden sein. Nun handelt es sich in den Verweisen auf Henoch nicht um genuine Zitate aus den uns bekannten Henochschriften[20]. Diese „Zitate" sind

---

[18] Zur Auslegung vgl. II,6 mit Anm. 30.
[19] Vgl. II,14 Anm. 133; 146.
[20] Literaturangaben zum Thema in Becker *Untersuchungen* 175 Anm. 4.

aber nur verständlich, wenn es zur Zeit des Interpolators bereits Henochschriften gab. Wenn wir darin eine Anspielung auf eines der überlieferten Henochbücher sehen dürfen, kommt nur das erste Buch Henoch in Frage; die anderen sind ja zu jung[21].

Das erste Buch Henoch ist bekanntlich ein Sammelwerk, das aus mehreren selbständigen Schriften besteht. Die Einzelteile, die dieses Buch ausmachen, sind, mit Ausnahme der Bilderreden, alle älter als 160 v. Chr.[22] Wenn diese Voraussetzungen tragfähig sind, gewinnen die Verweise auf Henoch an Bedeutung und gestatten uns, einen Terminus *post quem* um 160 v. Chr. für die SER-Stücke zu postulieren. Im Zusatz TL 14:2−8, der das SER-Stück TL 14:1 + 15:1−4 in zwei teilt, hat man Anspielungen auf die späthasmonäische Zeit finden wollen. Das ergäbe einen Terminus *ante quem* um ca. 100 v. Chr. für die SER-Stücke. Leider läßt sich diese Auslegung von TL 14:2−8 nicht aufrechterhalten; s. E5 unten. Die verwandten Visionen in TN 5:1ff unterbauen jedoch den vorgeschlagenen Terminus *ante quem*, denn in der Völkerliste in TN 5:8 fehlen die Römer, und die Syrer sind als letzte Weltmacht genannt. Wir befinden uns somit in der vorrömischen Zeit, d.h. vor 63 v. Chr. Ein genaueres Datum innerhalb der angedeuteten Zeitspanne wagen wir nicht anzusetzen. Man beachte aber, daß die SER-Stücke weder gegen die späteren Hasmonäer polemisieren, noch auf die frühe Makkabäerzeit anspielen. Es bleibt allerdings fraglich, ob dies wichtig ist, da die SER-Stücke ja nicht auf Gegenwartspolemik zielen.

---

[21] Die Datierung des zweiten (slawischen) Buches Henoch ist umstritten. Die kürzere Rezension (s. II,2 Anm. 50) stammt vielleicht aus dem ersten nachchristlichen Jahrhundert? Vgl.: *APOT* II,(426ff;)429; *GamPseud* 7,795f; *OTP* I,94ff; Rießler *Schrifttum* 1297; Milik *Books of Enoch* 107ff; *AOT* 323ff; usw. Die Schlußredaktionen des dritten (hebräischen) Buches Henoch fand möglicherweise im 5./6. Jh. n. Chr. statt; vgl. *OTP* I,225ff mit einer Übersicht über verschiedene Positionen.

[22] Dafür sprechen sowohl das Alter der aramäischen Fragmente aus Qumran (s. Milik *Books of Enoch* und idem *HThR* 64 (1971) 333ff) als auch der Inhalt, der unserer Meinung nach kein Datum nach 160 v. Chr. fordert. (Auf eine detaillierte Beweisführung müssen wir innerhalb der Rahmen dieser Arbeit verzichten.) In *DTT* 45 (1982) 40−50, bes. 45f, hat Leivestad auf ein wesentliches Argument aufmerksam gemacht, das in dieselbe Richtung weist: nimmt man die Arkandisziplin der Qumrangemeinde ernst, drängt sich die Folgerung auf, daß keines der Apokryphen und Pseudepigraphen, das den Qumranfunden bekannt war, aus Qumran stammen kann, weil es sonst als Geheimliteratur in Qumran bewahrt worden wäre. Man bedenke nur, daß die typischen Qumrantexte (1QS, 1QSa, 1QSb, 1QH, usw.) erst mit den Qumranfunden öffentlich zugänglich wurden. CD, das wir aus der Kairoer Geniza kannten, ist keine wirkliche Ausnahme, da es doch für die Essener außerhalb Qumran bestimmt war, und nicht auf die Elite in Qumran. Daraus folgt also, daß Bücher wie 1.Hen vor der Gründung der Qumrangemeinde geschrieben wurden. Da die Entstehung der Qumrangemeinde um 150 v. Chr. anzusetzen ist, liegt nochmals eine Datierung des 1.Hen vor 160 v. Chr. auf der Hand. (Die Annahme, die Gemeinde könne Teile des Buches später in ihre Bibliothek aufgenommen haben, scheitert nicht nur am Alter der Fragmente, sondern auch daran, daß die Gemeinde mit ihrer Front gegen Außenstehende kaum neue Schriften aus einer verfallenen Umwelt übernommen hätte.)

Das Gericht ist nicht das letzte Wort in den SER-Stücken. Der Interpolator läßt die Stammväter voraussagen, daß Gott das Schicksal des Volkes wenden und Israel wiederherstellen werde. Mehrmals wird auf die Rückkehr aus dem Exil verwiesen; vgl. die Belege oben. Das ist die natürliche Folge ihrer Umkehr; vgl. TJud 23:5; TIs 6:3; TSeb 9:7; TD 5:9; TN 4:3. Die göttliche Barmherzigkeit wird auch mit der Treue Gottes zu den Erzvätern Abraham, Isaak und Jakob begründet.

Das Unglück gehört der Vergangenheit an. Die Epoche des Interpolators ist eine Zeit der Wiederherstellung und zugleich eine Zeit der Buße. Nur wenn das Volk sich jetzt wirklich an Gott hält, wird es bewahrt werden. So fungieren die SER-Stücke trotz ihres anscheinend für die Gegenwart weniger aktuellen Inhalts als ein Ruf zur Buße.

Die SER-Stücke bestehen aus etwa 4 Textseiten. Die christliche Bearbeitung, die sich nicht immer genau abgrenzen läßt, ist dann versuchsweise vom Grundbestand abgerechnet worden.

C. Die Levi-Juda-Stücke

Die Levi-Juda Stücke umfassen folgende Abschnitte: TR 6:5−8; 6:10−12; TSim 5:4−6; 7:1−2; TJud 21:1−4a; TIs 5:7−8a; TD 5:4b.10a (fragmentarische Stücke); TN 8:2−3; TG 8:1; TJos 19:11(−12); s. weiter TL 2:11. Die Visionen in TN 5:1ff sind mit den Levi-Juda-Stücken (und den SER-Stücken) verwandt, ebenso TJud 21:5 und 25:1f. Diese Gruppe muß prinzipiell als eine Einheit betrachtet werden; vgl. oben zu den SER-Stücken. Wir stimmen somit nicht der Ansicht Beckers zu, wenn er einige der Levi-Juda-Stücke für ursprünglich, andere dagegen für sekundär hält[23]. Man muß entweder alle Texte disqualifizieren oder aber gar keinen. In der Tat sind sie alle sekundär.

Wie die SER-Stücke treten auch die Levi-Juda-Stücke ohne feste Regel auf[24]. Sie fehlen in TL (s. aber 2:11), TSeb, TAs und TB, während das unbedeutende TSim zwei Stücke aufweist; vgl. TR (wo der Text anscheinend in zwei Etappen entstanden ist; s. d.). Zum Inhalt seien einige Hauptpunkte erwähnt[25]:

1. Levi und Juda treten nicht mehr als Individuen, sondern als Stämme auf; vgl. TR 6:5; TSim 5:4; 7:1; TN 8:3 und allgemein III,2.

2. Sie repräsentieren das Priestertum bzw. das Königtum; vgl. TR 6:8.11; TSim 7:2; TJud 21:2; TIs 5:7.

---

[23] S. Anm. 14!

[24] Vgl. dazu die in II,3 Anm. 26 angeführte Literatur.

[25] Zur Literatur s. Anm. 24.

3. Diese Beziehung auf Stämme/Institutionen ist freilich, trotz der obigen Belege, nicht unproblematisch und dürfte wohl ein wenig modifiziert werden. Mit „Levi" ist zwar an den Stamm/das Priestertum gedacht, doch steht eventuell der Hohepriester als der vornehmste Repräsentant im Blickfeld. „Juda" kann dagegen kaum den ganzen Stamm repräsentieren, sondern eher die Dynastie (das Haus Davids). Wahrscheinlich ist der zu jeder Zeit regierende König gemeint, wobei es ohne Belang ist, ob dies bloße Theorie ist; vgl. III,2.

4. Die übrigen Stämme sind Levi und Juda untergeordnet. Zugleich wird aber Levi, soweit nicht christlicher Einfluß vorliegt, der Vorrang vor Juda eingeräumt: das Priestertum steht über dem Königtum; vgl. TJud 21:2−4. Derselbe Gedanke kommt in der verwandten Vision in TN Kap. 5 dadurch zum Ausdruck, daß Levi die Sonne nimmt/wie die Sonne ist, während Juda den Mond nimmt/glänzend wie der Mond wird; vgl. 5:3.4. Die Vorrangstellung Levis führt auch mit sich, daß er vor Juda erwähnt wird. Doch gibt es mehrere Ausnahmen; vgl. TG 8:1; TD 5:10; TJos 19:11"β"[26]. Man vergleiche schließlich die Hervorhebung Levis in TJud 25:1f.

5. Die übrigen Stämme werden ermahnt, ihnen zu gehorchen, vgl. TIs 5:8; TN 8:2, und sie zu ehren, vgl. TG 8:1; TJos 19:11.

6. Einige der Stammväter prophezeien, daß ihre Nachkommen gegen Levi und Juda Aufruhr machen würden; vgl. TR 6:5 (gegen Levi); TSim 5:4 (gegen Levi); TD 5:4 (gegen alle beide), oder warnen vor einem Aufruhr; vgl. TSim 7:1 (gegen alle beide); TJud 21:1 (gegen Levi!). Es werde ihnen nämlich nicht gelingen, da Gott für sie kämpfe; vgl. TR 6:5f (für Levi); TSim 5:5 (für Levi); TJud 21:1 (für Levi!); TD 5:4 (für alle beide); vgl. zu dieser Vorstellung Jub 31:17.20. Levi und Juda werden alle beide als Krieger Gottes dargestellt; vgl. TSim 5:5.

7. Levi und Juda sind Werkzeuge Gottes. Aus ihnen kommt das Heil Gottes; vgl. TSim 7:1; TN 8:2f[27]; TG 8:1; TJos 19:11[28]; s. auch TL 2:11 (lies ἐν αὐτοῖς![29]). Durch sie wird Israel Bestand haben, TD 5:4.

Die klassische Auslegung der Levi-Juda-Stücke, wie sie z.B. von Bousset und Charles vertreten wird[30], sieht in ihnen eine Verherrlichung der

---

[26] Vgl. unsere Analysen dieser Stellen. Die Abfolge Juda-Levi wird oft als eine christliche Redaktion betrachtet, doch sieht man keinen Grund, warum sie gerade an diesen Stellen geschehen sein soll.

[27] Zum Text s. II,12 mit Anm. 65−69.

[28] Der Text ist in 19:11b in allen griechischen Textzeugen christlich, während A anscheinend einen originaleren, christlich unbearbeiteten, Text bewahrt hat; vgl. II,8.

[29] Mit Mss bklm. S. übrigens II,14 mit Anm. 94.

[30] Bousset *ZNW* 1 (1900) 193ff; Charles *Text* XLIIf; *Comm* Lff und passim. (S. auch Haupt *Levi*, zwar nur zu TL.)

Hasmonäerfürsten, die sowohl Priester als auch Könige waren. Diese Deutung läßt sich aus mehreren Gründen nicht aufrechterhalten:

1. Levi wird in den TP niemals als König geschildert. Sowohl in der Grundschrift wie auch in den späteren Hinzufügungen sind Juda und seine Nachkommen Könige; vgl. in der Grundschrift: TJud 1:6; 12:4; 15:3; in den Levi-Juda-Stücken: TSim 7:2; TJud 21:2; TIs 5:7; in anderen sekundären Stücken: TJud 17.3.6; 21:5 (mit den Levi-Juda-Stücken verwandt); 22:2.3; 24:5 (christlich in seiner jetzigen Gestalt); TL 8:14. Bousset und Charles stützen sich auf TR 6:11f, doch handelt dieser Text nicht von Levi, sondern von Juda[31]. TR 6:7 schreibt zwar Levi die Herrschaft (ἀρχή) zu, doch ist dies nicht mit Königsherrschaft zu verwechseln. In TR 6:7 werden auch andere Brüder als Regenten charakterisiert.

2. Die Deutung, das Priestertum und das Königtum sei in einer Hand gesammelt, hat keine Stütze in den Levi-Juda-Stücken. Die Texte betonen im Gegenteil, daß sie scharf getrennt sind. TJud 21:1ff stellen sich dieser These entscheidend in den Weg; vgl. TIs 5:7: Levi ist Priester, Juda ist König. Die Konjektur ἐν τῷ Ἰούδα für ἐκ τοῦ Ἰούδα, die Charles in TL 8:14 vornimmt, ist reine Willkür[32].

3. Die Vorstellung von Levi als Krieger in TSim 5:5, vgl. TL 5:3 (und TJud 5:2), zwingt uns nicht, an die Kämpfe der Makkabäer und die Eroberungen von Sichem und Samaria in den Jahren 128 bzw. 107 v. Chr. zu denken. Diese Vorstellung hat ihre Wurzel in Gen 34:25ff; 49:5ff und taucht auch in der Grundschrift auf; vgl. TL 6:3ff; TJud 5:2. Nach 1QM spielt die Priesterschaft eine zentrale Rolle im eschatologischen Krieg gegen die Feinde Gottes, und diese Schrift ist überhaupt nicht prohasmonäisch.

4. Diese These läßt sich nicht mit einem Verweis auf den neuen Priester in TL Kap. 18 unterbauen, denn diese Prophetie ist kein Versuch, die hasmonäische Priesterdynastie zu legitimieren, sondern bezieht sich vielmehr auf Christus; vgl. TL.

Die verfehlte Auslegung von TL Kap. 18 hat im neuen Priester vor allem eine Verherrlichung des Priesterfürsten Hyrkan I. gesehen, dem auch prophetische Eigenschaften zugesprochen wurden[33]. Diese These hat R. Meyer aufgegriffen[34]. Er findet in den Levi-Juda-Stücken ein Zeugnis levitischer Emanzipationsbestrebungen und deutet sie (wie Bousset und Charles) als eine Legitimierung der Hasmonäer, die nach R. Meyer von Haus

---

[31] Vgl. z.B.: Becker *Untersuchungen* 200; Otzen *GamPseud* 7,703; (Schnapp *Testamente* 51f; doch christlich). Die Deutung auf Levi wird neuerdings verteidigt von: Hollander/M. de Jonge *Comm* 107; Kee *OTP* I,785; Philonenko *BEI* 825; M. de Jonge *FS Lebram* 154f; 156.

[32] *Text* 44f; *Comm* 45. Zur Kritik vgl. Becker *Untersuchungen* 277 Anm. 7.

[33] Belege in Charles *Comm* 64; R. Meyer *OLZ* 41 (1938) 725 Anm. 3; 4.

[34] *OLZ* 41 (1938) 721ff.

aus zu den Leviten gehört haben müssen. Ein ähnlicher Legitimationsversuch liege in Jub Kap. 30–32 vor. Daß an keiner Stelle auf Aaron Bezug genommen wird, zumal Aaron in nachexilischer Zeit als der Prototyp des Priestertums gelte, sei davon bedingt, daß er in den Rahmen der Legitimierung einer levitischen Priesterdynastie nicht hineinpasse. Die praktischen Folgen dieser Legitimierung für den Levitenstand seien zwar gering, weil die Hasmonäer bereits unter Hyrkan I. Anschluß an die Priesteraristokratie suchten und fänden und somit für den Levitenstand verloren seien.

Zu den schon angeführten Argumenten fügen wir hinzu, daß das Buch der Jubiläen sicher älter als das Aufsteigen der Hasmonäer zur Herrschaft ist[35], und daß die fehlende Erwähnung von Aaron davon verursacht ist, daß sowohl die Grundschrift als auch die Interpolationen die Fiktion eingehalten haben. (Außerdem wäre ein Verweis auf Sadoq noch besser gewesen[36].) Die Abstammung der Hasmonäer ist zwar dunkel, doch darf man vermuten, daß sie trotz allem zu den Aaroniten gehörten[37].

In der Tat repräsentieren die Levi-Juda-Stücke nur einen von vielen Texten, die das Verhältnis zwischen Priestertum und Königtum behandeln. Die ältesten Texte finden wir in Ez Kap. 44ff und Sach Kap. 4 und 6, und man spürt schon in ihnen die Tendenz, das Priestertum auf Kosten des Königtums zu verherrlichen. In der nachexilischen Zeit war diese Tendenz natürlich, weil das Reich, wenn wir von einer kurzen Zeit unter Scheschbazzar und Zerubbabel absehen, eines Fürsten ermangelte. Der Hohepriester wurde dann automatisch die führende Gestalt des Volkes. Unter den Frommen ist sicher die Ehrfurcht vor den Repräsentanten Gottes, der Priesterschaft, größer als vor der zivilen Obrigkeit gewesen. Gerade im zweiten vorchristlichen Jahrhundert begegnen mehrere Texte, die die Priesterschaft hervorheben. Neben den Levi-Juda-Stücken und Jub Kap. 30–32 muß die panegyrische Schilderung des Hohenpriesters Simeon in Sir Kap. 50 erwähnt werden. Aus einer etwas späteren Zeit stammen 1QSa und 1QM, die zwar von der Qumrangemeinde herrühren und ihre Ideologie zu Worte kommen lassen, aber doch im selben Traditionsstrom stehen. Der religiöse und geistesgeschichtliche Hintergrund der Levi-Juda-Stücke ist somit gegeben[38], und er hat nichts mit prohasmonäischer Propaganda zu tun. Da die Levi-Juda-Stücke selbst betonen, daß Priestertum und Königtum zwei getrennte Größen seien, könnte man eher eine polemische

---

[35] Vgl. Leivestads Argument in Anm. 22 oben.

[36] Vgl. schon Ez 40:46; 44:15f. S. auch die Qumrantexte passim (die Söhne Sadoqs, neben den Söhnen Aarons).

[37] Vgl. 1.Makk 2:1; 14:29 mit 1.Chr 24:7. Wäre bereits diese Abstammung eine Fälschung, hätte man sich kaum davor gescheut, irgendeine sadoqitische Herkunft zu postulieren. Doch waren die Hasmonäer nicht Sadoqiten, und dies war der eigentliche Grund des Anstoßes, der sie für das Hohepriesteramt illegitim machte.

[38] Vgl. Becker *Untersuchungen* 179f; s. auch Hultgård *L'eschatologie* I,58ff.

Spitze gegen die hasmonäische Zusammenmischung (und Usurpation) der beiden Ämter finden[39]. Doch bleibt dies höchst fraglich, denn den Königstitel nahmen die Hasmonäer zuerst unter Aristobul I. im Jahre 104 v. Chr., und eine so späte Datierung der Levi-Juda-Stücke ist nicht unproblematisch; vgl. unten.

Neuerdings hat Hultgård behauptet, die Levigestalt repräsentiere im Kontext der TP nicht mehr die hasmonäischen Hohenpriester, sondern „le sacerdoce lévitique en premier lieu dans sa fonction d'enseigner la tōrāh."[40] Er verweist dabei auf TR 6:8, der Levi drei Funktionen zuschreibt. An erster Stelle wird Kenntnis des Gesetzes genannt, an zweiter Anweisung für Rechtsprechung. Der Opferdienst kommt erst an dritter und letzter Stelle.

Dem ersten Teil der Behauptung Hultgårds, Levi repräsentiere nicht die *hasmonäischen* Hohenpriester, stimmen wir zu, bemerken aber, daß wir, im Gegensatz zu Hultgård, auch nicht mit einem ursprünglich prohasmonäischen „Sitz im Leben" einiger der Levi-Juda-Stücke rechnen[41]. Seine zweite Annahme, das Gewicht liege auf dem Studium des Gesetzes, ist dagegen mehr als fraglich. Die Abfolge der Momente in TR 6:8 kann diese These nicht tragen, zumal Hultgård selbst auf die Reihenfolge Priester, Richter und Schriftgelehrte in TL 8:17 aufmerksam macht[42]. TR 6:8 ließe uns höchstens folgern, welchen Aspekt der Interpolator der Levi-Juda-Stücke als wichtigst betrachte. Einen allgemeinen Schlüssel zum Verständnis der Levigestalt liefert dieser Vers nicht. In Anbetracht der Aussage in TJud 21:4, das Priestertum (Levi) überrage das Königtum (Juda), wie der Himmel die Erde überrage, legt sich eine Deutung auf die obere Priesterschaft, und vor allem den Hohenpriester, nahe. In der Tat vereinigte der Hohepriester in seiner Person alle die genannten Funktionen. Zwar hatten die Leviten die Aufgabe, das Volk die Thora zu lehren, doch war der Hohepriester die höchste Autorität der Gesetzauslegung. Er war Vorsitzender des Synedriums (und eventueller Vorläufer des Hohen Rates) und fungierte somit als אב בית דין. Er verrichtete wenigstens an den großen Festtagen, in der Praxis häufiger, den Kultus im Tempel. Die Verhältnisse in Qumran können diese Auffassung erhärten. Die führende Schicht in Qumran hat ohne Zweifel zur oberen Priesterschaft, der hohenpriesterlichen Familie, gehört und auf eine Wiederherstellung der legitimen Priesterschaft und damit des legitimen Kultus in Jerusalem gehofft. Aus den Qumrantexten gewinnt man aber den Eindruck, daß die richtige Ge-

---

[39] Vgl. Hultgård *L'eschatologie* I,60ff (v.d.Woude *Vorstellungen* 227). Zur Opposition gegen die Hasmonäer vgl. Schoeps *ThLZ* 81 (1956) 663ff.
[40] *L'eschatologie* I,57.
[41] *L'eschatologie* I,49ff (TR 6:5−7; 6:10−12; TSim 5:4−6; TD 5:4).
[42] *L'eschatologie* I,57.

setzauslegung eine wesentliche Rolle für die Priester gespielt hat. Es ist kein Zufall, daß der Gründer der Gemeinde der „Lehrer der Gerechtigkeit" genannt wird. Das heißt offenbar: der legitime Thoraausleger.

Will man sich also nicht damit begnügen, „Levi" als Symbol der gesamten Priesterschaft in ihren verschiedenen Funktionen zu erklären, liegt eine Deutung auf den Hohenpriester auf der Hand. Wie der Interpolator die amtierenden Hohenpriester seiner Zeit geschätzt hat, läßt sich nicht entscheiden. Es handelt sich in „Levi" und „Juda" vor allem um Idealbilder, die nicht auf konkret Erfahrenem fußen und wohl kaum zeitgeschichtliche Folgerungen zulassen.

Die Verbindung von Levi und Juda läßt an das Südreich im Gegensatz zum Zehnstämmevolk denken, doch bleibt es unklar, ob dies beabsichtigt ist. Der Aufruhr gegen Levi und Juda, der von einigen Patriarchen geweissagt wird (s.o.), ließe sich dabei auf Konflikte zwischen den beiden Nationen deuten. Doch stellt sich TJud 21:1 dieser Erklärung in den Weg.

Die zeitliche Einordnung der Levi-Juda-Stücke ist schwierig. Wie in den SER-Stücken begegnet einmal ein Verweis auf Henoch, nämlich TSim 5:4. Das deutet nochmals auf die Zeit *nach* 160 v. Chr. Man sollte ernsthaft bedenken, ob die SER-Stücke und die Levi-Juda-Stücke aus ein- und derselben Hand stammen könnten, wenn auch ihre Thematik ganz verschieden ist. In diese Richtung weisen die Visionen in TN Kap. 5ff, die mit den SER- und den Levi-Juda-Stücken verwandt sind und Züge aus ihnen vereinigen. Aus Stellen wie TIs 5:7ff und TG 8:1f könnte man folgern, daß die Levi-Juda-Stücke älter als die SER-Stücke sind. Doch läßt sich diese Annahme nicht mit TD 5:4ff in Einklang bringen. Dort macht offenbar das SER-Stück die Grundschicht aus, in die die fragmentarischen Levi-Juda-Stücke 5:4b und 5:10 eingearbeitet sind. Das Verhältnis der beiden Gruppen zueinander bleibt somit unklar.

Die christlichen Interpolatoren haben oft in die Levi-Juda-Stücke eingegriffen. Nachdem wir diese Bearbeitung tentativ beseitigt haben, umfassen die Levi-Juda-Stücke ungefähr 2 Textseiten.

D. Verschiedene eschatologische und apokalyptische Stücke

Die vierte Gruppe besteht aus eschatologisch-apokalyptischen Texten verschiedener Art[43]:

TSim 6:3−7: Jüdisch-apokalyptisches Gedicht; Untergang der Feinde Israels

---

[43] Vgl. die Liste in Becker *Untersuchungen* 404.

TL 2:7–4:1:	Himmelsbeschreibung und Gerichtsschilderung (zusammengesetzt)
TL 17:1–9:	Geschichte des Priestertums
TL 17:10–11:	Fragment einer Sieben-Wochen-Apokalypse
(TL Kap. 18:	Der neue Priester; vgl. unter den christlichen Bearbeitungen in A.)
(TJud Kap. 24:	Der Messias; vgl. unter den christlichen Bearbeitungen in A.)
TJud 25:1–2:	Auferstehungsschilderung
TJud 25:3–5:	Schilderung von der Niederlage Beliars, der Auferstehung der Toten und der Heilszeit
TSeb 10:2–3:	Auferstehung und Gericht
(TD 5:10b–12:	Schilderung von der Niederlage Beliars, der paradiesischen Heilszeit und dem neuen Jerusalem; vgl. unter den christlichen Bearbeitungen in A.)
TAs 6:4–6:	Schicksal des Menschen nach dem Tode
TJos 19:1–10:	Traumvision Josephs; 19:3–7 nur in A
TB 10:6–10:	Auferstehung und Gericht

Zu den Einzelstücken sei noch folgendes bemerkt:

TL 17:1–9 + 18:1ff machen anscheinend eine größere kompositorische Einheit aus (SER-Schema). In ihrer jetzigen Form ist aber TL Kap. 18 als eine christliche Komposition zu betrachten.

Die Auferstehungsaussagen (darunter auch TSim 6:7 und TL 18:14) und die Gerichtsaussagen gehören sachlich zusammen, doch lassen die Einzelperikopen sich nicht vereinbaren; vgl. III,4.5 Die jenseitige Vorstellungswelt, die diesen Texten zugrunde liegt, paßt nicht in den alttestamentlichen Grundcharakter der Grundschrift hinein. Dasselbe gilt für die dämonologische Pneumatologie, die sich in vielen dieser Abschnitte findet. Sie ist dagegen in der Apokalyptik zu Hause.

(Die christlichen Texte TL 18:14ff und TD 5:10b–12 haben gemein, daß sie alle beide die Heilszeit als eine Wiederherstellung des einst verlorenen Paradieses darstellen.)

Jede Datierung dieser Texte – von den christlichen sehen wir ab – ist mit großer Unsicherheit behaftet. Wenn wir uns zuerst den Auferstehungsperikopen zuwenden, entdecken wir, daß sie überraschend nüchtern sind. Sie schildern nicht, wie die Auferstehung sich artet, reden nicht vom Zwischenzustand und geben keine malerische Beschreibung der kommenden Herrlichkeit. Sie muten somit inhaltlich alt an und scheinen aus einer Zeit zu stammen, da der Auferstehungsglaube noch jung war. TB 10:8 scheint mit Dan Kap. 12 vertraut zu sein; s. auch TJud 25:1. Daraus ergibt sich 165 v. Chr. als ein Terminus *post quem*. TJud 25:4b kennt das Märtyrerproblem und könnte die Verfolgung unter Antiochus Epiphanes reflektieren – wenn nicht der Text christlich ist; vgl. A. TB 10:6−10 ist typologisch jünger als TJud Kap. 25, das seinerseits in zwei Teile fällt, 25:1−2 und 25:3−5, von denen 25:3−5 jünger sind. In bezug auf TSeb 10:2−3 kommt man nicht über Vermutungen hinaus. Die Verse sind vielleicht älter als TB 10:6−10, aber jünger als TJud Kap. 25? Wahrscheinlich stammen sie alle aus dem zweiten vorchristlichen Jahrhundert, doch läßt sich eine sichere Entscheidung nicht fällen. Vgl. allgemein III,5.

Der verwandte, aber doch ganz andersartige Text TAs 6:4−6 bietet noch weniger Anhaltspunkte für einen zeitlichen Ansatz. Er setzt zwar die Unsterblichkeit der Seele voraus, doch ist diese Vorstellung schon in Qohelet und 1.Hen belegt, braucht also weder jung noch unjüdisch zu sein, obwohl sie in letzter Instanz eine fremde Provenienz hat. Eine Datierung drängt sich inhaltlich nicht auf, und wir müssen sogar auf ein etwaiges Datum verzichten. Vgl. übrigens III,5.

TL 17:10−11 stellen uns vor dasselbe Problem. Es handelt sich um ein fragmentarisches Stück, das uns wenige Auskünfte gibt. Aus 17:10 sehen wir, daß wir uns in der nachexilischen Zeit befinden. Die Darstellung der siebten Woche in 17:11 läßt aber keine Folgerung zu, weil sie stereotyp und ohne klare Hinweise ist.

TL 17:1−9 sind jünger als die SER-Stücke, falls das SER-Schema wirklich nachgeahmt ist; vgl. TL.

TJos 19:1−10 sind problematisch. 19:3−7, die sich nur in A finden, sind wahrscheinlich eine sekundäre Bearbeitung von 19:2. Der Restbestand, 19:1−2 + 19:8−10, ist thematisch mit den SER-Stücken verwandt, obwohl ein Element „S" fehlt. Man darf somit vermuten, daß der Grundbestand jünger als die SER-Stücke ist. Der Terminus *ante quem* läßt sich jedoch nicht feststellen; s. übrigens TJos.

In TSim 6:3−7 begegnet ein altes Gedicht, das wahrscheinlich aus dem zweiten Jahrhundert v. Chr. stammt. Man beachte z.B., daß die Auferstehungsvorstellung in 6:7 wenig entwickelt ist.

Zum komplexen Abschnitt TL 2:7−4:1 verweisen wir auf die Analyse von TL. Näheres läßt sich zu diesem Abschnitt nicht feststellen.

Diese Gruppe – (TL Kap. 18; TJud Kap. 24; TD 5:10b−12 werden zu A gerechnet) – umfaßt ungefähr 5 Textseiten.

E. Übrige Interpolationen

Die letzte Gruppe umfaßt die übrigen Interpolationen und weist somit ganz verschiedene Typen auf. Wir finden Glossen, paränetische Hinzufügungen, haggadische Einschübe, einen Midrasch, polemische Stücke, Visionen, u.a.

1. Zu den Glossen gehören: TJud 12:2; 21:4b; TSeb 9:7*fin*; TN 3:3*fin*; 8:5[44]. TJud 12:2 und TSeb 8:5 sind deutlich parenthetisch, und TN 8:5 zerstört den Zusammenhang. Es liegt in der Natur der Sache, daß sich solche Glossen kaum datieren lassen. Wenn z.B. TJud 21:4b auf das Unwesen von Kauf und Verkauf hoher Priesterämter anspielt, so bedeutet das nur, daß der Text aus der Syrer- oder Römerzeit stammt. Die Glosse ist jedenfalls jünger als das Levi-Juda-Stück in 21:1−4a, an das sie anknüpft. Eine längere Periode steht somit zur Wahl.

Die lange Glosse TN 8:7−10 hat die Absicht des TN völlig mißverstanden. Sie ist zugleich ein Zeugnis davon, daß die TP eingehend studiert worden sind. Die Anspielung auf Qoh 3:5 in V.8 zeigt, daß es sich um schriftgelehrte Tätigkeit handelt. Die Anknüpfung mittels des τάξις-Begriffes, zwar in einem anderen Sinn als in der Grundschrift, legt die Vermutung nahe, daß dieser Einschub aus dem griechischen Stadium stammt.

2. In den paränetischen Abschnitten begegnen einige Einschübe. Wesentlich ist vor allem der Langtext in TSeb 6:4−6 + 7:1−8:3. Das paränetische Moment kommt in 7:2ff zu Worte, während der Rest haggadisch ist; s. 3 unten. Die Absicht dieser Hinzufügung ist, den Vorbildcharakter Sebulons hervorzuheben. Der Inhalt liefert kein Argument für eine zeitliche Ansetzung. Da der Zusatz sich aber nur in den Mss bdglm findet, kann er kaum alt sein. Da er andererseits keine Spur von christlichen Gedanken aufweist, ist er kaum christlich. In der Tat scheinen die Christen keine paränetischen Abschnitte eingefügt zu haben; s. oben unter A.

Zu dieser Gruppe zählen wir ebenfalls TSeb 9:1−4, die eine Vorbereitung des nachfolgenden SER-Stückes (9:5ff) geben und somit aus derselben Zeit und von ein- und derselben Hand herrühren. Ganz unbedeutend ist TSim 5:3, welcher Vers thematisch in TR zu Hause ist. Da das nachfolgende Levi-Juda-Stück (5:4−6) auf ihn Bezug nimmt, muß er älter als dieses sein. Sowohl TSeb 9:1−4 als auch TSim 5:3 lassen sich also im Zeitraum 160−63 v. Chr. anbringen und eher ins zweite als ins erste vorchristliche Jahrhundert datieren.

3. Unter den haggadischen Interpolationen ist der Langtext in TSeb schon erwähnt worden; vgl. 2 oben. Der längste Einschub ist die erste Lebensdarstellung in TJos 2:1−3 + 3:1−10:4. Man darf vermuten, daß sie eingefügt worden ist, weil man gerade die Erzählung von Joseph und der Frau Potiphars vermißte. Die Feststellung, daß diese Lebensgeschichte von hellenistischer Literatur beeinflußt ist, läßt keinen Schluß über ihr Alter zu, weil der hellenistische Einfluß in Palästina schon mit Alexander dem Großen eingesetzt hat. Setzt man also eine palästinische Provenienz dieser

---

[44] S. auch: TSim 2:5 = II,4 mit Anm. 3; TB 7:2 = II,11 mit Anm. 46; 19; zu TL 1:1; 9:2.6 vgl. E6 unten und II,14 mit Anm. 72; 111.

Erzählung voraus – das ist u.E. die natürlichste Alternative – läßt sich kaum mehr sagen, als daß diese Hinzufügung jünger als die Grundschrift ist.

Zu dieser Gruppe gehören auch die verwandten Stücke TSim 8:2b–4 + 9:1b und TB 12:3–4, die eine Parallele in Jub 46:8–10 haben. Es handelt sich somit um eine alte Tradition, doch besagt das an sich nichts über das Alter dieser Interpolationen[45].

4. TSeb 3:4–8 ist ein typischer Midrasch. Das ist nochmals ein Beispiel schriftgelehrter Bearbeitung der TP; vgl. 1 oben. Der Verweis auf Henoch in 3:4 läßt sich nicht verwerten, zumal er nur in "β" vorkommt und wahrscheinlich eine Korrektur von Moses ist[46].

5. TL 14:2–8 repräsentieren die polemische Gattung, mit einem heftigen Angriff auf die Priesterschaft. Die Verse sind ein Fremdelement in ihrem Kontext, einem SER-Stück, und müssen folglich jünger als diese Gruppe sein. Den zeitgeschichtlichen Hintergrund hat man im Verfall unter den letzten hasmonäischen Priesterkönigen sehen wollen[47]. Dabei wird auf ähnliche Züge in PsSal, bes. 2; 4; 8, verwiesen. Es fragt sich aber, ob dieser Vergleich stichhaltig ist, denn im Gegensatz zu PsSal lassen sich eindeutige zeitgeschichtliche Angaben in TJud 14:2–8 nicht nachweisen. Dazu kommt, daß Polemik gegen die Priester bereits bei den alttestamentlichen Propheten einsetzt; vgl. z.B. Hos 4:4ff; Mi 3:9ff; Jes 28:7 usw. Ebenso nehmen V.3f und 7f alttestamentliche Traditionen auf[48]. Eine einwandfreie zeitliche Ansetzung drängt sich somit nicht auf. Dasselbe Genre vertreten TJud 21:(6)7ff, diesmal aber mit einem Angriff auf das Königtum. Dieser Einschub ist einer der königfeindlichsten Texte der gesamten jüdischen Literatur. Es bewährt sich kaum, darin eine Anspielung auf die späteren Hasmonäer zu finden[49]. Eher ist an die klassische Königszeit gedacht. Der Hintergrund von 21:7b ist anscheinend 1.Sam 8:11ff. Der Vers 22:1 bezieht sich auf das getrennte Reich, während 22:2a auf die Katastrophen von 722 und 587 v. Chr. anspielt. Der Text liefert keinen Anhalt für eine eventuelle Datierung.

Eine kritische, wenn auch nicht direkt ablehnende Beurteilung des Königtums kommt in TJud 17:2f vor. Der Text fährt dann in V.4 mit einer in TJud unpassenden Unschuldsbeteuerung fort und verweist in V.5 auf den

---

[45] Man bedenke z.B., daß Ms e einen längeren Einschub nach TL 18:3 gemacht hat, der mit den aramäischen Fragmenten zu TL parallel läuft. In diesem Fall hat also der Schreiber von Ms e Zugang zu altem Material gehabt. Die Hinzufügung an sich ist aber spät. S. II,14.

[46] Vgl. den Kommentar zur Stelle in II,6 mit Anm. 7.

[47] Die typischen Exponenten dieser Auffassung sind Bousset ZNW 1 (1900) 188ff und Charles Text XLVIf; Comm LVIIff; 53ff; vgl. neuerdings Kee OTP I,793.

[48] Vgl. Haupt Levi 98f.

[49] Das tun z.B.: Bousset ZNW 1 (1900) 188ff; Charles Text XLVIf; Comm LVIIff; 91; Rießler Schrifttum 1337.

Segen Abrahams und Jakobs, der Juda zuteil wurde. In V.6 versichert Juda schließlich, das Königtum werde aus ihm entstehen. Der Abschnitt läßt auf Grund seines Inhaltes keine Datierung zu.

Polemisch ist auch das Einsprengsel TD 5:6—7 mit seiner negativen Darstellung von Levi und Juda. Die komplizierten literarkritischen Verhältnisse in TDan sowie der Mangel an eindeutigen zeitgeschichtlichen Anspielungen erschweren eine zeitliche Ansetzung. Der Einschub ist jedenfalls jünger als das zugrundeliegende SER-Stück, und falls an die Hasmonäer gedacht ist, könnte man ihn in den Anfang des ersten vorchristlichen Jahrhunderts datieren. Dies bleibt aber höchst unsicher.

6. Die Visionen in TL 2:3ff und 8:1ff zählen zu den umfangreichsten Interpolationen. In ihrer jetzigen Form sind sie das Resultat einer umfassenden Bearbeitung, die in II,14 eingehend behandelt worden ist. Die Tendenz dieser Abschnitte ist unklar. Wollen sie vielleicht sagen, der priesterliche Stammvater sei Levi, und nicht Aaron oder Sadoq? Wäre dies der Fall, könnte man sie auf levitische Kreise zurückführen. Ihr Datum bleibt unklar.

Diese Interpolationen haben kleine Bearbeitungen in TL 9:2.6 nach sich gezogen. (TL 1:1 verrät späte Redaktion.)

7. Viele Abschnitte fallen außerhalb der obengenannten Gruppen. Das gilt z.B. für TD 6:1—7, die den Kampf zwischen Satan und dem Engel des Friedens schildern, ohne eschatologisch zu sein. In TD 7:3 finden wir eine eigenartige Aussage über das Geschick des Stammes Dan, die sonst in den Schlußrahmen keine Parallele hat; vgl. aber TAs 7:6. TAs 5:1—3 bringen dualistische Spekulationen. Ganz für sich steht die sekundäre Pneumaliste in TR 2:3—3:2.7 mit ihrem stoischen Hintergrund. Das zeugt wahrscheinlich davon, daß sie während des griechischen Stadiums eingefügt worden ist. Alleinstehend ist ebenfalls der „Bundesschluß" in TL 19:2—3. Man vergleiche zuletzt TB 10:11; TIs 5:8b.

Es sagt sich von selbst, daß sich diese Texte kaum datieren lassen.

Insgesamt umfassen die Interpolationen in E ungefähr 13 Textseiten, von denen aber allein die erste Lebensgeschichte in TJos 5 Seiten ausmacht.

Überblicken wir die Ergebnisse in B—E, sehen wir, daß sich nicht alle Abschnitte zeitlich einordnen lassen. Wir dürfen vermuten, daß die SER-Stücke (B), die Levi-Juda-Stücke (C) und die Auferstehungsperikopen (D) aus dem zweiten Jahrhundert v. Chr. stammen. Dasselbe gilt für TSim 5:3 (E2; älter als die Levi-Juda-Stücke); 6:3—7 (D); TSeb 9:1—4 (E2 = die SER-Stücke). Wir haben weiter gefolgert, daß TL 14:2—8 (E5); 17:1—9 (D); TJos 19:1—2 + 8—10 (D) jünger als die SER-Stücke sind, obwohl kein Terminus *ante quem* sich natürlich darbietet. TR 2:3—3:2.7 (E7) und TN

8:7−10 (E1) rühren doch wohl vom griechischen Stadium her. Das ist zwar eine ganz nichtssagende Datierung, da wir nicht wissen, wo und wann die TP ins Griechische übertragen worden sind. Von den übrigen Abschnitten läßt sich nichts Bestimmtes sagen.

Alles in allem rechnen wir etwa 27−28 Textseiten als sekundär, d.h. ungefähr 30 %. Kann dieses Resultat überzeugen? Wir meinen, daß man auf Grund der Anzahl von disqualifizierten Seiten kein Urteil fällen darf. Mit einem solchen Maßstab würde nämlich M. de Jonge, der sozusagen die ganze Schrift, wie sie vorliegt, akzeptiert, als souveräner Gewinner dastehen! Die Literarkritik ist berechtigt und notwendig, nur dürfen die Analysen nicht willkürlich sein. Es bedarf sowohl guter Kriterien als auch konsequenter Anwendung davon. Ob es uns gelungen ist, hinreichende und überzeugende Kriterien aufzustellen, und ob wir ihnen treu gefolgt sind, müssen die Leser entscheiden. Einer unserer Haupteinwände gegen Becker ist, daß er nicht konsequent ist; man vergleiche unsere Bemerkungen oben (in B und C) zu seiner Behandlung der SER- und Levi-Juda-Stücke, von denen er einige für ursprünglich, andere für sekundär hält. Andererseits läuft Becker Gefahr, den Text unnötig zu atomisieren und den größeren Teil eines Testamentes als interpoliert auszuklammern. Die Charakteristik Thomas' ist treffend: „Es dürfte schwer sein, die nicht mehr sehr aufregende Schrift, die als Beckers Grundschrift übrigbleibt, als Anreiz für umfangreiche Bearbeitungen im vorchristlichen Judentum zu erweisen."[50] Becker lehnt sie zwar als „ein uneinsichtiges Geschmacksurteil" ab[51], doch kann man sich kaum dem Eindruck entziehen, daß Thomas etwas Wesentliches beobachtet hat. Als ein typisches Beispiel der Analysen Beckers sei TR angeführt. Becker rechnet hier, neben den Rahmen, nur 1:3−5 + 1:6−10; 6:9 + 6:10−12 als ursprünglich[52]. Ein so karges Ergebnis läuft Gefahr, nicht ernstgenommen zu werden.

Das allmähliche Wachstum der TP ist nicht mit willkürlichem Wuchs zu verwechseln. Teils läßt sich beobachten, daß bestimmte Typen von Interpolationen eingefügt worden sind, teils läßt sich die Absicht der Interpolatoren entschleiern. Die Motive sind verhältnismäßig klar in den SER- und den Levi-Juda-Stücken, und die christliche Schlußredaktion ist nicht schwer zu begreifen. Die Visionen in TL Kap. 2ff wollen u.a. Levi von der Sichemepisode entlasten usw. Man darf aber auch damit rechnen, daß einige der Interpolationen neutral sind. Die wenigen Glossen sind ganz unschuldige Zusätze. Die erste Lebensdarstellung in TJos, der Langtext in TSeb, TSim 8:2b−4 + 9:1b u.a. sind vielleicht dem Wunsch entsprungen,

---

[50] *BZNW* 36 (1969) 65 Anm. 8*fin.*
[51] *Untersuchungen* Nachtrag (s. 419).
[52] *Untersuchungen* 202.

zeigen zu wollen, daß man mehr wußte, als der vorliegende Text berichtete. Man darf also nicht fordern, daß der Forscher in jedem Fall konkrete Motive oder Tendenzen nachweisen soll, da oft keine bestimmte, ideologische Absicht zugrunde liegt. Da unsere geschichtlichen Voraussetzungen nicht immer hinreichend sind, wird der ursprüngliche Sinn eines Textes manchmal auch verschleiert bleiben.

Viele Hände haben in den Text eingegriffen und die Zahl der Interpolatoren ist schwer bestimmbar. Die vorangehende Zusammenfassung läßt aber ahnen, daß sie nicht gering ist. Die Anzahl vermindert sich jedenfalls, wenn man erkennt, daß ein- und derselbe Bearbeiter mehrere Hinzufügungen verschiedener Art gemacht haben kann, und daß einige der Textgruppen zusammengehören. Daß die SER- und die Levi-Juda-Stücke von ein- und derselben Hand stammen, ist gut denkbar, zumal sie einander nicht ausschließen. Andere Texte wie TJud 21:5; 25:1f; TN 5:1ff; TJos 19:1−2 + 8−10, die mit ihnen verwandt sind, rühren wahrscheinlich von demselben Interpolator her. Noch andere Abschnitte ließen sich sicher zu dieser Gruppe hinzufügen. Dies würde aber einen detaillierten Durchgang des Materials fordern, der die Rahmen dieser Untersuchungen sprengen würde. Diese mühsame Arbeit würde sicher zur Entdeckung anderer Hände führen, die für größere Gruppen verantwortlich sind. Dadurch ließe sich die Zahl der Interpolatoren wohl auf eine mäßige Anzahl beschränken. Die Erwartungen sollten andererseits nicht zu straff gespannt werden. Wir haben selbst in III,4 und III,5 gezeigt, daß sich die Auferstehungs- und Gerichtsperikopen kaum vereinbaren lassen, und damit ist die Anzahl von Interpolatoren, wenn wir von den christlichen absehen, schon auf vier oder fünf angewachsen.

6. Zeitliche Ansetzung der Grundschrift

Über das Alter der TP herrscht keine Einigkeit, denn beinahe jeder Forscher, der mit diesem Problem selbständig gearbeitet hat, bestimmt es verschieden. Die älteste und die jüngste Datierung bilden die zeitlichen Ansätze von E. Meyer und M. de Jonge. Sie haben für eine Anbringung der Schrift ins dritte vorchristliche bzw. dritte nachchristliche Jahrhundert argumentiert[1]. Zwischen diesen beiden Außenpunkten findet sich eine große Anzahl von Vorschlägen. Daß intertestamentarische Schriften unterschiedlich datiert werden, ist gewiß keine seltene Erscheinung. Doch stehen die TP anscheinend in einer Sonderstellung, denn zeitliche Ansätze, die über fünf Jahrhunderte spannen, sind nicht alltäglich. Der Grund ist nicht schwer zu finden: er hängt mit den verschiedenen Ausgangspunkten der Forscher zusammen und ist von ihrer jeweiligen Gesamtauffassung der TP bestimmt. Da unsere Position nur in geringem Grad mit den Ansichten unserer Vorgänger zusammenfällt, erübrigt sich eine detaillierte Auflistung unterschiedlicher Datierungen. Daraus folgt freilich nicht, daß alle unsere Argumente und Schlüsse original sind. Sie bauen aber auf eine andere literarkritische Grundlage.

Eine genaue zeitliche Einordnung der Grundschrift ist schwierig, da sie sich kaum verrät. Zeitgeschichtliche Anspielungen liegen nicht vor und inhaltlich ist die Schrift sozusagen zeitlos. Die Frage läßt sich also nur indirekt lösen. In dieser Hinsicht liefern die Erwägungen in IV,5 wertvolle Hilfe. Der Verweis auf das Buch Henoch und die einfache Form der Auferstehungsvorstellungen zeugen von einem Terminus *post quem* um 160 v. Chr. für die ältesten Interpolationsschichten. Die Erwähnung der Syrer als die letzte Weltmacht in TN 5:8 weist in dieselbe Richtung, wenn auch dieses Argument viel vager ist. Es zeigt eigentlich nur, daß wir uns in der Zeit vor dem Auftreten der Römer in Palästina befinden, d.h. vor 63 v. Chr.

Die Grundschrift muß in mäßigem zeitlichen Abstand zu den ältesten Bearbeitungen angesetzt werden, und zwar in einer Epoche, die das Fehlen von zeitgeschichtlichen Anspielungen verständlich macht. Argumente

---

[1] E. Meyer *Ursprung* II,44; M. de Jonge *Testaments* 121f. Er hat sich später ein wenig modifiziert; vgl. *StEv* 1956, 556 (vor 190 n. Chr.); Hollander/M. de Jonge *Comm* 82ff (zweite Hälfte des zweiten nachchristlichen Jahrhunderts).

e silentio sind immer gefährlich, doch liegt die Vermutung nahe, daß die Schrift nicht in einer konfliktschweren Zeit abgefaßt worden sein kann. Eventuelle Konflikte hätten sicher Spuren gesetzt. Der totale Mangel an Interesse für das spezifisch Jüdische schließt aus – wenn diese Voraussetzung tragfähig ist –, daß die TP während oder kurz nach der Religionsverfolgung des Antiochus IV. geschrieben worden sein können. Die fehlende Erwähnung der typisch jüdischen Merkmale wie der Beschneidung, des Sabbats und der Koschergebote wäre zu jener Zeit kaum denkbar, da diese Kennzeichen ja Tod und Leben des Individuums und des Judentums als Ganzen bestimmten.

Eine prämakkabäische Datierung ist also wahrscheinlich und zwei Möglichkeiten stehen dann zur Wahl: 1. entweder eine Abfassung am Ende der Ptolemäerzeit, d.h. vor der Niederlage des Ptolemäus V. bei Paneas im Jahre 198 v. Chr., oder 2. eine Abfassung am Anfang der mit dieser Niederlage beginnenden Oberherrschaft der Syrer in Palästina unter Antiochus III. (also bis 187 v. Chr.), als die Verhältnisse noch friedlich und die Juden privilegiert waren.

Für diese Annahme sprechen auch andere inhaltliche Argumente: die Grundschrift weist keine Kenntnis der Apokalyptik auf. Obwohl die ältesten Teile des 1.Hen davon zeugen, daß die Anfänge der Apokalyptik im 3. Jahrhundert v. Chr. zu suchen sind[2], hat sie gerade unter den Makkabäerkämpfen ihre erste Blütezeit in Gestalt der typischen Geschichtsdeutungen erreicht; vgl. Dan Kap. 2; 7ff; 1.Hen Kap. 85–90; 93:1–10 + 91:12–17. Von ihr ist in der Grundschrift keine Spur; vgl. aber den sekundären Text TL 17:1ff. Das Weltbild des Verfassers ist noch echt alttestamentlich, während die Interpolationen die neuen apokalyptischen Vorstellungen kennen. Der Verfasser scheint somit ein Zeitgenosse des Jesus ben Sirach zu sein.

Alles in allem mutet eine Datierung um 200 v. Chr. recht wahrscheinlich an, wenn auch jede Argumentation *e silentio* mit Unsicherheit behaftet ist. Wesentlich älter kann die Schrift kaum sein, da nirgendwo von einem Platz im Kanon die Frage ist, obwohl dies nicht ganz unberechtigt wäre.

Wir haben früher dafür argumentiert, daß z.B. 1.Hen aus der Zeit vor der Gründung der Qumrangemeinde stammt, weil die Schrift zur Bibliothek der Essener gehörte[3]. Man darf umgekehrt nicht die Folgerung ziehen, daß die TP jünger als die Qumrangemeinde sind, weil sie dort nicht gefunden wurden. Das Buch Esther ist auch nicht in Qumran belegt, obwohl es sicher älter als die Essener ist. Sie haben es wahrscheinlich nicht aufgenommen, weil sie das Purimfest abgelehnt haben. In bezug auf die

---

[2] Vgl. Milik *Books of Enoch*.
[3] S. IV,5B mit Anm. 22.

Grundschrift der TP lassen sich nur schwer Textabschnitte nachweisen, die direkt anstößig sein könnten, es sei denn, daß das Bild von Levi noch kritischer war als die von uns rekonstruierte Grundschrift erkennen läßt.

Näher liegt der Verdacht, daß der Mangel an Interesse für Kultus, Beschneidung, Sabbat, Koschergebote, Kalenderfragen usw. disqualifizierend gewirkt hat. Gegen diese Annahme spricht freilich, daß die Essener andere Schriften anerkannt haben, in denen die erwähnten Züge fehlen oder in den Hintergrund treten. Aber vielleicht hat die Qumrangemeinde das Milieu der TP gekannt und gewußt, daß dieses Desinteresse dort programmatisch war? Über Vermutungen hinaus kommt man nicht. Das Fehlen der Schrift in Qumran ist jedenfalls kein Argument gegen unsere Datierung.

Es bleibt fraglich, ob das numismatische Argument Bickermanns[4] stichhaltig ist. Er weist darauf hin, daß TJos 14:4f von kleinen Goldmünzen sprechen, wie es sie im Umkreis von Palästina entweder vor 285 v. Chr. oder in der Periode 200–150 v. Chr. gegeben habe. Die erste Alternative hält Bickermann für unmöglich, da sie viel zu früh sei. Da wir andererseits keine Anspielungen auf Antiochus IV. und auf die Makkabäerkriege finden, sei die Zeit zwischen 175 und 150 v. Chr. unwahrscheinlich. Deshalb komme nur der Zeitraum 200–175 v. Chr. in Betracht. Thomas macht aber darauf aufmerksam[5], daß Bickermann die antiquierende Tendenz der pseudepigraphischen Testamentgattung nicht berücksichtigt. Wenn der Verfasser gewußt hat, daß es solche Goldmünzen in der Vorzeit gab, ist es verständlich, daß er sie in der Patriarchenzeit im Umlauf sein läßt.

Unsere zeitliche Ansetzung stimmt im großen und ganzen mit den Datierungen von Bickermann, Becker, Eppel, Eißfeldt, Steck und Thomas[6] überein, obwohl wir alle verschiedene Auffassungen über die Grundschrift haben. E. Meyers Anbringung der Schrift ins dritte vorchristliche Jahrhundert[7] bleibt jedoch erwägenswert.

---

[4] Vgl. *JBL* 69 (1950) 256ff.

[5] *BZNW* 36 (1969) 85.

[6] Bickermann *JBL* 69 (1950) 250ff; Becker *Untersuchungen* 374f; *Komm* 25; Eppel *Piétisme* 30ff; Eißfeldt *Einleitung* 785; Steck *Israel* 149f; Thomas *BZNW* 36 (1969) 83ff (= Bickermann).

[7] S. Anm. 1.

7. Ursprungsort der Grundschrift

Die Provenienz der TP ist umstritten. Einen palästinischen Ursprung haben u.a. verteidigt: Aschermann[1], Amstutz[2], Charles[3], Otzen[4], Thyen[5] und Thomas[6]. Eppel denkt an den nördlichsten Teil von Palästina, Galiläa, oder eher Syrien[7]. Neuerdings hat Hultgård dessen These aufgenommen und energisch für Galiläa argumentiert[8]. Eine bedeutende Minorität votiert für die Diaspora: Becker schlägt Ägypten vor, wobei Alexandria auf der Hand liegt[9]. Kee hat früher Alexandria bevorzugt, aber doch Syrien oder Palästina als aktuelle Alternativen gerechnet[10]. Jetzt zieht er eher Syrien vor[11]. F.M. Braun hält die TP für hellenistisch, setzt aber voraus, daß sie von einem Juden aus Palästina geschrieben worden seien[12].

Aus der bisherigen Untersuchung geht hervor, daß wir mit einer palästinischen Provenienz unserer rekonstruierten Grundschrift[13] rechnen. Die Argumente für die Diaspora überzeugen uns nicht: die Behauptung, die geographischen Kenntnisse des heiligen Landes seien mangelhaft, ist nicht stichhaltig[14]. Dasselbe gilt für die These, die Paränese der TP zeuge sprachlich und begrifflich von einem jüdisch-*hellenistischen* Hintergrund[15]. Becker führt drei Indizien für Ägypten an[16], ist sich aber dessen bewußt, daß sie mehrdeutig und unsicher sind:

1. Er weist darauf hin, daß Ägypten Ort der fingierten Handlung ist, doch stammt diese Fiktion aus der Tradition (Gen).

2. Daß der Zusatz TJos 1:3–10:4 am ehesten an Ägypten denken lasse,

---

[1] *Formen* 3f.
[2] *ΑΠΛΟΤΗΣ* 65.
[3] *Comm* passim.
[4] *GamPseud* 7,683ff.
[5] *Stil* 25.
[6] *BZNW* 36 (1969) bes. 111ff.
[7] *Piétisme* 28ff. Er baut im großen und ganzen auf Texte, die wir für sekundär halten.
[8] *L'eschatologie* II,223ff.
[9] *Untersuchungen* 374 (= Ägypten); *Komm* 25 (= Alexandria).
[10] *NTS* 24 (1977/1978) 269f.
[11] *OTP* I,778.
[12] *RB* 67 (1960) 548.
[13] Es sei erwähnt, daß sie nicht mit den Grundschriften der erwähnten Forscher zusammenfällt; vgl. zu diesem Problem IV,6.
[14] S. II,13 Anm. 31.
[15] S. vor allem unsere Bemerkungen in II,3 und IV,4.
[16] *Untersuchungen* 374.

ist nicht einleuchtend, und ein *Zusatz*[17] ist jedenfalls ein schlechter Ausgangspunkt.

3. Die Hervorhebung von Joseph wird unter Verweis auf JosAs damit begründet, daß das ägyptische Judentum ein besonderes Interesse an der Josephsgestalt habe. JosAs zeigt aber zugleich, daß das ägyptische Judentum eine ganz andere Art hatte, sich literarisch zu äußern als die TP[18]. Die Glorifikation von Joseph hängt offenbar mit seinen moralischen Vorzügen zusammen.Von den Jakobssöhnen erwähnt Sir 49:15 gerade Joseph.

Das Argument Miliks, die TP seien nicht palästinisch, weil sie nicht in Qumran gefunden worden sind[19], fordert keinen Kommentar.

Wir folgern, daß die Indizien für einen außerpalästinischen Ursprungsort hinfällig sind. Positive Argumente für eine palästinische Provenienz finden sich freilich nur in geringem Grad, da der Stoff der TP keine eindeutigen Angaben enthält. Der palästinische Ursprung ist aber *a priori* wahrscheinlicher, und die Beweislast obliegt deshalb den Anhängern eines außerpalästinischen Ursprungsortes. Für die Zuweisung zum palästinischen Judentum spricht in erster Linie das angenommene semitische Original (IV,4). Konkrete Argumente bieten sich sonst nicht dar.

Eine nähere geographische Anbringung in Palästina ist schwierig. Der Versuch Hultgårds, den Kompositionsort nach Galiläa zu verlegen[20], überzeugt nicht. Seine These, mit dem Meer Jamnia in TN 6:1(ff) sei nicht das Mittelmeer, sondern eher der See Genezareth gemeint, wobei Jamnia nicht die bekannte Stadt Jabne, sondern eine andere galiläische Stadt dieses Namens bezeichne und die gesalzenen Fische (τάριχοι) in TN 6:2[21] auf ein bekanntes Produkt von Genezareth anspielten[22], ist zwar erwägenswert, läßt sich aber bei unserem Ausgangspunkt nicht verwerten, da wir TN Kap. 4ff für sekundär halten[23]. Seine Annahme ist also höchstens für diesen Zusatz berechtigt. Interessant ist seine Beobachtung, daß neben Joseph gerade galiläische Stämme (Issachar, Sebulon, Naphtali) verherrlicht werden, doch könnte dies auf einem Zufall beruhen. Seine Annahme,TIs 1:5 spiele auf ein kleines Tal im syrischen Gebiet (= Aram) an, das der Verfasser kenne, weil er also im nördlichen Palästina wohne, ist dagegen

---

[17] Vgl. unsere Analyse in II,8 mit Anm. 7−9.

[18] Vgl. Thomas *ThZ* 28 (1972) 445.

[19] *RB* 62 (1955) 405f. Es schließe sogar aus, daß die TP vorchristlich seien! Vgl. jedoch seine Modifikation in *RB* 63 (1956) 407 Anm. 1.

[20] S. Anm. 8.

[21] Vgl. zum Text II,12 Anm. 27.

[22] Hultgård *L'eschatologie* II,224 verweist darauf, daß die Stadt Migdal Nunaja („Turm der Fische") griechisch Ταριχαῖαι heißt. Ein anderes Argument, das in dieselbe Richtung weise, ist in II,12 Anm. 64 erwähnt.

[23] Vgl. die Analyse in II,12 mit Anm. 60ff.

schwach, da diese Szene nach Gen 30:14ff in Mesopotamien (= Aram) spielt.

Wegen des zweifelhaften Charakters dieser Argumente empfiehlt es sich, auf eine nähere Lokalisierung in Galiläa zu verzichten. Mangels sicherer Argumente sollte man eher erwägen, ob nicht Jerusalem trotz allem die nächstliegende Alternative ist.

8. Die Traditionsgeschichte der Testamente der Zwölf Patriarchen

Auf Grund der vorangehenden Untersuchungen läßt sich ein fünfstufiges Modell des Wachstumsprozesses der vorliegenden TP aufstellen, wobei die Stufen 2−5 natürlich nicht punktuell, sondern als eine mehr oder minder lange Periode, die sich nicht genau abgrenzen läßt, aufgefaßt werden müssen.

1. Die Grundschrift war eine rein paränetisch-didaktische Schrift. Sie wurde in Palästina um 200 v. Chr. geschrieben und war in Hebräisch oder Aramäisch abgefaßt.

2. Innerhalb des Zeitraums 160−100/63 v. Chr. wurden mehrere Stücke hauptsächlich prophetischer und eschatologisch-apokalyptischer Art hinzugefügt. Dieses Stadium ist nicht einheitlich, doch lassen sich die Zahl der Hände, die in den Text eingegriffen haben, nur schwer bestimmen. Es handelt sich vor allem um die SER-Stücke (IV,5B), die Levi-Juda-Stücke (IV,5C) und die Auferstehungs- und Gerichtsaussagen in TJud 25:1−5; TSeb 10:2−3; TB 10:6−10 (IV,5D). Zu diesem Stadium gehören ferner das eschatologische Gedicht vom Untergang der Feinde Israels in TSim 6:3−7 (IV,5D) sowie zwei paränetische Abschnitte, nämlich TSim 5:3, welcher Text sogar älter als das Levi-Juda-Stück TSim 5:4−6 ist (IV,5E2), und TSeb 9:1−4, die als eine Einleitung des nachfolgenden SER-Stückes fungieren und somit dasselbe Alter aufweisen (IV,5E2). Die mit den SER- und Levi-Juda-Stücken verwandten, wenn auch jüngeren, Texte TJos 19:1−2.8−10 (IV,5D), TN 5:1ff (IV,5B) und TL 17:1−9 (IV,5D) sind auch hier anzubringen.
Die Sprache war höchstwahrscheinlich Hebräisch/Aramäisch.

3. Das dritte Stadium ist ebenfalls wenig einheitlich, und die Interpolationen sind verschiedenster Art. Man darf vermuten, daß *viele* der in *IV,5E* aufgelisteten Einschübe zu diesem Stadium gehören, daß wir uns noch im letzten vorchristlichen Jahrhundert befinden und daß die Sprache noch Hebräisch/Aramäisch war.

4. Während des vierten Stadiums wurden die TP ins Griechische übertragen. Das geschah vermutlich im ersten christlichen Jahrhundert. Näheres über das Wo und Wann läßt sich jedoch nicht mitteilen. Die dieser Stufe angehörigen Interpolationen finden sich nochmals in IV,5E. Eine ins einzelne gehende Verteilung der Texte auf dieses oder das vorangehende

Stadium ist freilich nicht durchführbar. Als wahrscheinliche Beispiele seien jedoch TR 2:3−3:2.7 und TN 8:7−10 erwähnt.

5. Die christliche Bearbeitung macht die letzte Stufe aus. Sie beginnt möglicherweise am Ende des ersten Jahrhunderts unserer Zeitrechnung, erstreckt sich aber über mehrere Jahrhunderte. Der Umfang der christlichen Bearbeitung ist in großen Zügen gesichert, wenn auch manche Details noch umstritten sind. Das relative Alter der einzelnen Interpolationen läßt sich kaum mehr feststellen.

Aus dieser Übersicht ergibt sich, daß die Grenzen zwischen dem zweiten und dem dritten Stadium nicht scharf sind. Die Interpolationen der zweiten Stufe lassen sich jedoch hauptsächlich als prophetisch und eschatologisch-apokalyptisch bezeichnen und in größere Komplexe wie die SER-Stücke, die Levi-Juda-Stücke usw. zusammenfassen, während die Einschübe des dritten (und des vierten) Stadiums vielfältiger sind. Dieser inhaltliche Unterschied erlaubt eine praktische Trennung, wenn auch manches unklar bleiben muß. Die Sprache, Hebräisch oder Aramäisch, ist dem zweiten und dem dritten Stadium gemein, während die Interpolationen der vierten Stufe, die inhaltlich mit den Einschüben der dritten Stufe so eng verwandt sind, daß wir mit wenigen Ausnahmen auf eine chronologische Verteilung verzichten müssen, doch wohl in Griechisch abgefaßt waren. Daraus folgt auch, daß nur die Grundschrift, die zweite Stufe und die christliche Schlußredaktion verhältnismäßig sicher erkannt werden können, während die beiden mittleren Interpolationsschichten im dunklen bleiben. Ob eine Zuweisung aller Texte zu ihrem jeweiligen Stadium in der Zukunft möglich sein wird, läßt sich jetzt nicht entscheiden. Es empfiehlt sich zur Zeit nicht, alle Stücke in ein Schema zu zwingen.

Abschließend werfen wir einen kurzen Blick auf verwandte Modelle: Schnapp, dessen Verständnis der TP wir uns prinzipiell angeschlossen haben[1], wählt ein dreistufiges Erklärungsmodell[2]:

1. Eine jüdische Grundschrift paränetischer Art,
2. jüdische Hinzufügungen eschatologisch-apokalyptischen Charakters, und
3. christliche Bearbeitungen.

Dabei operiert er natürlich mit nicht nur *einem* jüdischen oder nur *einem* christlichen Bearbeiter.

Eine entsprechende Dreiteilung findet sich auch bei anderen Forschern, doch hat es wenig Sinn, sie zu erwähnen, da sich ihre Auffassung über die

---

[1] Vgl. I,4.
[2] *Testamente* 87f et passim.

Eigenart und den Umfang der Grundschrift ganz von Schnapps Ansicht unterscheidet. Nennenswert ist nur Leivestad, der Schnapps These zustimmt, aber mit vier Stufen rechnet[3]:

1. Eine ethisch-didaktische Grundschrift,
2. Erweiterungen prophetischer Art. Die Haupttendenz sei, Levi zu verherrlichen und zur Sammlung um Levi und Juda zu ermahnen. Der Hintergrund seien die Triumphe der Makkabäerpriester.
3. Prophezeiungen vom Verfall Levis, die von der negativen Entwicklung der Hasmonäer verursacht seien.
4. Christliche Bearbeitungen.

Wer die Forschungsgeschichte kennt, entdeckt leicht, daß Leivestads Modell unter Einfluß von eben der Kritik steht, die von Bousset[4] und Charles[5] gegen Schnapp vorgebracht wurde.

Damit ist unsere Arbeit zu Ende geführt. Es bleibt nur noch übrig, die Hoffnung auszusprechen, daß die Untersuchung zur Erklärung einiger der Rätsel der TP beigetragen hat, und daß sie die Debatte fördern wird.

---

[3] *NTT* 55 (1954) 121f.
[4] *ZNW* 1 (1900) 187ff.
[5] *Text* passim; *Comm* passim.

Abkürzungsverzeichnis

1. Testamente der Zwölf Patriarchen = TP:
TR, TSim, TL, TJud, TIs, TSeb, TD, TN, TG, TAs, TJos, TB

Das hebräische Naphtalitestament = hTN

2. Griechische Handschriften
(Mss) a, b, c, d, e, f, g, h, i, j, k, l, m, n
α = Mss nchij (+ NgrSerb)
"β" = die übrigen griechischen Mss
γ = Mss aef
δ = Mss bdg(k)

3. Textabkürzungen

A = der armenische Text
G = der griechische Text
Ngr = der neugriechische Text
S = der slawische Text
Serb = das serbische Fragment

4. Literaturabkürzungen

ActOr	Acta Orientalia
AGaJU	Arbeiten zur Geschichte des antiken Judentums und des Urchristentums
AGSU	Arbeiten zur Geschichte des Spätjudentums und des Urchristentums
ALGHJ	Arbeiten zur Literatur und Geschichte des hellenistischen Judentums
AnBibl	Analecta Biblica
ANRW	Aufstieg und Niedergang der römischen Welt
AOT	s. Sparks, The Apocryphal Old Testament
APAT I–II	s. Kautzsch, Die Apokryphen und Pseudepigraphen des Alten Testaments

APOT I–II	s. Charles, The Apocrypha and Pseudepigrapha of the Old Testament
ATD	Das Alte Testament Deutsch
AUU, HR	Acta Universitatis Upsaliensis, Historia Religionum
BEI	s. Dupont-Sommer – Philonenko, La Bible. Écrits inter-testamentaires
Bijdragen	Bijdragen. Tijdschrift voor filosofie en theologie
BEThL	Bibliotheca ephemeridum theologicarum Lovaniensium
BK	Biblischer Kommentar
BOLZ	Beihefte zur Orientalischen Literaturzeitung
BWANT	Beiträge zur Wissenschaft vom Alten und Neuen Testament
BZAW	Beihefte zur Zeitschrift für die alttestamentliche Wissenschaft
BzhTh	Beiträge zur historischen Theologie
BZNW	Beihefte zur Zeitschrift für die neutestamentliche Wissenschaft
CBQ	The Catholic Biblical Quarterly
CCWJCW	Cambridge Commentaries on Writings of the Jewish and Christian World 200 BC to AD 200
ConBibl	Coniectanea Biblica
DJD I	Discoveries in the Judaean Desert I (eds. Barthélemy – Milik)
DJD III	Discoveries in the Judaean Desert III (eds. Baillet – Milik – de Vaux)
DJD VII	Discoveries in the Judaean Desert VII (ed. Baillet)
DTT	Dansk Teologisk Tidsskrift
Editio Maior	s. M. de Jonge
Exp	The Expositor
ExT	The Expository Times
FRLANT	Forschungen zur Religion und Literatur des Alten und Neuen Testaments
FS	Festschrift
GamPseud	De Gammeltestamentlige Pseudepigrafer; s. Hammers-haimb
HibJ	The Hibbert Journal
HNT	Handbuch zum Neuen Testament
HThR	The Harvard Theological Review
HThS	Harvard Theological Studies

HUCA	Hebrew Union College Annual
IEJ	Israel Exploration Journal
JBL	Journal of Biblical Literature
JewEnc	The Jewish Encyclopedia
JJS	The Journal of Jewish Studies
JQR	The Jewish Quarterly Review
JSHRZ	Jüdische Schriften aus hellenistisch-römischer Zeit
JSJ	Journal for the Study of Judaism in the Persian, Hellenistic and Roman Period
JSNT	Journal for the Study of the New Testament
JSS	Journal of Semitic Studies
JThS	The Journal of Theological Studies
LUÅ	Lunds Universitets Årsskrift
MeyerK	Kritisch-exegetischer Kommentar über das Neue Testament, begründet von H.A.W. Meyer
NedArK	Nederlands Archief voor kerkgeschiedenis
NedTT	Nederlands Theologisch Tijdschrift
NT	Novum Testamentum
NTS	New Testament Studies
NTT	Norsk Teologisk Tidsskrift
OLoP	Orientalia Lovaniensia Periodica
OLZ	Orientalische Literaturzeitung
OTP I–II	s. Charlesworth, The Old Testament Pseudepigrapha I–II
PSBA	Proceedings of the Society of Biblical Archaeology
PsVTGr	Pseudepigrapha Veteris Testamenti Graece
RB	Revue Biblique
RechBibl	Recherches Bibliques
RecSR	Recherches de Science Religieuse
REJ	Revue des Études Juives
RHPhR	Revue d'Histoire et de Philosophie Religieuses
RQ	Revue de Qumran
SBL	The Society of Biblical Literature
SBL, MS	The Society of Biblical Literature, Monograph Series
SBL, TT, PS	The Society of Biblical Literature, Texts and Translations, Pseudepigrapha Series
SCS 3	Septuagint and Cognate Studies 3; s. Martin, Syntactical Evidence of Semitic Sources in Greek Documents

SCS 5	Septuagint and Cognate Studies 5; s. Nickelsburg, Studies on the Testament of Joseph
SCS 7	Septuagint and Cognate Studies 7; s. Charlesworth, The Pseudepigrapha and Modern Research
SEÅ	Svensk Exegetisk Årsbok
SNTS, MS	Society for New Testament Studies, Monograph Series
SPB	Studia Post-biblica
StEv	Studia Evangelica
StHR	Studies in the History of Religions
StTh	Studia Theologica
Studies	s. M. de Jonge, Studies on the Testaments of the Twelve Patriarchs
StUNT	Studien zur Umwelt des Neuen Testaments
SVTP	Studia in Veteris Testamenti Pseudepigrapha
ThLZ	Theologische Literaturzeitung
ThR	Theologische Rundschau
ThSt	Theologische Studien
ThStKr	Theologische Studien und Kritiken
ThWNT	Theologisches Wörterbuch zum Neuen Testament
ThZ	Theologische Zeitschrift
TU	Texte und Untersuchungen
UNT	Untersuchungen zum Neuen Testament
VD	Verbum Domini
VigChr	Vigiliae Christianae
VT	Vetus Testamentum
WuD	Wort und Dienst
WMANT	Wissenschaftliche Monographien zum Alten und Neuen Testament
WUNT	Wissenschaftliche Untersuchungen zum Neuen Testament
WZKM	Wiener Zeitschrift für die Kunde des Morgenlandes
ZAW	Zeitschrift für die alttestamentliche Wissenschaft
ZNW	Zeitschrift für die neutestamentliche Wissenschaft und die Kunde der älteren Kirche
ZThK	Zeitschrift für Theologie und Kirche

BIBLIOGRAPHIE

Aalen, S., Die Begriffe »Licht« und »Finsternis« im Alten Testament, im Spätjudentum und im Rabbinismus (Skrifter utgitt av Det Norske Videnskaps-Akademi i Oslo, II. Hist.- Filos. Kl. 1951. No 1), Oslo 1951

Allon, G., lšwn ḥkmym bṣww'wt y"b šbṭym (Rabbinical Phraseology in the Testaments of the Twelve Patriarchs), Tarbiz 12 (1941) 268–274

Amstutz, J., ΑΠΛΟΤΗΣ. Eine begriffsgeschichtliche Studie zum jüdisch-christlichen Griechisch (Theophaneia 19), Bonn 1968

Anderson, A.A., The Use of »Ruaḥ« in 1QS, 1QH and 1QM, JSS 7 (1962) 293–303

Aptowitzer, V., Asenath, the Wife of Joseph. A Haggadic Literary-Historical Study, HUCA 1 (1924) 239–306

Argyle, A.W., The Influence of the Testaments of the Twelve Patriarchs upon the New Testament, ExT 63 (1951/52) 256–258

Aschermann, H., Die paränetischen Formen der »Testamente der zwölf Patriarchen« und ihr Nachwirken in der frühchristlichen Mahnung. Eine formgeschichtliche Untersuchung (masch. schr. Diss.), Berlin 1955

Baarda, T., Qehath – 'What's in a 'Name?' Concerning the Interpretation of the Name 'Qehath' in the Testament of Levi 11:4–6, JSJ 19 (1988) 215–229

Baillet, M. – Milik, J.T. – de Vaux, R. (eds.), Discoveries in the Judaean Desert III. Les 'Petites Grottes' de Qumran, Oxford 1962 = *DJD III*

– (ed.), Discoveries in the Judaean Desert VII. Qumrân Grotte 4. III, Oxford 1982 = *DJD VII*

Baljon, J.M.S., De testamenten der XII patriarchen, ThSt 4 (1886) 208–231

Baltzer, K., Das Bundesformular (WMANT 4), Neukirchen 1960

Bammel, E., ΑΡΧΙΕΡΕΥΣ ΠΡΟΦΗΤΕΥΩΝ, ThLZ 79 (1954) 351–356

Barthélemy, D. – Milik, J.T. (eds.), Discoveries in the Judaean Desert I. Qumran Cave I, Oxford 1956 = *DJD I*

Bauer, W., Griechisch-deutsches Wörterbuch zu den Schriften des Neuen Testaments und der übrigen urchristlichen Literatur, Berlin/New York ⁵1971

Beasley-Murray, G.R., The Two Messiahs in the Testaments of the Twelve Patriarchs, JThS 48 (1947) 1–12

Becker, J., Untersuchungen zur Entstehungsgeschichte der Testamente der zwölf Patriarchen (AGaJU 8), Leiden 1970

–, Die Testamente der zwölf Patriarchen (JSHRZ III, 1, 15–163), Gütersloh 1974 = (Becker) *Komm*

Beer, G., Art.: Pseudepigraphen des Alten Testaments, Abschn. 23: Die Testamente der 12 Patriarchen. In: Realencyklopädie für protestantische Theologie und Kirche (begründet von J.J. Herzog), Bd 16, Leipzig 1905, 253–256

Berger, K., Das Buch der Jubiläen (JSHRZ II, 3, 273–575), Gütersloh 1981

Berggren, F.A., De onda andarna och Satan i Gamla Testamentets kanoniska, apokryfiska och pseudepigrafiska skrifter, Stockholm 1912

Bergman, J., Discours d'adieu – Testament – Discours posthume. Testaments juifs et enseignements égyptiens. In: Sagesse et Religion, ed. E. Jacob (Bibliothèque des centres d'études supérieures spécialisés), Paris 1979, 21–50

–, Gedanken zum Thema »Lehre – Testament – Grab – Name«. In: Studien zu altägyptischen Lebenslehren, eds. E. Hornung, O. Keel (Orbis biblicus et orientalis 28), Fribourg/Göttingen 1979, 74–104

Betz, O., Der Paraklet. Fürsprecher im häretischen Spätjudentum, im Johannesevangelium und in neu gefundenen gnostischen Schriften (AGSU 2), Leiden/Köln 1963

Bickermann, E., The Date of the Testaments of the Twelve Patriarchs, JBL 49 (1950) 245–260

Bieder, W., Art.: Πνεῦμα, πνευματικός, B. Geist im Alten Testament, ThWNT VI,357ff

Bietenhard, H., Die himmlische Welt im Urchristentum und Spätjudentum (WUNT 2), Tübingen 1951

Black, M., The Messiah in the Testament of Levi XVIII, ExT 60 (1948/49) 321f

–, The Messiah in the Testament of Levi XVIII, ExT 61 (1949/50) 157f

– (ed.), Apocalypsis Henochi graece (PsVTGr 3, 1–44), Leiden 1970

Böcher, O., Der johanneische Dualismus im Zusammenhang des nachbiblischen Judentums, Gütersloh 1965

–, Dämonenfurcht und Dämonenabwehr. Ein Beitrag zur Vorgeschichte der christlichen Taufe (BWANT, 5 F. 10), Stuttgart/Berlin/Köln/Mainz 1970

Boismard, M.E., Besprechung von *M. Philonenko,* Interpolations, RB 68 (1961) 419–423

Bonwetsch, N., Die Bücher der Geheimnisse Henochs. Das sogenannte slavische Henochbuch (TU 44.2), Leipzig 1922

Boström, G., Proverbiastudien. Die Weisheit und das fremde Weib in Spr. 1–9 (LUÅ N.F. Avd. 1 Bd 30 Nr 3), Lund 1934

Botha, F.J., 'Umâs in Luke XXII,31, ExT 64 (1952/53) 125

Bousset, W., Die Testamente der zwölf Patriarchen. I. Die Ausscheidung der christlichen Interpolationen, ZNW 1 (1900) 141–175

–, Die Testamente der zwölf Patriarchen. II. Composition und Zeit der jüdischen Grundschrift, ZNW 1 (1900) 187–209

–, Ein aramäisches Fragment des Testamentum Levi, ZNW 1 (1900) 344–346

–, Besprechung von *R.H. Charles*, Text und Comm, ThR 13 (1910) 427–431

Brandenburger, E., Himmelfahrt Moses (JSHRZ V, 2, 57–191), Gütersloh 1976

Braun, F.M., Les Testaments des XII Patriarches et le problème de leur origine, RB 67 (1960) 516–549

–, Jean le théologien. Les grandes traditions d'Israël et l'accord des écritures selon le quatrième évangile (Tome 2), Paris 1964

Braun, M., History and Romance in Graeco-Oriental Literature, Oxford 1938

Brock, S. P. (ed.), Testamentum Iobi (PsVTGr 2, 1–59), Leiden 1967

Brown, R.E., The Messianism of Qumrân, CBQ 19 (1957) 53–82

Budde, K., Geschichte der althebräischen Literatur. Apokryphen und Pseudepigraphen von A. Bertholet (Die Literatur des Ostens in Einzeldarstellungen, 7.1), Leipzig [2]1909

Buitkamp, J., Die Auferstehungsvorstellungen in den Qumrantexten und ihr alttestamentlicher, apokryphischer, pseudepigraphischer und rabbinischer Hintergrund (masch. schr. Diss.), Groningen 1965

Burchard, Chr., Bibliographie zu den Handschriften vom Toten Meer (BZAW 76), Berlin 1957

–, Bibliographie zu den Handschriften vom Toten Meer II (BZAW 89), Berlin 1965

–, Untersuchungen zu Joseph und Aseneth. Überlieferung–Ortsbestimmung (WUNT 8), Tübingen 1965

–, Besprechung von *M. de Jonge*, Textausgabe, RQ 5 (1964/66) 281–284

–, Neues zur Überlieferung der Testamente der Zwölf Patriarchen. Eine unbeachtete griechische Handschrift (Athos, Laura I 48) und eine unbekannte neugriechische Fassung, (Bukarest, Bibl. Acad. 580 [341]), NTS 12 (1965/66) 245–258

–, Das Lamm in der Waagschale. Herkunft und Hintergrund eines haggadischen Midraschs zu Ex 1,15–22, ZNW 57 (1966) 219–228

–, Art.: Zur armenischen Überlieferung der Testamente der Zwölf Patriarchen. In: BZNW 36 (1969) 1–29

353

–, Besprechung von *M.E. Stone*, The Testament of Levi, JBL 89 (1970) 360–362

Burkitt, F.C., Besprechung von *R.H. Charles*, Text, JThS 10 (1909) 135–141

–, Jewish and Christian Apocalypses, London 1914

Caquot, A., La double investiture de Lévi. (Brèves remarques sur Testament de Lévi, VIII), StHR (= Suppl. to Numen) 21 (1972) 156–161

Carmignac, J., Les rapports entre L'Ecclésiastique et Qumran, RQ 3 (1961/62) 209–218

Causse, A., Quelques remarques sur l'idéal ébionitique dans les Testaments des douze patriarches, RHPhR 7 (1927) 201–218

Cavallin, H.C.C., Life after Death. Paul's Argument for the Resurrection of the Dead in I Cor 15. Part I: An Enquiry into the Jewish Background (ConBibl, New Testament Series 7:1), Lund 1974

Charles, R.H., The Book of Jubilees or The Little Genesis. Translated from the Editor's Ethiopic Text, London 1902

–, The Testaments of the Twelve Patriarchs, HibJ 4 (1905) 558–573

–, – Cowley, A., An Early Source of the Testaments of the Patriarchs, JQR 19 (1907) 566–583

–, The Greek Versions of the Testaments of the Twelve Patriarchs, Oxford 1908 (Nachdruck Darmstadt, ³1966), = (Charles) *Text*

–, The Testaments of the Twelve Patriarchs. Translated from the Editor's Greek Text, London 1908 = (Charles) *Comm*

–, The Testaments of the Twelve Patriarchs in Relation to the New Testament, Exp 7 (1909) 111–118

– (ed.), The Apocrypha and Pseudepigrapha of the Old Testament in English I–II, Oxford 1913 = *APOT I–II*

–, The Testaments of the Twelve Patriarchs. In: APOT II, 282–367

Charlesworth, J.H., The Renaissance of Pseudepigrapha Studies. The SBL Pseudepigrapha Project, JSJ 2 (1971) 107–114

–, The Pseudepigrapha and Modern Research (SBL, SCS 7), Missoula, Montana 1976

–, Reflections on the SNTS Pseudepigrapha Seminar at Duke on the Testaments of the Twelve Patriarchs, NTS 23 (1976/77) 296–304

– (ed.), The Old Testament Pseudepigrapha I–II, London 1983 = *OTP I–II*

–, The Old Testament Pseudepigrapha and the New Testament. Prolegomena for the Study of Christian Origins (SNTS, MS 54), Cambridge 1985

Chevallier, M.-A., L'ésprit et le Messie dans le Bas-Judaïsme et le Nouveau Testament, Paris 1958

Clarke, W.K.L., St. Luke and the Pseudepigrapha: Two Parallels, JThS 15 (1914) 597–599

Collins, J.J., Testaments. In: M. Stone (ed.), Jewish Writings 325–355
(TP: 331–344)

Conybeare, F.C., On the Jewish Authorship of the Testaments of the
Twelve Patriarchs, JQR 5 (1892/93) 375–397

–, The Testament of Solomon, JQR 11 (1898) 1–45

–, The Testament of Job and the Testaments of the XII Patriarchs. According to the Text of Cod. Vatican. Graecus 1238, JQR 13 (1900) 111–127;
258–274

Daniélou, J., Besprechung von M. de Jonge, Testaments, RecSR 43 (1955)
563–569

–, L'étoile de Jacob et la mission chrétienne à Damas, VigChr 11 (1957)
121–138

–, Besprechung von M. Philonenko, Interpolations, RecSR 48 (1960)
595–598

Delcor, M., Le Testament d'Abraham (SVTP 2), Leiden 1973

– (ed.), Qumran. Sa piété, sa théologie et son milieu (BEThL 46), Paris/
Leuven 1978

Delling, G., Besprechung von M. Philonenko, Interpolations, OLZ 57
(1962) 48–50

–, Bibliographie zur jüdisch-hellenistischen und intertestamentarischen
Literatur 1900–1970 (TU 106²), Berlin ²1975

Denis, A.-M., Les pseudépigraphes grecs d'Ancien Testament, NT 6
(1963) 310–319

–, L'étude des pseudépigraphes. État actuel des instruments de travail,
NTS 16 (1969/70) 348–353

–, Introduction aux pseudépigraphes grecs d'Ancien Testament (SVTP 1),
Leiden 1970

–, Fragmenta Pseudepigraphorum quae supersunt graeca (PsVTGr 3,
45–238), Leiden 1970

Dibelius, M., Der Hirt des Hermas (HNT, Erg.-Bd 4), Tübingen 1923

–, – Greeven, H., Der Brief des Jakobus (MeyerK 15), Göttingen ⁸1956

Dietzfelbinger, E., Pseudo-Philo: Antiquitates Biblicae (Liber Antiquitatum Biblicarum), (JSHRZ II, 2, 89–271), Gütersloh 1975

Dix, G.H., The Messiah Ben Joseph, JThS 27 (1926) 130–143

Doeve, J.W., Besprechung von M. de Jonge, Testaments, NedTT 9
(1954/55) 49–52

Dupont-Sommer, A., Le Testament de Lévi (XVII–XVIII) et la secte
juive de l'alliance, Semitica 4 (1951/52) 33–53

–, The Jewish Sect of Qumran and the Essenes, London 1954 (= Noveau
Aperçus sur les manuscrits de la Mer Morte, Paris 1953)

–, Die essenischen Schriften vom Toten Meer, Tübingen 1960 (= Les écrits
esséniens découverts près de la Mer Morte, Paris 1959)

–, – Philonenko, M. (eds., et al.), La Bible. Écrits intertestamentaires (Bibliothèque de la Pléiade 337), Paris 1987 = *BEI*

Edlund, C., Das Auge der Einfalt. Eine Untersuchung zu Matth. 6,22–23 und Luk. 11,34–35, (Acta Seminarii Neotestamentici Upsaliensis 19), Uppsala 1952

Eichrodt, W., Theologie des Alten Testaments I, Stuttgart/Göttingen [8]1968 und II–III, Stuttgart/Göttingen [5]1964

Eißfeldt, O., Einleitung in das Alte Testament unter Einschluß der Apokryphen und Pseudepigraphen sowie der apokryphen- und pseudepigraphenartigen Qumran-Schriften [Enstehungsgeschichte des Alten Testaments (Neu Theologische Grundrisse)], Tübingen [2]1956

Eltester, W. (ed.), Studien zu den Testamenten der Zwölf Patriarchen, BZNW 36 (1969), Berlin 1969

Eppel, R., Le piétisme juif dans les Testaments des Douze Patriarches, Paris 1930

Fenton, J.C., Rare Words in the Bible, ExT 64 (1952/53) 124f

Fichtner, J., Der Begriff des »Nächsten« im Alten Testament mit einem Ausblick auf Spätjudentum und Neues Testament, WuD 4 (1955) 23–52

Fitzmyer, J.A., The Genesis Apocryphon of Qumran Cave I. A Commentary (Biblica et Orientalia 18), Roma [2]1971

Flusser, D., Qumrân and Jewish »Apotropaic« Prayers, IEJ 16 (1966) 194–205

Fraenkel, S., Zu den Testamenten der zwölf Patriarchen, ThLZ 32 (1907) 475

Gaster, M., The Hebrew Text of one of the Testaments of the Twelve Patriarchs, PSBA 16 (1893/94) 33–49; 109–117. (Nachdruck in: Studies and Texts, 1925–1928, I, 69–85; III, 22–30)

Gaylord, H.E. jr. – Korteweg, Th., Art.: The Slavic Versions. In: Studies 140–143

Geller, B., Joseph in the Tannaitic Midrashim. In: SCS 5, 139–146

Geoltrain, P., Besprechung von *M. Philonenko*, Interpolations, RHPhR 41 (1961) 224–226

Gesenius, W., Hebräisches und aramäisches Handwörterbuch über das Alte Testament, Berlin/Göttingen/Heidelberg [17]1962

Ginzberg, L., The Legends of the Jews 1–7, Philadelphia 1909ff

Gnilka, J., Die Erwartung des messianischen Hohenpriesters in den Schriften von Qumran und im Neuen Testament, RQ 2 (1959/60) 395–426

Greenfield, J.C.–Stone, M.E., Remarks on the Aramaic Testament of Levi from the Geniza, RB 86 (1979) 214–230

Greitemann, N., De Messia eiusque Regno in Testamentis duodecim Patriarcharum, VD 11 (1931) 156–160; 184–192

Grelot, P., Le Testament araméen de Lévi est-il traduit de l'hébreu? À propos du fragment de Cambridge, col. c 10 − d 1, REJ 14 (1955) 91−99

−, Notes sur le Testament araméen de Lévi (Fragment de la Bodleian Library, colonne a), RB 63 (1956) 391−406

−, Le Messie dans les Apocryphes de l'Ancien Testament, RechBibl 6, La venue du Messie, 19ff, Bruges 1962

−, Le Livre des Jubilés et le Testament de Levi. In: Mélanges Dominique Barthélemy (Orbis Biblicus et Orientalis 38), eds. P. Casetti, O. Keel, A. Schenker, Göttingen 1981, 109−133

−, Une mention inaperçue de 'Abba' dans le Testament araméen de Lévi, Semitica 33 (1983) 101−108

Hammershaimb, E., − Munck, J., − Noack, B., − Seidelin, P. (et al.), De gammeltestamentlige Pseudepigrafer i oversættelse med indledning og noter, 1−8, København 1953ff = *GamPseud 1−8*

Harnack, A. von, Geschichte der altchristlichen Literatur bis Eusebius II, 1, Leipzig 1897

Harrelson, W., Patient Love in the Testament of Joseph. In: SCS 5, 29−35

Harrington, D.J., Joseph in the Testament of Joseph, Pseudo-Philo, and Philo. In: SCS 5, 127−131

−, Research on the Jewish Pseudepigrapha during the 1970s, CBQ 42 (1980) 147−159

Hatch, E. − Redpath, H.A. (et al.), A Concordance to the Septuagint and the other Greek Versions of the Old Testament (including the Apocryphal Books) I−II, Oxford 1897 + Suppl. 1906

Haupt, D., Das Testament des Levi. Untersuchungen zu seiner Entstehung und Überlieferungsgeschichte (masch. schr. Diss. Halle−Wittenberg), Halle/Saale 1969

Hempel, J., Die althebräische Literatur und ihr hellenistisch-jüdisches Nachleben, Berlin 1968

Hengel, M., Judentum und Hellenismus. Studien zu ihrer Begegnung unter besonderer Berücksichtigung Palästinas bis zur Mitte des 2. Jhs. v. Chr. (WUNT 10), Tübingen ²1973

Herford, R.T., Pirke Aboth. The Ethics of the Talmud: Sayings of the Fathers, New York ⁷1974

Higgins, A.J.B., Priest and Messiah, VT 3 (1953) 321−336

−, The Priestly Messiah, NTS 13 (1966/67) 211−239

Hollander, H.W., The Relationship between MS Athos Laura I 48(i) and MS Athos Laura K 116. In: Studies 116−119

−, The Ethical Character of the Patriarch Joseph. A Study in the Ethics of the Testaments of the XII Patriarchs. In: SCS 5, 47−104

−, The Influence of the Testaments of the Twelve Patriarchs in the Early

Church. Joseph as Model in Prochorus' Acts of John, OLoP 9 (1978) 75–81

–, Joseph as an Ethical Model in the Testaments of the Twelve Patriarchs (SVTP 6), Leiden 1981

–, – de Jonge, M., The Testaments of the Twelve Patriarchs. A Commentary (SVTP 8), Leiden 1985 = *Hollander/M. de Jonge Comm*

Hultgård, A., Croyances messianiques des Test. XII Patr., critique textuelle et commentaire des passages messianiques (masch. schr. Diss.), Uppsala 1971

–, L'universalisme des Test. XII Patr., StHR (= Suppl. to Numen) 21 (1972) 192–207

–, L'eschatologie des Testaments des Douze Patriarches. I. Interpretation des textes (AUU, HR 6), Uppsala 1977. II. Composition de l'ouvrage; textes et traductions (AUU, HR 7), Uppsala 1982

–, The Ideal 'Levite', The Davidic Messiah and the Saviour Priest in the Testaments of the Twelve Patriarchs. In: J.J. Collins und G.W.E. Nickelsburg jr. (eds.), Ideal Figures in Ancient Judaism. Profiles and Paradigms (SBL, SCS 12), Chico, California 1981

Hunkin, J.W., The Testaments of the Twelve Patriarchs, JThS 16 (1915) 80–97

Huppenbauer, H.W., Belial in den Qumrantexten, ThZ 15 (1959) 81–89

James, M.R., The Venice Extracts from the Testaments of the Twelve Patriarchs, JThS 28 (1927) 337–348

Jansen, H.L., The Consecration in the Eighth Chapter of Testamentum Levi, StHR (= Suppl. to Numen) 4 (1955) 356–365

Janssen, E., Testament Abrahams (JSHRZ III, 2, 191–256), Gütersloh 1975

Jaubert, A., La notion d'alliance dans le judaïsme aux abords de l'ère chrétienne, Paris 1963

Jeremias, J., Art.: Παῖς θεοῦ, ThWNT V,653ff

–, Art.: Παράδεισος, ThWNT V,763ff

–, Das Lamm, das aus der Jungfrau hervorging (Test. Jos. 19,8), ZNW 57 (1966) 216–219

Jervell, J., Art.: Ein Interpolator interpretiert. Zu der christlichen Bearbeitung der Testamente der Zwölf Patriarchen. In: BZNW 36 (1969) 30–61

Jonge, H.J. de, Les fragments marginaux dans le MS. *d* des Testaments des XII Patriarches, JSJ 2 (1971) 19–28. (Nachdruck in: Studies 87–96)

–, Die Textüberlieferung der Testamente der zwölf Patriarchen, ZNW 63 (1972) 27–44. (Nachdruck in: Studies 45–62)

–, La bibliothèque de Michel Choniatès et la tradition occidentale des

Testaments des XII Patriarches, NedArK 53 (1972/73) 171–180. (Nachdruck in: Studies 97–106)

–, Die Patriarchentestamente von Roger Bacon bis Richard Simon (mit einem Namenregister). In: Studies 3–42

–, The earliest traceable stage of the textual tradition of the Testaments of the Twelve Patriarchs. In: Studies 63–86

–, Additional Notes on the History of MSS. Venice Bibl. Marc. Gr. 494(k) and Cambridge Univ. Libr. Ff 1.24(b). In: Studies 107–115

Jonge, M. de, The Testaments of the Twelve Patriarchs. A Study of their Text, Composition and Origin, Assen 1953 (= ²1975)

–, The Testaments of the Twelve Patriarchs and the New Testament, StEv(TU 73), Berlin 1959, 546–556

–, Christian Influence in the Testaments of the Twelve Patriarchs, NT 4 (1960) 182–235. (Nachdruck in: Studies 193–246)

–, Once more: Christian Influence in the Testaments of the Twelve Patriarchs, NT 5 (1962) 311–319

–, Testamenta XII Patriarcharum. Edited according to Cambridge University Library MS Ff. I.24 fol. 203a–262b. With short Notes (PsVTGr 1), Leiden 1964 = (M. de Jonge) *Textausgabe*

–, Recent Studies on the Testaments of the Twelve Patriarchs, SEÅ 36 (1971) 77–96

–, – Korteweg, Th., The New Edition of the Testament of Joseph. In: SCS 5, 125f

– (ed.), Studies on the Testaments of the Twelve Patriarchs. Text and Interpretation (SVTP 3), Leiden 1975 = *Studies*

–, The Greek Testaments of the Twelve Patriarchs and the Armenian Version. In: Studies 120–139

–, Textual criticism and the analysis of the composition of the Testament of Zebulon. In: Studies 144–160

–, The New Editio Maior. In: Studies 174–179

–, The Interpretation of the Testaments of the Twelve Patriarchs in Recent Years. In: Studies 183–192

–, Notes on Testament of Levi II–VII. In: Studies 247–260. (Ursprünglich in: Travels in the World of the Old Testament [FS M.A. Beek], Assen 1974, 132–145, *non vidi*)

–, Testament Issachar als »typisches Testament«. Einige Bemerkungen zu zwei neuen Übersetzungen der Testamente der zwölf Patriarchen. In: Studies 291–316

– (ed., et al.), The Testaments of the Twelve Patriarchs. A Critical Edition of the Greek Text (PsVTGr I, 2), Leiden 1978 = *Editio Maior*

–, Besprechung von A. *Hultgård*, L'eschatologie I, JSJ 10 (1979), 100–102

–, The Main Issues in the Study of the Testaments of the Twelve Patriarchs, NTS 26 (1979/80) 508–524.

–, Again: »To Stretch out the Feet« in the Testaments of the Twelve Patriarchs, JBL 99 (1980) 1f

–, Levi, the sons of Levi and the Law in Testament Levi X, XIV–XV and XVI. In: De la Torah au Messie. FS H. Cazelles, eds. J. Doré, P. Grelot, M. Carrez, Paris 1981, 513–523

–, Besprechung von A. Hultgård, L'eschatologie II, JSJ 14 (1983) 70–80

–, The Testaments of the Twelve Patriarchs. In: AOT 515–600

– (ed.), Outside the Old Testament (CCWJCW 4), Cambridge 1985

–, The Pre-Mosaic Servants of God in the Testaments of the Twelve Patriarchs and in the Writings of Justin and Irenaeus, VigChr 39 (1985) 157–170

–, Hippolytus' »Benedictions of Isaac, Jacob and Moses« and the Testaments of the Twelve Patriarchs, Bijdragen 46 (1985) 245–260

–, Two Interesting Interpretations of the Rending of the Temple-Veil in the Testaments of the Twelve Patriarchs, Bijdragen 46 (1985) 350–362

–, The Testaments of the Twelve Patriarchs: Christian and Jewish. A hundred years after Friedrich Schnapp, NedTT 39 (1985) 265–275

–, Two Messiahs in the Testaments of the Twelve Patriarchs? In: Tradition and Re-Interpretation in Jewish and Early Christian Literature. FS J.C.H. Lebram, eds. J.W. Henten, H.J. de Jonge, P.T. van Rooden, J.W. Wesselius, Leiden 1986

–, The Future of Israel in the Testaments of the Twelve Patriarchs, JSJ 17 (1986) 196–211

–, The Testament of Levi and 'Aramaic Levi', RQ 13 (1988) 367–385

–, The Testaments of the Twelve Patriarchs: Central Problems and Essential Viewpoints, ANRW II, 20:1, Berlin/New York 1987, 359–420

Kamlah, E., Die Form der katalogischen Paränese im Neuen Testament (WUNT 7), Tübingen 1964

Kautzsch, E. (ed.), Die Apokryphen und Pseudepigraphen des Alten Testaments I–II, Tübingen 1900 = APAT I–II

Kee, H.C., The Ethical Dimensions of the Testaments of the XII as a Clue to Provenance, NTS 24 (1977/78) 259–270

–, Testaments of the Twelve Patriarchs. In: OTP I, 775–828

Kittel, G. – Friedrich G. (eds.), Theologisches Wörterbuch zum Neuen Testament, Stuttgart 1933ff = ThWNT

Koch, K., Gibt es ein Vergeltungsdogma im Alten Testament? ZThK 52 (1955) 1–42

–, Das Lamm, das Ägypten vernichtet. Ein Fragment aus Jannes und Jambres und sein geschichtlicher Hintergrund, ZNW 57 (1966) 79–93

Köhler, L. – Baumgartner, W., Lexicon in Veteris Testamenti Libros, Leiden 1958

Kohler, K., The Pre-Talmudic Haggada, JQR 5 (1893) 399–419

–, Art.: Testaments of the Twelve Patriarchs. In: JewEnc 12,113–118, New York 1906

Kolenkow, A.B., The Narratives of the TJ and the Organization of the Testaments of the XII Patriarchs. In: SCS 5, 37–45

–, The Genre Testament and Forecasts of the Future in the Hellenistic Jewish Milieu, JSJ 6 (1975) 57–71

Korteweg, Th., Further Observations on the Transmission of the Text. In: Studies 161–173

–, The Meaning of Naphtali's Visions. In: Studies 261–290

Kraft, R.A. (ed., et al.), The Testament of Job according to the SV Text. Greek Text and English Translation (SBL, TT 5, PS 4), Missoula, Montana 1974

Kuhn, H.W., Enderwartung und gegenwärtiges Heil (StUNT 4), Göttingen 1966

Kuhn, K.G., Die beiden Messias Aarons und Israels, NTS 1 (1954/55) 168–179

– (ed.), Konkordanz zu den Qumrantexten, Göttingen 1960

– (ed.), Nachträge zur »Konkordanz zu den Qumrantexten«, RQ 4 (1963/64) 163ff

Lagrange, M.-J., Le Judaïsme avant Jésus-Christ, Paris ²1931

Langton, E., Essentials of Demonology: A Study of Jewish and Christian Doctrine. Its Origin and Development, London 1949

Larsson, E., Qumranlitteraturen och De tolv patriarkernas testamenten, SEÅ 25 (1960) 109–118

Laurin, R.B., The Problem of Two Messiahs in the Qumran Scrolls, RQ 4 (1963/64) 39–52

Lawlor, H.J., Early Citations from the Book of Enoch, The Journal of Philology 25 (1897) 164–225

Lehmann, M.R., Ben Sira and the Qumran Literature, RQ 3 (1961/62) 103–116

Leivestad, R., Christ the Conqueror. Ideas of Conflict and Victory in the New Testament, London 1954

–, Tendensen i de tolv patriarkers testamenter, NTT 55 (1954) 103–123

–, Qumransamfunnets hemmelige lære, DTT 45 (1982) 40–50

Leloir, L., Besprechung von M. Stone, Levi, RQ 7 (1970) 441–449

Levi, I., Notes sur le texte araméen du Testament de Lévi récemment découvert, REJ 54 (1907) 166–180

–, Encore un mot sur le texte araméen du Testament de Lévi récemment découvert, REJ 55 (1908) 285–287

–, The Hebrew Text of the Book of Ecclesiasticus (Semitic Study Series N° 3), Leiden 1969

Liddell, H.G. – Scott, R., A Greek-English Lexicon, Oxford ⁹1951

Lisowsky, G., Konkordanz zum hebräischen Alten Testament, Stuttgart ²1958

Liver, J., The Doctrine of the Two Messiahs in Sectarian Literature in the Time of the Second Commonwealth, HThR 52 (1959) 149–185

Lods, A., Histoire de la littérature hébraïque et juive depuis les origines jusqu'a la ruine de l'état juif (135 après J.-C.), Paris 1950

Lohmeyer, E., Diatheke. Ein Beitrag zur Erklärung des neutestamentlichen Begriffs (UNT 2), Leipzig 1913

Lohse, E., Die Texte aus Qumran: Hebräisch und deutsch, mit masoretischer Punktation, Übersetzung, Einführung und Anmerkungen, Darmstadt ²1971

Macky, P.W., The Importance of the Teaching on God, Evil and Eschatology for the Dating of the Testaments of the Twelve Patriarchs (masch. schr. Diss.), Princeton 1969

Manson, T.W., Miscellanea Apocalyptica III. Test XII Patr.: Levi VIII, JThS 48 (1947) 59–61

Marti, K. – Beer, G., 'Abōt (Väter). Text, Übersetzung und Erklärung nebst einem textkritischen Anhang (Die Mischna, eds. B. Beer, O. Holtzmann et al.), Giessen 1927

Martin, R.A., Syntactical Evidence of Semitic Sources in Greek Documents (SBL, SCS 3) Missoula, Montana 1974

–, Syntactical Evidence of a Semitic Vorlage of the Testament of Joseph. In: SCS 5, 105–123

Messel, N., Über die textkritisch begründete Ausscheidung vermeintlicher christlicher Interpolationen in den Testamenten der zwölf Patriarchen. Abhandlungen zur semitischen Religionskunde, BZAW 33 (Berlin 1918) 355–374

Meyer, A., Das Rätsel des Jacobusbriefes (BZNW 10), Giessen 1930

Meyer, E., Ursprung und Anfänge des Christentums II, Stuttgart/Berlin ³1921

Meyer, R., Levitische Emanzipationsbestrebungen in nachexilischer Zeit, OLZ 41 (1938) 721–728

Milik, J.T., Besprechung von M. de Jonge, Testaments, RB 62 (1955) 97f

–, Le Testament de Lévi en araméen. Fragment de la grotte 4 de Qumrân (Pl. IV), RB 62 (1955) 398–406

–, Fragments d'une source du Psautier (4Q Ps 89) et fragments des Jubilés, du document de Damas, d'un phylactère dans la grotte 4 de Qumran, RB 73 (1966) 94–106

–, 4Q Visions de 'Amram et une citation d'Origène, RB 79 (1972) 77–97

–, The Books of Enoch. Aramaic Fragments of Qumran Cave 4, Oxford 1976

–, Écrits préesséniens de Qumrân: d'Hénoch à 'Amram. In: M. Delcor (ed.), Qumrân. Sa Piéte ..., 91–106

Molin, G., Die Söhne des Lichtes. Zeit und Stellung der Handschriften vom Toten Meer, Wien/München 1954

–, Qumran–Apokalyptik–Essenismus. Eine Unterströmung im sogenannten Spätjudentum, Saeculum 6 (1955) 244–281

Moore, G.F., Judaism in the First Centuries of the Christian Era, the Age of the Tannaim, I–III, Cambridge 1927

Munch, P.A., The Spirits in the Testaments of the Twelve Patriarchs, ActOr 13 (1935) 257–263

Munck, J., Discours d'adieu dans le Nouveau Testament et dans la littérature biblique. In: Aux sources de la tradition chrétienne. FS M. Maurice Goguel (Bibliothèque théologique), Neuchâtel 1950, 155–170

Murmelstein, B., Das Lamm in Test. Jos. 19,8, ZNW 58 (1967) 273–279

Nickelsburg, G.W.E. jr, Resurrection, Immortality, and Eternal Life in intertestamental Judaism (HThS 26), Cambridge–Harvard 1972

– (ed.), Studies on the Testament of Joseph, (SBL, SCS 5), Missoula, Montana 1975

–, Enoch, Levi, and Peter: Recipients of Revelation in Upper Galilee, JBL 100 (1981) 575–600

–, Jewish Literature Between the Bible and the Mishnah: A Historical and Literary Introduction, Philadelphia 1981

Noack, B., Satanás und Soteria. Untersuchungen zur neutestamentlichen Dämonologie, København 1948

Nordheim, E. von, Die Lehre der Alten. Das Testament als Literaturgattung in Israel und im Alten Vorderen Orient (masch. schr. Diss.), München 1973. Zitiert wird aus dem nachfolgenden zweibändigen Werk:

–, Die Lehre der Alten. I. Das Testament als Literaturgattung im Judentum der hellenistisch-römischen Zeit (ALGHJ 13), Leiden 1980

–, II. Das Testament als Literaturgattung im Alten Testament und im Alten Vorderen Orient (ALGHJ 18), Leiden 1985

O'Neill, J.C., The Lamb of God in the Testaments of the Twelve Patriarchs, JSNT 2 (1979) 2–30

Osten-Sacken, P. von der, Gott und Belial. Traditionsgeschichtliche Untersuchungen zum Dualismus in den Texten aus Qumran, Göttingen 1969

Otzen, B., Die neugefundenen hebräischen Sektenschriften und die Testamente der zwölf Patriarchen, StTh 7 (1953) 125–157

–, De 12 Patriarkers Testamenter (GamPseud 7, 677–789), København 1974

–, »Belial« i Det Gamle Testamente og i Senjødedommen, DTT 3 (1973) 1–24

–, Gammeltestamentlig visdomslitteratur og dualistisk tænkning i Senjødedommen. In: FS B. Noack, eds. N. Hyldahl und E. Nielsen, København 1975, 194–209

Pass, H.L. – Arendzen, J., Fragment of an Aramaic Text of the Testament of Levi, JQR 12 (1900) 651–661

Perles, F., Zur Erklärung der Testamente der zwölf Patriarchen, BOLZ 2 (1908) 10–18

–, Zur Erklärung von Testament Naphtali 2,8ff, OLZ 30 (1927) 833f

Pervo, R.I., The Testament of Joseph and Greek Romance. In: SCS 5, 15–28

Peterson, E., Das Schiff als Symbol der Kirche. Die Tat des Messias im eschatologischen Meeressturm in der jüdischen und altchristlichen Überlieferung, ThZ 6 (1950) 77–79

Philonenko, M., Les interpolations chrétiennes des Testaments des Douze Patriarches et les manuscrits de Qoumrân, RHPhR 38 (1958) 310–343 und 39 (1959) 14–38 = Cahier de la RHPhR Nº 35, Paris 1960. Zitiert wird aus dem Separatdruck.

–, Joseph et Aséneth. Introduction, texte critique, traduction et notes (SPB 13), Leiden 1968

–, Juda et Héraklès, RHPhR 50 (1970) 61f

–, Testaments des Douze Patriarches. In: BEI 811–944

–, Paradoxes stoïciens dans le Testament de Lévi. In: Sagesse et Religion, ed. E. Jacob (Bibliothèque des centres d'études supérieures spécialisés), Paris 1979, 99–104

Plummer, A., The Relation of the Testaments of the Twelve Patriarchs to the Books of the New Testament, Exp 6 (1908) 481–491

Porter, J., The Messiah in the Testament of Levi XVIII, ExT 61 (1949/50) 90f

Preuschen, E., Die armenische Übersetzung der Testamente der zwölf Patriarchen, ZNW 1 (1900) 106–140

Prigent, P., Quelques testimonia messianiques. Leur histoire littéraire de Qoumrân aux Pères de l'église, ThZ 15 (1959) 419–430

Purvis, J.D., Joseph in the Samaritan Traditions. In: SCS 5, 147–153

Rabin, C., The »Teacher of Righteousness« in the »Testaments of the Twelve Patriarchs«?, JJS 3 (1952) 127f

Rad, G. von, Die Vorgeschichte der Gattung von 1. Kor 13,4–7, Geschichte und AT, BzhTh 16 (1953) 153–168 = Gesammelte Studien zum AT, (Theologische Bücherei 8), München 1958, 281–296

–, Weisheit in Israel, Neukirchen 1970

Ralphs, A., Septuaginta I–II, Stuttgart 1962

Reicke, B., Official and Pietistic Elements of Jewish Apocalyptism, JBL 79 (1960) 137–150

–, Neutestamentliche Zeitgeschichte. Die biblische Welt 500 v.–100 n. Chr., Berlin 1964

Rengstorf, K.H., Herkunft und Sinn der Patriarchen-Reden in den Testamenten der zwölf Patriarchen. In: La littérature juive entre Tenach et Mischna, ed. W.C. van Unnik, Leiden 1974, 29–47

Resch, G., Das hebräische Testamentum Naphtali, ThStKr 72 (1899) 206–236

Rese, M., Überprüfung einiger Thesen von Joachim Jeremias zum Thema des Gottesknechtes im Judentum, ZThK 60 (1963) 21–41

Rießler, P., Altjüdisches Schrifttum außerhalb der Bibel, Heidelberg 1928

Robinson, P.A., To Stretch out the Feet: A Formula for Death in the Testaments of the Twelve Patriarchs, JBL 97 (1978) 369–374

Rönsch, H., Das Buch der Jubiläen oder die kleine Genesis, Leipzig 1874

Rost, L., Einleitung in die alttestamentlichen Apokryphen und Pseudepigraphen einschließlich der großen Qumranhandschriften, Heidelberg 1971

Schaller, B., Das Testament Hiobs (JSHRZ III 3, 301–387), Gütersloh 1979

Schmitt, G., Ein indirektes Zeugnis der Makkabäerkämpfe. Testament Juda 3–7 und Parallelen (Beiheifte zum Tübinger Atlas des Vorderen Orients. Reihe B. Nr. 49), Wiesbaden 1983

Schnapp, F., Die Testamente der zwölf Patriarchen untersucht, Halle 1884

–, Die Testamente der 12 Patriarchen, der Söhne Jakobs. In: APAT II, 458–506

Schoeps, H.J., Die Opposition gegen die Hasmonäer, ThLZ 81 (1956) 663–670

Schreiner, J., Alttestamentlich-jüdische Apokalyptik. Eine Einführung, München 1969

Schubert, K., Testamentum Juda 24 im Lichte der Texte von Chirbet Qumran, WZKM 53 (1957) 227–236

–, Das Problem der Auferstehungshoffnung in den Qumrantexten und in der frührabbinischen Literatur, WZKM 56 (1960) 154–167

Schürer, E., Besprechung von *F. Schnapp*, Testamente, ThLZ 10 (1885) 203–207

–, Geschichte des jüdischen Volkes im Zeitalter Jesu Christi III, Leipzig ³1898

–, Besprechung von *R.H. Charles*, Text und Comm, ThLZ 33 (1908) 505–509 und 509–511

Schunk, K.-D., 1. Makkabäerbuch (JSHRZ I, 4, 287–373), Gütersloh 1980

Schweizer, E., Art.: Πνεῦμα, πνευματικός. D. Die Entwicklung zum pneumatischen Selbst der Gnosis, ThWNT VI,387—394

–, Gegenwart des Geistes und eschatologische Hoffnung bei Zarathustra, spätjüdischen Gruppen, Gnostikern und den Zeugen des Neuen Testaments. In: FS C.H. Dodd: The Background of the New Testament and its Eschatology, eds. W.D. Davies and D. Daube, Cambridge ²1964

Segal, M.A., mwṣ'w šl hmlk hmšyḥ lpy spr ṣww'wt bny y'qb (The descent of the Messianic King in the Testaments of the Twelve Patriarchs), Tarbiz 21 (1949/50) 129—136

Segal, M.H., A Grammar of Mishnaic Hebrew, Oxford 1958

Seitz, O.J.F., Two Spirits in Man: An Essay in Biblical Exegesis, NTS 6 (1959/60) 82—95

Sinker, R., Testamenta XII Patriarcharum ad fidem codicis cantabrigiensis edita: accedunt lectiones cod. oxoniensis. The Testaments of the XII Patriarchs: An Attempt to Estimate Their Historic and Dogmatic Worth, Cambridge/London 1869

Slingerland, H.D., The Testaments of the Twelve Patriarchs: A Critical History of Research (SBL, MS 21), Missoula, Montana 1977

–, The Testament of Joseph: A Redaction-Critical Study, JBL 96 (1977) 507—516

–, The Levitical Hallmark Within the Testaments of the Twelve Patriarchs, JBL 103 (1984) 531—537

–, The Nature of Nomos (Law) Within the Testaments of the Twelve Patriarchs, JBL 105 (1986) 39—48

Smith, E.W. jr, Joseph Material in Joseph and Asenath and Josephus Relating to the Testament of Joseph. In: SCS 5, 133—137

Soisalon-Soininen, I., Die Infinitive in der Septuaginta (Annales Academiae Scientiarum Fennicae, Ser. B. Tom. 132,1.), Helsinki 1965

Sparks, H.F.D., Besprechung von M. de Jonge, Testaments, JThS 6 (1955) 287—290

–, Besprechung von M. de Jonge (ed.), Studies, JThS 29 (1978) 208—212

– (ed.), The Apocryphal Old Testament, Oxford 1984 = AOT

Speyer, W., Die literarische Fälschung im heidnischen und christlichen Altertum (Handbuch der Altertumswissenschaft I, 2), München 1971

Starcky, J., Les quatre étapes du messianisme à Qumran, RB 70 (1963) 481—505

Stauffer, E., Art.: Abschiedsreden. In: Reallexikon für Antike und Christentum 1, Stuttgart 1950, 29—35

–, Probleme der Priestertradition, ThLZ 81 (1956) 135—150

Steck, O.H., Israel und das gewaltsame Geschick der Propheten. Untersuchungen zur Überlieferung des deuteronomistischen Geschichtsbildes im Alten Testament, Spätjudentum und Urchristentum (WMANT 23), Neukirchen 1967

Stegemann, H., Die Entstehung der Qumrangemeinde (masch. schr. Diss.), Bonn 1965

Stemberger, G., Der Leib der Auferstehung. Studien zur Anthropologie und Eschatologie des palästinischen Judentums im neutestamentlichen Zeitalter (ca. 170 v. Chr. – 100 n. Chr.) (AnBibl 56), Roma 1972

Stone, M.E., The Testament of Levi. A First Study of the Armenian MSS of the Testaments of the XII Patriarchs in the Convent of St. James, Jerusalem. With Text, Critical Apparatus, Notes and Translation, Jerusalem 1969

–, The Testament of Abraham. The Greek Recensions, (SBL, TT 2, PS 2), Missoula, Montana 1972

–, The Armenian Version of the Testament of Joseph. Introduction, Critical Edition, and Translation (SBL, TT 6, PS 5), Missoula, Montana 1975

–, New Evidence for the Armenian Version of the Testaments of the Twelve Patriarchs, RB 84 (1977) 94–107

– (ed.), Jewish Writings of the Second Temple Period. Apocrypha, Pseudepigrapha, Qumran Sectarian Writings, Philo, Josephus (Compendia Rerum Iudaicarum ad Novum Testamentum II, 2), Assen/Philadelphia 1984

–, Enoch, Aramaic Levi and Sectarian Origins, JSJ 19 (1988) 159–170

Strack, H.L. – Billerbeck, P., Kommentar zum Neuen Testament aus Talmud und Midrasch, München ³1961

Thomas, J., Aktuelles im Zeugnis der zwölf Väter. In: BZNW 36 (1969) 62–150

–, Besprechung von J. Becker, Untersuchungen, ThZ 28 (1972) 443–446

Thyen, H., Der Stil der jüdisch-hellenistischen Homilie (FRLANT, NF 47 = 65 d.g. Reihe), Göttingen 1955

Torrey, C.C., The Apocryphal Literature. A Brief Introduction, New Haven ²1946

Treves, M., The Two Spirits of the Rule of the Community, RQ 3 (1961) 449–452

Turdeanu, E., Les Testaments des Douze Patriarches en slave, JSJ 1 (1970) 148–184

–, Apocryphes slaves et roumaines de l'Ancien Testament (SVTP 5), Leiden 1981

Uhlig, S., Das äthiopische Henochbuch (JSHRZ V, 6, 461–780), Gütersloh 1984

Unnik, W.C. van, Is 1 Clement 20 purely stoic?, VigChr 4 (1950) 181–189

Urrichio, N., De Lege et Messia in ordine ad iustificationem in »Testamentis XII Patriarcharum«, VD 26 (1948) 98–103; 152–162; 304–309

Vaillant, A., Le Livre des Secrets d'Hénoch. Texte slave et traduction française (Textes publiés par l'Institut d'Études Slaves IV), Paris 1952

Vaux, R. de, Ancient Israel. Its Life and Institutions, London 1978

Volz, P., Jüdische Eschatologie von Daniel bis Akiba, Tübingen 1903

Wernberg-Møller, P., The Manual of Discipline (Studies on the Texts of the Desert of Judah I), Leiden 1957

–, A Reconsideration of the Two Spirits in the Rule of the Community, RQ 3 (1961) 413–441

Wibbing, S., Die Tugend- und Lasterkataloge im Neuen Testament und ihre Traditionsgeschichte unter besonderer Berücksichtigung der Qumran-Texte (BZNW 25), Berlin 1959

Woude, A.S. van der, Die messianischen Vorstellungen der Gemeinde von Qumran, Assen 1957